PIERRE JOURDE

LA MARCHANDE D'OUBLIES

roman

nrf

GALLIMARD

Pour Hélène Védrine

Leur pantomime si vraie dans sa froide folie, si férocement comique dans son outrance, n'est qu'une incarnation nouvelle et charmante de la farce lugubre, de la bouffonnerie sinistre, spéciales au pays du spleen.

HUYSMANS,
« Les Folies-Bergère en 1879 »

Cet art exotique bousculait toutes nos idées de logique [...]. Il provoquait le seul rire dont peut-être nous fussions capables à ce moment-là, un rire sans gaieté, convulsif, plein d'épouvante.

Hugues LE ROUX,
Les Jeux du cirque et la vie foraine, 1889

« Nous voulons seulement donner au spectateur l'impression de la terreur violente et de la folie. »

Les clowns anglais Pinaud,
propos recueillis par Hugues LE ROUX, *ibid.*

THALIA 1

« Oublies ! Oublies ! Demandez l'oublie ! »

Charles était rentré tard de son voyage de quatre jours à Paris. Il paraissait exténué. Il devait être au moins vingt et une heures, si je me souviens bien, disait Thalia. Il a pris un peu de viande froide et un verre de vin, tout en me racontant ce qui s'était dit chez son notaire. On ne pourrait revendre la maison qu'à perte. Sur place, personne n'en voudrait. Les Parisiens, qui ignoraient son histoire, pourraient se laisser tenter, malheureusement la région n'attirait guère.

Mais ce soir-là, dans l'obscurité de la chambre, tandis que nous reposions côte à côte sur le vaste lit comme des gisants, et que je ne percevais de lui que son souffle et sa voix, Charles m'a confié autre chose, qui sans doute ne pouvait se dire que dans le noir.

Durant le voyage aller, dans le train, il avait fait une rencontre, une de ces rencontres qu'on préférerait éviter. Celle, en fait, que nous redoutions depuis longtemps, sans savoir quelle forme elle prendrait. Une sorte d'ombre géante, couverte d'oripeaux, lui avait parlé, interminablement, et il fallait qu'il me rapporte ces mots, qui s'étaient, m'a-t-il dit, gravés en lui avec une précision étrange, en dépit de la longueur de cette espèce de confession, celle, à peu près, d'un roman.

La phrase rituelle des marchandes d'oublies, « Oublies ! Oublies ! Demandez l'oublie ! », revenait à intervalles réguliers dans l'interminable discours de l'ombre, et la voix de celle-ci, qui tentait maladroitement d'en imiter les accents enfantins, n'en produisait qu'une parodie grinçante.

Dans l'obscurité, où je pouvais m'imaginer, disait Thalia, être dans le compartiment du train, en compagnie de Charles et de son compagnon, la voix de Charles, imitant celle de l'ombre, articulait une parodie de parodie : « Oublies ! Oublies ! Demandez l'oublie ! »

Pour prendre le train, il fallait se rendre à la gare de Neuvéglise, qui n'était qu'une bourgade, quasiment un faubourg de Saint-Genest, mais la ligne évitait le site encaissé de Saint-Genest, où nous habitions, de sorte que la gare était distante d'un tiers de lieue. En prenant l'omnibus de 16 h 25, il fallait compter deux heures de train avant la correspondance avec la ligne principale, qui arrivait à la capitale à 21 h 30. Pas moyen de faire appel à la voiture du père Legrand, mobilisé toute la journée, mais gagner la gare de Neuvéglise était l'affaire de vingt minutes de marche.

Dès la fin de la matinée, le ciel s'était couvert. Au fil des heures, il avait tourné à une obscurité telle que la nuit paraissait être tombée. C'était le début du printemps, et les orages se succédaient. Charles avait décidé de partir avec un peu d'avance, pour tenter d'éviter la pluie, et il était à peine trois heures et demie qu'il refermait la grille du jardin et traversait la petite place déserte. Tout Saint-Genest s'était barricadé chez soi.

Sur la route de la gare, il n'avait croisé personne, pas un attelage, pas un piéton, pas même un bouvier avec ses bêtes. Des masses de nuages violacés s'accumulaient en paquets bourgeonnants, en nodosités palpitantes, comme si le ciel crevé allait déverser ses entrailles. Et la campagne puait le gibier qu'on vient d'éviscérer : les tas de fumier monumentaux puaient, qui faisaient penser à des constructions d'une civilisation disparue, des temples de matière vivante, des Babel de merde. Les moutons qui se serraient craintivement sous les hêtres en paquets de suint et de laine puaient. Les bouses de vache qui se bousculaient au long de la route comme des méduses noirâtres, éveillées de leur sommeil stercoraire par les déflagrations des éclairs, puaient passionnément, puaient de toutes leurs forces comme pour prendre leur revanche de pauvres choses assignées à la honte et au dégoût. Ah, murmurait Charles, on comprend, devant ces petites tranches d'apocalypse rurale, que les anciens aient cherché à lire des signes dans les météores, à interpréter l'avenir dans les entrailles, à déchiffrer l'état du ciel et ses incompréhensibles manifestations comme un langage. Mais la réponse peut être toute simple : les dieux se soulagent sur nous, ils jouissent de nous couvrir de leurs excréments, ils éclatent de rire, des rires forcément homériques, à chaque coup réussi.

Charles avait pu atteindre la gare de Neuvéglise juste au moment où l'orage crevait, avec une telle violence qu'il avait effacé les bâtiments de la gare, les platanes de la route, les quais, comme s'il avait tout emporté dans sa furie. Le déluge était si dense, disait-il, qu'on n'y voyait plus à deux mètres. La lumière blanche de l'unique bec de gaz et les feux de signalisation rouges émergeaient confusément comme s'ils avaient éclairé une cité engloutie. La gare était déserte. Aucun employé ne se montrait. Derrière la vitre, le quai inondé, ou du moins le peu qu'on en voyait, restait tout aussi désert.

À 16 h 25 précises, la lumière jaune de la lanterne à pétrole, brouillée dans le nuage d'humidité, et le souffle profond de la vapeur ont annoncé le convoi avant même qu'on le distingue. Puis l'avant a émergé, un cercle noir d'acier boulonné d'énormes rivets, et la grande cheminée toute droite. Le train s'est rangé, lentement, le long du quai, dans le cliquetis des machines et le criaillement des freins. L'orage a commencé à se calmer, faisant place à une averse disséminée. Le quai luisait d'eau, la locomotive ruisselante fumait de vapeur et de pluie évaporée. Les machines, comme les éléments, semblaient fonctionner d'elles-mêmes, après la disparition de l'avant-dernier homme.

J'avais l'impression, m'a dit Charles, que tout cela était organisé pour moi, moi seul. Je me suis installé dans le compartiment de première classe. Les deux banquettes de velours rouge à galon doré étaient vides. Peut-être le mauvais temps avait-il découragé certains voyageurs. Le compartiment occupait le milieu d'un de ces wagons mixtes, qui ménagent deux espaces de seconde à chaque extrémité. Tu le sais, après Neuvéglise, la ligne s'écarte de la vallée de Saint-Genest et parcourt la plaine. Il ne pleuvait presque plus, mais le ciel était toujours aussi noir, on se serait cru au crépuscule. Le train traverse la Gâtine. Nous n'y mettons jamais les pieds, c'est monotone, des landes à moutons, des étangs, presque pas d'arbres. Si on y pense, Saint-Genest s'encastre entre deux espaces opposés : à l'ouest les forêts, à l'est la Gâtine.

Parfois, une ferme minuscule, au bord de la ligne d'horizon, apparaissait dans la fenêtre du compartiment, puis s'en allait, tirée en arrière, comme un élément de décor qu'on se hâte de retirer en coulisses. L'eau avait monté à une telle vitesse que de vastes étendues de la plaine étaient noyées. Par moments, on eût dit que le convoi glissait à la surface, tout droit, sans la moindre courbe. Cela aurait pu continuer à l'infini, sans que le paysage change, sans qu'aucun être vivant apparaisse.

Tu sais, Thalia, je ne me sentais pas rassuré, je ne comprenais pas pourquoi, et je me disais, en affectant de faire de l'humour, que j'étais, insensiblement, passé de l'autre côté du monde. Des épaves flottaient, morceaux de bois, bouchons de paille, livres, et même une poule morte, aux plumes blanches chiffonnées. Dépourvues d'usage et de buts, elles avaient l'air de questions absurdes, de formules incongrues. La lumière étrange qui tombait du ciel, par intermittence, se glissant entre des reliquats d'averse, éveillait sur les eaux planes des formes mouvantes, des embryons d'images aussitôt évanouies. Les rares arbustes y projetaient des reflets déformés, qui semblaient émaner d'objets invisibles. Dans cette flottaison de déchets aux configurations instables, il ne m'aurait pas étonné de voir affleurer à la surface de l'eau l'inextricable chevelure cuivrée d'une sirène, autour d'un front plus blanc que la blancheur même, ou bien l'écho fixé dans un miroir d'un angle de ma chambre d'enfant, qui m'avait toujours inquiété, d'un vieux coucher de soleil insituable dans le temps mais qui avait choisi de s'imprimer dans la réserve des souvenirs que je ne consultais que rarement, ou encore des visages oubliés de mon enfance, cherchant maladroitement à exister encore un peu, luttant contre l'engloutissement, et tant d'ombres en voie de dissolution, mêlées aux épaves, aux choses décomposées pour lesquelles il n'y a pas de nom.

Le train a ralenti, et s'est rangé le long d'un quai interminable. Aucune lumière, pas même dans la guérite qui abrite les employés de la ligne. Je me suis penché par la portière. Je ne voyais aucun panneau indiquant la station. Il me semble que le premier arrêt après Neuvéglise est Erebourg, mais je n'en suis pas certain, je n'ai guère pratiqué cette ligne. Pas un voyageur sur le quai. On n'entendait que les grondements assourdis de l'orage qui s'éloignait et le halètement de la locomotive. Je jouais, avec un peu de complaisance, peut-être pour me rassurer en exagérant mes chimères, avec l'idée du passage dans un autre monde. Le train se substituait à la barque de Charon. Et une simple traversée ne suffisait pas. L'autre monde était très loin, peut-être fallait-il des jours pour l'atteindre. Désormais, il n'y aurait plus que des gares fantômes, à moins que, passé un certain point, les quais ne commencent à se peupler d'ombres immobiles, tête basse, le capuchon rabattu sur le visage, prises dans un temps figé qui n'était plus le temps humain.

Au moment précis où je me suis rassis sur la banquette, la porte du compartiment s'est ouverte. J'ai sursauté. Qui pouvait entrer, puisque je n'avais pas vu âme qui vive sur le quai ? Quel fantôme avait décidé de me tenir compagnie ? Et, disant cela,

Charles s'est tu un moment, comme pour reprendre son souffle, ou se préparer à ce qu'il avait à me dire.

Nous nous étions résolus à fuir Saint-Genest, disait Thalia, il n'était que temps, et il fallait vendre la maison. Nous voulions le faire discrètement. Charles s'était décidé à partir quatre jours à la capitale pour voir son notaire, mettre en vente la maison, libérer les liquidités nécessaires pour nous installer à Paris. Cela signifiait, bien sûr, que je devrais rester seule quatre jours dans la maison. Pas question, en effet, de la laisser, étant donné les circonstances. Cette perspective m'angoissait. Il me semblait voir déjà un visage redouté s'encadrer dans le miroir pendant que je serais à ma toilette, ou entendre les pas pesants d'un colosse faire résonner le parquet du couloir, derrière la porte de ma chambre. Mais j'avais obtenu sans trop de difficulté que Désirée passe trois nuits avec moi, dans une des chambres de bonne.

Pour me rassurer, avant de partir, Charles avait prétendu que, même à supposer qu'Alastair parvienne à nous trouver, il serait le dernier à chercher à me faire du mal. Il serait trop heureux de retrouver sa sœur chérie. J'aurais dû penser comme lui, mais je ne tenais pas à me retrouver face à mon frère. J'ignorais ce qu'il était devenu, qui il était à présent, plus de dix ans après sa disparition. Après son accident, m'avait expliqué Charles, il avait perdu la mémoire, et la raison. Mais dans quelle mesure ? De quoi se souvenait-il au juste ? Que s'était-il passé dans son esprit pendant toutes ces années ?

« Charles, tu sais bien qu'il te tuerait. Il te hait, il ne peut pas en être autrement. Tu as profané ce qu'il y avait de plus sacré à ses yeux. »

Charles ne pouvait pas l'ignorer. Le souvenir d'Alastair étendait encore son ombre sur moi, et j'avais tant bien que mal tenté de débrouiller pour Charles la nature de mes relations avec mon frère.

Alastair m'adorait. J'étais la seule qui parvenait à le calmer un peu. Et moi, sa sœur, je me sentais redevable de cette adoration, qui cependant me pesait aussi terriblement. Je me considérais comme responsable de lui, je souffrais pour lui, je le voyais se débattre avec ses serpents, comme Laocoon. Quand je suis née, il approchait de l'adolescence. Et j'ai tout de suite pris le pouvoir sur cette masse que tous craignaient. Je voyais en lui ce qui restait de cet enfant rêveur, fermé au monde, entièrement absorbé par ses chimères, qu'il me disait avoir été. Notre mère l'a sorti de ses songeries, de force, il fallait qu'il s'entraîne, qu'il se joigne à la troupe et fasse comme nos frères. Elle l'a jeté dans le monde. Il ne s'en est jamais remis. Son génie de clown, parce qu'il avait une sorte de génie, vient de là, je crois. Il se vengeait du monde en provoquant le public, en lui exhibant la violence ou la bizarrerie de ses rêves, sur la piste c'était lui qui s'imposait au monde, et le monde l'accueillait avec effarement et admiration. Il triomphait, et en même temps il avait honte de lui-même, il haïssait le clown en lui et ce qu'il appelait ses simagrées. C'est peut-être pour cela qu'il était un si grand clown.

Mais on n'imagine pas de quoi il pouvait être capable. Le ricanement le rendait comme fou. L'ironie qui voulait humilier la candeur, détruire l'innocence. La raillerie qui cherchait à réduire celui qui ne se soumettait pas aux lois communes, et à le forcer à les reconnaître. Je l'ai vu parfois confronté à des gamins moqueurs, comme tous les gamins. Il changeait de visage. Je ne le reconnaissais plus. Cela tournait immanquablement au pugilat. Mais il ne se contentait pas de les faire taire d'un coup de poing, il ne pouvait plus s'arrêter, même ceux qui étaient à terre, qui demandaient grâce, il continuait à les frapper, à leur asséner dans le ventre, dans le dos, des coups de pied qui rendaient un son mat, écœurant, comme s'il voulait les transformer en choses, en tas de chair où le seul reliquat de conscience soit une conscience de la souffrance.

C'est pourquoi je ne pouvais pas partager l'optimisme de Charles en ce qui me concernait.

— En réalité, Charles, s'il nous retrouvait, je ne crois pas qu'il m'épargnerait non plus. Je suis profanée, je l'ai trahi. Alastair était un obsédé de la pureté.

— En fait, Thalia, même si rien n'est garanti, il m'a dit certaines choses qui ne vont peut-être pas dans ce sens.

— Quoi ?

— Attends… après que la porte du compartiment s'est ouverte, j'ai vu une masse noire et brune se hisser lourdement sur le marchepied. Bien entendu, à force de me raconter des histoires de fantômes, j'avais fini par en admettre la possibilité. En réalité, le voyageur n'était sans doute pas monté à la gare, mais devait venir d'un des deux compartiments de deuxième classe ménagés à chaque extrémité de la voiture. Pourquoi avait-il éprouvé le besoin de changer ? Il devait avoir envie de s'offrir un peu de confort, et espérer qu'aucun contrôleur ne se montrerait.

L'ombre enveloppée de lourds vêtements a mis du temps à se hisser, puis à se déployer. Je n'avais pas pris la mesure de sa stature physique, le personnage était courbé, comme replié sur lui-même, et là, devant moi, l'ombre s'ouvrait, comme un insecte extrayant de sa pupe tous ses segments, pattes et antennes. C'était un colosse que j'avais devant moi, plus encore dans la largeur et l'épaisseur que dans la hauteur. Le compartiment semblait s'être étréci d'un coup, et le peu de lumière qui parvenait à franchir les nuages couleur quetsche était arrêté par cette masse ténébreuse, d'où semblait émaner du froid.

Charles m'a dit qu'il avait senti le froid gagner son corps, et ses os dessinaient en lui une architecture de glace.

Le voyageur portait une pelisse comme on n'en voit nulle part, une espèce de rapiéçage de peaux brunes, noirâtres, fauves qui lui arrivait jusqu'aux chevilles et lui donnait l'air d'un animal composite, une espèce d'ours mêlé de loup et de sanglier. Celui qui avait fabriqué cette chimère vestimentaire avait dû apparier le lapin et le renard, le chat et le blaireau. La chose était mitée, raccommodée, râpée par places, noircie, tachée, on se demandait si elle n'abritait pas des colonies d'insectes, des lichens, des parasites, c'était une sorte de créature dont celui qu'elle enveloppait n'était peut-être que le servant. Bizarrement, certaines pièces, au découpage bizarre, en lanière, en étoile, en demi-lune, étaient dépourvues de poil, c'était de la peau nue, devenue grisâtre, et on se demandait sur quel animal elle avait pu être prélevée. Le col anthracite montait jusqu'aux oreilles, et un chapeau de maquignon à larges bords enveloppait d'ombre le visage. Le tout suintant, dégouttant, comme si la chose venait d'émerger des profondeurs d'un lac, et en se déplaçant elle avait laissé derrière elle une traînée liquide.

Je pensais qu'il s'installerait sur la banquette d'en face, mais il est venu s'asseoir sur celle que j'occupais, à l'autre bout, avec un chuintement spongieux. La banquette a gémi sous le poids. Une petite rigole d'eau s'est formée à ses pieds et a commencé à serpenter à travers le compartiment. Il a penché la tête et n'a plus bougé. Le train a redémarré, et continué à traverser les plaines noyées, comme s'il roulait sur l'eau. Mon compagnon silencieux paraissait pris dans une sorte de léthargie.

Un fumet révoltant émanait de ce tas de chair et d'ombre, qui s'emparait de tout l'espace du compartiment, le bondait d'ordure, annexait l'esprit stupéfié, s'installait au cœur de l'intimité, vous remplissait, on ne pensait plus qu'à ça, ce corps exorbitant vous pénétrait par l'odeur, vous soumettait, on devenait pourriture soi-même. Et lui, la tête courbée comme un ange en deuil, déplorant les péchés et la perdition des hommes, se décomposait sans doute, se trouvait depuis l'origine en décomposition, accompagnant, prenant sur lui toute la putréfaction du monde. Il était l'ange pourrissant qui attendait depuis la Création l'ultime puanteur, l'apocalypse des charognes, la résurrection des corps brandissant leurs lambeaux avariés, le surgissement de la Bête du sein des eaux, les gueules déversant leurs blasphèmes comme de noires flatulences, le trou du cul articulant un langage de vents térébrants, foirant des discours emphatiques qui dissolvaient toute croyance et toute valeur.

Charles a de nouveau interrompu un instant son récit. Jamais il n'avait parlé de cette façon. J'attendais dans le noir, suspendue à son souffle. Les menus craquements, les grincements des vieux bois paraissaient manifester l'attention de toute la maison. La nuit devait être avancée, et presque toutes nos nuits à Saint-Genest s'étaient passées de la même façon, à déployer nos chimères dans l'obscurité, perdant conscience du temps et du lieu, jusqu'au petit matin où nous nous endormions.

Mais le lendemain de la nuit où Charles m'a fait son récit, je me suis endormie lourdement, vers minuit. Quelque chose m'a réveillée, un bruit, je ne sais pas, sans me sortir complètement de la torpeur. Une sueur m'inondait, collait autour de moi les plis des draps. J'ai cherché de la main le corps de Charles, à ma droite, mais il n'y était pas. La veilleuse, que nous laissions allumée, ne suffisait pas à dissiper l'épaisseur des ombres, qui se composaient en architectures fantastiques, toujours changeantes. Je n'étais pas certaine d'être éveillée. Est-ce que je rêvais que je m'éveillais ? Dans un coin, tout au fond à gauche de la chambre, le peu de lumière semblait composer de noir, comme dans une gravure, les méplats d'un visage. Et ce visage, je le connaissais, il ne ressemblait à nul autre, c'était celui de mon frère Alastair, les yeux rivés sur moi, comme il l'avait fait tant d'années quand j'étais petite et qu'il me regardait dormir. Et puis la vision s'est dissipée, j'ai replongé dans le sommeil. J'ai attribué ce rêve à l'impression que m'avait faite le récit de Charles.

Je sais, a-t-il repris, que cela a l'air d'un roman-feuilleton, avec des créatures maléfiques et des méchants terrifiants. Tu pourrais supposer que j'invente, comme nous nous sommes inventé des vies. Et moi-même j'ai du mal à croire que cela s'est réellement passé. J'étais dans un état bizarre, j'avais un peu perdu le sens de la réalité, mais c'est le résultat aussi des mois que nous avons passés ici.

J'observais discrètement mon compagnon de voyage. La pénombre du compartiment, le chapeau vissé sur son crâne et le col de la pelisse masquaient en grande partie son visage, mais ce qui en était visible, le nez osseux et cabossé, les arcades sourcilières en promontoire au-dessus des orbites, les pommettes rocheuses, la mâchoire prognathe, le menton démesuré ne pouvaient pas me laisser de doute sur son identité, après les descriptions que tu m'as faites de lui. Il m'avait suivi jusqu'à la gare, j'ignore par quel moyen il avait réussi à se rendre invisible, et il était là pour solder ses comptes.

J'avais dans ma poche droite un pistolet à broche, que je serrais dans la main, mais qui ne suffisait pas à me rassurer. Pourquoi restait-il inerte ? Qu'attendait-il ? Je me disais qu'il devait balancer entre me faire dire ce qui s'était passé depuis qu'il t'avait perdue de vue, ou me tuer tout de suite.

Et puis il a tiré de sa poche un petit objet que je n'ai pas eu le temps de voir, il l'a fourré dans sa bouche, et j'ai entendu une voix nasillarde, couinante, bramer :

« Oublies ! Oublies ! Qui désire l'oublie ? ça fait plaisir, ça fait mourir. »

Il a retiré l'engin de sa bouche, et, sans jamais se tourner vers moi, il a commencé à parler.

ALASTAIR 1

Je sais qui vous êtes, lui avait dit l'ombre de sa voix lasse, de sa voix que Charles décrivait comme caverneuse et lente et multiple.

Pendant que l'ombre parlait, on entendait de vieux engrenages se remettre en route en grinçant, des chaînes rouillées se tendre, puisant dans les profondeurs on ne sait quelles charges rétives, des souffleries se déclencher, et parfois comme un frôlement d'insectes ; ce n'était pas une voix, m'a dit Charles, mais des voix, une cacophonie, et son corps semblait la proie morte de ces voix âpres qui la déchiraient.

Je sais qui vous êtes, le docteur Charles Louvel, ancien médecin aliéniste, qui a cessé d'exercer, et je crois que vous savez qui je suis. Dans mon enfance, on m'appelait Alastair. Et parfois Polichinelle, c'était un mot de ma mère. Alastair Helquin, c'est mon état civil. Mais à l'adolescence, on m'a appelé Punch. Je vous expliquerai. Et j'ai repris ce nom à mon compte. Toute ma vie, j'ai été Punch. Je le suis encore, en grande partie, mais à présent j'ai encore un autre nom, un nom pour moi seul, mon nom véritable, qui s'est imposé à moi, celui qui contient mon âme, comme il paraît que dans certaines tribus de sauvages chacun porte un nom secret. Peut-être que je vous le révélerai.

Il parlait avec précaution, il cherchait ses mots, et laissait des silences entre ses phrases.

Le train, voyez-vous, c'est l'idéal pour converser tranquillement. On a du temps, on est bien installé. Et vous ne pouvez pas me fausser compagnie, cher docteur. C'est d'ailleurs la raison pour laquelle je ne suis pas monté tout de suite avec vous à Neuvéglise, vous auriez pu être tenté de descendre, je sais à quel point mon aspect est décourageant. Vous voyez quel luxe de précautions j'ai pris pour vous rencontrer tranquillement.

Son discours était ponctué d'espèces de toussotements qui devaient être des rires.

Je répugnais, ajouta-t-il, à vous forcer, à avoir avec vous un affrontement physique. Je l'aurais emporté, mais nous n'aurions pu échanger sereinement. À présent, vous êtes embarqué, et nous allons pouvoir causer. J'ai beaucoup de choses à vous dire.

Je suis ici pour plusieurs raisons, dit l'ombre massive, plusieurs raisons sur lesquelles vous-même avez construit quelques hypothèses, évidemment. Certaines ne sont pas rassurantes, forcément.

La voix grinçante et âpre paraissait provenir de différents points du compartiment, glisser le long des fenêtres, se réverbérer dans les angles. Lui conservait exactement la même position d'ange en deuil, sans que son visage bouge.

Je sens distinctement votre peur. La peur a une odeur très caractéristique, pour qui sait l'identifier. Si on pouvait se repaître d'odeurs, celle de la peur serait nourrissante. C'est un fumet appétissant, riche, la peur vous cuisine toute une personne et vous la sert. Mais c'est un sentiment que j'ai éprouvé aussi, dans ma jeunesse. La peur, je la connais bien. Quel vide en soi d'un seul coup, comme si on avait tout déménagé pour lui laisser la place. On avait des habitudes, on avait son confort, et voilà qu'on ne retrouve plus rien, on ne sait plus où se mettre.

Lorsqu'il s'interrompait, disait Charles, on entendait encore des gémissements, des couinements, comme si des réprouvés s'agitaient dans sa gorge. Ses bronches produisaient un bruit d'enfer, je songeais à de vieilles fresques, dans des églises, où la gueule en ignition du démon contient les damnés.

Parfois, sans cause apparente, il marmonnait pour lui-même des phrases inintelligibles, ou bien, par accès, il se mettait à parler selon une caricature d'accent d'anglais, comme le font certains clowns, et puis il passait à d'autres tons, à d'autres voix.

Vô ne vô y attendiez sans dioute pas, meï jé souis ici por vous démandeï quelque chiose... J'y viendrai. Auparavant, il faut que je vous raconte comment je suis arrivé dans ce compartiment, et les motifs de ma demande. Cela vient de très loin, et moi-même il n'y a que peu de temps que j'ai compris ce que j'allais faire, en définitive. Il faut que je vous raconte l'histoire de la marchande d'oublies. De l'oublieuse. Vous savez, la gamine qui crie, dans les rues : « Oublieuse ! Oublieuse ! Qui désire l'oublie ? »

Dans ma jeunesse, j'ai perdu la mémoire. C'était un accident.

Le jour où je l'ai retrouvée, bien longtemps après, c'était à la foire. Je suis allé voir les clowns.

Oui, j'avais perdu la mémoire, avaient dit les voix claquantes et vagissantes. Pas complètement. Parfois, il me semblait que mes reliquats de souvenirs venaient de très loin, d'un autre monde qui n'avait rien à voir avec celui-ci. J'avais même perdu la mémoire de ce qui me l'avait fait perdre. Il paraît que c'est courant, si j'en crois les médecins. Il m'arrivait de douter que ces souvenirs m'appartinssent. Peut-être étaient-ils ceux d'un autre, peut-être me les étais-je fabriqués. Je ne conservais que des fragments de passé, isolés sur un fond noir. Une chaise, un morceau de papier peint, quelques lattes de parquet, suspendus dans le vide, encore accrochés au mur d'un immeuble en démolition.

« Oublies, oublies ! V'là le plaisir mesdames, v'là le plaisir messieurs ! » C'est ce que braillait la petite marchande pendant que je traînais mes os dans cette foire, sans trop savoir pourquoi. J'avais l'impression de n'entendre qu'elle au milieu du tumulte.

Dans cette mémoire fragmentaire, maman était là. En vous parlant, je la revois, telle qu'elle figurait dans mes débris d'images, assise dans la pénombre, comme d'habitude, au fond du grand fauteuil usé qui l'engloutit et la dissimule presque toute. Il a l'air, ce fauteuil, de la digérer lentement, année après année, d'absorber dans ses fibres le peu qui reste de pulpe sur ses os. Dans mes rêves, il m'arrive encore d'entendre son rire grelottant, qui se déclenche tout seul, comme une mécanique aléatoire, et s'égrène dans le noir, sans raison. Elle rit à des choses qu'elle est seule à voir, et à l'entendre je me dis toujours que je n'accéderai jamais à son monde, que ses émotions et ses désirs me resteront aussi inimaginables que ceux d'une tarentule ou d'une murène.

Parfois, elle déplie hors du fauteuil sa longue ossature, ses joues sont creuses, ses bras décharnés, mais sa robe forme une petite bosse à l'endroit du ventre, sa maigreur a toujours épargné sa bedaine, qui paraissait plus proéminente à mesure que son corps devenait plus étique, et je craignais ce ventre, je me demandais, la nuit, ce qui devait un jour en sortir.

Dans cette mémoire en éclats, les clowns me dégoûtent.

Enfant, ils me terrorisaient bien plus que les ogres ou les sorcières. Je me souviens que la nuit, je les voyais sortir du placard de ma chambre, et je ne sais toujours pas aujourd'hui si j'ai rêvé cela ou si ma terreur a engendré des hallucinations.

Dans cette mémoire, j'appelais maman, pour qu'elle vienne faire fuir les clowns. Elle mettait trop longtemps à venir. Et son rire grelottant, dans le noir, se moquait de ma terreur. Dans cette mémoire, elle murmurait : « Mais nous aussi, nous sommes des clowns. Toi aussi tu es un petit clown. » Et elle disparaissait dans la pénombre. Elle ne m'avait pas caressé les cheveux, ne m'avait pas tenu la main, ne m'avait pas embrassé. Dans cette mémoire, je ne me souviens pas de ses baisers. C'est curieux : cette horreur des clowns, qui, bien sûr, a disparu par la suite, je sais à présent que je l'avais oubliée avant de perdre la mémoire, comme on oublie la plupart des souvenirs de la petite enfance. Et le souvenir m'en est revenu quand presque tous les autres souvenirs m'ont eu fui.

Dans mon amnésie, je me disais que peut-être j'avais d'autres mémoires, des mémoires d'autres vies, dont je ne me souvenais pas dans celle-ci, mais qui me revenaient à certains moments ; des mémoires d'une lumière du soir, d'une odeur qui saisit au détour d'une rue.

Dans cette mémoire en miettes, les clowns, je n'imaginais même pas qu'il pût s'agir d'êtres humains à part entière. Après le spectacle, comment pouvait-on croire qu'ils effaçaient leur maquillage, ôtaient leurs costumes pour redevenir des personnes normales, comme vous et moi ? Non, ils devaient se recroqueviller dans des tanières de clowns, où ils se nourrissaient et se reproduisaient entre clowns, élevant leurs bébés clowns, se battant, comme sur scène, poussant des cris aigus de clowns, passant leur temps à inventer des blagues cruelles. Ils me paraissaient plus proches des reptiles ou des volatiles que des humains, et j'avais demandé un jour à maman si les clowns pondaient des œufs. J'entends encore son rire, et je l'entends encore répéter ma question, au moindre prétexte, devant des visages hilares.

« Oublies ! V'là le plaisir ! »

Je déambulais dans cette foire avec mon peu de passé. On ignore à quel point c'est étrange de ne pas savoir qui on est exactement. Et c'est étrange aussi de se rappeler son amnésie, de reconstituer les morceaux de passé dont on a oublié qu'on se souvenait.

J'avais des images de cirque. Nous sommes toujours fourrés au cirque, avec maman. Des acrobates à demi maquillés nous sourient, comme s'ils nous connaissaient. Je sais que je n'ai pas envie d'être là, dans l'odeur des chevaux et des chiens. Je sais qu'entre les numéros d'équitation viendront les clowns. Je me cache les yeux, j'essaie de ne pas entendre leurs voix, pendant que maman rit, elle ne cesse plus de glousser, comme si elle faisait partie de la même espèce de volatiles grotesques et cruels que ceux qui se tordent sur la piste constellée de crottes.

Maman appelait certains clowns des *jesters*. Ceux-là, je les craignais plus que tout. Une jolie petite écuyère, au milieu de son numéro, descendait de son cheval, on lui passait les cerceaux, elle les recevait avec une grâce bien apprise, et là débarquait comme un animal sauvage un être empaqueté dans un maillot blanc couvert de crevés rouges comme autant de plaies, le visage fardé d'une pâte livide et barré d'une bouche sanglante qui allait d'une oreille à l'autre, coiffé du chapeau à grelots des fous du Moyen Âge. Il se plantait devant la petite écuyère et expectorait d'un coup, d'une voix tonitruante et aussi éraflée qu'un tronc où des ours se sont fait les griffes, une potée de vers shakespeariens qu'il vomissait plus qu'il n'articulait :

I am thy father's spirit,
Doom'd for a certain term to walk the night,
And for the day confined to fast in fires,
Till the foul crimes done in my days of nature
Are burnt and purged away. But that I am forbid
To tell the secrets of my prison-house,
I could a tale unfold whose lightest word
Would harrow up thy soul, freeze thy young blood,
Make thy two eyes, like stars, start from their spheres,
Thy knotted and combined locks to part

And each particular hair to stand on end,
Like quills upon the fretful porpentine :
But this eternal blazon must not be
To ears of flesh and blood. List, list, O, list !
If thou didst ever thy dear father love[1]*–

Et les vers, de force, s'imprimaient dans mon crâne, comme s'il les avait introduits de ses propres mains, puis revenaient la nuit, se récitaient tout seuls, le clown ne me lâchait pas, et je me laissais prendre à leur magie :

And each particular hair to stand on end,
Like quills upon the fretful porpentine

Plus tard, ma mère me raconterait que nous avions vu Boswell, qui n'était pas encore célèbre, mais le deviendrait plus tard, en France, au cirque Franconi. C'est à propos de sa mort qu'elle m'en a parlé : Boswell faisait un numéro en équilibre sur la tête au sommet d'une perche plantée dans le sable de la piste, entouré par une farandole de chiens et de singes. Mais un jour il a vacillé et est tombé droit sur la tête. Il s'est brisé la nuque. Il avait trente-trois ans.

Ma mère adorait ses numéros. Je me souviens que nous l'avions vu une deuxième fois, dans un tout autre numéro, *La Valentiana,* où il apparaissait affublé d'une robe de gitane multicolore, à multiples volants, perché sur des souliers à hauts talons, la tête enfouie dans une monstrueuse perruque rousse, la face peinturlurée comme si on lui avait écrasé des fraises et des myrtilles sur les joues. Tout en esquissant des pas de flamenco, il faisait claquer d'énormes castagnettes, aussi grosses que des

* Toutes les références des textes cités, leurs traductions lorsqu'ils apparaissent en langue originale, figurent en note à la fin du livre. En l'absence de référence à une traduction publiée, elle est effectuée par l'auteur de ce livre.

poêles. Pour moi, c'était presque aussi effrayant que sa tirade de *Hamlet.* Ma mère n'en pouvait plus de rire.

Il y avait eu aussi ce duo, qui m'avait presque autant effrayé. Et le nom, ma mémoire l'avait conservé, quand tout s'était effondré autour, comme ces bibelots insignifiants qui demeurent intacts après le cataclysme qui a ravagé une ville. C'étaient les Price, m'a dit maman. John et William Price. Si je me rappelle leurs noms, c'est sans doute qu'il m'avait choqué que de telles créatures portent le nom de gens ordinaires, un peu comme si on nommait Smith ou Burton un démon issu des plus profonds cercles de l'enfer.

Les Price n'ont pas imprimé dans ma mémoire de tirades de Shakespeare, mais des airs de violon survoltés, des arpèges diaboliques à la Paganini. Je les revois. Ils arrivaient sur la piste pour leur intermède et se plantaient côte à côte, face au public, le violon au bout du bras comme si c'eût été un jambon. Le regard était glacé. Ils portaient un justaucorps noir qui allait au genou, orné de papillons, et un toupet démesuré se dressait au-dessus de la tête barbouillée de céruse. Ils mettaient le violon au menton, lançaient une note solitaire, une autre, et tout à coup le pandémonium se déchaînait. Ils bondissaient, se bousculaient, sautaient sur des chaises qu'ils inclinaient jusqu'à la limite de l'équilibre, montaient à une échelle sans support qu'ils parvenaient à maintenir verticale par une oscillation des mollets, sans cesser un instant de racler leurs instruments. On eût dit des cadavres exsangues ranimés par des impulsions électriques, et condamnés par le diable à se lancer dans des improvisations sans fin. Je n'imaginais pas pire damnation.

Mais ma mère en concevait une excitation, à sa manière, une ardeur froide qui allumait des lueurs au fond de ses orbites : « Ça c'est de la gigue, hein, mon petit clown – car elle savait que je détestais qu'elle m'appelle ainsi –, ça c'est de la gigue ! »

Comment s'appelait ma mère ? Il me semble… Il me semble que le nom que nous lui donnions n'était pas le sien. Ça va me revenir. J'ai encore des trous, voyez-vous, et pas des petits. Des gouffres. Mais tout le monde en a, n'est-ce pas…

Les Price aussi sont devenus célèbres en France. Tous les clowns fuyaient l'Angleterre, c'était une hémorragie de clowns, Wheal, Candler, Edward, Sylvester, Chadwick… Et les Helquin, bien sûr.

« V'là le plaisir ! N'en mangez pas mesdames, ça fait grossir ! N'en mangez pas messieurs, ça fait mourir ! »

J'avais traîné à la fête foraine toute la journée.

J'y allais parce que je les détestais.

Nulle part autant que dans les fêtes foraines mon sentiment d'abandon ne se fait si total. Je sens ce vide profond dans le ventre, ce resserrement dans la gorge, et l'eau m'affleure aux yeux parfois sans que je sache pourquoi. Il faut que j'y aille, il faut que je voie à quel point la fête est fausse, la joie mal imitée, à quel point les lumières et les rires vont se perdre dans les étendues froides du ciel.

L'ombre avait laissé passer un temps sans plus rien dire, tandis que Charles entendait son souffle rauque, comme si elle exhalait un air brûlant, prêt à entrer en ignition.

Gertrude ! J'appelais ma mère Gertrude. Mais pour moi seul, jamais en m'adressant à elle. Ce n'était pas son vrai nom. Pourquoi Gertrude ? Je ne sais plus…

Elle aurait bien ri, maman, si elle m'avait vu dans les fêtes foraines, comme si j'y cherchais encore l'ombre de son corps desséché. Il me semble parfois qu'elle m'y attend quelque part, repliée dans les ténèbres de la tente aux fantasmagories, d'où elle surgira brusquement sous mes yeux, avec son visage coupé par le sourire, ou dans quelque tente de chiromancienne au fond de laquelle sa main écartera le rideau bleu constellé de signes du zodiaque, avant que ses yeux gris ne se posent sur moi.

Car dans ce dénuement, avec les cris et les lumières humiliées par l'obscurité, on ne peut que chercher quelqu'un, elle ou quelqu'un d'autre. Chercher celui qui manque, celui qui peuplerait ces déserts agités. Mais je passais entre des ombres, ils étaient tous morts, leurs gesticulations et leurs rires singeaient la vie, leurs corps n'avaient pas de consistance. Et je cherchais. C'est pour ça que j'allais à la foire. La journée avait été étouffante, le soir n'avait pas apporté la moindre fraîcheur, il faisait lourd, mes vêtements me collaient à la peau. Les braseros des marchands de saucisses, les diablotins des baraques à monstres esquissaient, dans cette moiteur, un enfer de carnaval.

« Oublies ! Oublies ! V'là le plaisir ! »

La petite marchande s'était approchée, avec son panier et ses oublies bien rangées sur une serviette à carreaux rouges et blancs. Elle vendait des « petits métiers », roulés en cornets. Je les préfère aux oublies de supplication, qui s'émiettent trop vite. Je lui ai pris une main d'oublies. Les petits cornets étaient dans ma paume bien tièdes, et dans ma bouche moelleux sous le craquant.

J'ai toujours raffolé de l'oublie, l'oublie croustillante et légère, qui ne remplit pas et ne fait qu'aiguiser le désir. Et j'ai toujours raffolé des petites marchandes d'oublies, avec leur panier sur le ventre. C'est l'innocence qui se prostitue au commerce, mais sans se perdre, l'innocence qui reste l'innocence en vous sollicitant, en ramassant vos pièces, en déambulant dans la boue des rues, des marchés et des foires, au contact des rôdeurs de barrière, des dos-verts et des filles. La petite marchande d'oublies semble à tous leur distribuer la pureté, avec ses oublies, et même la saleté qui consiste à faire passer de la monnaie d'une main dans une autre devient ingénue. La marchande d'oublies est une contradiction dans les termes. Elle est la marchande d'oblation, la marchande de ce que l'on offre. Elle distribue ses hosties pour la rédemption de l'argent par l'argent, du désir par le désir, du péché par le péché.

Et je me disais, au beau milieu de la foule qui circulait, me bousculait : Petite marchande d'oublies, que ne puis-je te croquer comme tes oublies, comme on communie, pour que tu me rendes l'innocence. Petite marchande d'oublies, si tes pâtisseries effaçaient le peu qui me reste de mémoire, les images venimeuses de maman, les ombres des clowns qui hantent les recoins du souvenir, toutes ces images dont je ne suis pas maître, et qui me rongent d'autant plus que je ne sais pas d'où elles viennent, de quelle vie, de quelle créature qui s'est installée dans mon esprit (avait murmuré l'ombre, dans un souffle comme étouffé, et presque abandonné, de telle sorte que Charles avait presque cru qu'elle allait déposer son attirail de terreur, relâcher ses mains crispées comme des serres, se défaire de ses voiles et se dissiper dans l'air nocturne, mais non, ce n'était que l'inflexion d'un instant), petite marchande d'oublies, si tu me permettais miraculeusement de laisser derrière moi cette vieille peau, pour redevenir l'enfant plein de ferveur qui s'approche de l'autel, tu ferais œuvre pie, petite marchande d'oublies, si en mangeant ta gaufre je pouvais devenir toi, mais tu es aussi la tentation, éloigne-toi de moi, éloigne de moi le plaisir qui fait mourir, messieurs.

La petite était pâle, et maigre, et rousse, avec de grands yeux verts. Elle me rappelait quelqu'un, un visage qui ne se reformait pas dans ma mémoire, mais qui affleurait, comme celui d'une noyée qui remonte à la surface, et dont les traits indistincts se mêlent aux reflets de l'eau, aux feuilles mortes et aux branchages. J'essayais, en la regardant, de faire revenir le visage, mais il demeurait sous la nappe d'eau noire, et la petite me dévisageait curieusement, se demandait ce que je voulais encore. J'ai laissé partir la petite marchande d'oublies, avec son visage énigmatique. J'ai laissé partir avec regret l'innocence, elle a disparu dans la foule, et je n'ai plus entendu que son appel qui allait s'amenuisant dans le fracas de la fête : « Oublies ! Oublies ! V'là le plaisir ! N'en mangez pas mesdames, ça fait grossir ! N'en mangez pas messieurs, ça fait mourir ! »

Au bout de deux heures, avait dit la voix grinçante, j'avais presque tout fait, les chanteuses réalistes, le cabinet des horreurs, les miracles de l'électricité, le tir, le panorama. J'avais vu la femme sauvage, ramenée d'Afrique, qui roulait des yeux d'animal, toute nue sur son estrade, à part sa ceinture de paille.

Je suis arrivé à une baraque devant laquelle le bonimenteur faisait la retape du spectacle. C'étaient des clowns. Il fallait bien que je finisse par là. Il me semblait que quelque chose m'avait irrésistiblement attiré là, où je ne voulais pas aller, mais que secrètement je désirais, de même qu'on ne peut pas s'empêcher de s'approcher de l'horreur et de la mort et du néant, comme ce qui nous serait le plus intime.

That's the way to do it.

Charles me disait que les voix changeantes qui sourdaient de la masse d'ombre ponctuaient leur discours de cette phrase en anglais, *that's the way to do it,* « c'est comme ça qu'il faut faire ».

Le bonimenteur, avaient dit les voix, annonçait le spectacle des frères Helquin. Des clowns-acrobates. Ce bonimenteur, c'était un personnage essentiellement composé de trous. Sa hure de veau, absolument déserte de poils, sur le crâne, le menton et même les arcades sourcilières, se composait d'une bouche tellement écarquillée qu'on en souffrait pour lui, parviendrait-il jamais à la décoincer, verrait-on à force le fond de ses chaussettes, et d'une paire de narines tout aussi glabres que le reste, mais assez vastes pour accueillir, le cas échéant, de riches bouquets de persil. Le tout fardé comme une almée. Sur son extraordinaire maigreur, il avait posé, comme on pose sur un portemanteau, une redingote à la mode du Premier Empire, couleur taupe, dont les basques lui battaient les talons. Régulièrement, il tirait de sa poche un interminable mouchoir, dont le long déroulement cérémonieux ravissait le public, et il épongeait, avec des mines de satisfaction, son visage ruisselant :

— Les Helquin, mesdames et messieurs, ont présenté leurs spectacles dans les principales cours d'Europe, à Saint-Pétersbourg, à Madrid, à Vienne, et jusque chez le Grand Turc, à Constantinople. Ils ont été acclamés en Amérique, au Brésil, et ils reviennent à Paris, qui fut le théâtre de leurs plus grands succès. Nos plus célèbres écrivains ont manifesté leur admiration. Ils ont inspiré le célèbre roman *Les Frères Zemganno,* des célèbres frères Goncourt, de leur propre aveu. Oyez, oyez ce qu'en a écrit notre grand Émile Zola lui-même.

Et le bonimenteur a tiré de sa poche un rouleau de papier qu'il a déroulé solennellement, façon héraut médiéval, puis a braillé de sa voix nasale les mots de Zola :

> Les Helquin tombent du plafond, au beau milieu d'une table d'hôte, à l'heure du déjeuner. Vous voyez l'effarement des voyageurs. Ici, il y a un de ces coups de folie qui traversent les pantomimes, ces coups de folie épidémiques dont on rit si fort, avec de sourdes inquiétudes pour sa propre raison. Les Helquin prennent les plats, les bouteilles, et se mettent à jongler avec une furie croissante, si endiablée, que peu à peu les convives, entraînés, enragés, les imitent, de façon que la scène se termine dans une démence générale. N'est-ce pas le souffle qui passe parfois sur les foules et les détraque ? L'humanité finit souvent par jongler ainsi avec les soupières et les saladiers. On est pris par le fou rire, on ne sait si l'on ne se réveillera pas dans un cabanon de Bicêtre. Ce sont là les gaietés des Helquin. Ce qu'ils mettent dans tout, c'est une perfection d'exécution incroyable. Leurs scènes sont réglées à la seconde. Ils passent comme des tourbillons, avec des claquements de soufflets qui semblent les tic-tac mêmes du mécanisme de leurs exercices. Ils ont la finesse et la force. C'est là ce qui les caractérise. Sous le masque enfariné de Pierrot, ils détaillent l'idée avec des jeux de physionomie d'un esprit délicieux ; puis,

brusquement, un coup de vent semble passer, et les voilà lancés dans une férocité saxonne qui nous surprend un peu. Ils bondissent, ils s'assomment, ils sont à la fois aux quatre coins de la scène ; et ce sont des bouteilles volées avec une habileté qui est la poésie du larcin, des gifles qui s'égarent, des innocents qu'on bâtonne et des coupables qui vident les verres des braves gens, une négation absolue de toute justice, une absolution du crime par l'adresse. Telle est leur originalité, un mélange de cruauté et de gaieté, avec une fleur de fantaisie poétique[2].

Derrière lui, une grande affiche montrait les trois frères en action dans un de leurs anciens spectacles, *Les Helquin cuisiniers.* On les voyait, coiffés d'énormes toques de cuisiniers, démultipliés, virevoltant dans tous les sens, comme en apesanteur, dans une explosion de poêles, de fourchettes géantes, de légumes, de saucisses et de coutelas. Au premier plan, une énorme flamme giclait d'un four. L'un des frères en jaillissait telle une fusée, à l'horizontale, ficelé à la manière d'un rôti, et il passait à travers le ventre d'un gros monsieur en habit, installé à une table, la serviette autour du cou, le couteau et la fourchette à la main. Le gros monsieur, traversé de part en part, faisait une grimace de douleur et de surprise. Les jambes entraient dans sa bedaine, et par le dos sortaient les épaules et la tête passée au blanc d'un des frères Helquin, qui regardait vers le public avec un sourire plein de dents.

L'affiche annonçait autre chose que de simples gags de clowns, un vrai spectacle, avec des trucages et des acrobaties. Mais c'était une ancienne réclame, ils n'avaient peut-être pas eu les moyens d'en faire une autre pour leur nouveau spectacle. Le bonimenteur garantissait cependant du grand spectacle, encore plus fort, encore plus étonnant que ce que montrait l'affiche. Quelque chose me poussait à entrer, malgré l'aspect minable du bonimenteur, malgré l'horrible affiche qui réveillait ma vieille horreur des clowns.

Un petit vieux, à côté de moi, ricanait depuis le début. Au moment où le bonimenteur invitait à prendre les billets, il a fait demi-tour et entrepris de fendre la petite foule qui s'était agglomérée devant l'estrade. Je lui ai demandé s'il avait déjà vu le spectacle.

— Non, mais j'en ai vu d'autres, autrefois. Celui de l'affiche, tiens, je l'ai vu. C'était quelque chose, à l'époque. Je m'en souviens encore, c'était au cirque de l'Impératrice.

— Au cirque de l'Impératrice ?

— Vous ne connaissez pas ? Ah, mais vous êtes étranger, sans doute. Sur les Champs-Élysées. On l'appelait comme ça, à l'époque. Oh, ça date d'une quinzaine d'années, tenez, en 66, pour être précis. Leur première tournée en France.

Le vieux avait l'air content de trouver quelqu'un à qui exposer sa science. Les Helquin avaient eu leur heure de gloire, assurait-il, à cette époque. Ils avaient vieilli. Ils se survivaient. Ils tentaient de monnayer leur légende. Mais ce n'était plus ça.

— Leur légende ?

— Vous ne les connaissez vraiment pas ? Mais après tout, c'est vrai, vous êtes plus jeune que moi, je vous parle de célébrités d'un autre temps. On racontait beaucoup de choses sur eux. Mais allez savoir, à présent, avec la réclame. Ce sont peut-être des bruits qu'ils ont eux-mêmes répandus. On disait qu'ils avaient été brièvement arrêtés à New York, après avoir malmené et humilié un spectateur qu'ils avaient fait monter sur scène. On disait qu'une vieille milliardaire berlinoise s'était entichée d'eux et que les trois frères avaient abusé d'elle, dans tous les sens du terme. Ils lui avaient extorqué de l'argent, les héritiers ont fait un procès, à l'époque, si je me souviens bien. On racontait surtout des histoires à propos du quatrième frère.

— Ils n'étaient pas que trois ?

— Ils étaient quatre. Ça remonte à une autre époque. Ils donnaient des spectacles pour la Sublime Porte ou Louis II de Bavière. Je ne sais pas s'il y a un lien, mais le déclin correspond plus ou moins au moment où ils n'ont plus été que trois. Enfin, quatre, si je me souviens bien, il y avait aussi une petite fille, en intermède, une gamine adorable qui faisait un numéro de dressage de chien.

— Et le quatrième frère ? Qu'est-ce qu'il est devenu ?

Pendant que je parlais avec le vieux, la foule s'était dispersée. Quelques badauds prenaient des billets, peut-être cherchaient-ils juste à s'abriter de la pluie qui commençait à tomber, les autres s'étaient mis en quête d'autres plaisirs.

Les Helquin… Où était-ce ? À quelle époque, dans quelle petite ville de province ? Dans ce fragment de mémoire, je me souviens de la vieille affiche que j'avais vue, une nuit, qui s'effilochait sur un mur, sous la lumière d'un réverbère. Comme ce soir, la pluie tombait. C'était l'annonce d'un spectacle des quatre frères Helquin, clowns-acrobates. Ils devaient être à leurs débuts. On voyait les visages couverts de fard blanc de Silas, Uriah et Rupert, des faces bizarrement prognathes, avec des dents démesurées. Une déchirure avait emporté le haut du visage du quatrième, Alastair, il n'en restait que le sourire, plus large, plus riche de dents que les trois autres. Mais depuis longtemps, paraît-il, Alastair avait disparu des affiches et des programmes.

Le vieux racontait que pendant une répétition, la veille du spectacle, il était tombé sur la tête. Ils avaient joué tout de même. Il se disait que depuis cette blessure, Alastair n'avait plus jamais été le même. On ne pouvait plus le contrôler. Sur scène, on ne savait jamais ce qui allait se passer, les spectateurs provoqués, les théâtres mis à sac, les scandales en ville. Ils s'étaient résolus à le faire enfermer. Mais il avait disparu de l'institution qui l'avait recueilli, et on n'avait plus jamais entendu parler de lui. Il y avait de cela des années. Ses frères avaient prospéré quelque temps, et puis leur moment de gloire était passé. Ils se survivaient. Fini les grands cirques, les scènes internationales, ils faisaient les foires, se déplaçaient en roulotte. Ils appartenaient au passé. Déjà leurs numéros étaient moins spectaculaires. Le moment viendrait bientôt où ils n'auraient plus les ressources physiques de continuer, sinon en se contentant de numéros de clowns classiques.

Le vieux était intarissable. Et j'avais envie d'entendre cette histoire. J'avais besoin d'entendre cette histoire de clowns, je ne savais pas pourquoi. À présent je le sais, bien sûr. Le vieux avait remué des choses profondes, dont je sentais en moi le mouvement, des images invisibles se rassemblaient, des sons silencieux se libéraient, des mots réunissaient leurs lettres comme des morts leurs os au jour du Jugement. Mais le spectacle allait commencer.

THALIA 2

Il y avait quelque chose du médium chez Charles, disait Thalia. Lorsqu'il m'a raconté ce que l'ombre lui avait raconté, de ses multiples voix grinçantes, lorsqu'il détaillait ses confidences dans l'horreur, les idées difformes issues de l'esprit malade de celui qui avait été mon frère, il paraissait habité par lui, comme si mon frère parlait par sa voix, il en reproduisait les intonations, entrait dans les détails, je me demandais comment sa mémoire avait pu enregistrer tout cela, peut-être par la sidération qui avait dû être la sienne en recevant de telles confidences, dans un tel lieu, par un tel être, à moins qu'il ne romance, romancer était devenu notre mode de vie.

Pour échapper au monde, et aussi aux menaces qui l'habitaient, nous étions en quête d'une ville sans touristes l'été, dans une région peu fréquentée, pas de station thermale, pas de monuments connus. Un lieu où personne n'irait nous chercher.

Nous avions jeté notre dévolu sur Saint-Genest. C'est une petite ville froide, en pierre noire, que dominent des plateaux couverts de forêts. Qui viendrait nous chercher là ? Il valait mieux, disait-il, que mes frères n'entendent plus jamais parler de moi, il valait mieux éviter le hasard d'une rencontre, aussi peu probable fût-elle.

Je m'en souviens, disait Thalia, c'était à l'automne 1883. Charles avait acheté une vieille demeure bourgeoise, en contrebas de l'église, sur une petite place ombragée par deux marronniers. C'était une vaste construction qui datait du milieu du XVIIe siècle, à deux étages, avec un immense toit couvert de petites tuiles plates et deux cheminées monumentales. Elle était séparée de la place par un jardin d'ombre, où s'entremêlaient sans ordre de vieux platanes, des acacias au tronc rugueux, tout en nœuds et en gibbosités, des buis, une vigne vierge dont les tentacules s'insinuaient dans les anfractuosités, des coudriers, d'antiques rosiers qui passaient leurs épines entre les grilles. De l'extérieur, on ne voyait guère que des pans de toit et les cheminées émergeant de ce fouillis végétal, comme le château de la Belle au bois dormant.

Elle était à vendre depuis des années, avec tous les meubles, la bibliothèque, les objets décoratifs et les ustensiles de cuisine. Certains meubles, nous avait assuré le notaire, étaient contemporains de la construction de la maison. On la vendait à un prix dérisoire, ce qui nous avait d'abord incités à la méfiance. Pourtant, aucun défaut ne semblait affecter la toiture ou la charpente, et le notaire de Saint-Genest nous avait garanti que nous faisions une excellente affaire. Il expliquait le prix par le fait que les précédents propriétaires, M. de Laurion et sa compagne, avaient disparu du jour au lendemain, en laissant des dizaines de milliers de francs de dettes. Les créanciers voulaient s'en débarrasser pour rentrer dans leur argent. Mais cela n'expliquait pas pourquoi elle ne trouvait pas preneur. Les créanciers avaient pourtant baissé le prix, d'année en année. Le notaire nous l'avait fait visiter. Nous n'avions guère poussé la visite dans les détails. Nous étions tombés sous le charme, le charme des lieux qui ne vous admettent pas aisément, repliés sur leur vieille histoire et leurs ombres.

Nous avions appris, quelques jours après notre installation, la raison pour laquelle la maison n'avait pas trouvé preneur pendant si longtemps, que le notaire s'était bien gardé de nous révéler. Nous nous étions renseignés chez les commerçants pour trouver des domestiques. Cela paraissait d'abord ne pas poser de problème, mais lorsque nous donnions notre adresse, nous sentions une réticence. Et nous ne trouvions personne.

C'est M. Quinet, le pharmacien, que j'avais consulté après une demi-douzaine de tentatives inutiles ailleurs, qui avait fini par m'éclairer : « Des domestiques ? Pour la maison des Laurion ? Ma pauvre dame, vous risquez d'avoir du mal. Vous savez comment on l'appelle ici ? La maison des fantômes. Je ne connais pas beaucoup de domestiques qui voudraient y travailler. Que voulez-vous, les gens sont superstitieux, surtout les filles de la campagne qui se placent comme bonnes, elles n'ont guère d'instruction, évidemment. Pour ma part, je suis un homme de science, je ne crois pas un mot de ces calembredaines de revenants, vous pensez bien, mais que voulez-vous, les gens aiment se raconter des histoires. Il est vrai que les Laurion avaient fait en sorte de faire fonctionner les langues, qui ne demandent qu'à s'activer dans une petite ville comme la nôtre. »

Quinet m'avait raconté que M. Laurion donnait dans les sciences occultes. Il recevait des gens bizarres, et avait converti le baron Ferroud au spiritisme. Bien entendu, on jurait, dans les cafés de Saint-Genest, tantôt que Laurion cherchait la pierre philosophale, tantôt qu'il donnait des messes noires, célébrées, bien entendu, sur le corps nu de sa compagne, tantôt qu'il traitait par l'hypnose des paysans qui le consultaient pour divers maux. De là venait sans doute, d'après lui, cette réputation de maison hantée. Mais enfin, Quinet, à la réflexion, m'indiqua une femme, Félicie, « la Félicie », comme on disait à Saint-Genest, qui accepterait peut-être de servir dans cette maison. Celle-là ne craignait pas les fantômes.

Elle avait accepté, en effet. Félicie était une petite femme noueuse, dont le visage tanné, cannelé, qui ressemblait un peu, avec son nez bubonneux, à celui de Louis XI sur les gravures des livres d'histoire, était enveloppé, comme une délicate friandise, d'un considérable bonnet à ruches. Elle en avait vu d'autres.

« Vous pensez, Madame, j'ai eu servi quinze ans au château de Rancillac, où le vieux marquis vivait tout seul. Il y avait là quarante pièces, qui étaient restées comme elles étaient avant la Révolution. On ne peut rien imaginer de plus sinistre. Toutes les servantes fuyaient les unes après les autres, soi-disant qu'il y avait une dame blanche qui s'y promenait. Moi, je ne l'ai jamais vue leur dame blanche, mais pour ce qui est des araignées, des rats et des chauves-souris, ah ça, j'en ai vu, et tous les jours. Des maisons aux fantômes, il y en a tant qu'on veut, dans le pays. L'Eugénie Pagès et aussi ma cousine Rose ont eu servi chez vous, du temps des Laurion. Soi-disant qu'elles entendaient des chants dans la maison, comme qui dirait des comptines, récitées par une voix d'enfant. Ou alors des pleurs, mais tout ça à peine audible, murmuré. Surtout à la tombée du soir. Et vous pensez bien qu'elles n'ont pas cherché à savoir d'où ça venait, elles avaient bien trop peur. Tenez, Madame, il y a deux sortes de filles de maison : celles qui sont crédules, et celles qui aiment se faire peur. Moi je suis de la troisième. »

La maison… J'y pense encore, parfois, disait Thalia. Les images me reviennent, j'imagine ses murs et ses corridors désormais déserts, je vois la poussière sur les meubles, les papiers peints que défait l'humidité, et il me semble que, dès le moment où nous y sommes entrés, elle était déjà dans le passé. Que reste-t-il de nous là-bas, qui progressivement s'efface, une ombre dans le miroir, un chuchotement à peine audible dans le coin d'une chambre, un reflet fuyant au carreau d'une fenêtre ?

Mais je rêve de la maison, plus encore qu'elle ne vient visiter mes pensées diurnes. Au cœur de la nuit, elle vient s'installer en moi, il me semble qu'elle exige quelque chose de moi, que je ne parviens pas à comprendre. Qu'est-ce qui n'est pas advenu ? Qu'est-ce que j'ai laissé là-bas, que j'ai oublié, et qui vient, obstinément, sans visage, sans voix, me faire signe à travers les années ?

Lorsque je rentrais le soir, il m'arrivait encore d'être troublée par la maison. Ses murs de pierre noire, ses contrevents de bois à la peinture verte écaillée, que nous nous promettions chaque année de faire repeindre sans jamais nous y résoudre, me paraissaient à la fois étranges et familiers. Nous l'avions achetée sept ans auparavant, en 1883, mais je ne parvenais toujours pas à me dire que j'habitais là, que c'était chez moi. Il fallait que je ressente ce trouble, cela faisait en quelque sorte partie du programme.

Un jour, à la nuit tombée, me dit un jour Charles, tu pousseras la grille, tu entendras ce grincement que nous connaissons si bien, mais ce ne sera pourtant pas tout à fait le même. Quelque chose, une manière différente de la voir, une autre impression engendrée par la disposition de ses formes, se sera glissé au fond de ton esprit pour y demeurer en attente, sans que tu en aies conscience. Le bruit de la grille, ou tout autre chose, une lumière sur les vitres, le frottement de ton pied sur les dalles de l'allée la réveillera, et la maison prendra une figure inconnue.

C'est surtout lorsqu'il pleut que je l'aime, m'avait murmuré Charles un soir, un autre soir où nous parlions allongés côte à côte, inventant nos vies, bien avant ce soir où il m'avait raconté sa rencontre avec Alastair dans le train. C'est dans l'averse qu'elle devient immémoriale. Et c'est le cas ce soir. Nous sommes couchés dans la pénombre de notre chambre, et nous écoutons la maison où la pluie semble remettre en marche une vieille mécanique grippée. On entend, dans des profondeurs inconnues, des tuyauteries résonner, des engrenages grincer, des pistons chuinter. Un grêle martèlement varie d'intensité et de profondeur. On ne sait, au terme de cette longue mise en route, quel Arlequin grimaçant finira, quelque part, tout au fond, par esquisser un premier mouvement du bras, quelle danseuse au visage effacé déploiera lentement des grâces désuètes pour le seul profit des ténèbres.

Je me serrais contre lui. Je savais qu'il était en train de se dire que nous n'avions jamais connu la maison. Je savais qu'il était en train de l'explorer par la pensée, de déambuler dans ses couloirs compliqués, de pénétrer dans les pièces où nous n'allions jamais, d'ouvrir des armoires dont nous n'avions toujours pas eu la curiosité d'inventorier le contenu, comme si la maison lui proposait une énigme entêtante à laquelle il ne pouvait s'empêcher de revenir. Et moi, dans ce voyage, je marchais à la suite de son ombre, je descendais plus profond.

De sa voix qui n'était ni celle de la veille, ni celle du rêve, Charles me disait que nous devrions peut-être mieux apprendre à connaître la maison. Mais est-ce que justement nous n'avions pas besoin de cette incertitude, de cet inachèvement ? N'est-ce pas ce qui, certaines nuits, nous serrait l'un contre l'autre ? Son désir, pensais-je, trouvait des sources inconnues dans les ténèbres de la maison.

Ces moments étaient peut-être ceux que je préférais. Je crois que j'aurais pu les faire durer éternellement. Son souffle et sa main suffisaient à me restituer toute l'intensité de sa présence, je n'avais besoin que d'eux pour sentir tout son corps. Alors sa voix, dans le noir, cessait d'appartenir au temps et au jour, elle venait de cette intimité profonde qui était, en lui, plus loin que lui. Parlait en lui ce qui appartenait à la nuit. Alors je ne pensais plus à la ville, à la manière dont, ainsi que nous l'avions décidé, elle entrait dans notre relation.

Je n'avais pas eu de vie. Mes souvenirs d'enfance demeuraient fragmentaires et j'avais passé de nombreuses années plongée dans une sorte de coma. Je n'avais jamais su ce qu'était l'amour. Je n'avais pas assisté à l'éveil de la sexualité, aux changements de mon corps, cela s'était produit comme en mon absence. Je m'étais endormie petite fille et réveillée jeune fille. Charles était le premier être que j'avais vu à mon réveil, et je l'avais aimé.

Pas tout de suite. J'avais aimé sa voix. Mais j'avais besoin aussi de vivre d'autres vies, de rattraper la vie perdue, ce que m'avait offert la bibliothèque de la maison, la littérature dont j'ignorais tout jusque-là, et ce que m'avait offert la voix de Charles.

Nous nous racontions des vies, et nous cherchions, dans ces vies, ce que serait l'amour parfait. Ou plutôt ce que serait l'amour, tout simplement, pour nous assurer que nous ne vivions pas dans une illusion. Et j'en avais un besoin vital, puisque j'aimais Charles, mais sans pouvoir comparer ce sentiment à un autre, sans savoir exactement ce que voulait dire « aimer ». Je n'avais jamais aimé qu'une seule personne, mon frère Alastair, d'un étrange amour, mêlé de tendresse et de crainte. Si mon amour était une fiction, peut-être parviendrais-je à le transformer, à le faire accéder au réel en le comparant à d'autres fictions, en le retouchant, en en faisant une meilleure histoire. Mais pour cela nous avions besoin, pour que l'expérience réussisse, de nous isoler du monde, un peu comme ces chimistes qui doivent réunir certaines conditions d'isolation pour valider les résultats de leur expérience.

Un élément important du dispositif était constitué par la manière dont les habitants de la ville nous considéraient. Nous étions des étrangers, bien sûr, puisque nous n'y résidions que depuis sept ans, et jamais nous ne parviendrions à être de ce lieu. Nous nous présentions comme un couple bourgeois, marié, aisé. À notre arrivée, Charles avait débité ici et là la petite histoire que nous avions mise au point : il possédait des terres de famille dans le Tarn, quelques grosses fermes, nous habitions Paris, et à la mort de son père il avait décidé de s'installer à Saint-Genest parce que nous cherchions la tranquillité, et que cela nous plaçait à peu près à mi-chemin. On l'avait écouté en ayant l'air de le croire. Nous avions toute l'apparence de la respectabilité, l'argent, les vêtements de bonne facture sans être trop ostentatoires, la messe tous les dimanches. Mais on ne savait pas réellement qui nous étions. Pas d'enfants, pas de famille, pas d'amis en visite. Un attelage tout simple, et qui servait peu. Pas même de domestiques dignes de ce nom, en dépit de notre aisance affichée : juste la vieille Félicie, qui venait faire sa journée de linge, de ménage et de cuisine, aidée parfois par sa fille. Nous ne recevions jamais, et aux quelques invitations qui nous avaient été adressées au début, nous avions souvent répondu par des faux-fuyants, de sorte qu'elles s'étaient raréfiées. Tout cela ressemblait un peu trop au comportement de gens qui ont des choses à cacher, qui ne sont pas tout à fait comme les autres.

Le docteur Bouvier ne nous avait jamais vus franchir la porte de son cabinet. L'abbé Leveudre ne m'avait jamais écoutée à confesse. Mme Quinet et son mari me recevaient avec le sourire, échangeaient avec moi quelques propos aimables, mais il était facile d'imaginer ce qui se disait avec les clientes dès que la porte s'était refermée sur mon dos. Quant à Félicie, on devait tenter de la faire bavarder sur le marché. Cela dit, jamais je n'avais eu à subir d'allusion désobligeante, de propos équivoque.

Charles faisait l'éloge de ma discrétion, de ma modestie, et de ce qu'il nomme ma gravité. C'était la version forte de l'innocence, d'après lui. Et si je m'amusais de ses remarques, si je lui répliquais que celui à qui on dit qu'il est innocent et modeste est par là même chassé de l'innocence, il me répondait que s'il m'aimait, c'était précisément à cause de cela : « Tu es le seul être au monde capable d'allier la conscience et l'innocence. » Je lui répondais que l'idée me mettait mal à l'aise et que de toute façon, s'il pensait que la discrétion et la dignité suffisent à désarmer les ragots, il se trompait.

J'étais belle. Je ne pouvais pas l'ignorer. Je ne sais pas si cette conscience remettait en cause la modestie qu'il me prêtait, même s'il m'assurait qu'il n'en était rien. On en veut toujours à la beauté. On prête instinctivement à l'esprit d'une belle femme l'intensité de son physique. Ceux qui débitent la rituelle plaisanterie sur la bêtise des femmes belles veulent en fait dire autre chose : leur étonnement face à ce fait inexplicable que l'esprit inhérent à la belle forme, cette façon de dominer la matière qu'elle manifeste avec tant d'éclat, ne correspond pas nécessairement à l'intelligence. C'est une déception. Et malgré eux, le prestige de l'esprit qui réside dans la beauté s'impose instinctivement. Alors, la belle femme, ils la veulent stupide, pour éviter de se laisser impressionner, ou par crainte d'avoir à répondre à la question que leur a posée la beauté. Et si elle n'est pas stupide, elle est sans doute perverse, ou orgueilleuse, ou méchante. La modestie devient alors instrument de l'hypocrisie. La réserve est de la hauteur.

Même ceux qui affectent, cyniquement, de ne s'intéresser qu'à la plastique, au modelé d'un beau visage, et de ne pas prêter le moindre intérêt à la personne, n'ont pas conscience que la beauté humaine n'est jamais, en réalité, une simple question matérielle. Le visage, même si on n'en a pas conscience, n'est beau, ne nous touche que parce qu'il suscite une rêverie sur des qualités idéales, la douceur, la force, la concentration, l'imagination, la générosité, et même la stupidité avérée du possesseur d'un beau visage ne suffisent pas à dissiper cette rêverie.

Nous nous étions installés dans la ville un peu à la manière d'un écrivain partant travailler dans un lieu retiré, où il pourra se consacrer tout entier à son œuvre. Notre œuvre, c'était nous. Nous aurions pu nous isoler complètement, dans le genre des bluettes romantiques, une chaumière et un cœur. Alors pourquoi pas, plutôt, un chalet dans les Alpes, une île en Bretagne, une maison forestière ? J'y avais songé d'abord. Charles avait tergiversé, sans s'expliquer franchement. Je le lui reprochais : finalement, lui disais-je, il n'y croyait pas, il n'avait pas confiance. Il reculait. Comme tout le monde, il craignait l'usure, le quotidien. Ne comprenait-il donc pas que l'usure vient justement de n'être pas assez ensemble, qu'elle ne concerne que les couples qui font toute la journée autre chose que d'être l'un à l'autre ? Il me semblait pourtant que ce point était clair d'emblée entre nous. Finalement il s'était expliqué. Et, secrètement, à mesure qu'il le faisait, je sentais un soulagement me gagner. Non parce qu'il revenait à notre projet initial, mais bien au contraire parce que ses arguments faisaient écho en moi à des réticences que je n'avais pas osé m'avouer.

Oui, disait-il, nous avions pu rêver à l'absolue solitude, au dénuement qui ne laisserait place qu'à l'amour. Ce serait une ascèse, comme celle des ermites qui se retiraient dans leur thébaïde pour ne penser qu'à Dieu. L'idéal, pour cela, ce serait la robinsonnade, l'ile déserte où nous vivrions nus comme des sauvages. Il l'avait sincèrement envisagé, mais il avouait qu'il s'en sentait incapable. Qui a jamais pu envisager Dieu dans sa nudité ? Les ermites désespéraient dans leur désert, ils étaient la proie d'incessantes tentations démoniaques. Dieu, disait-il, n'est pas envisageable en dehors de ses créatures. Il est ce qu'elles ne sont pas. Et comme je lui disais que je ne comprenais rien à ce discours, quand il s'agissait simplement de savoir où nous allions vivre, que je ne voyais pas le rapport avec ces divagations mystiques, il m'a répondu que cela n'avait rien de mystique, c'était une image. Il ne croyait plus, depuis longtemps, mais il imaginait qu'on ne pouvait envisager la relation avec Dieu que de cette façon.

Souviens-toi, disait-il, de cette maison que nous avons visitée, l'ancien pavillon de chasse, en pleine forêt. Les fresques de grotesques à demi effacées au plafond, les vieux meubles du dernier siècle mangés par les vers, cette pendule dédorée, avec sa Diane en biscuit de Sèvres dont le bras était cassé. Souviens-toi des tentures murales en toile si usées par endroits qu'on en devinait à peine le motif. Et la poussière sur tout cela, qui paraissait l'estomper encore. Nous avons parcouru les pièces en silence, semblables à des fantômes familiers, un charme nous y retenait, nous avons eu, tu l'as senti comme moi, le sentiment d'appartenir au lieu. N'est-ce pas parce que l'usure et l'effacement rendaient ces choses à elles-mêmes, à leur présence pure ?

C'est le temps que nous aimions en elle, c'est leur abandon au bord de la disparition qui faisait leur charme ensorcelant. Mais quelle est la limite de l'usure ? Elles deviennent ce qu'elles sont dans l'effacement, mais il y a un point où elles disparaissent, il n'en reste rien. Ce doit être ça qu'on appelle le divin : cette limite où l'être devient ce qu'il est en disparaissant. Mais ce ne peut être qu'une limite. Il faut toujours qu'il reste quelque chose, sinon nous ne serions pas conscients de cette absence. Il faut qu'elle nous soit indiquée par les choses dans le processus de leur effacement. C'est pourquoi on ne peut atteindre Dieu que dans ses créatures.

Tu es cela pour moi, Thalia, disait Charles. Il est difficile de te contempler directement, de te sentir sans intermédiaire. Non que cela ne soit pas possible, mais cela ne dure pas. Et puis il y a quelque chose de désespérant dans ta beauté. Parfois, quand je te regarde, je me sens perdu, désarmé, je voudrais comprendre ce qui est là, en face de moi, je voudrais l'étreindre, le dévorer, l'épuiser. C'est une joie, mais c'est aussi une souffrance, tu comprends ?

Je comprenais, et ce qu'il disait bien sûr me flattait, mais me gênait aussi. Il ne pouvait ressentir cela que parce qu'il se plaçait en dehors de moi, en position de sujet et de contemplateur.

C'est pourquoi j'ai besoin, disait-il, de la trace de tes lèvres sur un verre, de ton parfum sur l'oreiller, d'une conversation banale, du contact de ta robe, de regarder à la fenêtre ce que tu as regardé, de ton absence aussi, parfois. De tous ces intermédiaires qui me permettent de t'approcher plus doucement, de ruser avec la violence de ce que je ressens. Et comme je lui objectais que nous aurions tout cela dans la solitude, moins par conviction que parce que j'avais besoin des raisons qu'il me donnerait pour vivre autrement, il m'a répondu que la solitude absolue aurait vite fait d'épuiser ces intermédiaires.

La solitude, a-t-il ajouté, n'existe pas en soi. Nous avons besoin d'un regard extérieur pour bien sentir notre solitude. Il faut que nous soyons parmi les autres, comme les autres, des êtres banals, pour que ce que nous vivons, nous puissions chaque jour le sentir comme ce qui n'appartient qu'à nous. Ce n'est que parmi eux que nous pourrons avoir pleine conscience de notre différence, et en jouir. Lorsque tu rentreras, le soir, d'une promenade sur le mail comme en font tous les bourgeois de province à six heures, ou de quelque emplette chez une modiste, leurs regards, leurs questions seront encore sur toi, comme de la pluie sur ta robe, et ce que nous ferons alors entre les murs impénétrables de la maison nous en paraîtra plus intense. Parce que notre présence ici, dans cette ville, fait naître l'idée que nous avons un secret, notre intimité se met à exister. Il n'y a pas d'intimité sur une île déserte.

Oui, j'avoue que l'idée m'avait convaincue, j'avais envie de jeu, j'avais envie de défi. Je me suis laissé séduire par la perspective de passer tous les jours parmi des petits-bourgeois de province comme une énigme.

Il disait aussi que la sévérité d'apparence, que la respectabilité, fût-elle purement de convention, était indispensable à son désir. Ses expériences dans les maisons closes, qui faisaient partie du parcours obligatoire du jeune homme de bonne famille qui se déniaise, s'étaient d'après lui toujours soldées par des fiascos. Quant aux catins de plus basse catégorie, celles qui faisaient le trottoir, violemment maquillées, et soulevaient le bas de leurs jupes pour dévoiler leurs jarretières, quant aux danseuses qui s'exhibaient dans les cabarets de la capitale, et jetaient la jambe à la verticale pour révéler leur sexe au milieu du fouillis des jupons, elles ne lui avaient jamais inspiré que du dégoût. Quelle valeur accorder à ce qui se dispense avec une telle libéralité ? Il faut la pudeur, il faut la réserve et la discrétion pour que la mise à nu prenne toute sa violence, sa force de sidération. Il faut que le sexe soit une rupture dans l'ordre ordinaire du monde. Et c'est cela qu'il recherchait. Justement parce que nous jouons le jeu de ces bourgeois corsetés, nous trouvons dans l'intimité une puissance de désir que nous ne pourrions peut-être pas maintenir sinon.

De fait, dans la ville, nous étions devenus des sujets de fables. Je m'amusais à faire parler non pas Félicie, qui ne s'exprimait guère, mais sa fille, Désirée, qui était un peu simple. J'attendais qu'elle soit seule dans la cuisine. Il fallait l'approcher tout doucement, avec des précautions, des contournements, tout un dispositif stratégique, et surtout avec l'air de n'attacher à tout cela aucune importance. Elle me laissait venir, en me regardant en coin, d'un air à la fois rusé et méfiant. Et puis se mettait à parler, avec une espèce de jouissance. Je lui donnais le droit de nous salir, en toute innocence. La ville fabriquait de la fiction, sans relâche, nous étions les personnages de leurs romans.

Selon Désirée, en effet, certains dans la ville, dont Mme Quinet, étaient convaincus que j'avais été enlevée toute jeune à ma famille. Pour d'autres, mais ce n'était pas incompatible, j'étais la compagne d'un forçat évadé, à moins qu'il ne s'agisse d'un chevalier d'industrie cherchant à échapper à ses créanciers et à la police. À l'inverse, l'histoire courait aussi d'un jeune aristocrate fuyant avec la prostituée qu'il avait épousée par amour. Les imaginatifs allaient jusqu'au prêtre défroqué. Certains assuraient que nous étions frère et sœur, réfugiés là sous une fausse identité pour vivre nos amours incestueuses. Les plus classiques énonçaient l'hypothèse d'un mari légitime, sans doute féroce, qu'il avait fallu fuir. Beaucoup, il est vrai, ne contestaient pas notre mariage, mais voyaient dans notre fuite de la capitale la conséquence d'une réputation détruite par des scandales, des parties fines, allez savoir.

Tout de même, si j'affectais d'en sourire, cela m'ennuyait. Et je faisais remarquer à Charles que cela compromettait son idée d'une normalité, d'une respectabilité extérieures, censées nous servir à accentuer le sentiment d'une transgression intime que le reste du monde ignorait.

Tu as raison, disait-il, nous aurions dû y penser, c'est la province, on s'y nourrit de ragots, on construit des romans. Après tout, d'une certaine façon, ils font la même chose que nous, les histoires engendrent les histoires. C'est ce que nous voulions. Nous vivons dans une légende. Jouissons aussi de cela.

Le soir, dans l'obscurité, allongé à côté de moi, il me racontait des histoires, il échafaudait des scénarios, et parfois construisait un petit théâtre obscène ou bizarre. Rien ne pouvait autant me troubler que sa voix tranquille, qui aurait aussi bien pu relater des contes de fées à une petite fille ou évoquer la journée ordinaire d'un mari. Je voyais émerger du noir les ombres que sa voix suscitait, je voyais des chairs pâles se courber, se rejoindre, s'éloigner, animées par un mouvement qui évoquait, plus que celui des corps humains, l'ondulation des algues dans un courant des abysses.

Petit à petit, c'est sa parole même qu'il en est venu à mettre en scène. Certains soirs, il exigeait que nous reprenions l'ancien jeu de « la Belle au bois dormant ». Jamais, me disait-il, il n'avait pu tout à fait s'en détacher. Lui s'asseyait dans un fauteuil à côté du lit. Seule une faible bougie, sur le guéridon, maintenait une lumière que les plus légers souffles suffisaient à faire vaciller. Je regardais quelques instants le glissement furtif des ombres sur les cloisons, comme si c'était un spectacle de lanterne magique qu'il allait accompagner de sa voix grave, lente, un peu nasale, dont les inflexions donnaient toujours une tonalité pénétrante aux moindres mots. Les feuilles des palmiers nains et des fougères formaient de grandes mains hésitantes qui semblaient tâtonner, chercher aveuglément l'issue. Puis, comme il l'exigeait, je fermais les yeux, j'étais tout entière à sa voix. Tu es plongée dans un sommeil éternel, disait-il, et je dois tenter d'instiller dans ce sommeil les rêves que j'invente pour toi, afin que l'éternité te semble moins longue.

Était-ce par réaction à la lumière des rues et des boutiques, dans laquelle les regards nous détaillaient, les scénarios qu'il me décrivait exigeaient souvent le noir. Pendant un temps, ce ne furent que des histoires du soir. Puis nous leur avons donné corps. Ça n'a pas toujours été réussi, comme le jour où nous avons fait l'amour dans la cuisine.

Félicie conservait au garde-manger un filet de bœuf pour le lendemain. Je voyais bien l'idée, le quotidien propret de la nourriture devait être poissé de sexe. Il tenait à souiller à la fois l'acte sexuel et ce fétiche de la famille bourgeoise, le repas. Il avait tenu à ce que je m'allonge, sur la table en bois où Félicie plumait les volailles et écossait les petits pois, vêtue d'une de mes plus belles robes, en mousseline blanche ornée de satin bleu. Tu verras, disait Charles, chaque fois que Félicie fera à manger, désormais, nous ne pourrons plus penser qu'à ça. Je m'étais laissé convaincre.

J'avais déjà eu du mal à garder le sérieux nécessaire aux opérations de l'amour en me juchant sur cette table crasseuse. Mais lorsque je l'ai vu entreprendre de découper le filet de bœuf avec un grand couteau de cuisine, s'escrimer en gilet brodé et bras de chemise, puis commencer à me recouvrir de sang et de bouts de viande, je n'ai pas pu tenir, j'ai éclaté de rire. Évidemment, ça l'a contrarié. La profanation a généralement besoin de sérieux. Et puis il a succombé lui aussi au comique du spectacle, et nous avons fait l'amour en riant, au milieu des morceaux de bœuf et dans le sang, comme il l'avait voulu, et pourtant ça n'avait plus rien à voir. C'était le problème avec les scénarios : le petit cérémonial nécessaire exigeait que l'on joue sérieusement la comédie.

Ou bien il fallait que je paraisse nue dans la chambre, équipée d'un accessoire qu'il choisissait, des plumes dans les cheveux, un pagne, un cigare, un chapeau haut de forme, et nous échangions quelques répliques d'une tragédie shakespearienne. Ou bien je servais religieusement le thé.

Je regimbais, lui disais que je me sentais ridicule. Il me rétorquait que le ridicule pouvait aider l'âme à surprendre la divinité, comme Psyché veut surprendre Éros, sans qu'il ait pu s'apprêter, car son éblouissante présence l'aveuglerait. Oui, un peu de ridicule pouvait s'avérer utile à l'érotisme. Imagine, disait-il, un spectacle érotique où la danseuse est absolument parfaite, contrôle tout à la perfection, récite sa gestuelle : cela inhibe. Est-ce qu'il ne faut pas une perte de contrôle pour que le désir naisse, la conscience que prend le partenaire de son corps justement parce qu'il manque de contrôle ? Ce n'est pas le corps qui est désirable seul, c'est ta conscience dans ton corps. C'est pour cela, mon amour, que le sexe est imaginaire, contrairement à ce qu'ils croient tous. Le désir du mâle et de la femelle, c'est bon pour les animaux. Nous cherchons l'esprit dans le corps. Nous croyons, en faisant l'amour, accomplir réellement l'acte sexuel. En fait, nous le cherchons, nous ne cessons de le vouloir, de le construire, parce que nous manquons de corps, ou nous manquons d'esprit.

— Toujours est-il, lui rétorquais-je, que lorsque toi, tu t'amuses à couvrir ta nudité d'une cape et d'un masque, ça ne m'excite pas du tout, je trouve ça pathétique.

— Si tu veux, disait Charles. Mais il y a encore autre chose. La nudité est désirable, mais elle n'est pas facile à réaliser.

— Réaliser la nudité ?

— Quand je marche avec toi dans les rues de Saint-Genest, il m'arrive de te désirer violemment.

— Moi aussi, Charles. D'autant plus vivement sans doute, paradoxalement, que nous faisons tout autre chose que penser à l'amour.

— Voilà. Être habillée, circuler dans la rue, c'est toi, c'est ton état normal. C'est ce toi que je désire. Ta nudité rompt avec cela. Elle est si éblouissante…

— Charles…

— Tu peux rire, je parle sérieusement. Elle est si éblouissante que j'ai du mal à la voir. Alors parfois j'ai besoin que tu conserves un accessoire de ta vie habillée, une chaussure, des bas, des bijoux.

— Je le sais bien.

— Ainsi, je peux voir ta nudité, par contraste. Elle consent à se manifester, comme une déesse. Et par là c'est toi qui es nue, c'est en toi que la déesse se manifeste, le toi ordinaire, pas cette étrange déesse que je ne connais pas.

Dans nos conversations nocturnes, Charles me confiait aussi ses doutes, ses faiblesses, et cela m'attachait à lui tout aussi profondément que les scénarios qu'il élaborait. Il se demandait souvent comment les femmes peuvent désirer les hommes, et toujours, me confiait-il, bien qu'il fût attirant et bien fait, il avait douté d'être désirable, il ne comprenait pas par quel miracle il semblait l'être malgré tout.

— Comment peut-on désirer ces corps masculins velus, bosselés, discontinus, comme s'ils étaient composés de morceaux raboutés, avec cet appareil incongru qui pend au milieu, comme une pièce inutile ?

Je l'assurais qu'il y avait dans les corps masculins quelque chose d'émouvant, qui suscitait le désir. Je n'en avais pas connu d'autre que lui, pas aussi intimement, mais j'en avais vu beaucoup, sur les pistes, et certains avaient de la grâce, un mélange de force et de fragilité. Et puis, lui disais-je, quand j'étais encore une gamine, je voyais à quel point la plupart des hommes se moquent bien d'être désirables ou pas, ils ne doutent de rien, et ne pensent qu'à leur propre désir. Je voyais des vieux tout ridés, qui puaient le cigare, lutiner de jeunes acrobates de quinze ans. Ce seul doute, lui disais-je, ce doute chez un homme si séduisant, suffisait à le rendre attrayant. Et puis il y avait sa voix, sa voix qui était comme l'âme du corps, et son harmonie profonde.

J'avais été, j'étais encore, profondément, une artiste. Je comprenais la nécessité de la mise en scène, le jeu qui apprivoise la sauvagerie de la réalité, et nous permet d'approcher, par le rituel, ce qui nous resterait sinon étranger.

Je me souviens d'une nuit où nous avons joué à son jeu préféré, qui, celui-là, ne me portait pas à rire.

Cela devait nécessairement avoir lieu dans l'obscurité complète. Nous devions être nus. L'un de nous deux disparaissait dans la maison. L'autre partait à sa recherche. Un simple cache-cache. Mais dans cette maison que nous connaissions mal, il prenait de tout autres dimensions. La nudité m'y faisait me sentir plus vulnérable que si je m'étais promenée ainsi en pleine rue. Je m'avançais presque au hasard, dans le noir, volets fermés, je ne reconnaissais plus les lieux que je parcourais la journée. Des bruits inconnus, craquements, grincements, d'autres impossibles à identifier, paraissaient naître spontanément, dans des zones difficilement localisables de l'espace.

Il pleuvait, une nuit où nous avons joué à ce jeu. Le frôlement de l'eau enveloppait les murs et les fenêtres. En l'écoutant, captée par les incessantes variations du son, comme si je devais y percevoir, noyé dans la masse, le pas lent de ce qui devait venir, de ce qui s'approchait, j'ai entendu un chant. Il était impossible à localiser. Cela ressemblait à des vocalises, qui paraissaient se déplacer de pièce en pièce, comme si une chanteuse errait dans la maison, laissant traîner l'écho de sa voix étouffée. Et puis j'ai compris. Ce que j'entendais, c'était la réverbération, dans la maison, de l'écoulement de l'eau au fond des vieilles tuyauteries, animant des dizaines de bouches qui entonnaient des airs aussi vieux que les éléments. Qui sait si ce n'était pas à quelque chose de semblable qu'on avait jadis donné le nom de « sirène », un monstre invisible et multiple, glissant au fond des creux et des canaux, appelant les humains à se joindre à lui, à se fondre dans sa voix inapaisée.

Ma peau était parcourue par des souffles, comme si des êtres invisibles m'approchaient, et l'illusion était si forte que je sursautais parfois en croyant sentir une main glacée se poser sur mon cou. À ma nudité plongée dans le flot de ténèbres, la vieille maison dévoilait sa vraie nature, comme à regret, je sentais les pièces familières se rétracter à mon passage dans une froideur grinçante et réticente. Quels insectes inconnus faufilaient leurs anneaux hors des fissures et des crevasses ? Quels yeux, quels ocelles me fixaient ?

J'étais censée me dissimuler, mais ce n'était pas vers un refuge que je me dirigeais, comme une bête trouve un abri qui la dérobe aux chasseurs, tout au contraire, je m'éloignais du monde tranquille et rassurant pour m'avancer, tâtonnant, trébuchant, vers l'absence radicale de refuge.

Mais ce soir-là, plus qu'aucun autre soir, il me semblait que la maison n'ignorait plus rien de moi, je lui étais livrée comme une esclave à un maître avide et soupçonneux. La peau nue de mes plantes de pieds éprouvait la consistance un peu rêche des tapis, la rugosité des lames de parquet, et cette seule sensation me donnait le sentiment de la nudité absolue, rien ne me séparait plus de la violence muette et contenue des choses.

J'avais conscience de chaque partie de mon corps, de la peau fragile de l'intérieur des cuisses, de la nuque, des pointes des seins, de l'anus, des paupières, et chacune de ces parties représentait une prise sur moi. Et cette conscience douloureuse était aussi une jouissance. Un être monstrueux et multiple s'emparait de moi, avec une précision maniaque, ses membres invisibles me cherchaient, me palpaient, hésitant d'abord, puis s'insinuant, s'enroulant, et la tentation de l'abandon me tenaillait.

Le monde normal, qui paraissait le seul possible quelques heures auparavant, se réduisait à l'état de souvenir lointain, hypothétique, aussi hors d'atteinte que la quille dansante d'un bateau à la surface, très haut au-dessus de lui, pour celui qui se noie. Plus le temps passait, plus j'éprouvais de difficulté à me convaincre qu'avaient encore cours les lois de l'existence ordinaire, où ne se produisaient que des événements prévisibles, les répliques de Mme Quinet, les gamins se mettant à courir sous l'averse, le trottinement des sœurs Viallet se rendant à vêpres, les récriminations de Félicie sur le prix du gigot. Et si c'était là, dans cette nudité et ces ténèbres, qu'était la vérité ? Si l'existence diurne n'était qu'un phénomène de surface, une fragile ondulation de formes, une fiction dans laquelle les choses restaient fixes et les faits se conformaient à des règles connues ? Dans ma nuit, je ne voyais plus aucune raison d'adhérer à cette fiction. L'être perdait sa stabilité. Les ombres en lesquelles j'identifiais un buffet ou un vase, les obstacles dans lesquels je me cognais, chaise ou bahut, pouvaient, je le sentais, devenir n'importe quoi d'autre, chaque chose recelait d'innombrables possibilités de métamorphose. L'espace était ouvert, les pièces constituaient autant de gouffres au fond desquels attendaient de se matérialiser des phénomènes inconnus.

ALASTAIR 2

Après avoir pris son ticket au guichet, a poursuivi l'ombre sans plus s'occuper de moi, apparemment, racontait Charles, on soulevait une tenture et on débouchait dans une espèce d'arène, sous un chapiteau rouge, avec des gradins de bois peuplés d'un public clairsemé. La piste était décorée de panneaux de toile rouge, sur lesquels on avait accroché des cartons représentant des astres, une Lune à la face coupée par un énorme sourire, des images grossières de corps humains, des squelettes, des écorchés, des crânes, et puis des instruments, des clystères, des ciseaux, des seringues. Le spectacle s'intitulait *Les Helquin médecins.*

Dans un coin, trois vieillards à la moustache découragée s'efforçaient de constituer un orchestre, avec un trombone, un tambour et une contrebasse. Je me demandais dans quels coins sordides de la ville on pouvait dénicher des créatures aussi déprimantes, aussi épuisées, pour leur faire sinistrement interpréter une parodie de l'allégresse. Les recettes devaient décidément être tombées bien bas. Il est vrai que dans la légende des Helquin figuraient aussi des anecdotes touchant à une pingrerie que l'on disait extraordinaire.

Les trois vieux se mirent à mouliner une musique de cirque grinçante, et les Helquin ont fait leur entrée. Le spectacle était tellement délirant que j'ai du mal à m'en souvenir de manière claire. Je vois encore débouler deux infirmiers en blouse blanche démesurément longue poussant en courant un chariot où une forme humaine se dessinait sous les draps. Comme pris d'une crise d'hystérie, ils parcouraient la piste dans tous les sens, mimant une urgence désordonnée, poussant des cris aigus, des onomatopées, des borborygmes, et les pans de leurs blouses qui volaient derrière eux leur donnaient l'air de grands volatiles effarouchés.

Punch alors s'est souvenu, enfin je me suis souvenu de ces rêves d'autrefois, dans un temps si lointain de ma vie qu'il semblait appartenir à une autre ère, celle des temples assyriens ou celle des cœurs arrachés sur des autels de pierre. Dans ces rêves qui revenaient me tourmenter, je sciais des clowns. C'était grotesque. Le clown que je découpais, avec une espèce de scie à métaux, se tordait dans tous les sens, des grimaces déformaient son visage, des cris suraigus sortaient de sa bouche noire. Je prenais cela pour une agression. Plus le clown se tordait, plus il me semblait qu'il cherchait à m'atteindre, quelque chose d'indicible allait finir par naître, ces tortillements et ces cris étaient ceux d'une gésine monstrueuse.

Je vois le chariot verser, et la forme humaine rouler tandis que le drap se déroule interminablement, sans que le corps apparaisse. Les gens riaient. Les trois vieux de l'orchestre peinaient à suivre le rythme, ils se démenaient comme ils pouvaient, balançaient des fausses notes, perdaient le rythme, se rattrapaient, leurs vieilles carcasses se déhanchaient, agitées de soubresauts, leurs mèches grises leur pendaient sur le nez, et cela s'accordait avec le spectacle, leur détresse faisait rire elle aussi.

Je vois le corps sur la table, à nouveau emmailloté, et les deux clowns qui redéroulent le drap, comme dans un cauchemar où l'on ne parvient jamais à se désengluer d'une action répétitive. Je ne comprenais pas pourquoi autour de moi les gens se tordaient. Un gros homme suant hoquetait, toussait, il en rugissait même, comme en proie aux affres d'une agonie.

Je sens encore la chaleur, on crevait sous la toile du chapiteau, des gouttes de transpiration glissaient sur mes tempes, ça empestait l'ail et le parfum tourné, la brillantine et le jupon crasseux où marinent de vieilles sueurs et de vieux pissats.

Je vois les deux clowns exhiber le corps enfin démailloté du troisième, revêtu d'une combinaison rose censée imiter la nudité. D'une énorme sacoche, ils extrayaient des dizaines d'instruments, seringues, scies, haches, vilebrequins, ça n'en finissait pas, le tas d'outils excéda bientôt la taille de la sacoche d'où ils étaient censés provenir.

Et le malade se réveillait, levait le torse, voyait les appareils qui lui étaient destinés et ses longs cheveux se dressaient tous, d'un coup, raides comme des baguettes, le truc était impressionnant et déchaînait de nouvelles tempêtes de rire, je vois ces faces rouges autour de moi, convulsées d'allégresse, écartant les lèvres, exhibant les dents et la langue.

Je vois le patient courir d'un coin à l'autre de la scène, échapper à ses infirmiers à force de sauts et de cabrioles, les deux autres le talonnant de près, le piquant de leurs seringues et de leurs scalpels monstrueux. Chaque fois qu'ils parvenaient à le toucher, il bondissait comme sous une impulsion électrique, ses bras et ses jambes étaient pris de secousses galvaniques, c'était une grenouille soumise aux expériences de deux savants diaboliques.

Je vois le patient à nouveau sur la table d'opération, couvert d'un drap fendu à l'emplacement de l'abdomen, comme des lèvres bordées de rouge entre lesquelles les deux opérateurs tirent d'interminables tuyauteries molles couleur mortadelle, des organes en forme de besace, d'aubergine, de cornemuse, un cœur énorme, palpitant, dont les soubresauts envoient un jus carmin au visage des chirurgiens, c'est un gâchis, un carnage, la piste et les personnages sont couverts de liquides, de débris spongieux, à présent les chirurgiens sortent du ventre de leur victime des chapelets de saucisses, un réveille-matin, un jambonneau, un lapin, le public dégueule de rire, le patient se réveille, ses yeux s'écarquillent au spectacle de ses entrailles que l'on vide, ses cheveux à nouveau s'horripilent d'un coup, sa bouche se déforme dans un cri qui ne sort pas.

Je vois accomplis mes vieux cauchemars, ceux qui occupent certaines zones de ma mémoire, ceux qui me réveillent au cœur de la nuit, enveloppé comme d'un voile d'une nappe de sueur rongeante.

Je vois, devant moi, réalisées à la perfection, ces images sans lieu et sans époque, comme si elles me tiraient vers un fond archaïque, étranger au monde, ces images qui tournent dans le silence des nuits insomniaques, semblables à d'inoubliables atrocités au fond desquelles un être en moi que je ne connais pas chercherait toujours à se vautrer. Fragments de la mémoire de quelqu'un d'autre, qui pour lui seul auraient du sens. Il fallait bien qu'elles émergent dans ce qu'on appelle la réalité, c'est-à-dire de ce côté-ci du cauchemar. Et dans ce cauchemar, je comprenais que j'étais chez moi, à ma place. Ce clown qui me terrorisait, ce clown était en moi. Et je me torturais pour l'identifier, pour lui trouver un nom, comme on veut articuler le mot qu'on a sur le bout de la langue.

Puis je me retrouve seul, dans la foire presque désertée, les spectateurs se sont égaillés, il fait nuit, un orage a éclaté, les clients ont fui. J'ai laissé derrière moi le pandémonium des Helquin, comme un rêve agité. Le corridor noir est dans mon dos, j'hésite à me lancer entre les flaques, sous les dernières gouttes pesantes qu'exsude l'obscurité. J'entends une voix derrière moi.

— Monsieur ?

La voix paraissait sortir de deux narines presque aussi larges et obscures que le corridor. Autour de ces narines s'organisait une forme qui, à l'examen, se révélait humaine, malgré le nez de chimpanzé, le sourire plus ou moins denté, qui reliait deux oreilles de chauve-souris, l'œil fixe et la taille de lémurien. La créature aurait pu incarner Quasimodo ou Triboulet, elle était trop littéraire pour paraître vraie. La réalité ce soir-là se disposait comme un spectacle, ou comme un de ces romans remplis de monstres que produisaient les auteurs à la mode. Tout à coup, j'ai reconnu le bonimenteur.

— Vous avez aimé le spectacle ?

— Pourquoi ?

— Si vous avez aimé le spectacle, vous devriez voir la suite.

— La suite ?

— Le musée des frères Helquin.

— Le musée ?

— Oui, c'est très intéressant.

— Bah, un musée…

— Et pas cher du tout, un bon moment pour quelques sous.

— Oui, mais un musée, hein…

— Alors il y a des instruments qui leur ont servi dans leurs spectacles, des costumes, les mécanismes pour les illusions, les apparitions, très ingénieux, très curieux, des photographies, il y a des objets qu'ils ont rapportés de leurs voyages dans le monde entier, il y a les cadeaux que leur ont offerts les plus grands chefs d'État, les rois, les maharadjahs, l'impératrice de Chine, il y a l'automate qui parle, offert par le sultan de Constantinople, il y a la Femme cent kilos, le roi Bamboula, je montre tout, j'explique tout…

— Franchement…

— La visite commence dans trois minutes, ce sont les dernières places, on ne prend pas plus de quinze personnes à la fois, pour bien tout voir. Et je ne vous ai pas tout dit, le plus intéressant, le plus unique…

— Le plus unique ? Vous avez de ces formules…

— Le plus unique, parfaitement. La plus belle pièce de la collection. C'est une femme.

— Ah oui, le monstre. Le monstre habituel, quoi. J'ai déjà fait la baraque aux monstres, cette après-midi, je suis repu d'horreur, je suis un blasé de la tératologie, on ne peut pas faire une foire sans avoir droit à la femme à deux têtes, à l'enfant-singe, à la pieuvre humaine, à l'acéphale, à l'homme à trois jambes, ça finit par être lassant, croyez-moi, et en monstruosité, je m'y connais.

— Ce n'est pas ça, monsieur, c'est le contraire d'un monstre.

— Le contraire d'un monstre ?

— C'est la plus belle des jeunes filles, monsieur, et elle a vingt-cinq ans.

Les narines palpitaient, s'ouvraient plus encore, comme pour m'absorber, en se penchant on aurait pu voir le « musée » où il cherchait à m'attirer, avec ses figures de cire, ses automates parlants, ses photographies et, tout au fond, au plus noir, le corps nu d'une fille.

— Ah oui, je vois très bien. Mais les Vénus de foire, j'ai déjà fait aussi, mon vieux, les lingères rougeaudes à seins flasques qui s'exhibent pour quarante sous, désolé, ça peut amuser une ou deux fois, mais après…

— Vous vous méprenez, monsieur, rien de leste. La jeune personne est chaste et reste habillée.

— Passionnant.

— Je dois ouvrir le musée à présent, monsieur, le public attend, venez, vous verrez, vous ne serez pas déçu. Et tout ça pour la somme de cinquante centimes, cinquante centimes seulement, dix sous, qu'est-ce que c'est que dix sous ? Vous verrez, vous ne les regretterez pas, vos dix sous.

Je ne sais pas pourquoi j'ai suivi le pantin à vastes narines. Je n'avais rien de mieux à faire. Sans doute la jeune fille exposée se livrerait-elle à trois acrobaties, sûrement débiterait-elle quelque compliment rimé ou pousserait une chansonnette où il serait question de patrie exotique, d'amours lointaines et de rossignol. Le pantin prétendrait que les Helquin l'avaient ramassée dans une tribu d'Indiens d'Amérique, c'était à la mode depuis Barnum. Fallait-il que leurs affaires marchent mal pour qu'ils en fussent réduits à ça.

La tente était derrière celle du spectacle. J'ai rejoint le groupe de nourrices, de soldats et de trottins qui attendaient à l'entrée en échangeant de petits rires. Mais parmi eux, il y avait deux personnages qu'on n'a pas l'habitude de voir dans les foires. En tout cas pas de ce côté des barrières. Ils se tenaient en fin de file, un peu à l'écart, sans rien dire. Les nourrices se retournaient parfois pour leur jeter un coup d'œil à la dérobée. La narine humaine encaissait le prix d'entrée : « Cinquante centimes, mesdames, cinquante centimes, messieurs, trente centimes seulement pour nos braves soldats. »

Les deux personnages, c'étaient deux négresses. Une vieille petite négresse, toute ratatinée, toute rabougrie, les cheveux rangés dans un foulard de madras plus gros que sa tête, qui tenait par la main une jeune petite négresse, à peine nubile, gracile dans sa robe de faille jaune, les cheveux attachés en deux drôles de couettes rigides, deux boules mousseuses de chaque côté du crâne. Leurs visages étaient aussi noirs que le ciel.

Je me suis approché, juste derrière la petite négresse, à la toucher. J'ai humé son odeur. Elle sentait le bois et le feu. La nuit finissait de s'égoutter, j'ai vu distinctement, comme si une lunette grossissait pour moi certains détails, un grain de pluie apparaître sur sa joue, transmuer sa peau ténébreuse en lumière, je voyais tous les détails de la goutte, c'était un monde, une planète plongée dans une obscurité plus profonde que la nôtre, mais traversée de grands pans de lueurs, où il me semblait apercevoir des forêts et l'éclat lointain d'un océan. Et puis ce monde a roulé sur lui-même, s'est étiré, s'est volatilisé dans le cou de la petite négresse.

Quand je commence à voir les choses avec cette précision diabolique, quand elles se fixent et s'imposent dans mon œil, que je ne peux pas ne pas les voir, ne pas me soumettre à ce qu'elles exigent de moi, quand la réalité tout à coup paraît pleine de cette nécessité dont elle reste tous les jours de la vie si cruellement dépourvue, je ne peux pas faire autrement que de répondre à l'exigence du monde.

Mais après tout, cette sphère, c'était peut-être une larme, une larme indifférente, et plus belle d'être indifférente, larme et pluie, les deux mêlées, une larme grosse de tous les chagrins, faite du chagrin en soi, celui qui coule depuis les profondeurs du temps, et j'ai compris à ce moment que ce n'était pas la petite négresse qui pleurait, c'était le monde qui l'avait choisie, elle, pour pleurer, pour rouler sur sa joue de toutes ses larmes, de tous ses cris, de tous ses soupirs désespérés et puis disparaître, à jamais.

J'ai eu soif. Une soif cruelle. Une soif comme je n'en avais pas éprouvé jusqu'à cette nuit-là, cette nuit si profonde qu'elle faisait oublier le jour. C'était comme si, de ma vie, je n'avais jamais bu à satiété. Je sentais, desséchés, avides, les fibres de mes muscles, les plis de mes entrailles. Et la seule chose qui aurait pu me désaltérer, je le savais, c'était la goutte un instant accrochée à la joue noire de la petite négresse. Je l'imaginais, cette larme, glissant sur ma langue, roulant lentement dans ma gorge, irriguant tout mon corps de flots de chagrins et de mers de douleurs.

That's the way to do it.

Une négresse, oui. Une espèce de sauvageonne, qui ne pense pas comme les vrais êtres humains et ne sent pas comme nous, tout engluée dans son animalité. Mais justement. Elle aurait pu aussi bien être exposée dans une des baraques, à moitié nue, coiffée d'un chapeau melon et vêtue de bananes. C'est ce qui la rendait si atrocement troublante, c'est cette idée qui fait battre mon cœur et glisser dans mon dos des filets de sueur, cette idée, lorsque je parviens à la fixer, à l'immobiliser dans un dispositif parfait, qui me vide d'un coup comme on étripe un agneau.

Il faut comprendre, disaient les voix, qui paraissaient alors venir de loin, résonner dans des cavités profondes, éveiller des échos souterrains, une négresse, c'est un être humilié, humilié par les regards qui la scrutent, par l'idée qui s'attache à elle des chaînes, de la captivité, du fouet, humilié par la sauvagerie dont il est issu, humilié par l'exposition de ses semblables comme des animaux, et de cette humiliation sourd le nectar dont Punch aspire à se désaltérer.

Là, derrière elle, attendant que les bonniches aient fini de déposer leurs cinquante centimes, je me consumais. Tu es noire, petite négresse, et le noir, c'est le contraire de la conscience, l'opposé de cette pâleur qui caractérise la noblesse féminine, qui signale sur le corps la lumière de l'esprit. Le noir manifeste l'épaisseur des choses, l'engluement de l'humain dans la matière, l'insuffisance de conscience. Les nègres vont promenant partout, naïvement, le signe évident de leur infériorité.

Naïve petite négresse, comme on voudrait être la lumière de l'esprit fendant l'obscurité de ta conscience encore mal dégrossie, oui, comme on voudrait pénétrer au cœur de la substance infiniment précieuse de ton intimité, où il n'y a rien d'autre que toi, partout semblable à toi-même, vierge de toute présence étrangère. Tu ne comprendrais pas ce qui t'arriverait, qui ferait irruption en toi, ce serait alors comme une expérience pure, absolue, je deviendrais l'esprit de la chose que tu es, je trouverais enfin mon lieu, je me recueillerais dans ta profondeur nue, et cette seule idée me fait pousser un gémissement.

That's the way to do it.

Je reconnaissais le signe des frissons. Ils naissent dans les reins, ils courent le long des vertèbres, ils se diffusent dans les membres, jusqu'au bout des doigts. J'avais, à présent je m'en souviens, pour la première fois éprouvé ce frisson spécial à l'âge de vingt ans, à peu près. Thalia faisait un numéro avec un petit chien très mignon, il s'appelait Pooky. Rupert le détestait, sans doute parce que tout le monde l'adorait. Un jour, sous je ne sais quel prétexte, il l'avait attaché à un piquet toute une après-midi, malgré les supplications de Thalia. Pooky gémissait misérablement. Et ce sont ses gémissements qui ont fait naître le délicieux, le venimeux frisson dans les reins de Punch, il le sentait ramper dans son dos, comme un serpent, jusqu'aux racines des cheveux, qui semblaient vouloir se dresser.

And each particular hair to stand on end,
Like quills upon the fretful porpentine

J'étais trop jeune pour démêler les raisons de cette insupportable jouissance. Mais je sentais que c'était l'expression de l'innocence qui la provoquait. Pooky ne comprenait pas ce qui lui arrivait, il n'était que pure douleur, sans raison, sans explication, et Punch à la fois l'aimait et désirait cette souffrance si pure, si délectable, autant que le nectar des dieux. Par la suite, il s'est débrouillé, en catimini, pour provoquer à nouveau ce gémissement, et pourtant, croyez-moi, il adorait ce petit chien.

L'exaltation devenait insupportable, j'ai fermé les yeux, levé la tête vers le ciel, ouvert la bouche comme pour étancher ma soif.

La voix nasillarde de la narine humaine qui invitait à entrer m'a fait revenir à moi, et j'ai pénétré, à la suite des autres, dans le couloir obscur.

THALIA 3

Et je songeais ce soir-là, disait Thalia, durant mon parcours hasardeux dans la maison, dans cette nudité qui paraissait me livrer à l'assaut des souvenirs, à des moments où j'avais eu l'intuition de cela, la proximité de ces phénomènes inconnus. À certains moments, quelque chose, au milieu de la vie courante, s'était entr'ouvert sur une autre dimension. De mon passé, j'avais perdu toute une partie. Moins que mon frère, mais l'accident m'avait comme lui amputée de bien des souvenirs, d'autres me paraissaient confus, cependant, avec le temps, certains détails ressurgissaient, et j'espérais pouvoir un jour recouvrer l'intégrité de ma mémoire, ou du moins une étendue normale de mémoire.

Ainsi l'image m'est-elle revenue avec précision, alors que je l'avais complètement oubliée, du cadavre d'un jeune chevreuil sur lequel nous étions tombées, ma mère et moi, à la fin du jour, en nous promenant, un jour que nous nous étions arrêtées dans une bourgade perdue dans la forêt. Il reposait sur un talus couvert de feuilles, la langue pendait hors du museau, les yeux n'étaient plus qu'une sorte de pâte grise où s'attardait un reste de lumière vitreuse. Une blessure au flanc ouvrait dans son pelage fauve une crevasse noire au fond de laquelle on devinait des formes indistinctes. Autour de cette crevasse grouillaient des colonies d'insectes, des vers, des fourmis et je ne sais quelles autres créatures, qui sortaient de là, s'écoulaient le long de la peau jusqu'au sol, ou y pénétraient, dans un bouillonnement incessant. J'étais restée fascinée par ce spectacle puant dont ma mère insistait pour m'éloigner, parce que ces étranges caravanes étaient chargées, je le découvrais avec un mélange d'effroi et d'extase, d'une denrée étrangère aux lois qui régissaient ce que nous pensions constituer l'unique substance du monde, de quelque chose qui n'était ni de l'être ni du non-être, mais l'inimaginable union des deux.

Je me suis souvenue aussi de ce jour où mon frère avait été battu par ses trois aînés. C'est un de mes plus anciens souvenirs, mais aucun détail ne s'en est effacé. Quel âge avais-je ce jour-là ? Quatre ans peut-être, et Alastair quatorze. Mon frère accomplissait toujours des choses bizarres, des choses qui faisaient un peu peur, de méchantes blagues, il torturait des animaux, il battait les enfants des villages où nous nous arrêtions. Je ne sais plus ce qu'il avait encore commis ce jour-là. Pour se protéger des coups, il s'était recroquevillé en boule, la tête dans les bras. Il ne disait rien. Lorsqu'il m'a entendue crier, il a relevé la tête, m'a regardée, avec un sourire froid, le même sourire qu'avait parfois ma mère, sans qu'on sût à quoi elle souriait. On ne pouvait pas savoir à qui s'adressait ce sourire, ni d'où il venait, il n'avait rien à voir avec ce qui se passait, rien à voir avec cette vie. Et j'ai retrouvé cela plus tard dans la manière à la fois désopilante et inquiétante dont il jouait.

Mes frères prenaient plaisir à le maltraiter depuis qu'il était petit, c'était normal, c'était comme une tradition familiale. Je ne me demandais pas pourquoi on le battait. Tel était son statut. Plus tard, je me suis dit qu'ils le battaient parce que sa beauté angélique et sa fragilité appelaient la profanation. Et sans doute pour autre chose aussi. Il n'avait pas l'esprit de son physique. L'écart entre son visage pur et les ruses tortueuses qu'il élaborait, entre son apparente fragilité et la brutalité dont il pouvait faire preuve avait quelque chose de révoltant, comme s'il trahissait le don de beauté qui lui avait été fait avec tant de prodigalité, et qu'il eût à payer pour cela. Mais je l'aimais. Je l'aimais parce qu'il y avait en lui une puissance douloureuse qui me touchait et m'effrayait à la fois.

Et puis, très vite, il a commencé à changer. Je veux dire, à changer physiquement. Quand j'ai commencé à m'en apercevoir, il devait avoir quatorze ans, justement. Vers cette époque, nous couchions encore dans la même chambre, et ses nuits sont devenues difficiles, je l'entendais gémir, grincer des dents. Il souffrait. Mais de quoi ? Jamais il n'en parlait, ni ne se plaignait. Cela a mis des mois, peut-être un an ou deux, je ne me souviens pas exactement. L'ange gracile a cédé devant quelque chose d'autre qui, par en dessous, poussait. La finesse des traits s'est progressivement déformée, le corps est devenu plus massif et plus anguleux. En quelques années, ce n'était plus lui, c'était désormais une créature aux longs bras, aux mains énormes, au menton en galoche, aux arcades proéminentes, aux mâchoires de carnassier, au torse presque monstrueux d'épaisseur. Ariel était devenu Caliban.

Mes frères adoraient le mettre en scène dans des numéros humiliants qui faisaient la joie du public. Mais il y arborait ce même sourire dont je me demandais si j'étais la seule à le voir, et qui me glaçait parce qu'il semblait manifester une acceptation sauvage de ce qui lui était infligé, une manière de le recevoir, de le prendre pour en faire sa chose à lui, et le métamorphoser en on ne savait quoi. Et, dans mon esprit d'enfant, l'idée s'était formée que sa transformation physique était la traduction de ce processus. C'est lui-même qu'il était parvenu à métamorphoser. Petit à petit, la relation avec mes frères paraissait elle aussi changer. Ils s'étaient mis à craindre Alastair, je le voyais, et il tendait à prendre progressivement sur eux un ascendant contre lequel ils tentaient de lutter par accès.

Seule ma mère ne changeait pas vis-à-vis d'Alastair, mais ma mère terrorisait tout le monde, Alastair compris. « Dès que j'ai été enceinte, disait-elle, je savais que c'était de Polichinelle. Les apparences des premières années ne m'ont pas trompée. Je l'attendais, mon Polichinelle. Et il est là ! » Le rire trémulant de ma mère faisait courir des frissons sur ma peau, comme si quelqu'un avait ouvert la porte sur l'air froid du dehors.

« Un petit Polichinelle dans une famille d'Arlequins. Vous saviez que nous étions des Arlequins ? Votre père m'a expliqué un jour que Helquin et Arlequin, c'était le même mot. Mais notre Polichinelle y ajoute quelque chose, n'est-ce pas Alastair, une espèce d'innocence, si si, Alastair, si laid et brutal que tu sois, tu ne peux pas cacher ta candeur, mais maman voit tout, maman te connaît mieux que toi-même. »

Et elle riait de nouveau.

Je n'avais pas parlé à Charles de ces souvenirs d'enfance, sans doute parce que je ne savais pas quoi en faire, ils occupaient dans mon esprit un espace qui ne se reliait à rien d'autre, qui me semblait même parfois n'avoir aucun rapport avec moi, et j'aurais été incapable de formuler clairement ce que j'avais ressenti. Mais dans l'obscurité où je l'attendais, nue, et comme exposée à tout ce qui se composait dans la nuit, un souvenir oublié est venu se reconstruire, comme indépendamment de moi, et, plus tard, je l'ai raconté à Charles.

Quel âge avais-je alors ? Dans les dix ans, je crois. Nous étions en France, la terre de prédilection des clowns anglais. C'était au moins la troisième fois qu'on y allait. Ma mère avait finalement décidé de se mettre au chapiteau et au déplacement en roulotte, en tout cas lorsque nous allions en France. Cela devenait à la mode, à cette époque. Les ménageries ambulantes attiraient du monde. George Sander en Angleterre, Barnum aux États-Unis donnaient du lustre à l'itinérance. Les Pinder, avec leur cirque Britannia, venaient de débarquer en France. Il y avait de la concurrence.

Mes frères étaient toujours à la recherche de numéros de première partie pour mettre en valeur leur théâtre acrobatique. On voyait défiler dans la roulotte de ma mère toutes sortes de vagabonds du cirque et du music-hall, des dresseurs d'ours miteux, des prestidigitateurs ratés, des dompteurs de chiens égrotants, de vieux jongleurs que le maquillage et les jaquettes à paillettes rendaient plus navrants encore. Tous avaient passé leur existence dans des roulottes ou dans des hôtels borgnes, se produisant de ville en ville devant des bourgeois suffisants ou des paysans ivres qui leur jetaient des trognons de choux. Ils déployaient un enjouement factice que démentaient leurs joues creuses de crève-la-faim et leurs regards vides. Parfois il s'en trouvait un plus talentueux que les autres qui nous accompagnait quelque temps, puis disparaissait sans explication.

Un jour, la nuit allait tomber, et je me souviens que mes frères fumaient une cigarette en attendant l'heure du dîner. Assise sur les marches de la roulotte que je partageais avec ma mère et mon frère Alastair, comme la chambre dans notre maison en Angleterre, je malmenais une vieille poupée de chiffons qui n'était plus de mon âge, mais dont je peinais à me séparer comme on a peine à quitter son enfance. Un brouillard humide était venu s'insinuer au ras du sol, roulant ses volutes blanchâtres comme une écume. Je ne sais comment, tout à coup se sont trouvées devant nous deux silhouettes qui semblaient en être issues spontanément.

Il y avait là une vieille petite bonne femme empaquetée dans des fichus et des châles, qui poussait devant elle une minuscule créature dont la moitié du corps semblait consister en un extravagant bonnet à fanfreluches qui lui faisait une tête monstrueusement disproportionnée. De sous le bonnet s'écoulait le flot d'une chevelure noire qui lui recouvrait tout le haut du corps, à tel point qu'elle avait l'air de déambuler à moitié avalée par une pieuvre. On ne les avait pas du tout entendues arriver. La brume rasante noyait leurs pieds et leur donnait l'air de glisser vers nous plutôt que de se déplacer en marchant.

Quand elles furent plus près, je me rendis compte que ce que j'avais pris d'abord pour une naine, pensant qu'on nous proposerait une de ces sempiternelles exhibitions de monstres, que la nature paraissait produire inépuisablement et qui cherchaient leur vie dans les cirques et les foires, devait être une petite fille, à moins, là aussi nous avions l'habitude de ce genre de pratiques, qu'il ne s'agît d'une naine déguisée en petite fille. Mais son jouet me décida pour l'enfant : c'était un polichinelle, qu'elle serrait contre sa poitrine et dont seules la tête en bois et la bosse dépassaient de ses bras, et ce jouet, je me souviens avoir longtemps, dans les rêves qui m'ont visitée après cette rencontre, opéré cette identification qui s'ébauchait inconsciemment alors dans mon esprit, avec son énorme nez busqué, ses gros yeux peinturlurés de noir et sa bouche dont la fente remontait jusqu'aux oreilles, était le double exact de la petite vieille qui la conduisait, de sorte que celle-ci ne me paraissait pas faite d'une autre substance que le polichinelle, tout aussi sèche, brunâtre, dure et ligneuse, et que réciproquement je me demandais si ce sourire méchant découpé dans le bois de la figurine n'indiquait pas que c'était cette dernière qui avait hérité de l'esprit de la vieille et qui dirigeait le trio. Cette apparition portée par la brume jaune comme un jupon sale aurait pu me faire peur, si ma mère et mes frères n'avaient pas eux-mêmes été de nature à terroriser tout le monde.

Les deux créatures se sont immobilisées en face de mes frères. J'ai entendu derrière moi s'ouvrir la porte de la roulotte, et la robe de ma mère frotter sur le bois du seuil. Je l'imaginais poser sur les deux créatures ses yeux froids, et tendre ses lèvres minces pour former ce qu'on pouvait appeler un sourire.

La petite vieille marmonna quelque chose d'incompréhensible à l'adresse de mes frères, et elle ôta la pèlerine qui couvrait la petite. À nouveau je ne savais plus s'il s'agissait d'une enfant ou d'une naine. Le visage circulaire était comme ratatiné, presque sans lèvres, avec un nez osseux, cabossé, dont l'ombre descendait sur la bouche. Avec son polichinelle toujours serré dans son giron, elle formait une espèce de monstre double d'une laideur pitoyable, une laideur qui appelait les larmes plus que le dégoût ou la peur. Je me demandais quel numéro ce couple bizarre pouvait bien présenter, quand la petite s'est mise à chanter.

D'abord je n'ai pas compris ce qui se passait. Il y avait une voix, qui chantait, une voix d'une absolue pureté, aussi claire et fraîche qu'une eau de source. Dans une langue inconnue, la voix tentait de s'élever, errait d'abord, revenait en arrière, refaisait, douloureusement, le même chemin, comme si elle ne parvenait pas à trouver l'issue, et puis elle paraissait avancer, hésitait, tâtonnait, elle ne croyait pas encore qu'elle y parviendrait, et enfin, progressivement, tous les errements, les douleurs, les fautes se rassemblaient, s'entrelaçaient en un air qui se composait d'eux et en même temps les transcendait, faisait paraître leur substance comme celle même du triomphe qui se déployait non pas malgré eux mais grâce à eux, cette joie n'était que l'autre visage, tout à coup révélé, de ce qu'on croyait n'être que souffrance, et ce dévoilement bouleversait aux larmes.

Des images dont j'ignorais l'origine se formaient en moi, qui peut-être amalgamaient les images pieuses dont ma mère raffolait, ou des tableaux aperçus dans des églises. C'était dans un lieu clos, humble, fermé par des cloisons en planches grossières, au coin d'une table sur laquelle traînaient du pain, de la vaisselle et des linges, l'appareil des repas ordinaires et de la vie quotidienne. Cela aurait pu être une de nos roulottes, mais il s'agissait plutôt d'une salle d'auberge, ou d'une cuisine. Je voyais la silhouette d'un homme assis, de profil, la bouche entr'ouverte, ses longs cheveux tombant sur ses épaules, le buste légèrement incliné en arrière, comme s'il émergeait d'un long sommeil, ou se plongeait dans une inaccessible méditation. Il y avait dans cette ombre, que faisait violemment ressortir une épaisse lumière en contre-jour, quelque chose d'à la fois familier et inaccessible, qui n'appartenait pas tout à fait à ce monde. Et l'image me suggérait qu'il ne m'était pas possible de voir cet homme autrement que comme une silhouette, de côté, en noir, comme si je n'étais pas capable de l'aborder de face.

Mais de l'autre côté de la silhouette, face à moi, un deuxième personnage évoquait un tout autre regard : c'était un individu déjà âgé, un homme du peuple, dont la vie sans doute n'avait pas toujours été facile. Il contemplait, stupéfait, la face pour moi invisible de l'homme aux longs cheveux, celle qu'éclairait en plein la lumière, comme si ce relais d'un autre regard était nécessaire pour suggérer l'accès à cette révélation de l'invisible. Les yeux de l'homme s'arrondissaient sous l'effet de la surprise et ses mains, s'élevant un peu au-dessus des reliefs du repas sur lequel elles devaient un instant auparavant s'activer, s'écartaient devant ce visage révélé, comme si tout à coup elles ne savaient plus que faire, incapables de se livrer aux tâches quotidiennes, de toucher la substance de ce monde, impuissantes face à ce spectacle.

Les mains savaient avant l'homme, avec leur instinct animal de mains, que ce corps qui se levait devant eux, comme d'entre les morts, ne pouvait pas être touché, qu'il ne fallait pas le toucher, et l'expression de l'homme, sa bouche suspendue entre la crainte et la joie, semblait indiquer qu'il hésitait encore à comprendre ce qu'il avait devant lui, à l'admettre dans son univers quotidien, et qu'il ignorait quel sentiment cela devait susciter en lui.

Tout au fond, une minuscule silhouette de femme, sans doute une servante, éclairée à contre-jour et noire comme l'apparition aux longs cheveux, se penche sur quelque tâche ancillaire, et peut-être, comme les servantes au travail, chantonne-t-elle quelque complainte[3].

Je voyais par transparence, sans les voir, à travers cette image que la chanson avait suscitée, les deux créatures contrefaites que portait le flot rampant de la brume, et je ne comprenais pas quel rapport pouvaient avoir avec cette image ces vêtements sales et usés, ces physionomies lasses, cette morne grisaille du soir. Le vieillard fasciné dans l'image me donnait à voir mon propre éblouissement, ou plutôt la promesse d'un éblouissement, telle que me la délivrait le chant qui continuait à se dérouler, comme indifférent à l'heure et au lieu. Il me promettait qu'un soir, à moi aussi, peut-être, serait donnée l'inimaginable vision de la joie, de la joie stupéfiante, au bord de laquelle on hésite, parce qu'on ne sait pas la reconnaître dans ses misérables vêtements de mort et de deuil, et cette promesse, en ce jour, en cet instant de mon existence de gamine de dix ans, que rien de semblable n'avait jamais préoccupée auparavant, faisait couler des larmes sur mes joues.

La voix était celle de l'affreuse petite fille, qui devait avoir mon âge. Cette voix était aussi libre, aérienne, sublime, que la fille était disgracieuse et contrefaite. Elle semblait aussi peu lui appartenir que sa chevelure, et je crois que dans mes rêves, où la petite fille est souvent revenue par la suite, le chant se confondait avec la chevelure.

Je m'apercevais que la naine chantait en accentuant exagérément les mimiques, écarquillant les yeux, articulant chaque syllabe avec méticulosité, bouche grande ouverte. Était-ce un numéro de clown ? Était-on censé rire en regardant ces grimaces grotesques ridiculiser le chant ? C'est alors que j'entendis en effet derrière moi le rire grelottant et presque silencieux de ma mère, et sans en avoir la moindre envie, par lâcheté, par conformisme, je me mis à rire moi aussi.

Mais ce qui s'est passé ensuite m'a fait supposer que le comique de la scène n'était sans doute pas volontaire. Au moment où le chant, parvenu à la cime presque irrespirable d'une note haute, s'y maintenait, prolongeait son extase, comme filant sur son erre, la petite fille ferma la bouche et cessa d'écarquiller les yeux. Mais le chant continuait.

La vieille écarta la torrentielle chevelure, puis souleva le vieux châle en indienne qui couvrait la bosse de la gamine. Son épaule gauche formait en effet un renflement dans laquelle sa tête paraissait s'enfoncer. Mais il y avait autre chose, une chose que la pénombre descendante nous empêchait de bien voir, et que peut-être d'abord j'ai refusé de voir. Dans le creux de la bosse, tout contre le cou de l'enfant, il y avait une masse arrondie, très pâle, pas tout à fait aussi grosse que sa tête. Et cette masse avait l'air d'un masque en carton grossier, où l'on aurait ménagé deux fentes noires pour les yeux. C'était une tête, une tête rabougrie, dont le visage se tournait en partie vers la gauche. Il n'y avait ni menton ni encolure. Quelques rares cheveux tombaient sur le front. La bouche, grande ouverte, lèvres tendues, suggérait le chant. Enfin la note décrut vers les graves, s'éteignit, la bouche se ferma et la tête ne fut plus qu'une gibbosité jaunâtre. Entre les bras de la petite fille, le polichinelle continuait à pointer sur moi ses yeux goguenards. Flottant sur le brouillard, la vieille m'apparaissait à présent comme une mauvaise fée dont les prestiges pouvaient susciter toutes sortes d'illusions, et convoquer des ombres.

Rupert éclata de rire. Je le vis se pencher et jeter quelque chose à la vieille. Une pierre, qui l'atteignit au front. Elle ne dit rien, ne cria même pas, comme si elle avait l'habitude, remit en hâte le châle sur l'épaule de l'enfant, nous tourna le dos et fila sous les pierres lancées par mes frères. Moi aussi je m'étais mise à en lancer, de toutes mes forces. L'une d'elles toucha l'enfant à l'épaule. Elle poussa un affreux glapissement qui me fit redoubler d'énergie. Enfin elles disparurent derrière une de nos roulottes.

— La vieille est ventriloque, dit Uriah.

— Pas trop mauvaise, dit Alastair.

— Bah, son numéro ne vaut pas un clou, dit Silas.

— La fausse tête est mal faite, dit Rupert, on voit les coutures.

Je me suis fait expliquer ensuite ce que voulait dire « ventriloque ». D'abord, cela m'a révoltée, comme s'il fallait absolument extirper toute la magie de cette scène. Reste que, truquée ou réelle, c'était une scène réussie. Je me la suis longtemps repassée le soir, avant de m'endormir, tiraillée entre le désir de savoir prêter ma voix aux objets ou aux êtres, qui me faisait élaborer toutes sortes de scénarios, et ce cri de l'affreuse enfant touchée par ma pierre, qui continuait à me torturer.

En rapportant à Charles ce souvenir qui avait ressurgi durant cette nuit, je lui confiai avoir l'impression qu'il était faux, qu'il appartenait à une époque de ma vie tellement lointaine qu'elle avait fini par s'enfoncer dans l'irréalité.

Il voulait en apprendre le plus possible sur mon passé, mais je n'avais à lui offrir qu'une collection d'images isolées qui s'enrichissaient de manière aléatoire. Ses questions m'obligeaient à exhumer des détails que j'avais enfouis, mais dont je me demandais parfois si je ne les inventais pas pour le satisfaire. Cette vie de cirque lui paraissait terriblement exotique, et à cause de cela je m'apercevais que sans doute elle l'était, quand jusqu'alors elle m'avait paru banale, normale, pas très différente de la vie de n'importe qui. Je lui demandais s'il m'aimait à cause de cela, comme il aurait aimé une Hottentote, une Peau-Rouge ou une Tonkinoise, pour le dépaysement, en quelque sorte.

« C'est l'inverse, répondait Charles. En un certain sens tu es le contraire de tes souvenirs, et je comprends qu'ils te paraissent ceux d'une autre. Tu incarnes le calme et la discrétion par excellence, qui ne seraient que des vertus bourgeoises, et qui doivent ne paraître que cela aux gens de Saint-Genest qui ne te connaissent pas, si elles n'étaient chez toi d'une autre nature, je ne sais pas comment dire cela au juste, il y a en toi une réserve profonde, un sommeil inaccessible, comme si tu n'avais jamais cessé d'être en catalepsie, et en même temps il y a en toi ce pandémonium des Helquin, qui ne t'atteint pas et ne te concerne pas. J'aime chez toi ta façon de n'être pas ce que tu es. Et je suppose qu'enfant déjà ta mère et tes frères devaient te regarder comme je te regarde, troublés par cette manière indéfinissable de rester en deçà sans pour autant rejeter ce qu'ils étaient. Sans doute auraient-ils préféré que tu te révoltes. »

Cette nuit-là, disait Thalia, j'ai rejoint, au jugé, une partie pas trop lointaine du rez-de-chaussée, car je craignais, lorsque c'était mon tour de jouer la bête traquée, les pièces où nous n'entrions jamais, principalement au deuxième étage, dont les vieux fauteuils semblaient encore se souvenir du poids des êtres qui s'y étaient assis. J'attendais dans un cabinet qui donnait sur le jardin, dans l'aile gauche de la maison. Je devinais les lourdes tentures de velours qui masquaient la fenêtre, je respirais l'odeur de cuir et de bois du bureau démodé.

Bientôt Charles arriverait, il pousserait doucement la porte du cabinet, il s'arrêterait un instant sur le seuil, tendant l'oreille, essayant de percevoir mon odeur, le bruit de mon souffle, tâtonnerait. Lui, sans doute, mais quelle certitude que ce soit lui ? Et si un des habitants de la ville nous avait espionnés, et s'était substitué à lui ? Et si un cambrioleur s'était introduit dans la maison ? Non, lui, bien sûr, mais quel lui ? N'était-ce pas justement pour n'être plus lui, pour se défaire des oripeaux que nous appelons notre identité, et laisser paraître la nuit seule qui nous constituait, qu'il tenait à ce jeu ? Ce pouvait être n'importe qui, mais lui, à présent, pouvait aussi être n'importe qui, il devait bien le sentir comme je le sentais.

Une main, sa main se poserait sur mon corps, qui frémirait. Sa main semblable à une bête palpitante aux multiples pattes. Elle explorerait lentement ma peau, comme un territoire inconnu, je la laisserais sans bouger glisser sur mon cou, ma poitrine, mes bras. Mon corps de nuit prendrait forme, une forme que jusqu'alors j'ignorais, tout comme lui, et puis tout à coup il serait tout entier sur moi, ses bras autour de moi, sa poitrine et son ventre collés aux miens, comme s'il voulait m'absorber, me mêler à sa substance. Je sentirais le membre brûlant entrer en moi, et toute la nuit me pénétrer avec lui. La nuit ou quelque créature engendrée par la nuit, qui me masquerait son sourire aigu, ses dents, les lourdes cornes sur son front et le pelage épais couvrant ses cuisses.

Mais ce soir-là, la créature ne venait pas, je n'entendais pas ses pas se rapprocher, ses mains frôler les murs. Les bruits de la maison se mêlaient au frôlement insidieux de la pluie, j'étais enveloppée des murmures d'une foule inconnue, comme si, cette nuit entre toutes les nuits, des voix anciennes, profondément enfouies, avaient trouvé leur éveil, et se parlaient dans une langue archaïque. Et dans ces chuintements, ces claquements, je tentais de distinguer quelque formule qui m'annoncerait sa venue à lui, son pas, son tâtonnement, son appel murmurant.

Dans mon angoisse, dans la suspension de toutes mes certitudes, je me suis même prise à douter de lui. N'était-il pas un spectre parmi les spectres, une voix qui s'élevait dans l'obscurité pour instiller en moi la tentation, comme le prêtre à l'église nous assure que le faisaient les démons ? Que voulait-il, ce Charles Louvel, ce médecin aliéniste qui avait recueilli un cas clinique, l'avait utilisé, mis en scène dans ses cours à l'hôpital, avant de prétendre l'avoir guéri et de disparaître avec le cas, c'est-à-dire avec moi ? Quelle expérience exactement voulait-il réaliser ? Et de même que les clowns comme mes frères font peur parce qu'on ne peut jamais savoir, dans le déchaînement sans logique de leurs inventions, ce qui va se produire et jusqu'où cela pourra aller, nue, dans le noir, au fond d'une maison qui m'était peu familière, je me suis mise à trembler, comme une gamine égarée dans la forêt, ne sachant plus ce que ce médecin que finalement je connaissais mal, et que seul le jour me donnait la rassurante impression de connaître, était capable de faire, quelles idées pouvaient naître en lui. Est-ce que lui-même, dans ce jeu, ne finirait pas par se découvrir des désirs troubles qu'il ignorait ?

Je me disais que tout cela faisait précisément partie du jeu, il m'en avait parlé, il fallait que nous ne soyons l'un à l'autre plus rien d'assuré, il fallait que nous nous dépouillions de nos habitudes pour qu'une sorte de terreur exacerbe le désir. Et ce jeu, je l'avais voulu, moi aussi. Tout comme lui, m'excitait le contraste entre notre apparence de bourgeois tranquilles et le petit théâtre d'ombres que nous installions en privé.

Dans le noir, pour me rassurer, je tentais, tant bien que mal, de reconstituer les images de notre vie ordinaire. Les histoires que devaient se raconter les habitants de Saint-Genest à notre propos nous excitaient, bien sûr, et nous jouissions pendant nos promenades en ville et lors de nos passages chez les commerçants de pressentir ce bruissement des paroles en travail de fiction. Et j'avoue que, longtemps, ce que nous imaginions que les bourgeois de Saint-Genest imaginaient de nous suffisait, à notre retour chez nous, une fois la porte refermée, à magnétiser de désir les espaces de la maison. Nous nous chargions d'érotisme parce que d'autres supposaient que nous étions chargés d'érotisme. À ces moments-là, il nous fallait presque toute la maison pour assouvir ce désir. Nous faisions l'amour dans la cuisine, dans la chambre, dans le salon, dans la bibliothèque, comme si chaque pièce recelait une qualité particulière d'érotisme, et qu'il suffît d'en changer pour que le désir renaisse.

— Que peut imaginer Mme Quinet, le soir, lorsqu'elle se rend à vêpres et passe devant la maison ? disait Charles.

— Tu crois qu'elle imagine encore, après des années ?

— Nous sommes inépuisables. Je suis bien sûr qu'elle doit cuisiner encore Félicie… C'est le cas de le dire… si jamais elle arrivait un jour à surprendre quelque chose.

— Et elle reste bredouille, depuis le début, et elle continue, sans se lasser… et les autres comme elle…

— Le ressassement fait partie du plaisir provincial. C'est une manière de connivence.

— Je l'alimente discrètement. Je laisse traîner à l'intention de Félicie des pièces de lingerie délicate, dans des lieux où elles ne devraient pas se trouver. J'ai laissé un bas et une jarretière dans la cuisine. Au début c'était un véritable oubli. Et puis ça m'a amusée de recommencer.

— Ton linge circule dans les conversations de Saint-Genest.

— On n'en trouve de semblable dans aucune des boutiques de la ville, il n'y a donc pas de comparaison possible, je n'imagine pas les bourgeoises d'ici se fournissant à la capitale.

— Il doit prendre des proportions épiques, devenir de jour en jour plus impalpable et plus compliqué à la fois.

— Oui, j'y pense parfois, en prenant mon air le plus modeste, lorsque nous allons prendre le thé chez le baron Ferroud.

— J'y songerai aussi alors, mais tous les deux mois, ce n'est guère…

Qui sait si dans cette dualité même, comme je le lui avais suggéré un jour, nous ne nous conformions pas à la perfection aux habitudes des habitants de la ville, avec leur respectabilité et leurs petits secrets ? Mais être ordinaire n'avait jamais été pour me déplaire.

Saint-Genest, extérieurement, ignorait l'extraordinaire. Il ne s'y passait jamais rien. Les guerres n'y avaient laissé que deux ou trois monuments, dont la statue équestre de la seule célébrité du cru, un général qui avait accompli quelques faits d'armes obscurs au début du siècle, dans des contrées lointaines. En l'absence d'assassin local ou d'agitateur politique, des événements tels que la vente de douze hectares de prés, l'élargissement d'une route, une réplique un peu vive au whist du baron, une jambe cassée lors d'une chute de cheval, le départ à la retraite du percepteur ou la succession d'un gros propriétaire se haussaient aux dimensions de l'épopée. C'était chaque fois l'occasion d'une narration agrémentée de multiples épisodes, d'affrontements rhétoriques entre aèdes dépositaires de versions divergentes, de portraits héroïques des protagonistes.

Or, un jour, cela faisait peut-être six années que nous étions installés à Saint-Genest, quelque chose s'était produit. Enfin, quelque chose, c'est sans doute beaucoup dire, de petits événements semblables arrivaient de temps à autre.

Ce jour-là, Charles était sorti seul, pour la promenade rituelle que nous faisions sur le mail, toutes les fins d'après-midi, en bon couple bourgeois. L'automne finissait, il s'était mis à faire froid, je ne me sentais pas très bien et j'avais préféré rester près du feu.

Il est rentré plus tôt que d'habitude, l'air préoccupé. Dès le début de la promenade, m'a-t-il dit, il s'était senti mal à l'aise. Sur le mail, le vent faisait rouler des centaines de feuilles de platanes et de tilleuls qui émergeaient des longs plis des ombres pour venir jouer dans la lumière chaude. Une, parfois, se collait contre sa redingote, comme une petite paume tremblante, et puis se laissait tomber, hésitait, fuyait, reprise par la frénésie de toutes ces mains qu'agitait une foule d'invisibles marionnettistes. Au bout du mail, il avait vu une bande de gamins surgir par la porte du Martroi, dégringoler le début du boulevard, et disparaître entre les hautes maisons du faubourg. La vieille Mme Béliard, la veuve du notaire dont le fils et successeur nous avait vendu la maison, venait à sa rencontre.

— Où courent tous ces gamins ?

— Vous ne savez pas ? Ils vont au cirque.

— Au cirque ?

— Un cirque est arrivé hier soir. Ils se sont installés sur le foirail. Vous imaginez bien que les gosses ne pensent plus qu'à ça. Si c'étaient les miens, ils n'y mettraient pas les pieds. On sait bien ce que c'est, ces gens-là, ça vole et ça chaparde tant que ça peut. On dit même qu'ils volent des enfants pour les élever dans leurs métiers. J'ai entendu l'histoire de nourrissons qu'ils avaient pris dans des villages et à qui ils infligeaient des déformations, pour les exhiber ensuite comme monstres.

Elle est partie en continuant à grommeler. Charles est resté immobile dans la lumière déclinante, parmi les feuilles qui poursuivaient leur danse indifférente, déboulant vers le boulevard, comme pour attirer à leur suite les chalands vers le spectacle invisible qui attendait, là-bas, sur le foirail.

— Ça n'est jamais qu'un cirque, Charles, ne t'inquiète pas. Il en passe dans toutes les petites villes.

— Je sais. J'aurais dû aller voir, pour me rassurer, mais je n'ai pas osé. Et si c'était eux ? S'ils m'avaient reconnu ?

— Comment voudrais-tu que ce soit eux ? Et quand bien même, pourquoi t'en soucier ?

— Je me dis que c'est eux, forcément, qu'il n'y a pas de hasard. Peut-être parce que je n'ai jamais vraiment compris qu'ils acceptent de te lâcher.

Il les imaginait, depuis plus de huit ans, regrettant d'avoir confié leur sœur à un médecin de passage, finissant par trouver dérisoire la somme qui les avait décidés, méditant on ne sait quoi, des recherches, un chantage.

Il voulait en avoir le cœur net, demander des informations à quelqu'un qui aurait assisté au spectacle. Mais, dès le lendemain, nous avons appris qu'après une unique représentation, le cirque s'était volatilisé. Personne parmi nos relations de Saint-Genest n'avait assisté au spectacle, c'était le genre de distraction qu'on réservait plutôt au petit peuple. Les bourgeois de la ville n'avaient pour la plupart aucune envie de côtoyer sur des bancs de bois un ouvrier à casquette sentant la sueur, une cousette riant trop fort, aspergée de parfum bon marché, ou des morveux des faubourgs. Ils affectaient même de ne rien savoir de cet événement un peu vulgaire, qui ne pouvait pas les intéresser. J'ai eu l'idée de poser la question à Désirée. Charles n'aurait pas pu ; pour des raisons mystérieuses, il semblait la terroriser. Le visage blême de la petite souillon, ordinairement renfrogné, s'est éclairé dès que j'ai parlé de cirque. Elle y était allée, évidemment. Mais impossible de lui tirer des informations à peu près cohérentes.

C'est finalement M. Gendron, le chapelier de la place des Lices, qui, le surlendemain, en a dit plus à Charles. Il y était allé avec ses deux fils. Et il l'avait amèrement regretté.

Gendron était incapable de donner un nom au cirque, il n'y avait eu ni parade ni affiche. Cela se résumait à trois ou quatre roulottes rouge et jaune garées dans la poussière du foirail, et un chapiteau rouge. Pas d'animaux. Le spectacle l'avait mis mal à l'aise. Plusieurs personnes avaient quitté leur place pendant la représentation, et il avait failli en faire autant. Ce qui l'avait retenu, c'est que ceux qui partaient essuyaient les lazzis et même les insultes des artistes. Gendron n'avait pas donné à Charles beaucoup de détails, mais je ne pouvais guère m'y tromper, même si le personnel avait changé, même si les numéros avaient subi diverses modifications, c'étaient bien les idées de mes frères, c'était leur manière.

Dans ce que Charles me disait que lui avait rapporté le petit chapelier au visage rond et naïf, qui paraissait encore écarquiller les yeux devant ce qu'il avait vu, je reconnaissais leur frénésie et leur brutalité. La troupe était maigre. Le chapelier ne se souvenait que d'un trompettiste et d'un percussionniste qui assuraient l'ambiance et les transitions entre les numéros. Ceux-ci ne consistaient qu'en acrobaties, numéros de funambules et de clowns assurés par trois hommes, évidemment mes frères, et une clownesse. Ils m'avaient donc remplacée. Mais d'après le chapelier c'était une clownesse ratatinée, à laquelle on ne pouvait pas donner d'âge. Et ces spectacles qui m'avaient paru si extraordinaires, lorsque je les regardais se dérouler depuis les coulisses, dans le cercle magique de la piste sur laquelle les laborieux essais, les innombrables répétitions auxquels j'avais assisté pendant des semaines devenaient les évolutions souveraines de demi-dieux, n'étaient plus, dans la description telle que Charles me rapportait qu'elle lui avait été faite, que les agitations incohérentes d'un cauchemar.

Il y avait eu une parodie de romance amoureuse, avec sérénade sous le balcon. Un alguazil était survenu, qui avait voulu arrêter le joueur de mandoline, mais celui-ci l'avait rossé affreusement. Ç'avait été l'occasion de roulades, de sauts de carpe et de bastonnades. Puis l'amant réceptionnait sa dulcinée, une blonde obèse au visage enluminé, peinte comme une geisha, empaquetée dans des amas de dentelles, sans doute jouée par un de mes frères. Il tentait de la porter, croulait sous le poids. On avait des aperçus obscènes, lourdement appuyés, sur des chairs boursouflées, qui avaient déterminé une première désertion par des mères de famille horrifiées. Finalement il transportait la fiancée dans une brouette devant le prêtre. La cérémonie avait donné lieu à des simagrées et des grimaces qui avaient soulevé des grondements dans la salle, tant cela différait peu d'un blasphème, d'un cérémonial satanique. En même temps, les gens restaient, comme fascinés d'assister à ce pandémonium. Le prêtre, le fiancé, la grosse promise s'agitaient comme des possédés, comme des cadavres animés de secousses galvaniques.

Le spectacle avait fini bizarrement. Au milieu de feux de Bengale et de fumigènes surgissaient deux des clowns, l'un déguisé en ange et l'autre en démon, se disputant un troisième, qui était censé être l'âme d'une femme défunte. Ce petit clown bancroche était couvert de difformités, chacune portant un écriteau censé indiquer le péché qu'il avait commis. Son ventre gonflé affichait *Gourmandise*, et une langue interminable et rouge lui pendait de la bouche, avec l'inscription : *Médisance.* Pour le coup, cette apparition avait fait beaucoup rire. Les deux autres tiraient la pauvre âme, la houspillaient dans tous les sens. Ils faisaient finalement appel à un volontaire dans le public, tiraient quasiment de force un adolescent de sa place au premier rang, pour lui demander de venir arbitrer entre eux. Il accordait l'âme à l'ange, celui-ci et le clown-âme étaient enlevés dans les airs par une corde transparente, en jouant du luth. Mais le clown-démon, furieux, s'attaquait au jeune homme avec sa fourche. Au début, on riait de ce qui n'était qu'une pantomime de colère, une gesticulation sans méchanceté. Mais, d'après ce que le chapelier avait raconté à Charles, le malaise s'était vite installé. On se rendait compte que le clown le frappait vraiment. Un coup de pied au derrière avait fait trébucher le garçon, qui s'était enfui et avait sauté la barrière de bois pour se réfugier au sein du public. C'était le finale. Les trois clowns et la chétive clownesse étaient venus parader sur la piste avec leurs deux musiciens. Il y avait eu quelques applaudissements mais beaucoup de sifflets. Les clowns riaient, provoquaient le public, faisaient des gestes obscènes. Les gradins s'étaient vidés très vite, la parade était à peine commencée.

C'était bien le cirque Helquin qui était venu se poser un soir à Saint-Genest, pour en disparaître dès le lendemain, comme un cauchemar s'efface avec le jour. J'ai cru un moment que nous en serions quittes pour si peu. Mais de ce jour, les choses ont commencé à changer, comme si les Helquin avaient laissé derrière eux quelque chose de leur folie.

ALASTAIR 3

Quelle heure était-il ? Quel jour ?

Il ne le savait pas sur le moment, le vieux clown, le vieux Punch.

Qu'est-ce qu'il foutait sur ce boulevard ? Ça lui reviendrait, qu'il se disait. Ça lui reviendrait. Pas la première fois, non. De grands pans de mémoire s'effondraient ainsi certains jours. Ça pouvait durer des jours, des mois. Parfois la nuit les reconstruisait, et coucou, les revoilà un matin comme s'ils n'avaient jamais disparu.

Ça m'arrive encore. Moins souvent, mais ça m'arrive encore. Cela fait des années qu'elle habite cette maison instable, cette créature que j'appelle moi. On ne s'y habitue pas, vous pouvez me croire, avaient dit les voix, qui par moments se fondaient en un souffle semblable à celui d'une bête lourde, et comme elle porteur d'odeurs prégnantes, de cuir, de vieilles étoffes humides, de mur de cave, de sauvagine.

Quelle heure est-il ? Il fait nuit. Une foule de flâneurs se presse sur le boulevard. Punch suivait des courants de peuple, ne se rappelait plus où il allait. Il faisait lourd, l'humidité l'enveloppait d'un corps fantomatique. Est-ce qu'ils me voient, ces petits marlous à casquette qui me bousculent, qu'il se disait, ces lorettes qui vont par deux en se tenant par la taille et me riant sous le nez ? Ces viveurs à canne et cigare, ces sous-officiers à moustaches cirées, ces bourgeoises roulant des jupes ? Il avait l'impression qu'ils le traversaient sans même s'en apercevoir. Et pourtant, hein, il y a de quoi regarder, c'est pas la matière qui manque. Va savoir.

Vous voyez, docteur, depuis tout gamin, il se pose cette question : est-ce que le monstrueux développement de son corps n'est pas une tentative de réponse, une tentative maladroite, une espèce de réflexe de défense incontrôlé si vous voulez, au sentiment d'irréalité qui le hante ? Et ce serait pour ça aussi, qui sait, qu'il s'est acharné à aller le plus loin possible, plus loin encore que ses frères, et Dieu sait que ce n'est pas rien, dans les numéros de cirque : toujours plus spectaculaire, plus dangereux, plus acrobatique, comme s'il fallait se contorsionner pour accéder à l'être.

Il n'était pas de la même nature qu'eux, cela il en avait la certitude depuis toujours, et cela n'a pas quitté sa mémoire. Dans sa jeunesse, tous les êtres qu'il a rencontrés paraissaient assurés de leur réalité. Les timides jeunes filles comme les traînées, les fiers-à-bras et les gentils garçons ne se posaient visiblement pas la question de leur consistance. Mais lui, celui qui vous cause en ce moment, docteur, il se savait d'une autre espèce. Vous savez pourquoi ? Parce qu'en lui, il n'y a rien. Et il n'en tirait aucune fierté, qui serait fier de n'être rien ? C'était plutôt comme une infirmité secrète, de celles qu'on dissimule sous une barbe ou un grand manteau. Il leur enviait cette certitude d'être. D'où leur venait-elle ? Ils ne semblaient pas craindre de se dissoudre dans l'atmosphère, ou d'être colonisés par un parasite qui les dévorerait entièrement de l'intérieur, ni se préoccuper de ce qui pourrait surgir en eux d'inconnu, d'indistinct, et qui n'appartient à personne.

Ils ne savaient pas qui les croisait, qui traversait leurs corps de son corps d'ombre. Ils ignoraient et ignoreront toujours son tourment. Ils allaient au théâtre, au café, ils allaient à leurs rendez-vous, ils rentraient chez eux où les attendaient du feu, un repas, des enfants, une femme. Devant l'entrée du musée des Horreurs, les spectateurs faisaient la queue, affriolés à la perspective de l'horreur, friands de décapitations, d'amputations et de tortures. Ce sont des choses que l'on peut aimer tranquillement lorsqu'on dort d'un sommeil profond, entre quatre murs, lorsque l'on sait qui l'on est et où l'on habite.

La lune a fait son apparition entre les nuages, enveloppée de vapeurs changeantes, pleine et rouge, gonflée de sang, gibbeuse, soufflée de cicatrices comme un organe malade. Personne d'autre que moi ne levait les yeux vers elle. Enfant, la lune qui se levait m'attirait à la fenêtre, je savais qu'elle serait là, elle m'avait appelé silencieusement. « Tu tombes encore de la lune », me disait souvent maman, et je me demandais ce que cela signifiait. J'imaginais que j'y avais habité, très longtemps auparavant, quand je n'étais pas encore né, que là était mon lieu, et c'est pour cela que nulle part je ne me sentais chez moi.

Je me représentais un monde silencieux et ouaté, de vastes plaines recouvertes de cendres froides sillonnées de traces sinueuses, des coulées de lave blanches figées en cordes, en nœuds géants. Tout y était en suspens, pris dans une léthargie profonde, le vent léger qui soulevait les cendres paraissait le souffle d'un dormeur caché, les ombres interminables s'allongeaient sur les plaines comme pour y trouver le repos. J'étais de la lune et j'y reviendrais, me disais-je devant la petite fenêtre de la roulotte, je viens du sommeil, je suis issu d'un rêve, tout ce qui s'agite et hurle, la crudité de la lumière et les cris de la rue, me demeurera toujours étranger. Je me glisserai parmi eux, me disais-je alors, ils ne me connaîtront pas. Je serai derrière eux, la bouche tout près de leur oreille, le souffle dans leur cou, ils ne m'entendront pas.

That's the way to do it.

Oui, soufflait l'ombre encapuchonnée, je me souvenais ce soir-là, la lune me faisait me souvenir, dans le ciel du boulevard, comme si en elle se conservait ma mémoire. Quand la lune était pleine, de même que ce soir-là sur le boulevard, j'entendais les animaux qui rôdaient dans la nuit. Je me sentais semblable à eux. Je n'étais pas chez moi dans cette roulotte, que ma mère décorait de napperons en dentelle, d'assiettes peintes, d'affiches de vieux spectacles et de navrantes statuettes en biscuit représentant des acrobates, comme pour s'assurer que cette caisse à roulettes ridicule était bien une maison comme les autres. Je n'appartenais pas à cette famille, mes frères n'étaient pas mes frères, ma mère n'était pas ma mère, ils m'avaient enlevé, ils m'avaient fait croire que j'étais des leurs, mais j'appartenais à la lune.

Ma sœur dormait dans la même roulotte que ma mère et moi, son petit lit en dessous du mien, tout comme dans notre maison de Manchester, où elle était née. C'était encore une petite fille. Je ne me rappelle pourtant pas le moment de sa naissance, ce qui m'a fait plus tard me demander si elle n'était pas d'ailleurs elle aussi. On disait, des gamins avec qui je jouais me l'avaient appris avec délectation, que les bohémiens et les nomades comme nous enlevaient des enfants dans les villages pour en faire des clowns et des acrobates. Ils n'avaient pas le temps de beaucoup ricaner. Je les rossais. Les dents qu'ils avaient arborées pour rire de ma confusion, je les brisais. Leurs trognes hilares, je les enfonçais dans la boue jusqu'à ce qu'ils soient près d'étouffer.

Si j'avais été volé tout bébé dans un berceau, pourquoi pas ma sœur ? Je passais la tête au-dessus des montants du lit et je la regardais dormir. La lumière de la lune se posait sur son visage. Elle l'épousait parfaitement. Les traits de ma sœur devenaient ceux de la lune, je reconnaissais en eux l'astre à la lumière tranquille, c'était l'ancêtre dont ne subsistent que les traits flous sur une ancienne photographie et qui revit un jour dans la face d'un nouveau-né.

Dans mon amnésie, son nom ne me revenait pas, il me restait un visage endormi que dessine la lumière de la lune. Ce visage, des dizaines de nuits, qui se répètent et se confondent, contemplé dans le silence de la chambre, m'a soumis à son injonction secrète. Je n'ai jamais pu me représenter la beauté autrement. Ce visage, je ne sais pas comment vous expliquer ça, docteur, ce visage faisait tourner le temps en rond. Sur ce visage, ou plutôt sous ce visage, qui n'était sans doute, me disais-je, que l'apparence humaine que se donnait pour séjourner parmi nous la déesse dont la vraie figure nous serait insupportable, demeurait le sommeil, un sommeil sans âge, un sommeil que ne connaissaient pas les êtres ordinaires, et ce sommeil était le passage qui ouvrait sur un monde sans durée, un monde nocturne dont la substance impalpable et froide était étrangère au nôtre, et dont la lune n'était que la figure émergée. Ma sœur le rejoignait toutes les nuits, je comprenais à la voir dormir si profondément qu'elle était alors chez elle.

Dites-moi, alors, docteur, comment la profondeur de l'éternité ne retiendrait pas en elle le temps qui passe à sa portée ? C'est ainsi : depuis mon enfance mon temps n'est pas celui des autres. C'est pour cela qu'ils ont du mal à me voir, et que je me glisse parmi eux, ils vont un peu trop vite pour me prêter attention.

J'ai l'impression, encore aujourd'hui, que je ne parviens pas à m'extirper de ces nuits toutes semblables. Combien d'entre elles ont en réalité été la même ? Quelles nuits croyais-je vivre que je ne faisais que répéter ? Ainsi peut-être que dans ma jeunesse je ne vieillissais qu'à retardement, je restais cet enfant penché dans la nuit sur ce visage endormi au-dessous de lui. Ma mère me trouvait alors bien petit, bien peu formé pour mon âge, quand mes frères aînés arboraient déjà de belles musculatures. Mon temps était retenu par mes nuits. « Décidément, mon pauvre enfant, tu ne feras jamais rien. » Et alors, le tremblement presque inaudible de son rire. « Si ton père voyait ça… »

Dans les discours de ma mère, notre père intervenait comme une puissance tutélaire, qui, du haut de l'empyrée où elle régnait dans la perfection, observait sans indulgence nos maladroites tentatives de l'imiter. Elle se plaignait de n'être que sa représentante sur cette terre, et appelait son intervention pour rétablir l'ordre dans un monde que toute qualité avait déserté. Je redoutais presque plus ces discours de dévotion que ses ricanements tremblés, qui semblaient toujours l'amener au bord de la dislocation.

« Décidément, mon pauvre enfant, tu ne feras jamais rien. »

Mais j'ai changé, ensuite, mon corps s'est mis à rattraper le temps. Le petit Alastair est devenu Punch.

Oui, ce corps a rattrapé le temps, il a fait des sauts, des roulades et des cabrioles, il est passé par-dessus les corps de ses frères, ils ont commencé à le considérer, non plus avec condescendance, mais avec curiosité, puis avec une sorte d'appréhension. Quelque chose dans ce corps avait commencé son expansion et le faisait de manière désordonnée, il ne croissait pas comme croissent les autres corps humains, mais comme j'imagine que se développent les gorgones ou les iules. Certains jours, j'avais l'impression de sentir mes os travailler, de les entendre dans leur effort pour devenir toujours plus gros et plus longs, vous imaginez ça, le langage sourd des os qui travaillent et qui se parlent à eux-mêmes ? Le menton poussait, et les arcades, et les pommettes, et les mains, et les pieds, mes épaules s'arrondissaient et formaient une voûte, ma cage thoracique s'ouvrait démesurément, Punch naissait, interminablement, la nuit parfois je poussais des cris de femme en gésine, tant je souffrais.

Ma tête aussi était en gésine d'elle-même, je l'entendais grincer pour tenter de prendre toute sa place, et plus encore, ma peau allait se fendre, à la fin, mes chairs se déchirer, pour donner naissance à un monstrueux nouveau-né tout en os, et qui sait, la bosse de mon dos s'écarterait pour laisser se déployer deux grandes ailes membraneuses capables d'occulter la lumière du soleil, ha ha, oui, je me disais ça parfois, certains gamins à l'adolescence attendent de devenir de beaux jeunes gens élégants et minces, moi je m'attendais à devenir ça, une carcasse ailée.

Et ma mère y allait de son rire grelottant, ma mère riait beaucoup toute seule à des plaisanteries qu'on ne comprenait pas, et celle-là je ne la comprenais pas, ça m'est venu plus tard. « Quand les gens me disaient que j'avais un polichinelle dans le tiroir, je ne savais pas à quel point c'était vrai », qu'elle répétait en me regardant. « Je savais bien que cela arriverait, m'a-t-elle dit un jour. Ton apparence de petit ange m'a d'abord interloquée. J'ai cru parfois que tu resterais cette créature frêle et décorative. Mais c'était fatal. Une mère ne peut pas s'y tromper, je l'avais senti au premier moment. »

Elle m'a révélé ce jour-là, sur le ton de qui raconte une bonne plaisanterie, que lorsqu'elle était enceinte de moi, le zoo de Londres venait d'ouvrir. Elle avait eu la curiosité d'y aller, en profitant d'un engagement de mon père au Princess Theatre. Elle avait eu le privilège d'approcher l'oryx, l'orang-outang, le couagga et le grand koudou. Mais le vieux rhinocéros, qu'on lui avait décrit comme parfaitement inoffensif, s'était tout de suite montré hostile, et avait fait mine de charger. En reculant, elle était tombée. Le rhinocéros grincheux avait paru s'en contenter. Mais d'après ma mère, le saisissement qu'elle avait éprouvé devait fatalement faire naître un enfant monstrueux, une sorte d'homme-rhinocéros à la peau dure, aux membres lourds, aux petits yeux féroces. « Et c'est arrivé, disait-elle en frémissant de rire, mais avec du retard, le rhinocéros a pris tout son temps, il n'était pas pressé, il savait qu'il finirait par percer ton enveloppe, comme l'insecte déchire la peau de la nymphe. Tu es dur et puissant et anguleux comme lui. Une vraie réussite, mon Polichinelle. »

Quand je suis devenu Punch, ce qui m'inquiétait le plus, c'est la manière dont ma sœur allait me regarder. Elle a commencé à le faire comme mes frères, avec une espèce d'inquiétude. Mais c'était plus tard.

Ma sœur… Le jour, sans la lune, elle n'était plus tout à fait la même. Mes frères ont commencé à lui apprendre des tours très simples, un numéro avec un petit chien, des acrobaties élémentaires. Ils la montaient au sommet de leurs pyramides. Moi j'étais maladroit. J'avais du mal à apprendre les acrobaties. Elle, elle possédait une grâce innée, même ses quelques approximations paraissaient participer de cette grâce, elles la faisaient paraître plus touchante, c'étaient les hésitations de la déesse qui s'avançait dans notre monde visqueux et encombré. Elle sautait, elle roulait avec une légèreté lunaire, oui, je la regardais, je l'admirais, mais ce n'était plus la déesse endormie que je contemplais la nuit. Elle semblait avoir oublié qui elle était vraiment. Mais moi je le savais. Et je savais que je n'oublierais pas le visage de ma sœur endormie, qu'il suffirait à me donner jusqu'à la fin un peu de fraîcheur dans ce monde moite.

La nuit, quand je ne dors pas, c'est-à-dire presque toutes les nuits, et surtout celles où la lune dans son plein échafaude sa lumière blême comme un pont par où descendent vers nous les farandoles légères des rêves, les cortèges fantasques des chimères aux visages enfarinés, aux costumes impalpables, je revois ma sœur, qu'éclaire, seule, un pinceau de lumière au centre de la piste plongée dans l'obscurité, déployer comme une corolle la gestuelle qui prépare son acrobatie, et son geste n'en finit pas, sa courbe suffit à remplir une heure de rêverie avant qu'elle n'arrive à son terme.

Or c'était ainsi que Punch la voyait toujours, ses gestes ne se déroulaient pas dans le même temps que celui des autres, tellement précis, tellement emplis d'eux-mêmes qu'ils paraissaient ne jamais pouvoir finir, et lorsqu'ils finissaient on s'en trouvait presque surpris, on se demandait par quel tour de magie ils avaient atteint leur achèvement. Était-elle lente dans ce qu'elle faisait ? Lorsqu'elle mangeait, lorsqu'elle se déplaçait ? Peut-être pas plus que nous, pourtant la lenteur lui était inhérente, c'était le tempo de sa grâce.

Un soir, on l'attendait pour une répétition. Elle, qui était toujours à l'heure, n'arrivait pas. Uriah et Silas ont envoyé Punch la chercher. Lorsqu'il est entré dans la roulotte, il a vu sa sœur face à lui, assise immobile dans le fauteuil où trônait d'habitude leur mère. Penchée vers l'avant, elle tendait le bras gauche vers une tablette basse. Sa main gauche tenait une tasse de faïence. Elle paraissait réfléchir, regarder sa tasse avant de la poser sur la tablette, à moins qu'elle n'hésitât à la soulever et à la porter à ses lèvres. Mais cette immobilité n'était pas naturelle. Punch hésitait sur le seuil, comme s'il avait commis une sorte d'indiscrétion, surpris sa sœur dans une activité secrète. Puis il s'est décidé à s'approcher. Elle ne bougeait toujours pas. Était-ce une crampe, un tour de reins ? Mais elle aurait dit quelque chose, dans ce cas. La tasse était pleine de thé. Mais elle ne fumait pas. La théière, sur la tablette, était à peine tiède. Le regard était fixe. Depuis combien de temps était-elle immobile ?

« Thalia ? »

Ce nom, voyez-vous, je l'avais oublié pendant les dix années où j'avais perdu la mémoire, comme tous les noms, et il m'est revenu le jour de la foire.

Thalia ne répond pas. Punch sent l'angoisse monter. Il la touche, avec précautions, comme s'il allait briser quelque chose. Rien. Enfin, il se décide à appeler. On lui fait respirer des sels, du vinaigre, on la secoue un peu, rien n'y fait. Elle finit par revenir à elle au bout d'un quart d'heure. Elle ne comprend pas pourquoi tout le monde soudain l'entoure, pourquoi son thé est froid, elle a tout oublié.

Par la suite, cela s'est reproduit de temps à autre, peut-être une fois par an. La famille en a pris son parti. On n'a même pas consulté de médecin. Maman a prononcé le mot « catalepsie », et ça a suffi. Thalia souffrait de crises de catalepsie, comme d'autres d'accès d'allergie. Punch, dans l'enfance de son esprit, soupçonnait autre chose, qui avait rapport avec la lenteur. Il se demandait si, par accès, sa sœur ne revenait pas à un autre temps, qui ne s'écoulait pas à la même vitesse que l'autre. Le véritable temps de Thalia, c'était celui de la lune, à laquelle elle appartenait. Et parfois ce temps la reprenait.

C'était une illusion, se disait Punch, de croire qu'elle était immobile. Elle ne l'était pas plus que lorsqu'elle exécutait un mouvement pour un spectacle, où pourtant on percevait comme l'immixtion d'un autre temps. C'est nous qui nous agitions en tous sens, qui allions trop vite, tellement vite que dans ces accès peut-être n'avait-elle même pas le temps de nous voir, dans le temps qu'il fallait à ses paupières pour ciller nous étions entrés, sortis, avions fait toutes sortes de choses. Un jour, me disais-je, la lune la reprendra tout à fait. Ce jour-là nous la croirons définitivement endormie, alors qu'elle ne sera que plongée dans un temps infiniment plus long que le nôtre, qui la rapproche de l'éternité. Et Punch redoutait ce moment, qui le priverait de sa sœur adorée, tout en le souhaitant pour elle, qui retrouverait alors son véritable monde, très loin de nos grouillements surexcités.

Punch n'allait pas à l'école. Comme à ses frères, sa mère lui avait appris à lire, à écrire, à compter, et c'était à peu près tout, ça suffisait bien à des clowns. Plus tard, sa curiosité le pousserait à ouvrir des livres. Il y apprendrait des choses étranges, par exemple que plus un corps est massif, plus il exerce d'attraction sur les autres corps. Et il rêvait à ces astres qui invisiblement s'attirent, perdus dans l'obscurité infinie. Aujourd'hui, il se demande si le temps de Thalia, ce temps si lourd, si dense, n'avait pas le même pouvoir que ces masses ténébreuses. Il interprète ainsi, bien des années après, son attirance irrésistible pour elle, cette manière de sans cesse lui tourner autour qui l'agaçait tant parfois. Et peut-être, comme tous ceux qui approchaient Thalia trop souvent, avait-il insensiblement accéléré à son contact, atteint des vitesses que les gens ordinaires sont incapables d'approcher.

C'était cela, le secret des Helquin. Tout concordait. Comment expliquer sinon que pendant plusieurs années, avant la naissance de Thalia, le cirque Helquin ait végété en tournant dans les petites villes ? Et puis Thalia est née. Et Punch est devenu ce qu'il est. En deux ou trois ans, tout a changé. La célébrité mondiale est arrivée, les salles de spectacle géantes, les reportages, les photographies. Nous allions de plus en plus vite. Les journalistes disaient que les spectateurs avaient peine à suivre le rythme des numéros, tant leur allure était débridée. Ils rivalisaient de métaphores pour exprimer leur ahurissement : « les clowns électriques », « les clowns explosifs », « les Helquin, plus rapides que l'éclair », « l'acrobatie galvanique », « la foudre se déchaîne au cirque Colosseum ». Personne, pas même les premiers intéressés, ne soupçonnait que cette accélération permanente, dont on pouvait se demander jusqu'où elle irait, était provoquée par l'attraction de plus en plus puissante de la léthargie d'une jeune fille. Lorsque nous exécutions nos numéros, ivres de notre propre vitesse, je prenais plaisir à me dire que les spectateurs assistaient, sans le savoir, aux complexes révolutions d'étoiles et de planètes d'un système inconnu perdu au fond de l'espace, qui s'incarnait en nous et animait nos mouvements.

Les talents de Thalia participaient également, il faut le dire, de cette attraction. Elle fascinait le public lorsqu'elle paraissait, gracile, désarmée, tout enfantine encore, gravissait en quelques pirouettes la pyramide des frères Helquin, si vite qu'on n'avait pas le temps de la voir, et donnait là-haut un prodigieux numéro d'équilibre, rayonnant d'une flamme de joie pure qui se communiquait aux spectateurs. Et cette joie provenait, non pas de l'annulation de la pesanteur, mais de ce que la pesanteur du corps, qui continuait à se faire sentir, devenait l'instrument de son propre dépassement, de sa métamorphose en mouvement, de sa, oui, Punch ne doit pas reculer devant les mots, car ils maintiennent en lui la chaleur de la petite flamme qui l'anime encore dans ces jours d'obscurité, de sa spiritualisation. Cette joie qui émanait de Thalia n'avait rien de solaire. Elle s'accordait aux lumières artificielles de la piste, aux grandes tentures d'ombre qui descendaient des hauteurs du chapiteau, à la blancheur de sa peau et de son justaucorps à paillettes. C'était l'éclat de la lune, qui semblait exercer sur elle son attraction et la baigner de sa lumière froide à travers la toile, c'était une joie contrôlée, réfléchie, concentrée, qui se diffusait lentement jusqu'au cœur.

Mais Thalia avait un autre talent, bien différent. Un talent moins éclatant, un talent directement issu de sa nature lunaire, qui s'est révélé fortuitement, lors d'une de nos tournées en province.

THALIA 4

Dans le noir, disait Thalia, je me remémorais certaines de nos séances dans le salon de musique, tout près de la pièce où j'attendais nue, invisible, visitée par des souffles, des murmures, des odeurs errantes, comme si des esprits mélancoliques tentaient maladroitement de se glisser dans un monde matériel dont la nostalgie les tenaillait.

Le souvenir de la petite chanteuse contrefaite avait particulièrement bouleversé Charles. Je lui avais expliqué que la scène était à l'origine de ma passion pour l'art de la voix transposée. Curieusement, alors que je les lui confiais, les entendant résonner hors de moi, comme si ma voix les confiait désormais à la maison, mes souvenirs se mettaient à en susciter d'autres, plus précis, plus détaillés que ceux que jusqu'à présent je m'étais contenté de ressasser silencieusement.

On attribuait à ceux qui pratiquaient cet art divers noms, engastrimythe, sibilot, ventriloque. Gamine, en Angleterre, bien avant l'épisode de la petite fille contrefaite à la voix merveilleuse, j'écoutais mes frères parler avec admiration de « Monsieur Alexandre », ce Français qui faisait ce qu'il voulait de sa voix. On se souvenait encore, au théâtre Adelphi de Londres, de l'énorme succès qu'avait remporté sa pièce *The Rogueries of Nicholas*, en 1820, où l'acteur faisait la chasse à ses personnages qui lui répondaient depuis la cheminée, une boîte, la cave, un placard.

Ils conservaient précieusement le livre qui en donnait le texte, publié en 1822 : *Adventures of a Ventriloquist, or The Rogueries of Nicholas – An Entirely New Comic, Characteristic, Vocalic, Mimitic, Multiformical, Maniloquous, Ubiquitarical Entertainment, In Three Parts, As Embodied, Illustrated, and Delivered at the Adelphi Theatre, Strand.*

On racontait sur lui toutes sortes d'histoires extraordinaires. Lorsqu'il était adolescent et qu'il se promenait dans la campagne avec ses parents, on entendait parfois une voix suppliante demander la charité. Les parents cherchaient, regardaient derrière les arbres, pas de mendiant. Un jour qu'il se trouvait à l'église de son village, il se produisit, dit-on, un événement qui fit beaucoup parler. Une vieille dévote était en prière devant un crucifix qui ornait une petite chapelle. Elle fut épouvantée d'entendre le Christ s'adresser à elle tout haut et lui donner des conseils sur la charité qu'on doit aux pauvres. Pendant ce temps, celui qui n'était pas encore Monsieur Alexandre priait à genoux et silencieusement à quelques mètres de là. Au lycée, pendant le cours de rhétorique, le buste d'Aristote admonestait le professeur. Étudiant en médecine, durant les dissections, il faisait parler les cadavres que le professeur était en train d'ouvrir, ce qui, après les cris de terreur de ses condisciples, et le geste suspendu du professeur, scalpel en main, les yeux écarquillés, avait mis fin à ses études.

J'expliquais à Charles que cet art m'avait fait rêver. Prêter ma voix à quelqu'un d'autre, à un objet, à un animal, si j'y parvenais un jour, c'était m'alléger de moi-même, diluer ce que j'étais dans l'infinie variété du monde, m'oublier. Dans mes numéros d'acrobate, je cherchais à disparaître à force de vitesse dans l'enchaînement des figures, à n'être plus nulle part. Dans l'idéal, une maîtrise absolument parfaite aurait dérobé mon corps, l'aurait effacé dans le mouvement. Mais c'était une vue de l'esprit. Je ne pouvais jamais exécuter un numéro sans ressentir sur mes cuisses, mes reins de gamine l'empois des regards qui m'engluait et me poussait à m'arracher toujours plus vite à l'immobilité, à la pesanteur. Je voulais, confusément, n'être plus en moi, je voulais donner ma voix à tous les corps.

Un autre souvenir est venu se greffer sur celui de la chanteuse contrefaite. Quelques mois après cet épisode, au printemps 1870, juste avant la guerre, j'avais douze ans, nous avions obtenu un contrat pour quelques représentations dans un théâtre en dur, l'Apollo de Bordeaux. Un certain Cascabel, ventriloque, s'y produisait en première partie de notre spectacle. Il allait devenir célèbre, quelques années plus tard, dans un numéro de transformiste, *Cascabel, l'homme-Protée.* J'étais fascinée par son numéro. Un matin, je suis allée le voir, en racontant à ma mère que je voulais apprendre son art. Elle a eu son grêle ricanement, et a laissé la gamine que j'étais solliciter Cascabel. C'était un saltimbanque modeste et bien élevé, comme si la multiplicité des personnes qu'il incarnait lui avait enseigné l'effacement. Il m'a appris ses techniques. J'étais douée. Ma mère et mes frères m'ont confié un rôle dans certains numéros.

Les scènes de cirque où je faisais mon tour de ventriloquie sont accourues à leur tour à ma mémoire. C'était une sorte d'intermède. On annonçait au public un numéro de chien savant. J'entrais en scène avec Pooky, un adorable yorkshire terrier dont les mimiques et les tours faisaient la joie du public. Rupert, face au public, lèvres closes, me présentait. Je faisais une révérence, et voilà que Rupert se mettait à proférer des insultes à Silas. Il roulait des yeux effarés, mettait sa main sur sa bouche. Il se perdait dans des explications absurdes, parvenait à se faire pardonner, et je lui mettais un bâillon. Mais là encore, des insultes jaillissaient de sa bouche bâillonnée. Cette fois, Silas, furieux, saisissait un énorme maillet pour en écraser son frère. Mais le maillet protestait hautement contre le rôle qu'on voulait lui faire jouer, et Pooky, debout sur ses pattes de derrière, se mettait à faire la leçon à Silas. Lequel affectait de devenir fou et s'enfuyait dans les coulisses, pendant que nous saluions.

Évidemment, lorsque je lui ai raconté ma courte carrière d'engastrimythe, Charles a tout de suite voulu que la maison de Saint-Genest se peuple de voix. La règle était que je ne devais jamais le prévenir. C'est ainsi que parfois, un vieux portrait noyé d'ombre de quelque échevin se mettait à déplorer son arthrose, ou que le canard à l'orange servi par Désirée commentait la qualité de sa farce, une fois qu'elle était retournée en cuisine. Charles riait de bon cœur à chacune de mes trouvailles.

Cela devenait un besoin. Des voix traînaient partout, articulaient de vieux poèmes depuis l'intérieur des buffets, versaient des plaintes dans les couloirs. Au fond d'un grand vase de Sèvres, qui représentait une quelconque bergerade, le berger déplorait son malheur d'amoureux éconduit. Derrière une porte close, une petite voix préoccupée, presque murmurante, recomptait les sommes d'une dépense, comme je l'avais entendu faire à Félicie en cuisine. Parfois, j'avais l'impression que c'était la voix qui décidait, qui se servait de moi pour se faire entendre. Le piano du salon entonnait une vieille chanson de Clairville, *La Mort de Pierrot* :

Ah ! sans Pierrot, que deviendra Cassandre ?
Et sur quel dos va frapper Arlequin ?

Certaines répliques de ma mère paraissaient spontanément émises par le buste de Flore qui se reflétait dans le grand miroir posé sur la cheminée : « Qu'il est vilain, mais qu'il est fort, le Polichinelle de maman ! » Par la voix, des pans de ma mémoire remontaient, sans que j'aie à la solliciter. J'avais l'impression de ne plus décider. J'ai fini par m'inquiéter de la pulsion qui me poussait à peupler la maison de paroles, comme si elle exigeait de moi ce tribut, et que j'avais été un médium sans défense assailli par les fantômes. Charles n'était pas rassuré non plus, un malaise régnait dans tout l'espace de la maison où il ne savait jamais vraiment quand une voix s'élèverait et qui parlerait, nous avons préféré arrêter. Ou plutôt, dans un premier temps, pour m'aider à reprendre le contrôle des voix, nous avons essayé de les canaliser, de les encadrer dans la forme d'un de ces jeux qui devenaient la matière de notre vie dans la maison.

Il y avait, attenant à la bibliothèque du premier étage, un salon de musique, auquel nous n'avions jamais touché, et où nous ne mettions pas les pieds, comme dans la plupart des pièces de cet étage. Nous ne l'avions guère vu que lors de la visite avec le notaire. Il m'arrivait d'y jeter un coup d'œil lorsque j'allais fouiller dans les vieux volumes de la bibliothèque, où je passais des heures, dévorant les ouvrages, assoiffée d'une culture dont le monde du cirque m'avait privée et ne m'avait pas même donné l'idée. Un jour, Charles a voulu revoir le salon.

La pièce, poussiéreuse, encombrée de tapisseries anciennes usées jusqu'à la corde, de bahuts, de fauteuils Louis XIV, de chevalets, ne devait guère avoir changé depuis la construction de la maison, au milieu du XVIIe siècle, comme en témoignaient les actes notariés. Un clavecin décati à deux claviers occupait le fond, au corps surchargé de peintures salies représentant des guirlandes de fleurs entre lesquelles s'ébattaient des putti joufflus rongés par l'humidité. La monumentale cheminée de marbre noir supportait le poids, qu'on devinait exorbitant, d'une pendule de marbre noir et de bronze doré, où l'inévitable Diane chasseresse, carquois sur l'épaule, s'adossait à la colonne portant l'horloge, au sommet de laquelle un oiseau mort laissait pendre sa tête, surveillé par un lévrier, tête dressée.

Des taches d'humidité rongeaient le plafond, les plinthes et les moulures étaient chargées, comme d'une décoration baroque, d'une peluche de crasse ininterrompue. Des peintures à la fresque couvraient les deux murs latéraux, dans un style imité de Poussin : les neuf Muses, qui s'imposaient dans un salon de musique, et avec elles les Charites, dont nous avions déchiffré les noms inscrits en grec au bas de l'image, Euphrosyne, la Joie absolue, Aglaé, la Beauté dans tout son éclat, et, cela nous avait amusés, Thalie, l'Abondance. « Tu es l'abondance, m'avait dit Charles en riant, ce que tu as thésaurisé de rêve dans ton long sommeil se déverse sur la réalité et la féconde. Et Thalia est aussi la Muse de la comédie et de la poésie. C'est bien ce que nous faisons à Saint-Genest, non ? »

En contrepoint inquiétant, le mur de droite représentait les trois Moires, Clotho, Lachésis, Atropos, plus puissantes que les dieux, et les trois Érinyes, Mégère, Tisiphone, Alecto, elles aussi étrangères au pouvoir des dieux, qui poursuivent les criminels sur terre et jusqu'au fond des enfers, pour l'éternité. Quel esprit tordu avait bien pu faire peindre ces figures sinistres dans un salon de musique, face aux Muses ? Fallait-il interpréter cela, se demandait Charles, comme un avertissement aux arts, toujours prêts à verser dans la légèreté ou l'oubli du sacré ? Ou au contraire comme un rappel de la violence dont ils sont issus et qu'ils tentent d'apprivoiser ?

Mais le même parallèle se reproduisait sur les deux murs plus petits. Sur celui du fond, au-dessus de la cheminée, figurait une huile, pompeusement encadrée, à grand renfort de lambrequins, de rinceaux et de fleurons d'or, représentant Apollon citharède. Là encore, rien que de logique dans un salon de musique. En revanche, ce qu'on ne pouvait pas voir en entrant, c'était le grand tableau accroché au-dessus de la porte d'entrée, dans un simple cadre noir : Orphée déchiré par les Ménades. Sur une grève de sable, bordée par une mer aux vagues glauques, reposait une tête livide, aux yeux clos, vidée de son sang qui achevait de s'écouler par la blessure du cou tranché et rougissait la frange d'écume. La lyre du poète mort, celle qui lui avait été offerte par Apollon, était à moitié recouverte par le sable parsemé d'étranges mollusques. C'était Lesbos, où la légende disait que la mer avait charrié la tête d'Orphée.

« Décidément, je ne sais pas qui nous a précédés ici, avait dit Charles, mais ce devaient être d'étranges personnages. Tu crois que ces arrangements d'images font signe ? »

Je savais qu'il ne prenait jamais à la légère les signes, non pas vraiment par superstition, en bon médecin formé par des savants positivistes il affectait de mépriser l'irrationnel, mais plus forte que ses convictions affichées était sa pulsion d'interprétation : tout lui était figure à déchiffrer, le monde était pour lui un livre écrit dans une langue chargée de symboles, comme s'il avait vécu dans l'Antiquité, et non à la fin du XIXe siècle.

Depuis que nous étions installés à Saint-Genest, ses certitudes s'étaient infléchies. Il passait lui aussi du temps dans la bibliothèque, dont la majeure partie accueillait les auteurs grecs et latins. Plusieurs rayons étaient consacrés à des textes hermétiques dont ni lui ni moi n'avions jamais entendu parler. En fouillant dans ces vieux volumes, rescapés de la disparition d'immenses masses de connaissances à jamais englouties, il cherchait, m'expliquait-il, les traces de la naissance du savoir scientifique. Il se plongeait dans Diogène Laërce, qui racontait les vies et les doctrines de mystérieux philosophes grecs, Thalès, Parménide, Anaximandre. Il scrutait la *Vie d'Apollonios de Tyane*, ce philosophe à qui on attribuait le don d'ubiquité. Il peinait sur le latin des deux *Vie de Pythagore*, celle de Jamblique et celle de Porphyre, cherchait, dans Hiéroclès d'Alexandrie, à comprendre la doctrine de Pythagore, pour qui les mathématiques étaient aussi une mystique. Il avançait difficilement dans le *Corpus hermeticum*.

Sa passion des mises en scène m'apparaissait comme le corollaire de cette mécanique interprétative : si le monde était un code à déchiffrer, il y prenait une ductilité, une labilité qui permettait toutes les reconstructions. C'était un jeu, auquel il s'adonnait comme un enfant. J'étais un peu agacée par ces lectures qui me paraissaient risquer de l'égarer dans le galimatias occultiste, qui faisait florès à l'époque. C'était une furie d'hermétisme. Lorsqu'il nous arrivait de prendre un thé chez le baron Ferroud, qui se piquait d'ésotérisme et ne jurait que par Éliphas Lévi, il n'était question que de magnétiseurs, d'hypnotiseurs, d'alchimie, de kabbale, de Rose-Croix, d'Hermès Trismégiste, de Saint-Martin, de théosophie, de spiritisme. Tous les jeudis soir, monsieur le baron faisait tourner les tables, avec la fine fleur de la bourgeoisie locale. Il assurait avoir devisé avec son ancêtre Palamède Ferroud de Frégon, un ligueur enragé qui, durant la sixième guerre de religion, s'était illustré au siège d'Issoire et s'était vanté, paraît-il, d'avoir éviscéré et pendu force hérétiques. Le baron Ferroud remâchait à l'envi l'idée de Saint-Martin selon laquelle la Révolution française était un châtiment de la Providence divine.

— Celui qui a fait faire ces fresques, avait dit Charles, pouvait vouloir évoquer une correspondance secrète entre les figures qui se font face. Il faudrait que je connaisse mieux la mythologie pour comprendre. Mais j'ai lu dans Pausanias qu'il y avait en Arcadie un lieu où le culte des Charites était associé à celui des Érinyes. Ou alors il y a un code qui concerne la maison, une espèce de clé. Elle signifie pour nous, comme les Charites, la surabondance de vie, d'expression, la démultiplication des capacités de sentir. Il y a dans le lieu une puissance que nous ne soupçonnions pas. C'est une machine à rêver. Et la maison nous attendait : Thalie exigeait que tu viennes. En même temps, cet excès même engendre le surgissement des divinités souterraines, la haine et la vengeance.

— C'est une belle improvisation, Charles. Et c'est vrai que la maison a une puissance propre. Mais je ne sais pas s'il faut à toute force y déceler des signes, des avertissements, comme si on avait toujours su que nous viendrions. On peut sans doute simplement y voir une idée de l'art.

— C'est-à-dire ?

— Qu'il se nourrit de la mort. Qu'il n'y a pas d'art possible sans la prégnance de la mort. Tu sais, c'est une idée que j'ai eue très tôt, à force de jouer dans les scénarios macabres de mes frères. Il n'y a rien de plus fécond, de plus fantaisiste, de plus drôle que la mort. C'est facile. Dès qu'on l'introduit, tout prend une autre couleur. Mais le dispositif de nos prédécesseurs peut vouloir dire aussi que l'art ne peut se faire qu'au risque de la mort, faute de quoi il n'a pas de valeur.

— C'est un peu pompeux. On dirait du Victor Hugo.

— Moque-toi ! Mais tu as raison. On va tout de suite aux mots les plus faciles pour se débarrasser de ce qu'on essaie de penser. Comment dire ? Mes frères et moi exercions un métier un peu honteux, les succès et les applaudissements ne nous faisaient pas oublier le fond de mépris. Nous n'étions pas des artistes à part entière, comme des peintres, des sculpteurs ou des poètes. Pourtant, Apollon et Orphée déchiré, nous le vivions à chaque représentation. La maîtrise et la perfection du geste, nous pouvions les atteindre, mais nous sentions, certains soirs, que si elles étaient seules, c'était raté. Il fallait le déchirement, l'absurdité, la violence gratuite, le désordre. C'est ce que j'ai maladroitement appelé « mort ». Mais si la violence pure et le désordre dominaient, c'était raté aussi, nous nous perdions dans une espèce de complaisance enfantine, nos gestes tombaient dans le vide. Ce qui impressionnait le public, c'était l'accord parfait de l'ordre et du chaos.

Mais tu vois, c'est encore trop dire. De toute façon, dès qu'on se met à interpréter ce qu'on considère comme des signes, c'est sans fin, tout signifie tout, tout contient une signification cachée. Regarde Ferroud : il en devient comique à force de voir des signes partout. C'est une manie.

Le surlendemain, à la fin d'une journée où le brouillard avait enseveli Saint-Genest, lui enlevant le peu de réalité qu'elle conservait à nos yeux, et suggérant que des créatures inconnues s'efforçaient de se former dans cette soupe originelle, Charles tenait son scénario. Il n'avait pas eu à l'inventer. Il s'était contenté de ce qu'il appelait un « arrangement ». Nous passions du roman à deux au théâtre privé. Nous nous sommes retrouvés assis, l'un à côté de l'autre, au centre du salon de musique, face aux trois Moires, Apollon à gauche, Orphée à droite, assis au fond de deux fauteuils Louis XIV bien raides, dont la tapisserie verdâtre usée jusqu'aux lisières de la disparition se composait de plus de poussière que d'étoffe. Le salon baignait dans la lumière grisâtre que dispensaient les deux fenêtres donnant sur la place, obturées par le brouillard qui palpitait lentement comme un organe. Deux lampes à pétrole s'efforçaient d'ajouter une dose de luminosité, de creuser les reliefs aplatis par la grisaille.

Charles avait eu l'idée à partir de la Diane un peu inquiétante de l'horloge. L'impitoyable vierge chasseresse était un avatar d'Hécate, la déesse des magiciens, *la sépulcrale, bacchante parmi les âmes des morts,* comme il disait que la décrivaient les hymnes orphiques, Hécate pour qui on égorgeait des chiens aux carrefours, sous son buste à trois têtes. Et il voulait que je fasse parler la tête décapitée d'Orphée, en adaptant ces personnages à *Macbeth.* Quant à Apollon, c'était le maître des oracles, la Pythie rendait ses prophéties dans son temple de Delphes. Ça tombait parfaitement. Je suis allée chercher, au fond de ma gorge, les voix qui paraissaient remonter de très loin, et la scène s'est déroulée, tandis que la nuit s'installait progressivement aux fenêtres. Clotho a pris la parole :

Écaille de dragon, dent de loup, momie de sorcière, estomac et gueule de requin dévorant des mers, racine de ciguë arrachée dans l'ombre, foie de juif blasphémateur, fiel de bouc, branches d'if cassées dans une éclipse de lune, nez de Turc et lèvre de Tartare, doigt d'un marmot étranglé en naissant et mis bas par une drôlesse dans un fossé, faites une bouillie épaisse et visqueuse ; ajoutons les boyaux de tigre, comme ingrédient, dans notre chaudron.

Puis Lachésis seule, car je ne pouvais pas faire le chœur des trois :

Double, double, peine et trouble !
Feu, brûle, et, chaudron, bouillonne !

ATROPOS

Refroidissons le tout avec du sang de babouin,
Et le charme sera solide et bon.

HÉCATE

Oh ! c'est bien ! j'approuve votre besogne ; – et chacune aura part au profit. – Maintenant, tout autour du chaudron, – entonnez une ronde comme les elfes et les fées, – pour enchanter ce que vous y avez mis :

Noirs esprits et esprits blancs, rouges esprits et esprits gris,
Mêlez, mêlez, mêlez, vous qui pouvez mêler.
Titty, Tiffin, épaississez la soupe ;
Firedrake, Puckey, faites-la propice ;
Liard, Robin, trémoussez-vous dedans.
En rond ! en rond ! en rond ! autour ! autour !
Que tout mal accoure dedans et tout bien s'en éloigne !

CLOTHO

Au picotement de mes pouces, – je sens qu'un maudit vient par ici. – Ouvrez, serrures, à quiconque frappe !

ORPHÉE

Eh bien ! mystérieuses et noires larves de minuit, – que faites-vous ?

LACHÉSIS

Une œuvre sans nom.

ORPHÉE

Je vous en conjure, au nom de la chose que vous professez, – quels que soient vos moyens de savoir, répondez-moi ! – Dussiez-vous déchaîner les vents et les lancer – à l'assaut des églises, dussent les vagues écumantes – détruire et engloutir toutes les marines, – dussent les blés en épis être couchés, et les arbres abattus, – dussent les châteaux s'écrouler sur ceux qui les gardent, – dussent les palais et les pyramides renverser – leurs têtes sur leurs fondements, dussent du trésor – de la nature tomber pêle-mêle tous les germes, – jusqu'à ce que la destruction même soit écœurée, répondez – à ce que je vous demande.

CLOTHO

Parle.

LACHÉSIS

Questionne.

ATROPOS

Nous répondrons.

CLOTHO

Dis, aimes-tu mieux tout savoir de notre bouche – ou de celle de nos maîtres ?

ORPHÉE

Appelez-les ! faites-les-moi voir.

CLOTHO

Versons le sang d'une truie qui a mangé – ses neuf pourceaux ; prenons de la graisse – qui a suinté du gibet d'un meurtrier, et jetons-la – dans la flamme.

LACHÉSIS

Viens d'en bas ou d'en haut, – et montre-toi adroitement dans ton œuvre.

ORPHÉE

Dis-moi, puissance inconnue…

ATROPOS

Il connaît ta pensée ; – écoute ses paroles, mais ne dis rien.

APOLLON

Orphée ! Orphée ! Orphée !

ORPHÉE

Je t'écouterais de trois oreilles, si je les avais.

APOLLON

Sois sanguinaire, hardi – et résolu : ris-toi – du pouvoir de l'homme, car nul être né d'une femme – ne pourra nuire à Orphée[4].

Le silence est retombé. L'obscurité a envahi le salon de musique. Et les fantômes que j'avais évoqués, après avoir appris par cœur la petite adaptation rédigée par Charles, me paraissaient ne pas nous appartenir, avoir choisi ma voix pour venir articuler ce qui revenait, lui ai-je dit, à une leçon sur la tromperie des prophéties, des interprétations, des symboles. Finalement, Apollon tombait bien. C'est sa pythie, à Delphes, qui avait annoncé à Crésus que s'il franchissait le fleuve Halys, sa frontière avec l'Empire perse, pour l'attaquer, il détruirait un grand empire. Il se lança dans la guerre, et c'est son empire qui fut détruit.

Il n'y a pas de sens à attendre hors de nous, ai-je dit à Charles, je n'y crois pas. Ce sont les univers que nous construisons et détruisons qui sont les seuls vrais, surgis de notre imagination. Car nous sommes tout le monde, comme Shakespeare était toute l'humanité en un seul homme, un homme banal, sans envergure apparente, quelqu'un de semblable à ce que nous sommes à Saint-Genest, un couple de bourgeois sans histoires.

ALASTAIR 4

Comme je vous l'ai expliqué, docteur, disait l'ombre massive, j'ai eu plusieurs noms. Alastair, le moins usité. Mais j'y tiens car c'est celui que Thalia employait. Maman aimait m'appeler Polichinelle. Et vous le voyez, je porte une tunique d'Arlequin, faite de pièces et de morceaux. J'espère qu'elle vous plaît. Je l'ai fabriquée moi-même. Polichinelle dans une tunique d'Arlequin, vous avouerez que ce n'est pas mal. Tous les autres m'appelaient Punch. C'est un nom de guignol.

Il y a guignol dans ma tête. Ça c'est sûr. Il est bien enfoncé, bien solide, dans ma tête, avec tous ses détails en couleurs, et j'y reviens toujours. Est-ce que j'avais aimé guignol à ce point ? Non, j'avais détesté guignol, comme petit je détestais les clowns, mais comme les clowns, guignol m'avait montré quelque chose de moi que je ne voulais pas voir. Il y a ça, que j'ai fini par me dire, qui a fait son chemin dans l'esprit encombré de Punch, c'est que ce qui nous terrorise, nous sommes tentés de le devenir, comme le sauvage se revêt de peaux de loup, de têtes d'ours et de crânes. Et il le devient, parce que sans le savoir, il l'était. Maman avait raison, j'étais son Polichinelle.

Où ai-je vu le guignol ? Ça, la mémoire ne le précise pas. Je sais que je suis petit. J'entends des cris d'enfants autour de moi, je sens la présence de ma mère et de mes frères, mais je ne vois que le castelet bariolé de couleurs vives, tout en hauteur, sa minuscule scène juchée au sommet d'un coffrage en bois plus haut qu'un homme adulte. Dans mon souvenir, cela me paraît aussi grand et imposant qu'une tour. Pourquoi cette petite scène est-elle isolée si haut, perdue dans l'espace, comme un échafaud miniature, quelles scènes honteuses, obscènes ou répugnantes veut-on ainsi isoler de l'espace des gens ordinaires ? Je frémissais à l'avance de ce qui allait y paraître, mais je sentais en moi aussi une excitation étrange, malsaine : j'avais devant moi le spectacle pur, cette atroce cérémonie où l'on écartèle, où l'on dépèce l'humain. N'est-ce pas ce qu'ils attendaient obscurément, tous ces gamins, jouissant de leur terreur anticipée, que jaillisse dans ce cadre encore vide et silencieux quelque chose qui n'ait aucun sens, une pure destruction de tout ce qu'on leur avait appris, et qui constituait leur monde, qu'on appelait règles, bien, valeurs, et même réalité, pour leur substituer le chaos, le non-sens, l'obscénité, la terreur et la honte, dont quelque chose en moi avait toujours su que là était la vérité, qu'on s'efforçait de me dissimuler. C'est là que ça aurait lieu, dans ce petit cadre de bois enluminé.

Comme pour mieux marquer la solennité du moment, le musicien attendait, le tambour reposant sur son ventre et dans la bouche une espèce de flûte de Pan. Quelques coups sourds sur la caisse, et le spectacle a commencé. Les cris de « Punch ! Punch ! » poussés par les gamins qui connaissaient déjà le spectacle ont accompagné l'apparition d'un affreux gnome dans le castelet. Sur son visage peint en rouge cramoisi, la courbe du nez rejoignait le menton. Il était principalement constitué d'un ventre proéminent, sur lequel se greffaient une paire de bras et de jambes ridiculement trop courts, et d'une bosse dans le dos, qui répondait à son ventre. Il portait un habit rouge et un immense chapeau de même couleur, avec un gland doré qui lui retombait sur le nez. L'excès de sa laideur, je m'en souviens, ne me semblait pas drôle, mais effrayant, son corps contrefait jaillissait hors de lui-même comme il jaillissait sur la scène, comme pour se jeter sur tout ce qui était là.

Mais le plus impressionnant était sa voix. Punch glapissait d'une voix métallique, nasale, suraiguë, qui n'était jamais tout à fait identique, comme si plusieurs personnages s'agitaient dans sa gorge. J'ai appris par la suite que le *professor*, le marionnettiste, plaçait dans sa bouche, sous la langue, un petit instrument qui modifiait sa voix. Ça s'appelle un *swazzle* : un tube fait de deux lames de métal. J'en ai un sur moi, voyez : un swazzle.

Judy n'était guère mieux lotie, son nez et son menton se touchaient aussi, mais il lui manquait le ventre et la bosse. Une charlotte et un tablier féminisaient affreusement cette gargouille.

Tous les détails des dialogues et des gestes de Punch, ceux des autres personnages, se sont inscrits dans ma mémoire ce jour-là. Longtemps je m'en suis répété certains passages, sans même les comprendre, et parfois encore aujourd'hui il m'arrive, sans m'en rendre compte, que ces vieilles inepties se marmonnent d'elles-mêmes entre mes dents.

PUNCH

Quelle adorable personne ! Quel nez, quel menton superbe !

JUDY

Veux-tu te tenir tranquille !

PUNCH

Ne te fâche pas, ma chérie, donne-moi plutôt un baiser.

JUDY

Certainement, mon amour.

PUNCH

Bénies soient tes douces lèvres ! Je suis épris de ma femme. Dansons !

JUDY

D'accord !

PUNCH

Dégage ! Tu ne danses pas assez bien pour moi.

Là, Punch envoyait un coup de poing dans le nez de Judy. Les gosses autour de moi hurlaient de rire. Moi, j'étais à la fois fasciné et perdu. Je ne comprenais pas comment on pouvait passer si vite d'un sentiment à l'autre, cette incohérence était une découverte, plus effrayante et plus séduisante à la fois que la cohérence habituelle des rapports entre les gens, dont avait besoin mon enfance.

PUNCH

Va me chercher le bébé, et fais bien attention, prends-en soin, ne lui fais pas mal.

Judy apportait un paquet de langes d'où émergeait une petite tête rouge pourvue du même menton et du même nez interminables que ses parents.

JUDY

Occupe-toi de lui, je vais préparer des boulettes.

Punch la frappait à nouveau.

PUNCH

Fous-moi le camp ! Je m'occupe du bébé.

Là, Punch entonnait une berceuse que tous les enfants anglais connaissaient. C'était la préférée de ma mère, qui me la chantait quand elle consentait à venir m'endormir.

Fais dodo, mon bébé, à la cime de l'arbre.
Quand le vent soufflera, le berceau se balancera,
Quand la branche cassera, le berceau tombera,
Par terre le bébé, le berceau, et tout.

Le bébé se mettait à hurler. Punch le berçait à grands gestes, tout en continuant à chanter, mais le bébé s'obstinait à crier.

PUNCH

Quel bébé colérique ! Je ne peux pas souffrir les bébés colériques !

Punch balançait le bébé de plus en plus fort, lui cognait la tête et les jambes sur les côtés de la scène, puis le jetait par la fenêtre.

JUDY

Où est le bébé ?

PUNCH

J'ai eu un malheur. Le bébé était tellement colérique que je l'ai jeté par la fenêtre.

Judy prend un gourdin et tabasse Punch.

PUNCH

Ne te fâche pas, ma chérie. Je ne l'ai pas fait exprès.

JUDY

Je te ferai payer pour avoir jeté le bébé par la fenêtre.

Comme Judy continue à le frapper, Punch lui arrache le gourdin et la roue de coups.

JUDY

Je vais aller voir le commissaire et te faire mettre en prison.

PUNCH

Va au diable. Je me fiche bien de là où tu vas. Dégage !

Le spectacle continuait sur le même ton, avec toutes sortes d'épisodes et de personnages plus agressifs ou bizarres les uns que les autres. Je me souviens de certaines figures, de certains épisodes. Il y avait le fantôme de Judy, qui terrorisait Punch. Punch était condamné à la pendaison, mais demandait au bourreau comment être pendu, et la démonstration lui permettait de pendre le bourreau. Il y avait aussi un combat avec le diable, dont Punch sortait vainqueur. Régulièrement, pour ponctuer ses astuces, ses mensonges ou ses violences, Punch s'écriait : *That's the way to do it !* « C'est comme ça qu'il faut faire ! »

Par la suite, pendant des années, notre mère nous a emmenés voir Punch. Il n'y avait guère de ville anglaise qui n'ait son spectacle de *Punch et Judy.* C'était devenu une sorte de rituel. Le chapeau de Punch n'était pas toujours le même, ni le tablier de Judy, mais les variantes n'étaient pas très importantes. Nous aimions à retrouver les mêmes répliques, les mêmes coups de trique au même moment, la violence et la répétition formaient une sorte de rite sacrificiel à la fois inquiétant et rassurant. Dans ma mémoire, tout se confond un peu. Mais je sais qu'est venu un jour où le nom s'est imposé. Je n'étais plus le petit ange gracile qui attendrissait les spectateurs, mais je ne le savais pas, ou confusément. Il y a eu tant de nuits où mon corps me travaillait. Mon corps devenait mon ennemi intime. Et je tapais plus fort. Et je faisais peur aux gamins qui nous cherchaient noise après les spectacles. Je sens mon poing s'écraser sur leurs chairs, je revois leurs visages en sang. Mon nom s'est imposé à mes frères. Il y eut un jour où je devins Punch.

Je le suis encore, docteur, mais quelqu'un d'autre s'est glissé dans la vieille peau tannée de Punch, quelqu'un qui a un autre nom, quelqu'un contre qui Punch parfois se débat, et d'autres fois s'accorde, comme avec sa Judy. C'est mon identité secrète, docteur. Je suis la marchande d'oublies.

Oublies ! Oublies ! Demandez l'oublie !

THALIA 5

Dans le noir, disait Thalia, je perdais la notion du temps et de la réalité. Je ne savais plus ce que je faisais là. Encore doutais-je par moments du *là*, comme je doutais du *à présent*. Je me sentais comme un esprit désincarné, qui serait la proie passive d'illusions et de fantasmagories. Je voyais la nécessité de me raccrocher au monde concret, au monde du jour, je me récapitulais notre vie à Saint-Genest pour tenter de m'assurer de son existence, doutant pourtant qu'elle ne soit pas le seul produit de mon esprit, et que je ne l'inventais pas à mesure que je la reconstituais.

Nous étions en automne. Le soir tombait tôt désormais, et répandait dans les rues de la ville l'incertitude d'ombres mouvantes. Des lumières s'allumaient, révélant, dans les hauteurs des vieilles maisons, des fenêtres dont on n'avait pas jusqu'alors soupçonné l'existence. La ville n'avait jamais été très ouverte, mais elle semblait devenir plus méfiante, plus chagrine en pénétrant dans l'hiver. On croisait des silhouettes enveloppées dans de lourdes pèlerines, la capuche rabattue sur la tête, se hâtant silencieusement, vous bousculant parfois sans un mot. On disait, chez les commerçants, que des vols avaient eu lieu dans diverses maisons le soir où le cirque avait donné sa représentation, qui n'était sans doute qu'une diversion. Et ce n'était pas fini, ils avaient effectué des repérages, ils n'étaient sans doute pas bien loin, guettant l'occasion de s'infiltrer par les caves, de crocheter les portes, d'escalader les murs des jardins.

Je finissais par me laisser gagner par l'inquiétude ambiante. Lorsque je rentrais seule, que le bruit de mes talons résonnait entre les vieux murs de pierre grise, je ne pouvais pas m'empêcher de m'arrêter un instant, me demandant si l'écho de mes pas ne recouvrait pas le son d'autres pas derrière moi. Je dévisageais les inconnus que je croisais, cherchant à identifier dans leurs traits ceux de mes frères, même si je ne conservais d'eux qu'une image approximative.

Même Désirée me paraissait bizarre à présent. Elle qui, normalement, n'osait guère s'aventurer hors de la cuisine, sauf pour allumer le feu dans la chambre ou le salon, je la trouvais hébétée au beau milieu d'une pièce, marmonnant je ne sais quoi, se racontant des histoires incompréhensibles qu'elle ponctuait de petits rires. Elle s'était mise à se parler dans une langue inconnue, qui ne ressemblait à rien de ce que je connaissais, ce n'était ni un patois du Midi, ni ce dialecte régional qu'on entendait sur les marchés. Était-ce une langue étrangère ? Je savais que Désirée et sa mère n'étaient pas originaires de Saint-Genest, mais personne n'était capable de dire d'où elles sortaient, comment elles étaient arrivées là. Félicie, lorsque je lui posais la question, faisait preuve d'une sorte de génie de l'évitement. Elle me regardait par en dessous, de ses petits yeux rusés, comme si j'essayais de lui extorquer une indiscrétion, et lâchait quelque banalité. Et puis, deux ou trois semaines après le passage du cirque, elle avait fini par m'en dire un peu plus.

« Dans quelle langue parle Désirée ? ma foi je ne sais pas, elle parle français, Madame, comme vous et moi. Ah, cette langue-là ? Ah mais ce n'est pas une vraie langue, faut point y faire attention, c'est des parlers qu'on a comme ça entre nous, de temps en temps, Madame peut pas s'intéresser à ça. Moi j'aime pas bien causer comme ça, je le dis à Désirée, c'est du langage de gens qui ne sont point éduqués, depuis toute petite j'essaie de la faire parler comme il faut, mais depuis un moment ça l'a repris, et pas moyen de la faire changer, quand elle s'est mis ça en tête. Non, je ne peux point vous dire d'où ça vient, on parlait comme ça dans les pays, par chez nous, dans les montagnes, on disait par exemple, à propos de la maison de mes parents : *Tsa Dzouzé, foé neïr, avon mi de donadzour*[5]. Mais ça s'est perdu, ah Madame, par chez moi, ça n'est pas près d'ici, c'est des pays que quand on en vient on préfère ne plus y penser, et d'ailleurs les gens qui parlaient encore comme ça, ça n'était guère des bonnes gens, par là-dessus que la Désirée elle en invente, elle en rajoute, des fois j'ai même du mal à la comprendre, elle se raconte ses histoires, qu'est-ce que vous voulez, elle a toujours été comme ça, c'est des histoires qui n'ont ni queue ni tête, mais quand elle est partie là-dedans, elle ne s'arrête plus. Et le mieux, Madame, c'est que sa sœur Pulchérie était tout pareil, et même pire, toujours à rigoler dans son coin, ou à marmonner, à raconter des histoires qu'on y comprend goutte. Car j'ai eu deux filles, Madame, pas un garçon. Il faut bien dire que deux filles, c'est pas de chance. Où les placer ? C'est du souci, allez. Et pour ce qui est de les marier… Pas une de jolie. Toutes les deux bancroches, Madame, mal bâties, comme si c'était une malédiction. Pulchérie était la plus laide des deux, bossue et boiteuse. Leur père buvait. Il en est mort, un jour, dans un fossé, et j'ai dû les élever seule. Avec ça, vous l'avez vu, Madame, pas bien malines. Rien à en faire à l'école. Elles n'ont jamais pu apprendre à lire et à écrire. Tout ce qui les intéressait, c'était de chanter des vieilles chansons. Quel crève-cœur pour une mère, vous pouvez bien le penser, Madame.

« Pulchérie était tout de même plus maligne que sa sœur. Mais figurez-vous qu'elle a décidé un beau jour de travailler dans un cirque, elle était toute jeune encore. C'est sa tante, la sœur de mon défunt mari, qui lui avait mis ça dans la tête, parce qu'elle avait gagné sa vie, dans sa jeunesse, en montrant des petits chiens dressés. On aura beau dire, ça n'est tout de même point des métiers honnêtes, Madame. Et voilà qu'à son tour elle en a farci la tête de la Désirée, qui ne pensait plus qu'à ça. Et puis Pulchérie a quitté le cirque, ça ne lui plaisait plus, et elle s'est mise en maison. Mais elle ne pouvait pas rester en place. Pour finir elle a disparu. Pendant un an, je n'ai plus entendu parler d'elle. Et voilà qu'un cirque arrive ici. C'est pas les distractions qu'on a à Saint-Genest, à part la messe, alors j'y emmène la Désirée. Quelle idée j'ai pas eue là, Madame. D'abord pour ce que c'était beau… Et puis il y a un petit clown, tout grimé qu'il était, qui me rappelait quelqu'un. D'abord je n'ai pas su qui. Et puis je me suis mis en tête comme ça que c'était ma fille, Pulchérie. C'était difficile à dire avec tous ces grimages, c'est sûr, et pourtant il y avait de ça, la taille, la façon de se tenir, le regard.

« Après le spectacle, ils ont obligé tout le monde à sortir, deux grands diables poussaient les derniers spectateurs à sortir du chapiteau. J'insistais pour rencontrer les clowns, mais pas moyen, je me suis fait jeter comme une malpropre, ils avaient l'air en colère. J'ai eu peur. J'ai tourné les talons, mais plus de Désirée ! Il faisait noir comme dans une cave à charbon. Pas moyen de la trouver. J'allais, je venais, entre les roulottes, sous les arbres. Quand je l'ai eu trouvée, elle était toute drôle. Elle m'a dit comme ça qu'un des clowns lui avait parlé, longtemps, avec une voix de femme. Il était tard, il pleuvait. J'y suis revenue le lendemain, et pouf, disparus. Et vous pensez que ça ne laisse pas d'adresse. Il paraît que beaucoup de gens ont été volés chez eux, pendant qu'ils étaient au spectacle.

« Ma Désirée, le spectacle, ça l'a tourneboulée, elle se répète toute la journée leurs bêtises en ricanant, elle m'assomme avec la clownesse qui lui a parlé dans la nuit, près des roulottes, elle s'est convaincue que c'était Pulchérie, elle tourne en rond là-dedans, je vous promets que c'en est lassant, à présent il n'y en a plus que pour les clowns, elle voit des clowns partout, est-ce qu'elle ne va pas me raconter qu'elle en croise dans les rues, mais oui, qui lui racontent toutes les histoires qu'elle se répète, enfin qu'est-ce que vous voulez, ça lui passera sans doute. Mais quand je pense que sa sœur est peut-être venue ici, que c'est peut-être à elle qu'elle a parlé, voyez-vous, ça me fait mal au cœur. »

Désirée, que l'on n'entendait jamais, s'était mise à chanter. Étrange phénomène par lequel cette souillon sans éducation, malpropre, repoussante même, avec ses yeux globuleux, sa lippe toujours humide et ses cheveux pendants, parvenait à chanter aussi bien. Cela se produisait régulièrement : nous étions en train de déjeuner dans la salle à manger, ou de lire près du feu dans le salon, lorsque s'élevait une voix à laquelle les profondeurs traversées de la maison conféraient une réverbération qui accroissait encore le sentiment d'éloignement, comme si elle venait d'une cave reculée, d'un corridor oublié, et nous avions fini par appeler cela « la complainte de la prisonnière », tant elle suscitait immanquablement l'image romantique de la malheureuse princesse enfermée par son père dans une tour du château. Désirée ne chantait que dans la cuisine, ou lorsqu'elle nettoyait une partie de la maison où nous ne nous trouvions pas, jamais en notre présence, ce qui rendait encore plus difficile d'associer cette voix pure, ces modulations de soprano et ce corps mal dégrossi empaqueté dans des vêtements douteux. Nous en plaisantions en évoquant le fantôme mélodieux qui devait hanter la maison. Il était impossible de comprendre ce que chantait Désirée, c'étaient visiblement des mélodies populaires, des airs traditionnels, mais chantés dans une langue indécryptable.

Désirée ne pouvait que nous rappeler cette fille qui avait été à notre service dans la capitale, tout aussi disgracieuse qu'elle, et tout aussi capable d'entonner des chants célestes. Ce n'était pas elle, mais nous étions poursuivis, dans notre vie, par cet étrange modèle d'une voix d'ange dans un corps contrefait. Comme si, me disait Charles avec une espèce de crainte religieuse lorsque nous parlions d'elle, venait à nous, d'on ne sait quelle profondeur, le contraire de toi, une ironie du monde qui voudrait nous ramener à ses lois, dont nous avons tenté de nous affranchir.

— Encore des signes, lui répondais-je, plus pour me rassurer que par conviction.

— C'est étrange, Thalia...

— Quoi ?

— Je suis en train de lire le *Pimandre*...

— Qu'est-ce que c'est ?

— Le baron Ferroud y a fait allusion, une fois. Ce livre figure dans les rayons de la bibliothèque consacrés aux sciences occultes. C'est la première partie du *Corpus hermeticum*, qu'on attribue à Hermès Trismégiste, un philosophe mythique, inventeur de l'alchimie, qui est censé avoir vécu à Alexandrie au début du règne des Ptolémée. Le *Corpus hermeticum*, c'est la base et l'origine de toutes les sciences occultes.

— Bon, où veux-tu en venir, Charles ?

— Monte avec moi dans la bibliothèque...

En cette fin d'après-midi, la lumière était basse, et Charles a allumé la lampe à pétrole de la petite table de travail. Un énorme in-folio, qui avait l'air d'émerger des profondeurs du temps, y reposait.

— C'est l'édition de Bordeaux, en 1579, par François de Foix. Il a traduit le texte en français, et l'a assorti de commentaires détaillés. Écoute ça, c'est au début. Le texte antique dit :

> Lors je vois un spectacle indéterminé, à savoir, toutes choses converties en lumière, chose merveilleusement douce et délectable, laquelle voyant j'ai été pris d'amour. Peu après les ténèbres étaient portées en bas, en partie terribles et odieuses obliquement terminées, de manière qu'il me semblait les voyant qu'elles se transmuaient en quelque nature humide, de telle sorte agitée, qu'il ne se peut dire, jetant une fumée comme d'un feu, et faisait un son plaintif, qui ne peut être exprimé. Ensuivait une voix

> sortant d'icelle, sans prolation, qui me semblait être la voix de la lumière.

Et François de Foix commente ainsi :

> Ce propos confirme l'intelligence de l'ombre ténébreuse, représentant la justice divine, par laquelle sont produits pleurs et grincements de dents.

Voilà pour le son plaintif. Mais pour la voix de la lumière, « sans prolation », c'est-à-dire sans discours articulé, il estime sans surprise que c'est le Sauveur envoyé pour éclairer nos ténèbres. Là, je ne le suis plus. C'est trop facile. C'est bien la peine de transpirer sur l'interprétation de textes aussi anciens, aussi mystérieux, pour retomber toujours sur le même attirail de symboles tout prêts. En plus, sauf à supposer qu'Hermès Trismégiste est un prophète, son texte précède au moins de deux siècles la naissance du Christ. J'ai une autre lecture.

— Dis-moi, Charles.

— Foix, formaté par son christianisme, ne voit pas un instant que la « voix de la lumière » est issue du même chaos ténébreux que la plainte. Le « son plaintif » issu des ténèbres, c'est ce que nous ne cessons d'entendre dans cette maison, c'est le chant de la bossue, qui tente d'échapper à ses propres ténèbres. Elle aspire à devenir « la voix de la lumière ». La voix de la lumière ! Dès que je l'ai lue, cette formule m'a frappé. La voix et la lumière sont, en un sens, la même chose. La lumière est ce qui rend les choses visibles, la voix est ce qui rend les choses audibles. Elles sont en deçà de la « prolation », de l'articulation des mots en signification, de l'articulation des choses en réalité. Elles ne disent rien.

— Oui, il me semble voir ce que tu veux dire. Mais c'est difficile à exprimer. Parfois, quand je m'endors, me viennent, au moment de basculer dans l'inconscience, certains souvenirs…

ou plutôt, ce ne sont pas des souvenirs. Il n'y a pas d'objets, pas de paroles, pas de décor, pas de personnes. Il n'y a que certaines inflexions de voix, et une certaine qualité de la lumière. Bizarrement, je sais que cela se rapporte au passé, peut-être à la petite enfance, mais en même temps, il me semble que ce que j'appelle « passé » s'ouvre sur une dimension hors du temps. Et cette lumière, ou cette voix, est de l'émotion pure, presque insupportable dans son intensité.

— Oui, c'est cela, c'est exactement cela, Thalia, tu viens de donner le sens de cette formule étrange, « la voix de la lumière ». La lumière, c'est la présence en soi, la présence pure, telle que les enfants en ont parfois l'intuition. Et cette présence est bouleversante, tellement qu'elle en est « presque insupportable », comme tu dis, parce qu'elle est à la fois la négation de tout et la condition d'existence de tout. Nous l'oublions en nous élançant dans le temps, dans le sens, dans le monde des choses. Et « la voix de la lumière », pour moi, c'est l'art, la musique, le chant, la poésie, qui sont les seules formes de langage qui parviennent à nous faire entrevoir cette lumière, en deçà du sens. C'est ce que cherche la voix que nous entendons dans la maison.

Était-ce l'influence de cette conversation avec Charles, qui ne cessait de compulser les ouvrages les plus bizarres de la bibliothèque, pour tenter d'éclairer ce que nous vivions, mais les événements qui la suivirent semblaient corroborer notre lecture.

Félicie, depuis qu'elle avait évoqué cette étrange nuit au cirque, était devenue intarissable. C'étaient d'interminables mélanges de doléances, de ragots, d'histoires du passé que j'avais du mal à démêler, tant elles étaient complexes et interminables, comme ces feuilletons qui paraissaient dans le journal local depuis tant d'années qu'ils semblaient avoir toujours existé, et dont les premiers épisodes devaient être oubliés par tous, à part quelques très vieux abonnés pour lesquels ils avaient fini par tenir lieu de réalité.

Ça n'en finissait plus. Félicie me rompait la tête. Je me réfugiais dans le salon. Or, une après-midi que j'y prenais le thé, comme j'avais passé une mauvaise nuit, je m'étais assoupie dans mon fauteuil. Le sommeil me ramenait aux jours passés, avec mes frères, et comme cela m'arrivait de plus en plus fréquemment, il ressuscitait des scènes que je croyais avoir oubliées. Mais au réveil, il ne m'en restait jamais rien, sinon le vague souvenir que quelque chose m'avait été restitué de ces jours que l'accident avait fait disparaître.

Je me trouvais, cette après-midi-là, dans un de ces états de léthargie qui me prenaient parfois à l'improviste, et qui d'après Charles correspondaient à des séquelles de mon accident. Je préférais croire que mes nuits difficiles en étaient la cause. Dans ces états, j'avais encore un peu conscience du monde extérieur, et certaines sensations venaient se mêler à mes rêves, sans que je pusse très bien distinguer le rêve et la réalité.

Endormie dans mon fauteuil, j'entendais un chant s'élever, porté par une voix féminine. Il me semblait que j'étais devant la roulotte de ma mère, tandis que la nuit commençait à tomber. Je savais, sans les voir, que des étoiles s'étaient allumées dans le bleu profond du ciel, et je sentais le parfum de l'herbe qu'éveillait le froid du soir. Je jouais avec ma poupée, et de l'intérieur de la roulotte la voix de ma mère m'ordonnait de rentrer, mais c'était un simple fond sonore, ce timbre aigre qui d'habitude me terrorisait ne correspondait plus pour moi à aucune nécessité. Je voulais savoir qui chantait.

La voix venait de derrière moi, de l'autre côté de la roulotte. Je la contournais, irrésistiblement attirée par la beauté du chant, et dans l'ombre de celle-ci se tenait la petite fille bossue, son vieux châle sur les épaules, qui me regardait de ses petits yeux luisants, bouche close, mais c'est bien d'elle pourtant qu'émanait la voix sublime.

La vision se dissipa. Je ne savais plus où j'étais, à quel moment de ma vie, ni qui j'étais, mais j'entendais encore le chant, le chant ensorcelant, qui me paraissait exiger quelque chose de moi. De même que dans l'obscurité de la maison où j'attendais, jouant à un jeu qui n'avait plus de sens, j'entendais encore son écho.

Il y avait en lui une claire injonction à se soumettre à l'incompréhensible formule de sa beauté, et c'est toute une vie qu'il réclamait. Puis je me suis éveillée tout à fait, et j'entendais encore l'écho du chant, sans savoir s'il résonnait depuis mon rêve qui se prolongeait un instant dans la réalité, ou dans quelque pièce éloignée de la maison. Mais il avait une telle force qu'il ne pouvait, ai-je décidé, que s'être réellement déroulé pendant que je dormais. Désirée avait dû à nouveau se lancer dans un de ses chants, et c'est mon rêve qui l'avait assimilé à la mélopée entendue autrefois. À cet instant précis, Charles est entré dans la pièce. Je lui ai demandé s'il avait entendu le chant.

— Non, j'étais dans mon cabinet de travail, je n'ai pas fait attention. Quel chant ?

— Je m'étais assoupie, et je crois que ce qui m'a réveillée, c'est la chanson de Désirée. Elle ressemblait à celle que chantait la petite fille, tu sais, dans cette histoire que je t'ai racontée.

— Désirée ? Mais Désirée n'est pas à la maison.

— Mais si, je viens de l'entendre. Il est cinq heures et demie, elle ne part qu'à six heures.

— Écoute, je ne sais pas, je l'ai entendue fermer la porte d'entrée, j'ai regardé par la fenêtre, justement parce que ce n'est pas son heure, et il m'a bien semblé la voir s'éloigner dans la rue.

— Pourquoi serait-elle partie en avance ?

— On ne connaît pas toujours les raisons de ce que fait Désirée, tu le sais bien.

Depuis l'arrivée et la disparition du cirque, des détails étranges de ce genre se produisaient. Ce n'étaient que des détails, avec leur lot d'incertitudes, de malentendus possibles, mais je ne pouvais pas m'empêcher de soupçonner que quelque chose d'anormal se produisait.

La ville paraissait tout entière saisie par l'irréalité. La fiction la travaille depuis longtemps, me faisait remarquer Charles, et chaque habitant sécrète une histoire sans fin, qui se nourrit de rumeurs, de propos rapportés déformés à l'infini, d'hypothèses tellement ressassées qu'elles prennent force de vérité, et dans laquelle il invente à ses voisins une existence imaginaire, nous ne sommes sans doute dans cette débauche de fiction que ceux à qui l'on prête le plus, et j'en viens même à me demander, disait-il, si chacun ne finit pas plus ou moins par intégrer cette fiction à la manière dont il se représente sa propre vie, tant celle que leur inventent les autres est généralement plus intéressante et plus romanesque. Mais depuis le passage du cirque, tout semble s'être accéléré, comme s'il avait diffusé des germes épidémiques, la fiction est devenue enragée.

J'ai toujours redouté, me disait Charles, le soir, dans notre chambre, de sa voix lointaine, le jour où ils nous retrouveraient. Je savais qu'ils le feraient. Je me préparais à cela. Et voilà, ils arrivent, ils font leur numéro de clowns et ils disparaissent à nouveau, comme si cela leur était égal, comme s'ils avaient voulu simplement nous faire un petit signe ironique : vous étiez mal cachés, coucou, on vous a vus, on repart, mais on reviendra, on ne vous laissera pas tranquilles. Est-ce qu'ils veulent jouer avec nous ? Donner dans l'apparition, dans le fantomatique, faire monter la tension, avant de présenter l'addition ? À présent mes angoisses se réalisent. Et je comprends que ce que je redoutais est aussi ce que je désirais, obscurément, peut-être depuis le début.

Et moi, disait Thalia, nue, debout dans le noir, tout me revenait et m'assaillait des jours qui venaient de s'écouler, et Charles n'arrivait toujours pas pour me délivrer, mettre fin au jeu. Je ne sais ce qui me paralysait dans cette pièce, pourquoi je n'abandonnais pas tout simplement, peut-être justement à cause de tout ce qui venait m'y visiter et me soumettait à ces images impérieuses.

Il était difficile, de l'extérieur, d'apercevoir une fenêtre de la maison dans le fouillis des arbres, mais j'avais remarqué qu'à l'autre extrémité de la place, à l'endroit où débouche la rue des Verriers, qui descend depuis le marché couvert, on pouvait entrevoir une des fenêtres du premier étage, celle de la bibliothèque. Les contrevents en étaient toujours fermés. Je me suis mise à rêver à cette fenêtre, sans imaginer ce que ma rêverie allait susciter.

Une fin d'après-midi, j'étais allée ouvrir la fenêtre. J'avais allumé la vieille lampe à pétrole de la bibliothèque. Le soir, lorsque nous sommes rentrés de promenade, on voyait nettement, entre les branches du vieux platane, le carré illuminé de la fenêtre qui se découpait seul sur le fond noir de la façade. Nous pouvions nous figurer être de tranquilles bourgeois de Saint-Genest se demandant ce qui se déroulait derrière ces fenêtres. Nous étions comme projetés hors de nous-mêmes. Nous n'avons pas parlé, mais je savais que nous éprouvions la même chose. Nous avions devant nous l'image de ce que pouvait être la certitude d'exister. La fixité géométrique du cadre contenant la substance épaisse et chaude de la lumière nous donnait la consistance qui dans notre vie semblait toujours nous fuir. Charles a murmuré ce à quoi je songeais au même moment que lui :

— Suppose que parfois nous apparaissions à cette fenêtre. Suppose que nos ombres parfois s'y livrent en toute innocence à des gestes équivoques…

— Tu penses qu'il faut que nous soyons vus pour exister, je le sais. Mais cela va peut-être un peu loin. La représentation est censée être surtout pour nous-mêmes.

Sur le coup, il n'a pas répondu. Ce n'est que le soir, à nouveau, dans la pénombre de la chambre, qu'il a repris ma question.

— Je n'ai pas changé d'avis, l'existence sociale ne m'intéresse pas. Je n'ai aucune envie de me mêler à ces gens, de gagner leur estime et leur amitié. Toi seule m'intéresses. Je t'ai dit que j'avais besoin d'un regard extérieur, celui de ces bourgeois rangés et conformistes. Mais je m'aperçois que ça ne sert pas à grand-chose. Je ne parviens pas à jouir de ta présence autant que je le voudrais. La fenêtre éclairée de l'étage, ce soir, m'a permis de prendre conscience de ce qui me manquait.

Si nous vivions dans une solitude absolue, comme nous l'avions prévu d'abord, a-t-il poursuivi, tu n'existerais que pour moi, je n'existerais que pour toi, et peut-être nous rapprocherions-nous de cette fusion dont nous avons rêvé. J'ignore si la fusion est possible. Toi-même tu en as douté. Mais nous voulions essayer. Qu'elle se réalise pleinement ou pas, nous finirions par perdre conscience de ce miracle qu'est la présence de l'autre. Tu perdrais progressivement de ta réalité pour moi, tu aurais cette sorte d'incertitude que prend toujours ce qui est subjectif. Si quelqu'un d'autre te voit, quelqu'un dont je ne sais rien, n'importe qui, tout à coup il te rend réelle. Ta présence redevient cet événement sidérant qui peut me figer sur place, le cœur battant. Je pense à tous ces regards qui te suivent dans la rue, qui te détaillent quand tu entres dans une boutique, et j'en ressens à la fois du plaisir et de la frustration. Ils attestent que tu n'existes pas que pour moi, donc que tu existes. En y pensant je retrouve, non pas cette idée abstraite, cette formule morte : « tu existes », mais l'espèce de joie mêlée de terreur que provoque ton existence. Parfois je voudrais ressentir en permanence l'éblouissement de ton existence, d'autres fois non, parce que c'est presque insoutenable. Le sentiment de ton existence ne peut pas se manifester sans me ravager, parce qu'en même temps il me fait comprendre que tu es quelqu'un d'autre, tu n'es pas moi, tu ne peux pas être à moi. Mais c'est justement parce que nous sommes venus nous enfouir ici que le désir de ces révélations a fini par me travailler. Ton corps…

Il cherchait ses mots dans le noir, je l'imaginais en train de fouiller dans une cave sans lumière, descendant de plus en plus profond, tâtonnant en quête d'une chose à quoi s'accrocher, tâchant de ne pas trébucher, de ne pas dégringoler jusqu'au fond, d'où il ne pourrait jamais remonter.

— Pour ne parler que de ton corps... Quand on fait l'amour...

— Oui... Eh bien ?

— Je ne sais pas comment expliquer ça... Précisément au moment où il devrait m'apparaître, il m'échappe.

— Qu'est-ce que tu veux dire ?

— Je veux dire... Je veux dire que les gestes du désir, et peut-être le désir lui-même, me dérobent ton corps.

— Je ne comprends pas...

— Dans l'amour ton corps fait quelque chose... et je fais quelque chose... Ton corps a une fonction, il agit, et j'agis sur lui. Il n'est plus dans sa présence. Il n'est plus là, il se projette dans un autre temps, un autre lieu, dans l'enchaînement des gestes que le désir suscite. Paradoxalement, c'est peut-être cette perpétuelle insatisfaction qui relance le désir : je désire ta présence, ici et maintenant, et en accomplissant les gestes qui cherchent à me la livrer, je la perds. Et on refait l'amour, et chaque fois je cherche ta présence qui chaque fois me fuit.

Je ne savais que lui dire. C'est du désir qu'il parlait. Si je comprenais son tourment, celui-ci me demeurait étranger. Je me demandais si je devais me sentir heureuse de cette rage qu'il mettait à me vouloir, ou inquiète de son éternelle insatisfaction. Je n'éprouvais pas ce besoin maladif de possession, et encore moins les tortuosités et les contradictions dans lesquelles il l'emmenait. Sa présence, j'en jouissais dans le temps, et il m'importait peu que ce ne soit pas, dans un tremblement extatique, sous la forme bouleversante d'une parousie.

— Et puis ton corps, s'il n'est là que pour moi, ne peut pas être pleinement réel. Il fait partie de ma subjectivité, il a une signification, il est pris dans un réseau d'habitudes mentales et de représentations qui m'empêchent de le voir comme s'il se révélait à moi pour la première fois. C'est pour cela que je cherche des dispositifs, des systèmes. Mais je crains qu'ils ne sombrent dans le ridicule, dans les petits arrangements pervers d'un couple de province qui veut se donner des sensations.

— J'ai bien peur moi aussi que cela ne finisse comme ça.

— Et après tout pourquoi pas ? Ce pourrait être ça, notre expérience, la médiocrité provinciale, avec de furtives cochonneries de notaires.

— Ce n'est pas tout à fait le programme auquel j'avais rêvé.

— Tu te souviens quand on a eu peur que tu ne sois enceinte, et que nous sommes allés consulter ce médecin ?

— Oui, il a fallu aller jusqu'à Villeneuve, pour trouver quelqu'un qui ne nous connaisse pas.

— Tu t'es déshabillée derrière le paravent, et puis, dans ce cabinet bourgeois, bien respectable, avec ses tapis épais, ses lampes, ses grandes marines genre pompier aux murs, devant ce digne quinquagénaire à barbiche, lorgnon et veston de cheviotte, tu es apparue entièrement nue. Le rituel médical pour moi ne parvenait pas à recouvrir la violence scandaleuse de cette apparition. C'est cette expérience assez banale qui m'a fait mieux comprendre le fonctionnement de mon désir. Si, dissimulé dans un coin de la maison, je t'avais vue nue embrasser un amant, je n'aurais pas ressenti le même choc. Du moins pas en ce qui concerne la révélation de ton corps. Pourquoi ? Parce qu'il aurait été dans la même position que moi, engagé dans le désir, la crainte, l'hésitation, ton corps n'aurait été qu'un élément de sa subjectivité, pas vraiment une réalité extérieure. Mais là, sous ce regard froid, indifférent, et aussi parce qu'il n'avait rien d'autre à faire que se montrer, ton corps devenait plus réel qu'il ne l'avait jamais été. Ce n'est pas par quelqu'un qu'il était regardé, mais par le monde. Il venait au monde. Et c'était insupportable, parce qu'en même temps que ta réalité m'était révélée, elle m'était aussi arrachée, puisque je devais la partager avec un autre. C'est cela que j'ai fini par comprendre, et qui me déchire : ta présence ne peut m'être donnée que dans une scène où elle m'est enlevée, puisqu'elle doit être donnée par le monde, et que le monde me la prend dès qu'il me la donne. Je n'arrive pas à m'expliquer clairement, je ne sais pas si tu comprends ce que je veux dire.

Je comprenais. Mais trop d'idées, trop d'émotions se mélangeaient en moi pour que je puisse lui répondre. Son raisonnement se tenait, et en même temps il ne me satisfaisait pas. Ce rapport à la réalité de l'autre qu'il tentait d'expliciter – car bien sûr il ne s'agissait pas que de moi, mais de tout être avec qui le désir entrait en jeu –, il ne savait s'il devait en faire une sorte de maladie qui lui serait particulière, ou au contraire une loi universelle, dont la plupart des gens n'ont pas conscience, et qu'il lui était réservé, à lui, d'éprouver dans toute sa violence. Ce qui, disait-il, l'assignait de toute façon à une sorte d'anormalité :

— Vivre dans toute sa force une expérience que chacun pourrait faire, mais qu'on évite, qu'on fuit, ou qu'on est incapable de tenter parce qu'on n'a pas la claire conscience qu'elle est inhérente à la nature de notre désir, cela revient au même que d'être une sorte de monstre dans le regard des autres, qui pourtant sont les mêmes, sans le savoir.

Puis :

— Tu ne dis rien… ça m'inquiète… Ne me laisse pas seul avec tout ça. Que penses-tu ?

— Je me demande…

— Quoi ?

— Je me demande ce que cela a à voir avec l'amour. Avec le désir et la possession, oui…

— Le désir de toi. Cela ne peut avoir lieu que parce que c'est toi.

— Ou un objet que tu as élu pour incarner ton désir. Et je finirais presque par penser que c'est toi que tu cherches à travers moi. Je suis ce qui te sert à t'assurer que tu existes.

— Si c'est ce que tu penses, tu remets tout en cause. Nous n'avons rien à faire ici, notre expérience est un échec. Notre expérience. Nous devons la développer, avec tout ce qu'elle implique. C'est ainsi que nous pourrons savoir.

— Oui, je sais. Et que voudrais-tu faire ?

— Je ne sais pas. Il faudrait pousser d'un cran. Je voudrais... J'imagine... J'imagine que nous donnons parfois, pour les habitants de Saint-Genest, un petit spectacle de théâtre d'ombres, un guignol tantôt innocent, tantôt obscène ou macabre. J'imagine que tu te déshabilles à la fenêtre. J'imagine que certains soirs je te rejoins et je t'étreins. J'imagine que d'autres soirs la lumière dessine avec précision la lame que brandit ton bras, ou le mien. J'imagine que, le jour venu, nous nous promenons paisiblement parmi les habitants de Saint-Genest qui ne savent plus que penser, et qui se chuchotent à voix basse des hypothèses, à la sortie de la messe, ou au moment des liqueurs et des cigares, après le déjeuner. Pour nous, ils ne sont personne, et c'est pour cela que leur regard compte autant. Dans un regard qui n'est le regard de personne, nos gestes d'amour se dépouillent de leur incertitude et de leur imperfection. Nous sommes vus par le monde. Nous entrons dans la réalité, tu comprends ? L'exhibition est excitante, parce qu'elle nous confère la nudité absolue, celle d'Adam et Ève se découvrant nus sous le regard de Dieu. Alors a lieu enfin quelque chose qui s'appelle un acte sexuel. Je ne sais pas si j'arrive à bien m'expliquer.

— Tu t'expliques d'autant mieux, Charles, que tout ce que tu dis, il me semble l'avoir déjà ressenti.

— Eh bien ?

— Je n'avais pas envie d'y penser. Je voulais que rien ne nous détourne du projet que nous avions en venant nous enterrer ici, mener une vie d'anonymes et d'invisibles, avec le moins d'interférences possibles du monde extérieur.

— Tu me comprends, alors, Thalia.

— Oui, je te comprends, mais ça me fait peur. Tu parlais d'Adam et Ève qui découvrent leur nudité. Mais cette découverte est aussi leur damnation. Dans la Bible, ils ont honte, et ils se vêtent. Toi, tu voudrais que la nudité demeure. La nudité devant Dieu, terrifiante, écrasante, sans aucun lieu pour se dissimuler, sans aucun instant de repos.

— Nous sommes vêtus. Personne ne peut rester nu sous le regard de Dieu en permanence, personne ne peut regarder le soleil en face en permanence. Mais il faut parfois, en de brefs instants, s'exposer à ce qui nous détruit. Sinon nous ne vivrons pas.

Nous avons longuement tergiversé, sans rien décider.

Il arrivait, le soir, lorsque je rentrais de quelque course, que je voie sa silhouette se découper en ombre chinoise à la fenêtre de la bibliothèque. Je ne lui en ai pas parlé d'abord, peut-être parce que j'avais l'impression que ce n'était pas tout à fait lui, ce visage schématique et fixe qu'encadraient les montants de la fenêtre, dans une lumière qui n'appartenait pas à notre vie. Je me demandais s'il m'épiait. Lorsque j'entrais, le temps de déposer les emplettes, de dire quelques mots à Félicie, je le trouvais installé dans le salon, plongé dans un livre, comme s'il avait voulu installer une cloison étanche entre notre vie quotidienne et sa vie à la fenêtre. Ou peut-être était-ce dans son esprit une sorte d'incitation à faire comme lui, à le rejoindre, il n'avait jamais osé me demander ouvertement de m'exhiber.

Je finissais par trouver la situation un peu ridicule, et un soir, je lui en ai parlé. Que faisait-il là-haut tout seul, derrière sa vitre ? Pouvait-il se contenter longtemps de se planter là ? Que pouvait-il y trouver ? Pour ma part, si je comprenais à peu près ce qu'il recherchait, si j'y avais pensé, oui, car j'avais jusqu'alors accepté de participer à ses jeux, même si la plupart s'étaient avérés plus gênants et inconfortables que vraiment excitants, je préférais m'abstenir.

Il m'a regardée en silence.

— Je ne comprends pas. Tu dis que tu me vois à la fenêtre de la bibliothèque, le soir, quand tu rentres ?

— Oui, c'est ce que je viens de te dire. Pas tous les soirs, cela arrive parfois.

— La lumière est allumée ?

— Oui, on te voit en ombre chinoise. Mais tu le sais très bien. C'est bien ce que tu voulais faire, n'est-ce pas ? Diffuser du fantasme à l'usage des braves citoyens de Saint-Genest ? Mais là, tout seul, derrière ta fenêtre, je ne sais pas ce que tu espères susciter comme fantasmes. On dirait que c'est toi qui cherches quelque chose sur la place, comme si tu attendais que quelqu'un arrive. Et je suppose que ce n'est pas mon retour que tu guettes.

— Je ne mets plus guère les pieds dans la bibliothèque. Je n'y suis pas allé depuis des semaines.

Mais alors, qui s'affichait à la fenêtre de la bibliothèque ?

La maison de Saint-Genest, murmurait Charles, attirait les fantômes, les êtres du passé y convergeaient, venant de très loin, suivant leurs chemins tortueux. Ceux qui les croisaient la nuit, silencieux et mornes, tout à leur difficile progression, devaient s'écarter en se signant, et rentrer chez eux en tâchant de les oublier. S'ils s'accrochaient assez au peu de réalité qu'il leur restait, s'ils parvenaient jusqu'à la maison, sans se dissiper dans l'air, ils devaient se glisser le long des couloirs, aux petites heures qui précèdent l'aube, et se recroqueviller dans les parties les moins fréquentées de la maison.

C'était de la poésie. Je continuais à soupçonner des mises en scène de sa part. Il avait besoin de faire de la maison de Saint-Genest une sorte de demeure hantée, une attraction de foire, pour alimenter le foyer des fantasmes, dont il entretenait pieusement le feu. Le désir, disait-il, n'a rien à voir avec la réalité. C'est un théâtre de songes et d'illusions, où les acteurs ne cessent de changer de masques et de rôles.

Un soir j'ai trouvé le courage d'exprimer à Charles mes doutes sur les histoires qu'il racontait. Il ne l'a pas mal pris. Parfois, il l'avouait, il perdait le fil de la réalité. Peut-être y mettait-il de la complaisance. Peut-être y trouvait-il l'occasion de jouer au romancier, lui qui en avait toujours eu le désir, sans être capable d'aligner plus de deux pages. Le jeu de la peur était une manière de s'exciter, parce que la peur est le seul sentiment qui vous engage tout entier, suspend tout ce qu'on croit être la réalité, tout ce qu'on croit être soi.

Désirée, il avait fini par le soupçonner, sans m'en parler de crainte de m'effrayer, était la complice des fantômes, celle qui les guidait jusque dans les parties reculées de la maison, leur ouvrait la petite porte de la réalité. Elle était la fantasmophore. C'était la seule explication, s'était-il dit, en y réfléchissant, après sa rencontre avec le clown.

Charles m'avait raconté cette rencontre, qui avait eu lieu quelques jours après la disparition du cirque, juste la veille de cette soirée où nous avons joué à nous perdre dans le noir de la maison. Il devait être six heures, et j'étais encore chez la modiste de la rue des Barres. Il revenait de sa promenade sur les remparts, qu'il avait écourtée à cause d'un début de pluie. La nuit tombait. En arrivant sur la place, on ne voyait que le premier étage de la maison, le rez-de-chaussée étant en grande partie masqué par les plantes, rosiers grimpants, glycines, bignones, vieux acacias, qui proliféraient tout au long de la grille. Mais en s'approchant du portail, il avait entendu une conversation à voix basse.

Deux personnes devisaient sous la marquise de fer forgé qui abritait le seuil de la porte, qu'on atteignait en gravissant une demi-douzaine de marches. Il a reconnu le parler si particulier de Désirée et poussé la grille. Elle était en conversation avec un homme petit et maigre. L'homme s'est tourné vers lui en entendant le grincement de la grille. Il ne l'a pas reconnu immédiatement, il faisait trop sombre. Mais en arrivant au pied des marches, il a su que c'était Silas.

Je songeais à cela, seule et nue dans l'obscurité, et le souvenir de ses paroles ajoutait à mon anxiété, à la crainte et au désir de voir s'esquisser le mufle redoutable du dieu, de sentir son souffle sur ma peau. Le liquide me coulait entre les cuisses. J'avais l'impression que ma nudité était parcourue d'un grouillement de craquements, de chuintements et de murmures, le discours ininterrompu de la maison s'insinuait sur ma peau, et dans mon trouble il me semblait que c'était elle qui me racontait des histoires, qui articulait malgré moi les formules des jours qui venaient de s'écouler. Tout me revenait, tout m'envahissait et me débordait d'émotions. J'étais à nouveau, j'étais toujours plongée dans la nuit du sommeil, disponible, vulnérable, tandis qu'autour de moi ça parlait, ça regardait, ça bougeait. Qui se postait à la fenêtre de l'étage, le soir, sinon lui ? Et l'inconnu qui s'y affichait, immobile, était-il le même que celui qui à présent me cherchait dans la maison ? Ou bien fallait-il croire, comme Charles avait tenté de me l'expliquer, que c'était Silas, à qui Désirée laissait tout loisir de déambuler chez nous ?

Le cirque avait disparu, mais Silas était là, très à l'aise, comme s'il était chez lui, m'avait raconté Charles. Désirée, gênée, avait balbutié quelque chose d'inaudible, avant d'aller se réfugier dans la maison. Silas avait regardé Charles monter les marches comme si c'était lui qui le recevait.

— Bonsoir, monsieur Charles.

— Qu'est-ce que vous fichez là ? Qui vous a permis d'entrer ?

— Mon Dieu, monsieur Charles, quel accueil ! Je suis navré de vous surprendre ainsi, mais ce n'est pas une manière de recevoir votre beau-frère.

— N'étant pas marié, je ne saurais avoir de beau-frère. Je ne vous autorise pas à cette familiarité. Et je ne vous ai pas convié, que je sache.

— Allons, monsieur Charles, ne le prenez pas ainsi. C'est une simple visite de famille. Et de courtoisie. Je me suis étonné de ne pas vous voir à notre représentation, mes frères et moi pensions que vous y viendriez, en souvenir du passé. Nous nous en réjouissions d'avance. Alors, après le départ du cirque, je n'ai pas pu me résoudre à partir sans vous rencontrer. Nous sommes en pause, de toute façon, il est de plus en plus difficile de trouver des conditions d'installation correctes, la grande époque du cirque est passée, que voulez-vous. Et puis on nous calomnie, on nous attribue tous les vols, toutes les friponneries, on va jusqu'à nous accuser d'enlever les petits enfants ! Pourquoi pas de les manger ? Bref, je suis passé vous voir à plusieurs reprises, mais vous n'y étiez pas.

— Et chaque fois, vous êtes reparti, n'est-ce pas ? C'est bien cela ? Quelle constance ! Votre affection me touche par sa persévérance.

— Oh, je n'ai pas tant de mérite, monsieur Charles. Vous êtes quelqu'un de très attachant, de très intéressant. Un médecin qui abandonne une brillante carrière pour vivre avec une de ses patientes, ce n'est pas si commun. Mais il se trouve que je connais un peu votre fille de cuisine. Une coïncidence. Ce serait compliqué à expliquer dans le détail. Elle avait la bonté de m'introduire, disant que vous ne tarderiez pas. Elle me laissait dans votre petit salon, avec un verre de porto. Excellent porto, soit dit en passant, qui m'a rappelé ceux que nous buvions du temps de notre gloire. Mais chaque fois, le temps passait, et vous n'arriviez pas.

— C'est une curieuse malchance que vous soyez venu plusieurs fois sans trouver personne. Je m'absente rarement longtemps. Et Désirée ne m'a jamais parlé de vos visites.

— Ce n'est pourtant pas faute de lui avoir recommandé de faire la commission. Mais enfin vous connaissez Désirée, monsieur Charles. Ça entre d'un côté et ça sort aussitôt de l'autre. Quoi qu'il en soit, c'est une bien belle maison que vous avez là. Et qui a dû coûter de l'argent. Pour le peu que j'en ai vu, il y a chez vous des choses intéressantes, très intéressantes.

Pas ommunes, non, ça, on peut le dire. On ne voit pas ça chez tout le monde.

— Je suis très flatté, et très honoré de votre visite. Veuillez me pardonner, mais j'ai à faire.

— Monsieur Charles… Vous ne refuseriez pas à un homme de voir sa petite sœur, dont il n'a plus de nouvelles depuis longtemps.

— Thalia n'y est pas, je regrette. Et malheureusement, je ne suis pas certain qu'elle souhaite vous voir.

— C'est bien dommage. Notre petite sœur adorée… Elle a donc tant changé depuis son réveil qu'elle en oublie ses frères ? Vous savez monsieur Charles qu'elle faisait à elle seule la moitié du succès de notre spectacle. Depuis qu'elle est partie, les affaires périclitent…

— Allons donc… Je ne peux pas croire, avec tout votre talent, que vous ayez tant besoin de cette attraction de foire, la Belle au bois dormant. Ce n'était pas digne de vous, d'ailleurs.

— Vous êtes bien bon, monsieur Charles. Et pourtant, voyez-vous, le talent, aujourd'hui, rares sont ceux qui savent l'apprécier. Il leur faut des monstres, du Barnum.

— Je le regrette. Bonne soirée.

— Un instant…

— Quoi encore ?

— Il faut que je vous dise…

— Eh bien ?

— C'est délicat… Mais voyez-vous, un certain nombre de raisons me font penser que vous n'êtes pas en sécurité dans cette ville. Si nous vous avons trouvé, d'autres peuvent vous trouver…

— D'autres ?

— D'autres moins bien intentionnés que nous.

— C'est une menace ?

— Au contraire, c'est pour votre sécurité que je vous le dis. Vous savez, notre frère cadet… Alastair…

— Eh bien ?

— Vous n'ignorez pas, n'est-ce pas, que notre frère Alastair a été gravement blessé dans une chute.

— Les journaux en ont parlé, à l'époque.

— Le choc lui a fait perdre la raison. Mais il s'est échappé de la maison de santé où il était placé, et il a disparu.

— Je suis au courant.

— Bon. Alastair était profondément attaché à Thalia. En fait, il n'aimait qu'elle. Et il ne faisait pas bon approcher Thalia. C'était un véritable molosse. Vous comprenez ce que je veux dire...

— Je n'en suis pas sûr...

— Nous avons des raisons de penser qu'il est réapparu. Des gens du cirque ont vu quelqu'un qui lui ressemblait furieusement, l'an dernier. Il la cherche, j'en suis sûr. Ce qui veut dire qu'il nous cherche. On le signale régulièrement ici ou là. Dieu sait qu'il ne ressemble à personne d'autre ! Il ne faudrait pas qu'il tombe sur elle avec vous, comprenez-vous. Alastair est un monstre physique. Et il est capable de tout. Imaginez, si quelqu'un, par mégarde, le mettait sur votre piste... Il faut éviter ça...

— Et comment ?

— Il serait plus prudent pour vous que nous ne revenions jamais à Saint-Genest, que nous disparaissions de votre horizon. C'est un sacrifice. La municipalité de Ferrande, qui a moins de préjugés que ces bourgeois culs-serrés de Saint-Genest, nous a fait une offre pour l'été prochain, un terrain gratuit, des facilités... Ou alors, et ce serait le plus simple, il faudrait que Thalia rejoigne sa famille. Tout s'apaiserait alors...

— Il n'en est pas question, vous le savez bien.

— Dans ce cas, vous vous mettez en danger, ce que je regrette, mais vous mettez aussi en danger notre sœur, ce que je ne peux pas admettre, vous le comprendrez.

— Ce que je comprends, c'est que vous êtes venu faire du chantage. Vous m'avez vendu votre sœur, déjà...

— Monsieur…

— Et vous voulez me la revendre. Fort bien. Je vous signale que Thalia a recouvré sa conscience, et qu'elle a choisi en toute liberté de rester avec moi. Ce n'est plus un objet qu'on peut s'échanger sans tenir compte de sa volonté. Mais même à supposer que j'accepte votre demande, qu'est-ce qui me garantit que vous ne reviendrez pas encore, et encore, m'extorquer de l'argent ?

— Nous agissons pour le bien de notre sœur. Soyez tranquille, vous n'entendrez plus parler de nous, même si c'est un gros sacrifice de renoncer à Thalia. Parole d'artistes.

— J'ai votre parole ?

— Sur l'honneur.

— J'espère que vous vous en souviendrez. Combien ?

— Cinq mille francs.

— Cinq mille francs. Peste. Rien que ça ?

— Nous n'allons pas marchander Thalia, monsieur Charles. Ce serait indécent…

— C'est bien. Veuillez m'attendre un instant.

Et quelques minutes plus tard, dans l'obscurité qui avait gagné le seuil, comme pour une transaction étrange entre deux êtres surnaturels, il avait déposé dans la main du clown aux yeux plissés, au sourire acéré découvrant des dents gâtées, dix grandes coupures de cinq cents francs, ornées de gravures bleu lavande. Le clown les avait fourrées dans sa poche, comme un vulgaire chiffon, et avait sans un mot disparu dans la nuit.

Charles ne s'était pas contenté de me rapporter la substance de la conversation. Je l'entendais encore faire les questions et les réponses, entrer dans les détails des répliques, d'une voix monocorde qui les égalisait étrangement, comme si la transaction avait lieu entre deux êtres semblables, ou entre les deux figures d'une même personne. Plus il entrait dans les détails, plus la scène s'éloignait de la réalité, pour ressembler à une vieille gravure un peu inquiétante, un peu naïve, exhumée de récits mythiques mal connus. Elle paraissait pouvoir fournir des explications rationnelles aux phénomènes bizarres qui s'étaient produits depuis l'arrivée du cirque, mais l'hypothèse n'avait rien de rassurant. Étaient-ce eux qui infectaient la maison, ou la maison infectait-elle tout ce qui l'approchait ? En définitive, elle me faisait l'effet de ces boîtes à trucs et à illusions dont se servaient les prestidigitateurs qui travaillaient parfois avec mes frères. Mais qui était le magicien ?

Je ne ressentais plus le temps. Quelle heure était-il ? Les prestiges et les hantises de la nuit se défaisaient lentement, tombaient en lambeaux autour de moi, aucune angoisse ne m'habillait plus, j'étais nue et j'étais ridicule.

Je suis revenue à la chambre. Il n'y était pas. Je ne comprenais pas ce qui se passait. Est-ce qu'il jouait un jeu stupide, est-ce qu'il lui était arrivé quelque chose ? Le petit jour s'insinuait déjà à travers les rideaux. Je me suis habillée, pour partir à sa recherche. J'étais inquiète, épuisée, je me suis allongée un instant dans le grand fauteuil de la chambre et j'ai fermé les yeux, dans l'intention de me reposer quelques secondes. Lorsque je me suis réveillée, j'ai cru que je venais juste de m'assoupir un instant. Mais j'ai ouvert les rideaux sur la lumière du jour, et Charles était endormi sur le lit. Je me suis couchée à côté de lui.

Il a fallu longtemps avant qu'il ne se décide à me dire ce qui s'était passé. Il s'enfermait dans des réticences, des circonlocutions, des excuses interminables, des regrets de m'avoir abandonnée au froid et à l'inquiétude. Il a fini par le faire, alors que nous étions encore étendus côte à côte, et ce récit matinal était comme le miroir des fantasmes qui se déployaient, à la nuit tombante, dans la même position de gisants que travaillent d'éternelles rêveries.

ALASTAIR 5

Mais voilà que Punch se perd dans ses discours, comme d'habitude, avait dit à Charles l'ombre à la pelisse d'Arlequin. Où en était-il ? Ah oui, la lune apparaissant dans le ciel du boulevard. C'est la lune qui l'a attiré et l'a fait dévier de son récit.

Donc, Punch est sur le boulevard et il ne sait plus ce qu'il fait là. Pour vous expliquer que ce sont des choses qui lui arrivent souvent, il est là, quelque part, comme s'il venait de naître, il ne sait plus ce qui l'y a conduit ni où il va. Et puis ça revient. Ce sont des absences, comme Thalia avait des endormissements. Ça lui a pris un moment, comme au sortir d'un trop profond sommeil, et puis ça lui est revenu, il sortait de la foire. Il avait fait la queue, après le spectacle de cirque, pour voir les phénomènes qu'on lui avait promis. Mais c'est curieux : d'habitude, les souvenirs lui revenaient d'eux-mêmes, sans qu'il eût à s'en préoccuper. Cette fois il savait qu'il fallait qu'il se souvienne, une nécessité intérieure l'y poussait, mais quelque chose lui résistait, un interdit qu'il était nécessaire de forcer.

Donc, Punch se trouvait derrière la petite négresse, qui a disparu avant lui dans le couloir obscur. Le bonimenteur nous a suivis et a refermé la porte derrière nous. Durant quelques minutes, on nous a laissés entassés dans ce boyau, plongés dans l'obscurité absolue. L'odeur de peuple est vite devenue insoutenable, où se mêlaient les remugles acides d'aisselles en fin de journée, la bandoline graisseuse des calicots et des employés de bureau en goguette, le fil-en-six des troupiers, et la composition poivrée de musc et de jupon douteux des bonniches. Cette odeur ancillaire là surtout, voyez-vous, aussi forte qu'elle pût être, et plus encore quand elle se mélangeait aux autres parfums, suffisait à dresser son engin dans sa culotte. Oui, il le sentait durcir, frotter contre l'étoffe du caleçon, comme une bête aveugle qui se faufile vers la sortie, guidée par son seul odorat.

Ce n'est pas seulement que les bouffées de femelle négligée, qui a expédié sa toilette rapidement dans sa cuvette, faisaient lever des images salaces de culs joufflus et blancs comme du lait, enchâssés dans les plis de dentelles comme des chérubins dans leurs langes, de cuisses dont la chair se boursoufle un peu à la lisière de la jarretière, de toisons luxuriantes envahissant le ventre jusqu'au nombril, recelant des fragrances de jungle dans la profondeur de leurs boucles, de nichons formidables auxquels la pesanteur fait dévaler le torse et que couronnent d'immenses aréoles brunes qui en mangent à moitié la surface, mais surtout elles ouvraient dans l'espace aplati une profondeur, une ouverture obscure, tout entière faite de désir.

Enfin, ne vous méprenez pas, ces goûts de maquignon et de valet de ferme qui bousculent la grosse servante dans le foin, Punch ne les ignore pas, il y sacrifie parfois, mais ce n'est pas ce qui l'intéresse, non, à sa façon Punch est intellectuel, il lui faut des nourritures plus fines, et plus rares, pas les plats roboratifs qui vous remplissent, mais ceux dont la dégustation confine à l'extase.

That's the way to do it.

Et, bien sûr, les bonnes blagues n'ont pas tardé, les grosses filles qui se faisaient pincer le derrière par les marlous à casquette explosaient en rires hystériques, ou surjouaient la terreur quand une main leur passait dans les cheveux. Et les mêmes apaches de barrière poussaient des grognements, grinçaient des dents, faisaient les monstres. Qui sait ? Il y avait peut-être dans ce petit groupe un véritable tueur, dont l'obscurité allait réveiller les instincts.

L'organe du bonimenteur, déformé par quelque porte-voix, résonnait dans le boyau, expliquant que nous devions attendre un peu, que tout soit prêt, et qu'il nous fallait aussi nous recueillir, nous préparer à ce que nous allions voir, qui ébranlerait nos croyances et pourrait troubler les âmes sensibles, etc.

Et lui ? Punch ? Lui, il essayait de se rapprocher de la petite négresse, au jugé, à l'odeur, tâchant de suivre, dans ce bain de fumets, sa piste légère d'épices et de bois profond qui tout à l'heure l'avait bouleversé. Sa main rencontrait des chairs et des étoffes, ça protestait et ça gloussait. Et puis elle a rencontré quelque chose, quelque chose qui avait la consistance un peu rêche des algues sèches. C'était de là qu'émanait l'odeur, c'était la chevelure de la petite négresse. La main s'est attardée, on a entendu un petit vagissement et la chevelure s'est dérobée.

Mais le chasseur ne laisse pas filer comme ça la proie palpitante, le chasseur peut presque sentir battre le cœur de son gibier, la pulsation accélérée du sang dans les veines lui semble résonner dans son propre corps, la sueur d'angoisse qui humecte le cou gracile ne lui échappe pas, et il en a soif ; le chasseur, de son corps excessif, entoure le corps de sa proie qui ne sait plus très bien où est le chasseur, ici, là, partout, et si déjà elle n'est pas en lui, bien au chaud dans ses organes, en train de se faire digérer, la proie ne connaît pas son bonheur, elle n'a pas les affres torturantes et les faims inapaisables du chasseur, qui aura besoin d'une autre proie alors qu'il croyait vraiment que celle-ci serait la dernière, qu'elle apaiserait enfin sa fringale dévorante, la proie n'a qu'à s'endormir, à se laisser dissoudre, sa chair devient doucement une autre chair, dans un ventre aussi chaud, aussi accueillant que le ventre de sa mère. Oui, c'est un acte de charité que de s'emparer de la proie, de l'arracher au monde du doute et de la recueillir, pieusement, pour la mettre définitivement à l'abri.

Ce boyau ténébreux m'a fait revenir à la mémoire le passage entre les coulisses et la piste, qui me paraissait d'autant plus sombre que j'avais dans les yeux l'éclat des grandes lampes à huile, pour les chapiteaux, ou le flamboiement d'immenses lustres au gaz, pour les cirques en dur. On attendait dans un étroit vestibule. Les secondes de l'attente concentraient une vie, des mois, des années d'exercices indéfiniment répétés, de chutes, de douleur, de fatigue, de ratages, et il allait falloir devenir un autre, cette figure souveraine qui se jouerait, sans la moindre difficulté apparente, de la pesanteur et des limites du corps. Il allait falloir naître, se jeter dans l'espace immense, sous la lumière inflexible et les regards. Un tambour, une trompette donnait le signal : j'entrais d'un coup, aveuglé, dans un autre monde, dont les règles étaient différentes.

Je vous l'ai dit, docteur, Punch avait eu une absence, en débarquant à la foire, il ne savait plus ce qu'il faisait là. Des images d'enfance lui revenaient, qui se substituaient à sa mémoire immédiate, mais qui semblaient aussi tenter de lui proposer une clé de ce qu'il était en train de vivre. Ça lui arrive régulièrement. À présent, dans le boyau obscur, ça lui revient.

Ses frères, qu'il avait quittés depuis bien des années, ses frères qu'il avait voulu oublier, ses frères dont le souvenir même lui faisait horreur à présent, comme tout ce qui avait trait à l'univers monstrueux du cirque, avec ses fausses joies, sa bonne humeur factice, toute sa pacotille qui puait la mélancolie et la mort, il avait fallu, malgré lui, qu'il les retrouve. Pendant des années ils avaient joué dans des théâtres à l'étranger. Ils voyageaient en steamer et en train, descendaient dans des hôtels luxueux. On en parlait parfois dans les journaux. Puis la période de gloire avait passé. Ils n'étaient plus à la mode. Leur violence, qui avait fasciné d'abord, avait fini par lasser. On n'avait plus guère parlé d'eux.

Qu'étaient-ils devenus alors ? Ils avaient dû, sans doute, reprendre la route des petites villes, dormir dans la roulotte comme jadis, coller des affiches eux-mêmes. Ils avaient dû connaître, comme jadis, les maigres recettes, les soirs où les bancs restaient presque déserts et où il fallait jouer quand même. Peu lui importait. Et voilà qu'à la fête foraine il les retrouve. Et voilà qu'il se laisse entraîner, plus par la petite négresse aux cheveux d'algues que par le bonimenteur, mais c'est comme autrefois, malgré ses crises de violence, les périodes où il refusait de faire quoi que ce soit, c'est plus fort que lui, ses frères parviennent toujours à le tirer vers eux.

La lumière se fait, on nous introduit dans une longue salle mal éclairée par des lampes à pétrole. Cinq lourdes tentures de velours rouge masquent autant de loges, pas plus larges que trois mètres. Ça sent les épices, le tabac et la transpiration. Le bonimenteur nous arrête devant la première, ferme le passage avec un cordon, débite son discours, écarte la tenture.

Elle révèle une estrade basse, recouverte d'un drap pourpre, sur lequel sont disposés divers guéridons supportant un bric-à-brac hétéroclite. La narine circule dans ce bazar, déployant le costume « célèbre », d'après lui, dans lequel l'un des frères Helquin a interprété le diable dans *The Devil's Bride*, qui a « attiré les foules, de New York à Chicago et de Richmond à La Nouvelle-Orléans », une grosse boîte posée sur un trépied, « système amélioré du fameux fantascope de Robertson, par lequel les Helquin pouvaient susciter toutes sortes d'illusions », un gros oiseau noir empaillé, nanti d'un énorme bec rougeâtre aussi grand que son corps, qu'il nous décrit comme un « toucan naturalisé des forêts d'Amérique du Sud, offert aux Helquin par le millionnaire vénézuélien Rodrigo Zaparajo », d'autres machins que j'ai oubliés, et qui ne semblaient pas passionner le public. Le bonimenteur disparaît derrière l'estrade, et il revient, tirant derrière lui un petit chariot chargé d'un objet d'à peu près un mètre de haut, couvert d'un voile blanc. D'un geste théâtral, il fait voler le voile et révèle, posée sur un complexe système mécanique en métal, une tête.

Une tête de femme, blanche, la bouche et les pommettes barbouillées de rouge vif. Les yeux bleus, fixes et glacés, devaient être taillés dans deux morceaux de verre. Elle était coiffée comme une grand-mère, à la mode du milieu du siècle, avec de grosses boucles brunes qui lui tombaient de chaque côté des joues. La tête n'avait pas ces reflets et cet aspect lisse des poupées de porcelaine. Elle devait être constituée d'une autre matière, peut-être du cuir verni et peint en blanc. Avec ses sourcils très fins arqués au-dessus des yeux imperturbables, sa bouche un peu trop fendue aux lèvres trop minces, elle aurait pu ressembler à une représentation un peu malhabile de ma mère. Je me suis souvenu que, lorsque j'étais petit, elle arborait cette coiffure dont le romantisme ajoutait à sa physionomie une touche de suavité qui rendait plus inquiétante encore son aigre bizarrerie. Je me demandais si les jeunes filles vertueuses des romans illustrés que je dévorais, amoureuses de jeunes artistes aux yeux de braise et aux pantalons collants, ne portaient pas un masque derrière lequel c'était encore maman qui se dissimulait, maman était toutes les femmes possibles, nul espoir de lui échapper, la plus évaporée des fiancées, en se pâmant dans mes bras, tandis que ses longues boucles brunes caresseraient mes joues, finirait par faire glisser son masque de peau, révélant, au moment de succomber, le visage de maman.

La tête reposait sur une structure de métal installée au centre d'une table de bois, dont les pieds cannelés contrastaient étrangement avec l'inextricable réseau de ferraille qui sortait du cou, en partie masqué par les cheveux, et déployait ses articulations sur tout le plateau, comme s'il fallait rappeler par ces afféteries d'ébénisterie qu'il ne s'agissait là que d'un divertissement de salon, et non pas de la monstrueuse exhibition d'un arthropode à tête humaine, produit de la gestation d'une pauvresse dans un bouge assailli de myriapodes et d'araignées.

Sous cette table, une longue planche de bois, dont un côté était un peu plus haut que l'autre, s'étendait entre les deux pieds du fond. Un énorme soufflet était accroché derrière la tête, et l'on apercevait un petit clavier, comme d'une épinette, posé sur la gauche de la table.

« Permettez-moi de vous présenter Mademoiselle Calliope[6]. Oui, Calliope, la Belle Voix, comme la Muse de l'éloquence. Cette tête parlante a été acquise par les Helquin auprès de Mister Barnum lui-même, lors de l'une de leurs tournées aux États-Unis d'Amérique. Mister Barnum n'a consenti à s'en séparer qu'à prix d'or. Elle a été utilisée dans certains spectacles des Helquin. Vous allez constater que cette demoiselle a reçu la meilleure éducation, et qu'elle fait même preuve d'une véritable érudition. »

Le guide, qui aurait presque pu figurer lui-même parmi les curiosités du cirque Helquin, tant il était contrefait, comme un assemblage de morceaux de récupération, s'est assis face à nous, a déployé ses longs doigts sur le clavier, et commencé à pomper du pied gauche sur la longue pédale de bois. Le soufflet s'est gonflé. Les articulations métalliques ont frémi. La bouche s'est ouverte. Il en est sorti une voix profonde, enrouée, qui semblait le râle d'un mineur enseveli sous un amoncellement de gravats : « Bon-jour », qu'elle faisait, « bon-jour ».

Et les voix, disait Charles, les voix de la grande forme sombre assise à côté de moi dans le compartiment reproduisaient la voix de Calliope, en en caricaturant le débit mécanique, raclant dans la gorge des sons rauques, où une pointe d'aigus perçait parfois les graves.

« Mon nom est Craliope. »

L'homme aux narines vertigineuses s'évertuait, pompait du pied pour activer le soufflet, pianotait, les tringles allaient et venaient, la bouche de cuir peinte en rouge mâchait de l'air, mais visiblement Barnum avait dû refiler aux Helquin un vieux rossignol.

« Mon nom est... »

« Mon nom est... »

« Mon nom est Csaliope »

— Allez, dis-le que t'es une salope ! Tu vas voir, tu vas y arriver !

Explosion de rires dans l'auditoire, une donzelle qui doit être bonniche n'en peut plus, secouée de rires suraigus.

Moi, pendant que ça s'agitait, pendant que ça chahutait, j'étais derrière la petite négresse, au-dessus de sa broussaille de cheveux, et je descendais de nuit un grand fleuve calme dont les rives demeuraient invisibles. C'était l'obscurité presque absolue, mais une odeur me parvenait, une odeur profonde de bois brûlé, et après ce qui devait être un coude du fleuve, on apercevait une lueur vacillante, celle d'un feu allumé près de la rive. L'odeur aromatique du bois se faisait plus intense, mêlée d'une autre émanation, un fumet plus douceâtre. En se rapprochant on distinguait des silhouettes accroupies près du feu. La barque accostait, des sauvages silencieux faisaient cuire à la broche quelque chose, comme le torse d'un gros animal, dont la peau, éclatée et rôtie, laissait couler des larmes de graisse. Ils m'en tendaient des morceaux. Dominant la scène, plantée sur un pieu, ce qui devait être leur idole nous fixait de ses yeux dans lesquels le feu allumait des reflets. C'était la tête livide de Calliope. Elle ouvrait la bouche et bredouillait : « I frait beau mo run po homide. » Les sauvages éclataient de rire, leurs dents brillaient dans l'obscurité moite.

Le contrefait se débat avec son clavier et sa pédale. Punch lui sait gré de cet effort, malgré les lazzis. Punch déteste qu'on moque l'autorité. Ça le met mal à l'aise. Ça n'est pas bien. Il y voit toujours une intention maligne. L'autorité, c'est tout ce qui se présente devant les gens, en dehors de la vie quotidienne : les tableaux, les spectacles, les discours politiques, les défilés militaires, les professeurs, les messes, les processions. Tout ça, ça se respecte. C'est l'ordre et c'est la forme, dans le chaos du monde. Vous n'êtes pas d'accord, docteur ? Les esprits forts, les sarcastiques, les critiques au sourire en coin, Punch les a toujours détestés. Ils ont perdu l'enfance, l'ébahissement devant ce qui est, l'acceptation. Ils veulent marquer leur supériorité. Le diable ricane. Les guenilleux, les rien-du-tout, les ordinaires, oui, on a le droit de s'en moquer, et même de les insulter, de les frapper, parce qu'ils ne sont rien, ils ne font pas d'effort vers une forme. Ils déshonorent la part d'être qui leur a été donnée. Mais c'est pour ça aussi que Punch déteste les spectacles ratés, les représentations négligées. Elles ne sont pas à la hauteur de leur mission, elles donnent raison aux esprits démoniaques qui veulent nier tout ce qui est. Un spectacle parfait, qui se déroule dans un ordre impeccable, voilà qui peut faire pressentir la présence de Dieu. Ou plutôt, c'est comme la messe : ça prépare la place pour la venue de l'esprit. Voilà pourquoi Punch n'aimait pas ce qui se passait.

Heureusement, la face camuse a vite renoncé, après avoir expliqué que Mademoiselle Calliope, comme toutes les vieilles dames, se sentait moins en forme certains jours, ce qui lui a permis de récupérer les rieurs, il devait avoir l'habitude, et Punch l'en a encore plus détesté – quand on a en charge l'esprit, le minimum est de le respecter, c'est bien pourquoi les clowns sont haïssables, c'est la seule forme de spectacle qui moque le spectacle, les clowns grimaçants sont un blasphème, ils humilient l'esprit. Punch n'a jamais aimé faire le clown. Aussi le faisait-il comme personne ne l'avait jamais fait, plus vite, plus fort, comme pour s'échapper du spectacle par le spectacle.

THALIA 6

En me cherchant, Charles était monté dans les pièces abandonnées du second étage, pensant que j'essaierais de le surprendre en m'y dissimulant. Mais je n'étais ni dans le salon de musique, sa première idée, ni dans la bibliothèque. Les pièces de l'étage étaient desservies par un long corridor aveugle. Il se souvenait que des panneaux coulissants y donnaient accès à des placards que nous n'avions jamais pris le temps de vider de leur contenu, robes défraîchies, cartons à chapeaux, balais, ni même d'ouvrir tous, tant ces vestiges d'une vie étrangère nous rappelaient à notre statut d'éternels visiteurs dans cette maison. Mais faire le vide, remeubler, repeindre, changer ce décor désuet aurait été admettre que nous étions à jamais fixés dans ces lieux.

Après avoir ouvert quelques-uns de ces panneaux, tâtonné à l'aveuglette dans les vêtements qui paraissaient garder l'empreinte de corps fantômes, troublé, disait-il, par l'idée qu'il allait bientôt sentir sous sa main une peau nue parmi ces dépouilles abandonnées par la chair qui leur avait donné forme, il était tombé sur un placard vide, du moins ce qu'il prenait pour un placard. Sa main ne trouvait pas le fond de la penderie. Il avait risqué un pas à l'intérieur, et buté sur une autre porte. Elle ne s'ouvrait pas. Ses doigts avaient glissé le long de la rainure, et trouvé deux gros verrous.

Charles s'est tu un long moment. Je me demandais quelle heure il était. Les volets encore fermés de la maison devaient faire jaser dans la ville. Heureusement, c'était un dimanche, Félicie ne venait pas. Puis j'ai entendu les cloches de l'église sonner la messe de onze heures. Que nous manquerions donc, ce qui ne nous arrivait jamais. Mme Quinet se donnerait le plaisir d'émettre des hypothèses inquiétantes, et nous aurions la satisfaction d'avoir gagné encore en mystère.

À ce moment, a dit Charles, j'aurais dû m'arrêter, repartir à ta recherche. Mais ça a été plus fort que moi. Il fallait que je sache ce qu'il y avait derrière la porte que condamnaient ces deux verrous.

Je lui ai demandé si la seule curiosité l'avait poussé à me laisser.

Il a réfléchi.

Non, tu as raison. Il est possible également que quelque chose en moi ait voulu t'abandonner dans ton coin d'obscurité, à m'attendre en vain. Je n'en suis plus sûr, parce qu'à présent ce que j'ai vu derrière cette porte a recouvert la mémoire de ce que j'ai pu penser et sentir juste avant de l'ouvrir. Écoute-moi.

Nos conversations de l'ombre, à mi-voix dans la chambre close, je les avais d'abord considérées, disait Thalia, comme une sorte de cérémonial de la vérité, qui facilitait la formulation des secrets et des désirs, alors qu'en définitive c'est l'inverse qui se produisait : la réalité se trouvait suspendue, elle n'était plus qu'une possibilité comme une autre. La voix qui me parlait énonçait comme de profondes confidences intimes des choses qui, au jour, perdaient toute consistance, et que je soupçonnais parfois de pouvoir être complètement différentes. Comme si celui dont elle était issue lui appartenait plutôt qu'elle ne lui appartenait, en cette voix nocturne, sa substance paraissait se dissoudre, il devenait un être spectral capable de prendre toutes les formes et d'adopter, avec une égale conviction, toutes les volontés, tous les désirs et tous les fantasmes. Mais cela même, me disais-je parfois, était peut-être l'aboutissement nécessaire de toute entreprise de dévoilement, qui, si elle s'avance un peu loin, détruit les constructions les plus stables, pour nous livrer à notre multiplicité. À force de vouloir se définir, on finirait fatalement, dans cette hypothèse, par comprendre qu'on est n'importe qui, tout le monde.

Écoute-moi, a dit Charles. Je suis allé chercher un chandelier. La porte aux deux verrous donnait sur une pièce dont nous n'avons jamais suspecté la présence. Elle est tout en longueur, mansardée, et redouble sous les combles les placards du couloir. La porte qui lui donne accès est la dernière avant la chambre du fond. La cloison de droite est commune avec cette chambre. La pièce n'est pas aveugle. Tout au fond à gauche, il y a une étroite fenêtre grillagée. Je crois qu'elle donne sur les branches du vieux tilleul, si bien que nous n'y avons jamais prêté attention. C'est presque un petit appartement, avec des meubles désuets qui doivent dater du siècle dernier.

La chandelle, racontait-il, extrayait de la pénombre leurs courbes à la frivolité poussiéreuse, leurs roses fades et leurs bleus pastel. C'étaient d'aimables squelettes qui tentaient encore de sourire en s'effritant. Et parmi ce décor de galanterie funèbre gisaient des jouets, des quantités invraisemblables de jouets, antiques poupées noyées dans des dentelles jaunies, cheval de bois, pantins et boîtes à musique.

Je ne l'ai pas vue tout de suite. La chandelle sortait parcimonieusement les choses de l'ombre. D'abord je n'ai pas compris. Dans un des fauteuils, elle était recroquevillée, minuscule, on aurait pu la prendre pour une poupée plus grande que les autres. Mais quelque chose me mettait mal à l'aise.

La voix de Charles n'allait pas avec ce qu'il racontait. Elle restait neutre, méticuleuse, presque froide, comme celle du médecin qui cherche à vous expliquer votre maladie. Seuls certains moments de silence pouvaient témoigner d'une émotion.

Ce qu'il avait vu, disait-il, dans le cercle de lumière tremblante dessiné par la chandelle, c'était le corps desséché de ce qui avait dû être une petite fille, assise sur un des aimables fauteuils de taffetas, jambes et bras pendants, tête sur la poitrine. Elle était comme un vieux pantin, un navrant polichinelle aux joues creuses, aux orbites vides, aux membres racornis. Des mèches de longs cheveux pendaient sous le bonnet, et ils paraissaient seuls avoir conservé de la vie.

Quel âge avait eu ce corps au moment de devenir cadavre ? Huit ans ? Dix ans ? Cela aurait pu être celui d'une naine, mais il était vêtu d'une robe d'enfant, et il y avait les jouets épars dans la pièce. La colonne vertébrale se recourbait pour former une énorme bosse à l'épaule gauche, que couvrait un antique châle d'indienne dans les tons verts, parcouru de fils d'or, et encroûté de poussière.

Il n'avait pas cherché, pas fouillé, pas promené dans la masse d'ombre de la pièce la lumière du chandelier. Il était simplement resté là, à regarder sans comprendre cette enfance éternellement macabre. Puis il était ressorti, avait soigneusement refermé la porte et tiré les verrous, comme s'il revenait d'une simple visite. Il n'imaginait pas, disait-il, qu'autant de temps avait pu passer, lorsqu'il m'a découverte endormie dans le fauteuil de la chambre. Mais il s'est senti rasséréné, comme s'il avait craint que ce qu'il avait vu dans la pièce dérobée n'ait eu le pouvoir de dissoudre la substance de sa vie, de la réduire à l'état de souvenir illusoire. Comme au sortir d'un cauchemar, il a compris que son univers ne se réduisait pas à ce cadavre de petite fille bossue enfermée dans une mansarde.

Un mélange de peur et de colère m'a rendue agressive. Charles avait utilisé mon souvenir d'enfance pour fabriquer son histoire, c'était trop évident. Le pandémonium des Helquin était loin derrière moi à présent, je ne tenais pas à le retrouver parce que ce passé alimentait ses fantasmes. Je me refusais, lui ai-je dit, à n'être que l'instrument de ses mises en scène, de ses fictions ou de ses hantises. Mais je savais, en disant cela, que j'avais déjà en grande partie accepté ce rôle en venant m'enfermer avec lui dans cette maison.

Charles a paru sincèrement désarçonné. Il n'utilisait pas mes souvenirs, m'a-t-il assuré, mais il avait peur que la venue du cirque à Saint-Genest n'ait introduit ce qu'il qualifiait d'un désordre dans la réalité. Le cirque, prétendait-il, nous infecte de fiction. Il mélange la fiction et la réalité, c'est de cela qu'il fallait avoir peur. Les fictions exigent de vivre. Certaines d'entre elles sont peut-être assez puissantes pour s'immiscer dans notre monde. Ce n'est plus notre esprit qui les produit, ce sont elles qui le parasitent et le métamorphosent.

Tu crois, Thalia, que j'ai bâti la fiction de la fillette à partir de tes souvenirs. Mais qui sait si ce n'est pas la fillette morte qui pour revivre s'est introduite dans ta mémoire ? Qui sait si elle n'est pas venue de la vieille maison de Saint-Genest pour infecter la réalité avec sa mort sordide, qui sait si elle n'est pas venue chanter dans les cirques et les maisons sa tristesse, la mélancolie qui travaille les morts, les enfants abandonnés, qui n'ont pas eu le temps de connaître la vie ? Crois-tu que les souffrances puissent rester lettre morte ? Crois-tu qu'aussi ancien qu'il soit, le désespoir d'une âme ne laisse pas résonner un écho, comme on entend, dans une grotte, la réverbération d'un cri longtemps après son émission ? Souviens-toi de ces cris, tous les enfants ont joué à cela, et adoré cela. Ce qui est fascinant, c'est que la voix, dans l'écho, nous paraît prendre son autonomie. On ne la reconnaît plus, on ne peut plus se l'attribuer. Elle n'appartient plus à personne. Il me semble que c'est cela, pour ces pauvres filles qui nous poursuivent avec leurs voix. C'est un vieil écho, venu du passé, qui s'est habillé d'une défroque de corps, de haillons ramassés au hasard. La petite nous attendait, depuis toujours, recroquevillée dans sa chambre, assoiffée d'on ne sait quoi, de tendresse, d'attention, c'est une sirène qui nous attire dans sa solitude désespérée.

Je pensais, en l'entendant ainsi vaticiner, que la seule chose dont nous pouvions être sûrs était la puissance de la voix.

Allongée à ses côtés, tandis que les fictions naissaient et se formaient sur l'écran noir de la pièce, je rêvais moi aussi, je suivais le fil de pensées vagabondes. Oui, en effet, la voix, pensais-je, est au sens ce que la lumière est aux choses. On voit ce qui apparaît, on écoute ce qui se formule, mais tout cela se disperse, leur importance est illusoire. La voix et la lumière ne peuvent exister seules, sans ce qu'elles disent et montrent, dans ce monde, mais seules elles détiennent ce qui importe, une sorte d'émotion pure, le bouleversement de la présence, qui me pénétrait parfois entre veille et sommeil.

Je ne savais pas de quoi il fallait le plus avoir peur, de sa folie ou de la mienne, qui m'avait poussée à le suivre. De ce qu'il me racontait d'une ville et d'une maison en proie à des apparitions, ou de la prolifération des hypothèses qui suspendait notre réalité, et faisait de nous des rêves flottant parmi d'autres rêves.

Je n'ai jamais cherché à entrer dans la pièce secrète, ni même à vérifier qu'elle existait bien. Je commençais à comprendre qu'il avait du mal à manifester ses sentiments autrement que par la fabrication de fictions qui lui évitaient d'avoir à adhérer complètement à ce qu'il disait, tout en lui permettant d'aller plus loin sans doute qu'il n'aurait jamais osé aller. Peu importait que la petite morte enfermée avec ses meubles frivoles et ses jouets plaisants existât réellement ou pas. À aucun prix je ne voulais la voir. Je ne voulais pas de ces fanfreluches sur de la peau d'enfant séchée par les années, je ne voulais pas de ces orbites vides et de ces mains squelettiques, même bien réelles elles étaient fausses, leur substance était aussi éloignée de nous que les momies des pharaons dans leurs sarcophages ou les gisants des cathédrales.

Mais il avait réussi, en un sens. Nous habitions désormais la maison de ce cadavre. Il partageait silencieusement notre quotidien, s'insinuait dans nos silences, et pas un jour je ne m'endormais sans voir le cercle de la lumière de la chandelle révélant la silhouette tassée dans son fauteuil, ni sans tenter d'écarter la tentation d'imaginer ma main se posant sur l'étrange substance d'une peau morte d'enfant.

Charles nous avait conduits aussi à réinterpréter l'histoire de la maison.

Mme Quinet s'était fait un plaisir de dispenser les détails du séjour des Laurion à Saint-Genest, qui n'avait duré qu'une dizaine d'années. Laurion, qui arrivait on ne savait d'où, avait débarqué un beau jour, à la fin de l'Empire, en 1867, avait racheté à bas prix la maison à l'héritier ruiné de grands propriétaires terriens du coin qui avait dilapidé le plus gros de sa fortune dans la capitale. La première femme de Laurion était morte jeune. Un an après leur arrivée, elle avait perdu un enfant en couches, et ne lui avait survécu qu'un an. À peine si on avait eu le temps de s'apercevoir de son existence, elle était presque toujours alitée.

Il n'était veuf que depuis deux ou trois mois que Laurion en avait ramené un jour une autre, plus âgée que lui, dont les tenues provocantes avaient choqué à Saint-Genest. « Une fille qui avait un drôle de genre, disait Félicie, on ne savait pas même d'où elle venait, avec des fards et des robes décolletées. Une vraie gaupe, sauf votre respect, Madame. » On s'en accommodait parce qu'ils menaient grand train et recevaient somptueusement les notabilités locales. Et puis, un beau jour, ils avaient disparu, et on n'en avait plus jamais entendu parler, sinon que des débiteurs nouveaux ne cessaient d'apparaître chaque semaine, avec des créances parfois considérables. La vente de la maison n'avait pas épongé grand-chose.

Charles revenait sans cesse au petit cadavre desséché qu'il disait avoir vu dans la pièce dérobée, il élaborait différentes versions de son histoire. L'incertitude alimentait son angoisse. Que pouvait-on imaginer ? Personne, dans la ville, n'avait jamais parlé d'une enfant qui aurait vécu dans cette maison. Cela signifiait-il que son existence avait toujours été tenue secrète ? Mais d'où sortait-elle ? Comment était-elle arrivée ? Il n'y avait que l'enfant mort-né, c'était le plus vraisemblable : la femme accouche chez elle. Seule ; peut-être avant terme. On s'aperçoit que l'enfant est contrefait, bossu. On se débrouille pour laisser croire aux domestiques qu'il est mort le lendemain, le surlendemain de l'accouchement. On célèbre des obsèques discrètement, ce n'est jamais qu'un enfant mort-né, le médecin n'a pas besoin d'y mettre le nez.

Mais non, ça n'a pas de sens. Soit ils se débarrassaient de l'enfant, en prétendant qu'il était mort, soit ils le gardaient, l'élevaient, au su de tous, mais le cacher, c'est la solution la plus compliquée... Du moins en apparence... Parfois on adopte les solutions les plus compliquées... Lui refuse d'assumer une enfant difforme, la honte de cette créature bossue fruit de leur union, qu'il faudrait traîner sous les regards de tous, à la messe, à l'école, et que jamais bien sûr on ne parviendrait à marier. Mais la mère ne se résout pas à se défaire du nourrisson... Il veut bien s'en charger pourtant, il suffirait de l'étouffer avec un linge, elle aimerait être capable d'accepter, elle atermoie, ils adoptent la mauvaise solution, la solution absurde, la garder mais la cacher, on enterre un petit cercueil vide, ou garni d'un paquet de chiffons qui peut ressembler à un corps.

On imagine la suite, disait Charles, la mère s'occupe de la petite, elle l'aime, elle vit un déchirement quotidien, entre l'impossibilité désormais d'avouer l'existence de l'enfant, et cette vie recluse à laquelle la petite est condamnée, ne jamais voir le ciel, ne jamais se rouler dans l'herbe, ne jamais jouer avec d'autres enfants. Peut-être, lorsqu'elle n'était encore qu'un nourrisson, la mère s'en est-elle accommodée, peut-être refusait-elle d'envisager l'avenir. Elle est morte avant que cet avenir n'advienne. Mais comment dissimuler aux domestiques la présence d'un enfant ? Interdire l'accès à l'étage suffisait-il à étouffer les pleurs, les bruits de pas ? Les femmes de chambre vivaient-elles dans la peur du fantôme de l'enfant mort, qui hantait les pièces interdites ?

Ainsi allait-il, de nuit en nuit, affinant sa fable, comme si la fiction de notre présence dans cette maison ne lui suffisait pas, comme s'il lui était nécessaire d'en sécréter sans cesse. La mère est morte, disait Charles. Peut-être s'est-elle vue mourir, sans savoir qui, après elle, s'occuperait de la petite recluse, peut-être versait-elle des larmes, sur son lit, à l'idée de l'abandonner à l'indifférence de son mari. On l'a enterrée, et une deuxième épouse est arrivée. Comment a-t-il réussi à lui expliquer la présence de l'enfant, sa réclusion ? Elle a dû vite s'en accommoder. Qu'aurait-elle pu faire d'autre ?

On peut imaginer la suite. Il n'y a pas de compassion à attendre de la part de la deuxième épouse, elle refuse d'assumer cette folie de l'enfant murée, elle veut l'ignorer, faire comme si cela n'existait pas. Et puis souvent la souffrance et la difformité suscitent le dégoût plutôt que la compassion. Combien l'enfant reçoit-elle alors de visites ? Comment grandit-elle ? À qui parle-t-elle ? Son père lui apporte ses repas, récupère les eaux sales et disparaît le plus vite possible, elle sait à peine qui il est, peut-être ne lui a-t-on pas expliqué pourquoi sa mère ne vient plus, peut-être, dans ce dénuement, a-t-elle à peine appris à parler, et ses tentatives maladroites font fuir son père encore plus vite. Il lui apporte des jouets, beaucoup de jouets, la chambre en était submergée, et ils ont constitué sa seule société. Mais je n'ai pas vu un seul livre, elle ne savait sans doute ni lire ni écrire.

Le monde n'est plus le même, disait Charles, depuis que je suis entré dans la pièce dérobée. Des gens font l'amour, se marient, tentent de faire fortune, ils poursuivent des études en essayant de devenir médecins, des femmes se maquillent, des hommes se battent en duel, des officiers partent à la conquête de nouveaux territoires dans des régions reculées du monde, des ouvrières tentent d'élever honnêtement leurs enfants, mais rien de tout cela n'est plus innocent, ne le sera jamais plus.

Il n'y a pas un rêve, pas un désir, pas une activité sur la surface du globe qui ne soit secrètement corrompu par ce petit cadavre secret, dont tout le monde ignore l'existence. L'univers finira, aucun vestige ne demeurera de nos maisons, de nos monuments, de nos livres, la trace même des hommes sera effacée, comme si jamais il n'y avait eu d'humanité et de civilisations, aucune mémoire n'en recueillera l'histoire, mais rien ne pourra faire que la pièce secrète et le petit cadavre bossu n'aient pas existé. Le néant n'a pas le pouvoir d'effacer ce qui a été. Ce qui a été, pour toujours, c'est l'oubli, l'oubli en soi, l'être comme oubli. Et ce qui se tient là-haut, dans la chambre secrète, est l'atome de noir autour duquel gravitent ce qui est et ce qui aura été.

Car Charles aimait à dramatiser, comme ces gens à qui la vraie souffrance vécue demeure inconnue ; je le lui reprochais souvent, je me moquais de lui gentiment, tu as vraiment besoin de vies de substitution, la tienne ne semble pas te suffire. Il le prenait mal. Tout le monde, disait-il, a besoin de vies de substitution. Même les aventuriers souffrent de la platitude du réel. Il n'y a rien dans le réel, c'est un désert stérile, inhabitable par l'homme.

Il pleurait. Il pleurait, comme on pleure à l'opéra, sur ce petit cadavre dont je ne savais même pas s'il l'avait inventé pour alimenter nos conversations nocturnes. Il pleurait la solitude absolue, l'absence d'amour, la disette d'amitié, la privation de soleil, il pleurait l'enfance saccagée, il pleurait, par-dessus tout, l'incompréhension. Car l'innocence ne comprend pas, disait-il, elle n'a pas même ce moyen de dominer ce qui l'accable, elle le subit pleinement, ne pas comprendre laisse pénétrer la souffrance bien au fond, bien au cœur de l'être, il n'y a plus qu'elle, qui désormais vous constitue. Il pleurait ce corps désormais à l'abandon, ce corps qui continuait à exister, obstinément, à se recroqueviller sur l'absence éternelle de caresses et de baisers, comme si la douleur le conservait plus sûrement que la sécheresse et le froid.

Je le prenais dans mes bras, comme un bébé qui ne peut plus

s'arrêter de pleurer, sans même savoir pourquoi, je le berçais, je le caressais. D'abord je ne comprenais pas pourquoi cette histoire le dévastait à ce point, pourquoi il appelait ces larmes, pour se laisser submerger par elles. Et puis j'ai deviné qu'il était lui-même ce petit corps abandonné dans une pièce oubliée. L'être comme oubli : il avait raison. Ce dont peut-être il n'avait pas pleinement conscience, c'est que nous le savons tous, intimement, dès le début, sans pouvoir nous le formuler. Moi aussi je me rappelais l'avoir senti, certaines après-midi d'ennui, lorsque j'étais enfant, et que je ne parvenais pas à faire vivre les rôles que j'assignais à mes poupées, à croire à ce que je faisais d'elles. Je disais que je m'ennuyais, c'est ce que disent les enfants dans ces moments-là, et ils le croient. Mais je ne m'ennuyais pas. Je pressentais que j'étais l'oubli, j'éprouvais en moi la substance de l'abandon. C'était la réalité fondamentale, la part commune à partir de laquelle nous tentions maladroitement de composer des rôles, de faire jouer nos poupées. Mais l'enfant, dans sa chambre secrète, n'avait sans doute connu que cela, dans toute son intensité.

Peu importait au fond que cette histoire fût ou non une fiction, sans doute en avait-il eu besoin pour exprimer cette réalité fondamentale que peut-être il n'avait jamais réussi à regarder en face, et je lui savais gré d'avoir été la destinataire de l'histoire qu'il avait dû raconter pour que le chagrin pût se dire. L'amour, cet amour qui était à l'origine de notre présence à Saint-Genest, était peut-être cela, parvenir à partager l'abandon dont chacun de nous était fait, ne pas l'imposer brutalement, mais raconter l'histoire qui permettait de le partager, comme si l'abandon, à l'instar de la divinité, ne pouvait se dire que par un langage indirect.

Je comprenais alors le rôle de Belle au bois dormant que Charles m'avait assigné. La Belle au bois dormant incarne l'être comme oubli. Au moment où elle se prépare à sortir de l'enfance, à entrer dans la vie, l'oubli la saisit. Elle tombe dans le sommeil, la forêt et les ronces entourent le château, les domestiques s'immobilisent, le feu se fige dans l'âtre, plus personne ne se souvient d'elle. Arrive le prince. Il la pénètre et la féconde dans son sommeil. Puis elle s'éveille.

Dans le conte, la princesse rejoint la vie ordinaire, elle entre dans l'oubli de l'oubli. Je me suis dit à ce moment-là que lui, mon prince, avait voulu au contraire que le château demeure impénétrable, que nous demeurions une légende pour les habitants de Saint-Genest, protégés par nos ronces et nos bois profonds. Il ne voulait pas m'éveiller à la vie, me rendre au monde, mais éveiller ma conscience à l'oubli, m'aimer dans le bouleversant abandon au sentiment de l'oubli.

Mais je me trompais. Comme lui, j'échafaudais des théories pour tenter de comprendre ce que nous faisions là, à Saint-Genest. Comme les siennes, mes théories n'étaient pas fausses, elles étaient insuffisantes. Nous avions voulu nous aimer, ne faire que cela, contrairement à tous ceux dont l'existence n'est qu'un lent oubli de l'amour, mais nous ne parvenions pas à le faire sans nous raconter des histoires.

Le soir, lorsque je ferme les yeux, je vois, à cette heure du jour où l'on rentre de faire les emplettes de l'après-midi en ville, où l'ombre creuse les interstices entre les pavés, où les murs prennent des reliefs dramatiques, les cheminées de la vieille maison de Saint-Genest recueillir les dernières lueurs. Depuis notre départ, elle ne s'est pas vendue. Je revois la chambre et l'ombre hésitante des grandes plantes vertes, je revois le lit où nous avons passé tant de nuits à murmurer dans l'obscurité. La poussière et les toiles d'araignée doivent avoir pris possession des pièces, la vigne vierge doit déborder sur le toit et soulever les tuiles, et le bois des volets a dû pourrir.

La seule Belle au bois dormant, dans ce domaine abandonné, doit être le petit cadavre bossu, replié sur sa chaise, entouré de ses jouets en guenilles. La poussière, comblant le creux des orbites et des joues, le recouvre doucement d'un voile compatissant. Personne ne viendra le sortir de son sommeil.

ALASTAIR 6

Le gars nariné, disait Alastair, se place devant le deuxième rideau, et, d'un geste solennel, l'écarte dans un bel envol de poussière, nous révélant la Femme cent kilos.

Assise vraisemblablement sur un tabouret que son formidable fessier enveloppe de graisse et dissimule à nos regards, ce qui paradoxalement lui donne l'air de flotter, comme si cette énorme masse ne pesait rien, se tient une ahurissante Vénus. Afin que le public puisse mieux admirer ses charmes sans offenser la pudeur, on l'a affublée d'une robe de satin vermillon à passementerie de dentelle blanche, terriblement décolletée, et si courte qu'elle arrive au ras des genoux. Ses cheveux noirs sont libres, frisottés, ornementés de nœuds blancs. Dans cet accoutrement, elle pourrait ressembler à une monstrueuse petite fille, si une courte pipe en terre blanche n'était pas fichée entre les deux boursouflures de ses lèvres, si deux gigantesques mamelles, dont le décolleté révèle la moitié, ne reposaient pas sur la bosse d'un ventre de Polichinelle, et si la trogne mafflue, d'une couleur assortie à la robe et ornementée de fils de couperose, ne trahissait l'abus du cassis, de l'absinthe, du trois-six, ou tout simplement du gros vin bleu, ou de tout à la fois. Punch suppose que ce n'est pas la belle jeune fille de vingt ans promise, ou alors il y a tromperie sur la marchandise. La narine humaine semble deviner sa pensée et lui chuchote : « Ne vous inquiétez pas, cher monsieur, patience, nous y viendrons. »

Il en avait connu, Punch, de ces monstres de foire, qui se torchaient tous les soirs, méticuleusement. Même les monstres, parfois, n'ont aucune dignité. Et, tiens, il en a une bien bonne à raconter, sur les femmes cent kilos, mais le bonimenteur fait l'article, on ne peut pas rater ça, pas vrai.

Et donc, le voilà, le nariné, qui s'étend sur l'existence, les qualités et surtout les mensurations de Mademoiselle Camille, que le cirque Helquin a le privilège, etc. « Car Mademoiselle Camille est connue dans le monde entier, elle a été présentée à diverses têtes couronnées européennes, et le maharadjah de Bijawar a daigné la recevoir. Mademoiselle Camille est âgée de vingt-neuf ans, et elle est toujours jeune fille. Elle attend le Prince charmant, si jamais quelqu'un parmi vous se sentait une vocation de Prince charmant, il peut toujours tenter sa chance, tenez, vous, là, le beau militaire, vous vous sentez Prince charmant ? Non ? Tant pis pour vous. Mademoiselle Camille pèse exactement, ce jour, cent vingt-neuf kilos et quatre cents grammes pour une taille de un mètre soixante-dix. Mademoiselle Camille est vierge… Ah, ça vous fait rire, ça, le militaire… Mademoiselle Camille est vierge, parfaitement, Vierge ascendant Poissons, son tour de poitrine est de cent trente centimètres, avis aux amateurs, son tour de taille de cent trois, son tour de hanches de cent vingt-quatre, son tour de mollet de quarante-sept centimètres. Mais attention ! C'est du ferme, c'est du solide, Mademoiselle Camille est dotée d'un corps de marbre, mesdames et messieurs, que bien des femmes plus minces pourraient lui envier. Et afin de vous permettre de vérifier par vous-mêmes la véracité de mes dires, je vous invite à palper les mollets de Mademoiselle Camille. Allons, n'ayez pas peur, lequel d'entre vous veut tenter l'aventure ? Vous, monsieur, avec la belle casquette ? Approchez-vous, je vous en prie, Mademoiselle Camille ne va pas vous manger, à moins que, hé hé, on ne sait jamais… »

Un marlou s'avance, sa tête arrive à hauteur des genoux de la Femme cent kilos installée dans sa loge surélevée. Sans même daigner poser les yeux sur lui, la géante avance la jambe droite, gainée d'un bas blanc, et continue à envoyer des jets de fumée avec sa bouffarde. Le type pelote le mollet en faisant le connaisseur, s'attarde, en fait trop, se retourne en clignant de l'œil, sous les regards exaspérés du maigre trottin auquel il tenait le bras une seconde auparavant, pendant que le reste du public rigole.

« Vous pouvez y aller, jeune homme, c'est du vrai, c'est de la qualité, garantie sur facture. Mais laissez-en pour les autres. Allez, qui veut prendre son tour ? N'hésitez pas. »

Quelques hommes y passent, et même, par bravade, une des grosses bonniches. Pendant ces opérations, Mademoiselle Camille pétune imperturbablement, en regardant ailleurs, comme si tout cela ne la concernait en rien. Le cicérone la remercie, tire la tenture, et l'on passe à la deuxième loge. Ça me laisse le temps de vous expliquer une ou deux choses, docteur.

Oui, quand j'étais encore gamin, ma mère m'a emmené au bordel, pour me déniaiser. De toute façon, pour nous qui étions toujours sur la route, ça n'était pas facile de trouver des femmes ailleurs qu'au bordel. Il y avait du choix. J'ai pris la Belle Bouchère, qui n'était guère moins abondante que Mademoiselle Camille. Elle a étalé ses chairs sur un lit et elle m'a laissé m'activer en m'encourageant distraitement, par conscience professionnelle. Pendant ce temps, elle fumait une cigarette, comme Mademoiselle Camille. Tout ça aurait dû me dégoûter, comme ça dégoûte les hommes distingués, qui auraient honte d'arborer une dondon dans les dîners en ville. Ça n'est pas élégant, une grosse, et surtout c'est comme si tu exposais nûment ton désir, c'est presque une perversion, et celle-là tu ne peux pas la garder secrète, tu promènes partout le fait que tu aimes les grosses, qu'il te faut la quantité, après ça tu peux toujours faire le raffiné, parler art et littérature, c'est foutu, tu aimes les grosses.

Voyez-vous, docteur, je me suis demandé pourquoi ça ne m'avait pas dégoûté. Il m'est souvent arrivé d'assouvir mon désir et d'en sortir écœuré, je ne comprenais pas comment le désir le plus violent pouvait produire le dégoût, comme si secrètement ils étaient associés. Et cette expérience-là, je la recommence sans cesse, c'est comme une fatalité, je sais qu'à la fin je me sentirai sale, moi et l'objet de mon désir associés dans la même répulsion, mais rien à faire, le désir est plus fort.

Bref, qu'est-ce que je racontais ? Je ne sais plus. Ah oui, les grosses filles. J'ai fini par comprendre, en grandissant, ce que j'y cherchais, comme j'ai fini par comprendre mon vrai désir. Le vulgaire pense que c'est la chair qu'on aime, l'abondance qu'on recherche, on voudrait s'enfouir dans de moelleux coussins de chair, disparaître, avalé par de la femme, et le vulgaire a sans doute raison pour le vulgaire. Le vulgaire ne pénètre pas Punch. Punch est un idéaliste. Punch se nourrit d'esprit. Il croyait au début qu'il était comme le vulgaire, mais il se trompait sur ce qu'il voulait vraiment, parce qu'on l'avait habitué à l'envisager selon des schémas ordinaires.

Punch aimait les grosses comme il aime sa petite négresse à la chevelure d'algues, il cherchait le trésor bien enfoui de leur conscience. La grosse fille a plus lourdement conscience de son corps qu'une autre, son attention ne peut pas se détacher de ses seins, de ses fesses, de ses cuisses, excessifs, elle s'y trouve comme emprisonnée, piégée en elle-même, et c'est cela que veut Punch, absorber le festin d'une âme, car plus il y a de corps, plus l'âme, ce gibier fuyant et rusé, est facile à attraper. Vous n'y comprenez rien, bien entendu, mon cher docteur, avec toute votre science de l'esprit, et personne ne comprendra jamais Punch. Les curés quand ils célèbrent un mariage pérorent sur l'union des âmes, ils n'ont que le mot « âme » à la bouche dans leurs sermons, mais qui cherche des âmes ? Punch le fait.

Le marchand de monstres nous fait passer, replace son joli cordon rouge, et ouvre la stalle suivante. Contrairement à celle de Mademoiselle Camille, elle est garnie de barreaux.

Là encore, c'est du classique, j'en ai vu pas mal dans le genre, mais ça épate tout de même le bon peuple.

Ils nous ont fait le coup du nègre.

On a beau en voir de plus en plus en ville, il y en a que ça continue à intriguer. Celui-là, il faut dire, c'est du premier choix. Sur un torchon jaune ocellé de noir qu'on voudrait faire passer pour une peau de léopard est assis en tailleur une espèce d'avorton, nu en dehors d'un pagne également façon léopard, et d'un serre-tête du même métal qui maintient autour de son crâne chauve une couronne de plumes. Sa maigreur et sa peau noire comme la nuit font avec la très blanche ogresse un contraste sans doute artistiquement prémédité. Il roule des prunelles en nous regardant, et le blanc s'en détache si violemment sur le fond de sa peau qu'on dirait que des yeux viennent de s'ouvrir dans l'obscurité. On en attend d'autres, instinctivement, que peut-être on n'avait pas vus, des yeux de félins, de singes, de va savoir quelles bêtes nichées au sein de la moiteur.

Toujours pas de beauté juvénile, en tout cas.

Le cicérone nous présente le nègre comme un roi indigène capturé dans la jungle congolaise par une expédition d'esclavagistes de Zanzibar, aux ordres du fameux Tippo Tip, dont presque tous les membres ont été massacrés par les sauvages. C'était l'époque où Stanley, qui avait lié amitié avec Tippo Tip, explorait les profondeurs inconnues de la forêt congolaise, et c'est lui qui avait expédié en Europe le roi nègre. « Il est possible, disait le bonimenteur, que nous ayons devant nous un de ces fameux "pygmées" qu'évoquait Homère. »

À l'appui de ses dires, il nous invite à consulter des pages de journaux placardées sur les côtés de la stalle, dont il nous indique les bons passages à l'aide d'une baguette. Il pourrait aussi bien nous désigner des réclames pour du concentré de viande, de toute façon, on n'y voit rien. Le gnome devait plus vraisemblablement avoir été ramassé parmi les vagabonds qui traînent dans les ports. Bref. Il nous explique que le nègre s'appelle N'Doumbala IV (« mais nous l'appelons Bamboula, c'est plus commode »). À mon avis il devait plutôt se prénommer Marcel ou Isidore. Sa majesté régnait sur une tribu cannibale, qui avait l'habitude de manger ses prisonniers vivants, avaient rapporté les membres survivants de l'expédition. On coupait une jambe et un bras de temps en temps, mais on soignait et entretenait l'amputé, ce qui permettait de conserver la viande bien fraîche.

« D'ailleurs nous prenons les plus grandes précautions pour que le roi ne se trouve jamais seul trop longtemps avec Mademoiselle Camille, même si Mademoiselle Camille est de taille à se défendre. Vous imaginez ce qui passe par la tête de Bamboula quand il voit un tel morceau ? Il a déjà essayé de la mordre, mais Mademoiselle Camille lui a retourné une calotte qui l'a rendu prudent. Enfin, ça, messieurs dames, c'est toute la difficulté de notre industrie. L'un de nos problèmes, justement, c'est la nourriture de nos pensionnaires. Mademoiselle Camille est fort délicate. Quant au roi Bamboula, c'est une autre affaire, mesdames et messieurs, il lui faut de la nourriture vivante. D'ailleurs l'heure du repas approche, le roi est affamé, mesdames et messieurs, je dois vous demander de rester prudents. Non, madame, ne posez pas votre jolie menotte sur les barreaux, le roi Bamboula n'en ferait qu'une bouchée. »

Là-dessus, ce con de Fernand, ou d'Auguste, bref ce con de nègre, qui était resté à peu près tranquille jusqu'alors, se contentant de rouler ses gros yeux blancs, pousse un hurlement de damné. Même le tourlourou un peu hâbleur recule instinctivement. Puis c'est un concert de rugissements, Bamboula, accroupi, agite les bras à les démantibuler, secoue son chef emplumé qui nanti de cet ornement ressemble à s'y méprendre à un cul de gallinacé, horrible spectacle qui me fait m'esclaffer intérieurement, mais il paraît produire son effet sur le public, la pénombre et l'éclairage rougeâtre de la stalle y étant sans doute pour beaucoup. Et puis quand on a envie d'avoir peur, quand on a payé pour ça, on fait en sorte d'avoir peur.

Pendant la pantomime, le bonimenteur s'était éclipsé discrètement, il réapparaît un panier d'osier à la main. Mesdames, messieurs, brame-t-il, le roi Bamboula IV a été habitué à manger du vivant. Afin de préserver sa santé, nous sommes contraints, malheureusement, de lui donner ce qu'il exige. Je recommande toutefois aux âmes sensibles, notamment aux dames, et peut-être à vous aussi, beau militaire, de bien vouloir détourner les yeux de ce qui va suivre.

Là-dessus, il ouvre la grille, sort du panier un serpent, sans doute une couleuvre, le lance dans la loge, referme avec une précipitation surjouée. Déjà, les dames poussent des cris, c'est normal, c'est le serpent. Le pioupiou, vexé, et qui tient à montrer qu'il ne craint rien, se rapproche des barreaux.

Le roi Bamboula se jette sur le malheureux reptile, le lève tout frétillant au-dessus de sa tête dans une pose dramatique qui a l'air étudiée sur des affiches pour tragédies de boulevard proposant des suicides de reines orientales, le triture avec un rictus triomphant, et mord dedans de toutes ses dents scintillantes. Dans la pénombre fascinée, ça tire des mouchoirs de dentelle parfumés à pas cher pour se les fourrer sous le nez, ça se pâme tant que ça peut, ça perd son sentiment dans des bras accueillants, ça ouvre, du moins je l'imagine, des yeux écarquillés ou ça se masque le regard de la main. Le roi Bamboula mâche consciencieusement son ophidien, en n'oubliant pas d'y aller de temps en temps de son grognement, et moi je me régale aussi.

Je serre toujours de près ma petite négresse et sa maman en coiffure madras, je les couve du regard et je cherche le leur, je voudrais boire leurs yeux, étancher ma soif au nectar de leur attention si concentrée. Depuis le début elles observent consciencieusement, sans paraître plus émues que ça. Mais je goûte en amateur éclairé ce qui se déroule dans leur tête, je le pressens, je le traque, je le déniche. Comment pourraient-elles ne pas s'identifier à Bamboula, qui achève en ce moment même son festin reptilien ? C'est le nègre, le nègre en soi qu'on leur propose, elles ne peuvent pas se sentir uniquement spectatrices, elles figurent aussi sur la scène, elles hésitent, quelle est donc leur place ? Tout à coup les voilà Bamboula elles aussi, bamboulisées complètement, n'imaginent-elles pas des regards narquois se couler vers elles, ne croient-elles pas entendre des invites susurrées à aller rejoindre dans sa boîte le roi Bamboula ? Mais oui vous êtes des animaux, comme lui, des femelles simiesques qu'on a affublées de jolies robes à dentelles qui ne parviennent pas à vous humaniser.

Punch aussi, qui ne décollait pas des deux petites guenons, avait longtemps été singe dans un cirque, il ne pouvait pas le nier, et le roi Bamboula exhibé par un cirque Helquin en pleine décadence lui tendait son miroir grotesque. Mais la différence, la différence radicale, mes petites, c'est que ce n'est pas lui-même qu'il donnait à voir sur la piste, comme un simple fragment de bois ou de peau arraché à la nuit tropicale, et promené dans la lumière des villes, non, il faut comprendre, je sais que ce n'est pas facile, qu'il donnait à voir sa disparition. Il arrivait dans l'éclat des lampes, il était là, oui, exhibé lui aussi, avec ce corps et cette gueule excessifs, mais très vite il s'esquivait dans le mouvement. Ils ne savaient plus où il était, ils ne le voyaient plus, ils cherchaient à suivre l'enchaînement qui les hypnotisait sans les laisser se reposer nulle part, il était le maître, le dompteur de leur regard.

That's the way to do it.

Comme le roi Bamboula, Punch a toujours faim, il veut croquer dans le vivant, mais il se montre plus délicat. La nourriture doit être tendre. Et pour l'attendrir, rien ne vaut un bon petit élément acide, quelque chose qui vous la dissout du dedans, comme la honte, par exemple, ou comme l'incompréhension devant la douleur. Quoi de plus délectable qu'un bon désarroi, quel mets plus exquis que la peur ou l'angoisse, et par-dessus tout que le sentiment qu'on n'est plus à soi, on ne sait plus qui on est, on perd sa dignité, sa solidité intérieure, et c'est là qu'il s'approche et suce longuement cette délicatesse.

Punch voudrait bien ne pas le faire, croyez-moi, docteur. Il essaie de se raisonner, de trouver des dérivatifs, il s'engueule, il se punit, tiens, regardez, là, ces cicatrices sur le bras, et là, cette peau cuite sur le pied (et ce disant il se défaisait, se déchaussait, augmentant encore, si c'était possible, la puanteur de charnier qui ravageait le compartiment et menaçait de dissoudre le velours des sièges dans son bain corrosif, montrait ses plaies, ses cicatrices, ses places de peau mortes comme un Christ ignoble détaillant son sacrifice pour un saint Thomas plus écœuré encore que réticent), ce sont des punitions qu'il s'est infligées. Mais rien à faire, il faut qu'il y revienne, c'est plus fort que lui.

Et quand il l'a fait… Quand il l'a fait, quand il a comblé son désir, le monde lui semble une ruine, un chaos infecté par le mal, un néant. Quand il l'a fait, plus rien ne tient debout autour de lui, il voit les êtres et les maisons et la lune et les arbres comme des concrétions de cendres. Depuis longtemps ils sont calcinés, leurs formes vont s'effondrer, et il restera seul, pour l'éternité, dans l'univers déserté. Il est impossible de rendre ce néant de l'âme, comme si on l'avait vidé de tout, abandonné, sans humanité, dans l'absence radicale. Ah, si l'on savait ce que Punch endure chaque fois, peut-être qu'on aurait un peu plus d'indulgence envers lui, parce qu'il est déjà en enfer.

« Mais attendez, la visite n'est pas terminée, braillait le bonimenteur, des cas extraordinaires vous attendent encore, que le cirque Helquin s'est procurés à prix d'or, et que la concurrence cherche à lui racheter, mais pas question, le cirque Helquin réserve ses trouvailles à ses clients. »

Nous laissons le roi Bamboula finir le serpent, tête comprise, il est en train de se sucer les doigts, il n'en perd pas une bribe, et nous passons devant la troisième loge.

Notre guide nous laisse lanterner un peu plus longtemps devant le rideau de velours rouge, ce qui nous permet d'en admirer la variété de taches, de déchirures et de raccommodages. On a l'impression qu'un escadron de gendarmes s'en sert pour curer ses pipes et se moucher dedans.

« Ce que vous allez voir à présent, récite consciencieusement la narine humaine, de sa voix nasillarde, forcément, et plaintive, ce que vous allez voir à présent est un phénomène extrêmement rare. Beaucoup de personnes en ressentent un certain malaise, ce qui est tout à fait compréhensible, nous comptons sur les messieurs pour rasséréner les dames, notamment le beau militaire, si vous n'avez personne à rasséréner, c'est le moment de vous procurer ça, bien des gentils couples se sont formés au cirque Helquin, et nous en sommes fiers. Faites des enfants, mesdames messieurs, ça augmente notre clientèle. »

THALIA 7

Charles voulait savoir, disait Thalia. J'étais pour lui comme une boîte hermétiquement close : je lui échappais par mon long sommeil, peuplé de rêves inaccessibles, et je lui échappais par mon passé, qui à moi-même se refusait en partie. De sorte que c'est lui qui m'a raconté ma propre histoire, du moins celle que je n'avais pas vécue, pendant ma léthargie. Ce fut une de nos premières séances de récit, dans ce petit hôtel de la côte normande, où nous avions séjourné, en septembre 1883, peu de temps après que j'avais repris conscience, et le début de nos rituels, qui se poursuivraient et deviendraient plus tard la substance de nos nuits à Saint-Genest.

La première nuit, il avait voulu la passer dans le fauteuil. La deuxième, je l'ai invité à s'allonger auprès de moi, ce qu'il a fait tout habillé, par-dessus la literie. Nous nous taisions. On entendait la rumeur du vent, le chuchotis des bonnes rejoignant leur soupente, la parole claquante des vieux bois. J'avais progressivement récupéré mes fragments de mémoire, et il avait commencé à m'expliquer, laborieusement, ce que je faisais avec lui. C'est lui qui m'a expliqué qu'en assistant à un accident d'Alastair durant une répétition, j'avais subi un choc qui m'avait plongée dans une léthargie de neuf années. Il connaissait même la date fatidique : c'était le 15 juin 1874. Je venais d'avoir seize ans, le 4 juin. J'aurais voulu qu'il m'aide à combler ce vide creusé par des années d'absence à moi-même, qu'il rétablisse la continuité brisée de ma vie, mais je savais bien qu'il ne le pouvait pas. Mon passé était celui d'une étrangère.

— Après l'accident, pendant quelque temps, votre mère est restée à Manchester, à prendre soin de vous, c'est-à-dire à vous nourrir à la petite cuiller et à vous frotter les jambes avec des huiles. Vos frères me l'ont expliqué lorsque je les ai vus. Plus tard, quand les recettes ont commencé à baisser, ils ont eu l'idée d'ouvrir une baraque aux monstres, et de vous exposer.

— Est-ce que vous savez…

— Oui ?

— La troupe, le cirque, ce qui s'est passé pendant ces années-là. Mon frère, Alastair, qu'est-il devenu ? Vous le savez ?

Dans l'obscurité de la petite chambre, nous nous contentions de parler, mais nous parlions comme on fait l'amour. Certaines inflexions étaient des caresses, l'articulation de certaines consonnes était des baisers, sa voix entrait en moi, profondément. Je lui répondais. Nous sommes passés naturellement, avec une sorte d'évidence, de la parole à l'amour. Lorsque nous faisions l'amour, la syntaxe de nos gestes, le rythme de nos mouvements enchaînaient sans discontinuité sur l'histoire que nous racontions, c'était la même histoire, aux infinis développements, une histoire qui nous faisait devenir qui nous étions.

C'est moi, je m'en souviens, qui ai fait le premier geste vers lui, mais cela ne ressemblait pas à ce premier geste du désir que l'on risque timidement, c'était comme l'illustration et l'appui de ce que j'étais en train de dire, de cette formule qui s'infléchissait en caresse. Le sens de ce que nous disions n'importait pas vraiment, en réalité, c'était quelque chose de difficile à identifier, et pourtant évident, une sorte de poétique dont le sens apparent n'était que l'enveloppe, ou plutôt une manière d'en faire apparaître les formes invisibles, tout en le recouvrant.

Tout aurait dû nous éloigner, c'était un inconnu, nous étions dans une situation absurde, il m'avait enlevée à moi-même, n'importe qui de sensé aurait fui ce pervers. Je n'étais pas la Belle au bois dormant qui tombe amoureuse du Prince charmant venu la réveiller d'un baiser, mais un phénomène de cirque acheté par un médecin pour son usage personnel, sous prétexte de science. Et sans doute aurais-je réagi par la révolte et la fuite si j'avais eu le sentiment d'être quelqu'un. Mais je n'étais personne. Tout ce qui me revenait de mon enfance, tout ce qu'il me disait des années où j'étais consciente me parvenait comme l'histoire d'une autre, dont je voulais bien admettre qu'elle était moi. Je n'étais personne, et je jouissais plus profondément, dans cette virginité de l'être, de m'abandonner à cet amour qui m'atteignait d'autant plus qu'il ne concernait aucune identité, aucun passé, aucune personne définie, avec ses habitudes, ses désirs et ses dégoûts. Et lui non plus n'était personne. J'étais, dans ces nuits, là tout entière.

— Votre frère Alastair… Il a eu cet accident en 1874. Votre frère est tombé en répétant un nouveau spectacle, en Angleterre. La troupe était en pleine gloire, et avait signé un nouvel engagement, pour trois mois, à Covent Garden, puis au cirque Fernando, qui avait ouvert récemment à Paris. Les Helquin avaient désormais une légende, on racontait sur eux toutes sortes d'anecdotes, plus ou moins vraies, qui contribuaient à leur succès. Une aura inquiétante les entourait, on allait les voir pour ça, aussi bien que pour le spectacle. Leur carrière internationale avait atteint son apogée après la guerre franco-prussienne : tournées aux États-Unis, en Espagne, en Autriche, dans l'Empire ottoman, et même en Inde… Les journaux parlaient de vos spectacles, les écrivains les évoquaient. L'engouement était intact, on attendait leur retour. Bref. Lorsqu'il s'est cassé la figure, il s'est sans doute fait une fracture du crâne. Même en France les journaux en ont parlé. Le drame était trop beau : l'artiste qui se blesse gravement, et la petite sœur qui, sous le choc, tombe en pâmoison, et plusieurs jours plus tard y est encore. Du mélo parfait, une manne pour les journalistes.

— Mais Alastair ? Que lui est-il arrivé ?

— Il a passé quinze jours à l'hôpital, et puis il a recommencé les répétitions.

— Je me demande comment il a pris ce qui m'est arrivé. Il avait une sorte d'adoration pour moi.

— Je l'ignore, malheureusement. Je me suis intéressé à cette histoire, c'est vrai. Je finissais mon internat, et je me passionnais pour toutes les formes de somatisation dues à l'émotion. Mais je ne savais guère que ce qu'en disaient les journaux. C'est dire que je ne savais rien. En tout cas, il était prêt pour Covent Garden. Et la troupe est venue au cirque Fernando comme prévu. C'est là que je l'ai vue. Le spectacle s'appelait *Le Mariage de Punch.* Punch, joué par votre frère, était amoureux de Judy, qui était incarnée par un autre de vos frères, je ne sais plus lequel.

— Quand il y avait des rôles de femme, on les donnait souvent à Silas, qui était le plus petit et le plus mince.

— Il tenait bien son rôle, en minaudant comme il fallait. Alastair jouait la passion, faisait des bonds dès qu'il voyait Judy, se roulait à ses pieds, décidait de se pendre lorsqu'elle l'éconduisait. Car Judy s'était promise à Pierrot. La scène de la pendaison, je la revois, elle était terrifiante. Alastair montait comme un chimpanzé dans les hauteurs de la voûte, à toute vitesse, jusqu'à un agrès perché très haut. La corde, qui balançait, accrochée à la cime de la voûte, semblait faire à peu près trois mètres de long. Le nœud pendait au moins deux mètres sous lui. Il amenait la corde, s'attachait le nœud coulant autour du cou. Il attendait un moment, poussait des gémissements grotesques. Et il sautait. J'ai encore dans les oreilles le cri unanime de la foule à ce moment. Mais la corde s'allongeait à mesure de sa chute, et Punch atterrissait indemne dans le filet disposé à deux mètres au-dessus du sol. Le reste enroulé de la corde était dissimulé dans une cache aménagée en haut du dôme.

Punch se montrait furieux de son suicide raté : il se tirait un coup de pétoire dans la tête, s'embrochait avec un sabre, absorbait le contenu d'une énorme fiole de poison, ce qui ne produisait d'autre résultat que de lui faire cracher du feu. Enfin, une idée nouvelle faisait rayonner sa face déjà très enluminée. Il se précipitait sous le balcon de Judy et lui interprétait d'abominables mélodies en s'accompagnant à la mandoline. Elle se penchait vers lui, irrésistiblement attirée par la musique, il l'attrapait, la faisait basculer, l'emportait sur son dos, la jetait dans un coin comme un sac de charbon et la ligotait.

Ensuite venait la scène du travestissement. On comprenait que Punch voulait se substituer à Judy pour le mariage, comme s'il pouvait de cette manière l'annuler. Il volait des vêtements et des fards à Judy. Il se débarrassait de son costume et apparaissait dans un gigantesque caleçon brodé de cœurs sanglants. Aidé par son valet, et au prix de toutes sortes de contorsions qui mettaient le public en joie, il parvenait à se comprimer dans une robe de mariée. Bien entendu il rossait le valet maladroit et s'acheminait vers l'autel au prix de force chutes, roulades, acrobaties. Cette mariée grotesque mettait mal à l'aise, avec sa carrure d'athlète, ses énormes mollets velus saucissonnés dans des bas blancs, sa face simiesque débordant de fard. Enfin venait la cérémonie. Un de vos frères, je ne sais pas lequel, sans doute Silas qui avait quitté la robe de Judy, figurait un vieux prêtre égrotant, tout courbé, tout tremblant. Sans cesse, il s'effondrait. Alastair était obligé de le ramasser, de l'étayer, le giflait pour le réveiller, l'obligeait à boire, finissait par le planter dans un seau qu'il remplissait de sable. Alors le prêtre allait au bout du sacrement, en oscillant dangereusement, les pieds pris dans le seau.

Je ne me souviens plus s'il y avait d'autres épisodes. La pantomime se terminait par la nuit de noces. Punch, évidemment, commençait par prendre des mines de jeune vierge pudique, tentait de repousser Pierrot avec de petites tapes, mais cela ne faisait qu'allumer le marié, qui l'entreprenait plus hardiment, repoussait les jupons, tirait sur une jarretière rouge qui s'étendait démesurément, puis le projetait comme un lance-pierre sur la mariée, parvenait à arracher une culotte brodée gigantesque. Pendant toute cette scène, d'une agressive vulgarité, le public hurlait de rire. Enfin, pour s'en sortir, la mariée tabassait le marié, l'inondait avec un seau d'eau, et s'enfuyait, poursuivie par lui, qui en redemandait. C'était un triomphe.

— Donc Alastair s'est remis, finalement ?

— Alastair n'est pas mort. Mais on ne peut pas dire non plus qu'il se soit remis.

— Je vous en prie, dites-moi…

— Eh bien, assez vite, Alastair a dépassé les limites. Sur scène, et hors de scène. Je veux dire qu'il ne maintenait pas son excès dans les limites de la scène, il portait sa violence hors de la fiction. Dans les pantomimes, il lui arrivait de plus en plus de porter les coups réellement. Mais surtout, sous prétexte de faire participer le public, il agressait, il malmenait des spectateurs. Au début, cela n'a pas eu trop de conséquences. Ça alimentait la légende noire des Helquin. Mais il est aussi devenu incontrôlable en ville. Après le spectacle, il finissait la nuit dans des bouges où il se saoulait et se battait. Il y a eu des blessés. À Paris, la police a dû aller le chercher dans les échafaudages d'un immeuble en construction, où il faisait l'équilibriste, à trente mètres de hauteur.

Et puis il y a eu, en 1875, une sordide affaire de mœurs. Personne n'a su si elle était vraie, si c'était un racontar, ou si l'histoire avait été étouffée. La troupe était de retour en Angleterre. Une jeune femme avait porté plainte à la suite d'une bamboche assez leste dans un appartement privé. Un groupe de prostituées, dont elle, avait été recruté pour agrémenter la soirée d'une demi-douzaine d'hommes. Mais, d'après elle, certaines des filles étaient mineures. Et elles n'étaient pas prévenues des exigences spéciales des clients, qui ont entrepris de les attacher et de les battre. L'un d'eux a même sorti un couteau et commencé à entailler une des filles, avant que les autres clients ne l'arrêtent. La fille disait avoir reconnu Alastair, qui figurait sur des affiches partout dans la ville. On en a parlé dans les journaux, et puis ça s'est embourbé, on soupçonnait cette fille d'avoir voulu faire chanter Alastair, sans succès, et de se venger. On ne mettait la main ni sur les filles mineures ni sur les autres participants, qui étaient sans doute un peu trop puissants. Il n'y a pas eu de procès, mais ça a été le début du déclin pour les Helquin. Les ligues de vertu, les prédicateurs et les autorités religieuses, qui ne cessaient de mettre en garde contre eux, se sont déchaînés. Les grands cirques ont cessé leurs commandes. Espérant se refaire une honorabilité, les Helquin se sont débarrassés d'Alastair. Mais je pense qu'ils ne pouvaient plus guère faire autrement, il perdait pied.

— Qu'est-ce qui s'est passé ?

— Ils l'ont mis chez les fous.

— Ils ont fait ça ? Et ma mère a laissé faire ?

— Il était devenu dangereux, et, d'après ce que j'ai compris, votre mère était terrorisée par lui. Il a tenté de l'étrangler. C'est ce qui a déclenché son placement.

— Mais je ne vois pas Alastair se laisser enfermer.

— Il suffit d'un peu de chloroforme et d'une camisole de force.

— Mais c'est une horreur…

— C'est ce qui se pratique couramment. Je suis bien placé pour connaître les asiles. C'est parfois le seul moyen. Mais je n'ai aucune certitude en ce qui concerne votre frère. Il est possible aussi qu'il ait accepté de se faire soigner. Mais je n'y crois guère. Vous non plus, n'est-ce pas ?

— Mais où est-il ?

— Il a d'abord été interné à Bedlam. Enfin, au Bethlem Royal Hospital, de son vrai nom. On a fini par l'appeler *Bedlam*, « agitation », « turbulence », bref le pandémonium de la folie.

— Bedlam… Oui, j'ai vu une gravure de Hogarth qui montrait Bedlam, quand j'étais petite… C'était une image horrible, je m'en souviens encore. Le personnage principal est à terre, presque nu, la tête rasée, les chaînes au pied, et il est entouré d'une foule de fous grimaçants.

— Je ne pense pas que cela se soit passé ainsi pour votre frère. Il est vrai qu'en France, les malades ne sont pas bien traités dans les asiles. Lorsque j'étais interne, j'ai visité la Salpêtrière et l'asile de Clermont, au nord de Paris. Cela ne m'a pas donné une haute idée de certaines pratiques psychiatriques. La plupart du temps, on se contentait d'administrer des douches glacées, ou d'attacher les malades. Je connais mal le système anglais. Je sais que Bedlam a longtemps eu une horrible réputation. Les visiteurs venaient en grand nombre pour se régaler du spectacle des fous…

— Mais c'est affreux…

— Oui, la nature humaine est sympathique, on se moque des infirmes, des laids, des timides, et on va se régaler au spectacle des exécutions et à celui des malades mentaux. Et c'était pire encore, les visiteurs excitaient les fous, pour les faire réagir, sous le regard complaisant des gardiens. Mais la psychiatrie britannique s'est civilisée. Vous avez eu John Conolly, qui a inventé le *no restraint*, la suppression des contraintes physiques. Le docteur Hood, qui a dirigé Bedlam, s'en est inspiré. Plus de visites touristiques, plus de chaînes ni de camisoles de force.

— Vous voulez me rassurer…

— J'aimerais vous rassurer, mais je voudrais aussi vous dire la vérité. Malheureusement, Bedlam était surchargé. D'ailleurs leur politique était de ne pas accueillir les fous criminels. Il n'y avait rien de précis contre votre frère, mais son comportement… Bref, au bout de quelques semaines, on l'a transféré dans un asile spécialisé dans les criminels… Broadmoor, à Crowthorne. Mais je ne peux pas vous donner beaucoup de détails, j'en sais bien peu.

— Et pourtant vous savez beaucoup de choses, pour quelqu'un qui est complètement étranger à notre famille.

— Je m'intéressais aux Helquin. Les journaux en parlaient, les écrivains aussi, les peintres les représentaient, il y a eu quelques années d'une fureur des clowns anglais. Le spectacle que j'avais vu au cirque Fernando m'avait fasciné. Même d'un point de vue médical, ils étaient intéressants. Je me demandais dans quelle mesure on pouvait à ce point simuler la folie. Et, si c'était bien le cas, dans quelle mesure on pouvait résister au fait de devoir régulièrement se mettre dans la peau d'un fou. Est-ce que ça ne finissait pas par ébranler des personnalités fragiles ? Autrement dit, je me demandais si une certaine forme de folie pouvait être, non seulement la cause d'un comportement délirant, mais la conséquence de celui-ci. J'aurais bien aimé les interroger, mais c'était une idée qui m'avait traversé, sans plus.

— Je me suis parfois posé des questions en des termes assez proches, pour mes frères. Mais je ne crois pas que ce soit la simulation qui ait rendu Alastair aussi bizarre. Mais dites-moi, vous le savez peut-être alors, est-ce qu'il est encore à Broadmoor ?

— Non, il n'y est plus, depuis plusieurs années déjà. Il n'y est resté que quelques mois.

— Mais où est-il ? Il est guéri ? Il va bien ?

— Où il est, je ne peux pas vous le dire. Ni comment il va. En fait, après l'internement de votre frère, je suis tombé, dans *Le Gaulois,* sur l'enquête détaillée d'un journaliste, une sorte d'investigation à charge qui résumait la carrière des Helquin sous l'angle du scandale. L'occasion qui a suscité l'article, c'est qu'Alastair s'était évadé. D'après le journaliste du *Gaulois,* qui était allé enquêter sur place, et avait rencontré le directeur de Broadmoor, Alastair était un patient extrêmement difficile. Il effrayait même les fous les plus agressifs. Jamais il n'avait reçu la moindre visite. Une nuit, on avait entendu des coups sourds, qui résonnaient dans tout l'établissement. Les infirmiers ont fini par s'apercevoir que les coups venaient de la chambre d'Alastair. En y pénétrant, ils ont découvert une scène ahurissante. Alastair exécutait des sauts, de manière que sa tête frappe une canalisation de fonte qui traversait sa chambre. Il recommençait son accident, encore et encore. Son visage était couvert de sang. On a dû le transférer à Saint-Thomas pour l'opérer d'un œdème cérébral. Cinq jours après l'opération, sa chambre était vide. Il avait disparu. L'article se terminait par des considérations sur les causes de la folie, et rapportait des racontars selon lesquels votre mère et vos frères avaient forcé Alastair à sortir de l'hôpital et à reprendre les répétitions, alors qu'il n'était pas vraiment remis, parce que ça marchait moins bien sans lui. Quoi qu'il en soit, depuis, Alastair n'a jamais reparu.

— Je n'ai jamais pensé qu'Alastair était fou. C'était un garçon particulier. Tous mes frères l'étaient, mais lui plus encore. L'idée que cela finirait ainsi m'avait traversée, parfois, alors même qu'il n'était qu'un adolescent. Sa bizarrerie était déconcertante, il pouvait se montrer tendre ou agressif tour à tour, sans raison apparente. Il était d'une sensibilité exacerbée.

— Un choc crânien peut provoquer des troubles mentaux. Ou accentuer une fragilité psychique existante.

— Il a disparu il y a... oui, neuf ans, et depuis tant d'années il ne s'est jamais manifesté ?

— Pas que je sache. Il est toujours possible que vos frères l'aient vu. Après cette histoire, il y a eu encore quelques années de succès, et puis on a de moins en moins entendu parler des Helquin. Ils sont revenus en France, avec les roulottes, mais ils ne faisaient plus recette. Il faut croire que c'était Alastair qui faisait leurs succès. En tout cas c'est ce qui s'est dit.

— Ah ? Je ne sais pas... C'est aussi que le public se lasse. En France, il s'est lassé du Pierrot à la Deburau. Il fallait bien qu'il se lasse des clowns anglais. Notre succès reposait sur l'excès. On se fatigue de l'excès. Peut-être ne sont-ils pas moins bons qu'avant. Fatigués, oui, c'est possible. Mais il faut reconnaître qu'Alastair était étonnant dans l'exécution, dans l'improvisation, le public l'applaudissait ardemment, criait, sifflait ses inventions les plus audacieuses. Mes frères avaient du mal à le reconnaître, parce que c'était le plus jeune et qu'ils l'avaient formé, mais ils avaient besoin d'Alastair. Alastair était celui qui poussait toujours les spectacles vers l'excès et la démesure. Ça n'allait jamais assez vite pour lui. Sur la piste, il se déchaînait. Ses mouvements n'étaient pas fluides, comme ceux de certains élégants acrobates. C'étaient des mouvements brutaux, saccadés, sans suite, comme ceux d'un pantin secoué par des impulsions électriques. Même moi qui connaissais les numéros, qui l'avais regardé travailler, à le voir, je ne pouvais pas me retenir d'éclater de rire, tant il savait transformer son corps en machine prise de folie. En même temps il me faisait frissonner. On ne savait pas jusqu'où il pouvait aller. Et il fallait aussi le retenir, l'obliger à respecter certaines limites.

Et puis il y avait notre mère. C'était un peu le juge. Elle remarquait tous les détails, faisait modifier un petit élément qui n'allait pas, ou changer un accessoire. Elle était impitoyable. Nos spectacles avaient l'air d'un déchaînement, mais ils étaient minutieusement réglés. Est-ce qu'elle est toujours vivante ? Elle aurait... Oui, elle aurait soixante-huit ans à présent.

— Je l'ignore. Mais je ne l'ai pas vue lorsque je suis allé... C'est-à-dire...

— Lorsque vous êtes allé m'acheter à mes frères. Alors c'est qu'elle est morte. Sinon... Eh bien j'espère que peut-être, elle aurait refusé de me vendre...

— Mais vous n'en êtes pas sûre...

— Notre mère n'était pas un parangon d'amour maternel. Je ne me souviens d'aucune caresse, ni d'aucun baiser. Mais sans doute elle nous aimait, à sa façon. Elle était heureuse d'avoir engendré cinq clowns talentueux. En fait, elle avait l'air de brider les excès de mes frères, mais profondément ces excès étaient son œuvre. C'est difficile à expliquer. Notre mère avait quelque chose d'inquiétant. Elle nous faisait peur. Quand notre père a disparu, juste avant ma naissance, elle est tombée dans la religion. Dans le papisme, comme on dit en Angleterre. Ma mère s'appelait Mac Donagh, c'était une Irlandaise. C'était un catholicisme bizarre, fait de superstitions, de dolorisme, de dévotions à toutes sortes de saints dont personne n'avait jamais entendu parler. C'est surtout Alastair et moi qui en avons fait les frais, nos aînés étaient déjà trop grands. Elle nous racontait d'épouvantables histoires de martyrs qui avaient gagné leur paradis à force de tortures, nous promettait toutes sortes de tourments en enfer si nous ne nous conduisions pas bien. Et en même temps, lorsqu'elle nous prenait à faire une bêtise, elle riait, comme si elle se réjouissait à l'avance des remontrances et des punitions qu'elle allait nous infliger. Comme si nos bêtises confirmaient ce qu'elle attendait de nous.

Avec Alastair, surtout, son comportement était étrange. Sans raison apparente, elle alternait les poussées d'une affection débordante et les cruautés ou le mépris. Alastair était son jouet. Elle n'arrêtait pas une seconde de l'aiguillonner. Toujours elle avait quelque chose à lui demander, et entre deux exigences elle réclamait un baiser. Et parfois, lorsqu'elle l'avait baisé, elle le repoussait avec son petit rire cascadant, comme si elle se reprochait de s'être laissé aller. J'étais petite, il était adolescent, mais elle le traitait comme un gamin de six ans.

Parfois, le soir, dans notre roulotte, Alastair parlait tout haut. En fait, plutôt à mi-voix. La première fois que je l'ai entendu, je me suis demandé s'il rêvait. Mais je ne crois pas. Je me suis demandé aussi s'il pensait parler seul, tandis que je dormais, ou s'il disait cela à mon intention, l'air de rien, ce qui lui permettait de se confier plus facilement, en ayant l'air de dormir. Jamais il ne m'aurait confié de telles choses en face.

— C'est drôle…

— Quoi donc ?

— C'étaient déjà des conversations nocturnes, comme à présent.

— La voix dans le noir… Oui, il y a quelque chose d'idéal pour moi, je m'en aperçois, dans les conversations de l'ombre. C'est l'intimité absolue, mais une intimité entre inconnus, même s'ils se connaissent depuis des années. Tout est remis en jeu, mais en paix.

— Que disait Alastair ?

Et Thalia, dans la pénombre identique à celle où était plongée cette autre chambre disparue depuis des années, a ranimé la voix morte d'Alastair, celle qui était encore, disait-elle, et rien que pour elle, douce et profonde.

Je me souviens de bribes de ces monologues. Jusqu'à ses douze ou treize ans, Alastair était petit, gracile, avec de longs cheveux blonds et un visage d'ange. Il disait que notre mère l'appelait « mon chérubin », mais aussi « ma mignonne », « ma bichette ». Elle adorait l'habiller en fille. Alastair avouait qu'il se laissait faire. Autant avec les autres enfants il pouvait se montrer d'une méchanceté sans limites, autant il évitait de contrarier notre mère. Elle semblait l'hypnotiser. Et c'est vrai qu'il suffisait qu'elle pose son regard sur l'un d'entre nous pour qu'il se sente examiné jusqu'aux tréfonds de son âme. Ce regard sans indulgence paraissait tout savoir, et devant lui on ne savait plus quelle contenance adopter, on n'avait plus de place ni de lieu d'être.

Donc, Alastair disait que notre mère avait pris l'habitude de lui offrir des poupées. Au début, il jouait volontiers avec, mais mes frères ne cessaient de le tourmenter et de le moquer. Il pensait que c'était en partie le but recherché. Pour se donner le plaisir de voir ce que cela donnerait, et ensuite distribuer les punitions. À la Saint-Nicolas, elle avait offert à Alastair une jolie poupée de chiffon. Une semaine plus tard, notre mère était partie au marché. En rentrant dans la roulotte, elle a profité du spectacle qu'Alastair lui avait préparé. Il racontait tout cela d'une voix égale, presque monotone. Avec une ficelle, il avait pendu la poupée par les jambes au crochet de la lampe à huile. Le corps était ouvert du haut en bas, vidé des chiffons qui le remplissaient. La tête était sur le fauteuil, fardée et maquillée. On lui avait fait une bouche rouge énorme et ses yeux pleuraient de longues larmes noires. Alastair n'a jamais voulu reconnaître que c'était lui, mais notre mère l'a copieusement battu à coups de baguette de jonc. En tout cas, elle ne lui a plus jamais offert de poupée. Et lorsqu'il a grandi, que son visage s'est déformé, elle ne l'a plus appelé que son Polichinelle.

ALASTAIR 7

Ce que le dépliement du mouchoir à pandores nous révèle, avait poursuivi l'ombre, s'avère bien décevant par rapport à la pompeuse présentation qu'en a fait la narine humaine. Devant nous se tient une créature souffreteuse et bancroche, à laquelle il est difficile au premier abord d'attribuer un âge. Ce pourrait aussi bien être une vieillarde qu'une enfant. Le costume dont on l'a affublée peine à établir la différence, bien qu'il soit sans équivoque : c'est une robe de mousseline blanche à nœuds roses, comme on en met le dimanche aux petites filles. Et, comme les petites filles, elle est en cheveux, eux aussi ornés de nœuds roses. En cheveux, c'est vraiment le cas de le dire, d'ailleurs, car les cheveux composent une bonne moitié de sa personne, des cheveux noirs, brillants, ondulants, gonflés, tellement luxuriants qu'ils paraissent avoir parasité toute la substance de leur porteuse. Sous les cheveux, ou dans les cheveux, il n'y a qu'une face ratatinée, grisâtre, insérée, sans encolure, dans un thorax informe et des jambes torses. Ce visage évoque les lunes souriantes représentées sur les images que les colporteurs vendent dans les campagnes, rondes, de couleur bise et boursouflées de cratères.

L'aspect de la créature rappelle quelque chose à Punch. Un souvenir lointain, qui peine à se manifester. Et tandis qu'il cherche, la vieille enfant y va de sa révérence, pinçant des doigts les deux côtés de sa robe, puis entonne une chanson. C'est une ignoble rengaine des faubourgs. La créature déroule d'interminables couplets où il est question des malheurs d'un dos-vert et de la pierreuse qui l'a dans la peau. Ça se finira, sans surprise, sur l'échafaud. Et elle interprète sa goualante avec la voix de rogomme qui convient, graillonneuse, traînante, hideuse, écartant exagérément la bouche, clignant de l'œil à chaque expression équivoque. Dans cette robe virginale, la pantomime est abjecte.

Le public, visiblement, ne sait pas trop comment réagir. En principe, ça devrait lui plaire, mais l'interprète de la chanson est un peu trop gênante, dans sa tenue de petite fille modèle qui va réciter son compliment à bon-papa. Et surtout il se demande en quoi il y aurait là quelque chose d'extraordinaire. La ritournelle achevée ne suscite que de maigres applaudissements. Nouvelle révérence, et nouvelle chanson, plus mélancolique, moins crapuleuse. Elle nous sert *La Complainte de la femme coupée en morceaux*, du réchauffé, sur l'air de *Fualdès*, qui a servi à tout. Vous vous en souvenez ? Je la connais par cœur, tout comme la complainte de Dumollard, ou celle sur la femme aux aiguilles.

Et Charles imitait la voix chaotique de l'ombre à la pelisse imitant la voix canaille de la chanteuse :

Depuis que le monde est monde
Jamais il ne s'était fait
Un aussi triste forfait
Sur notre machine ronde ;
Écoutez-le en récit,
gens du Nord et du Midi.

Un jour qu'ils longeaient la Seine
À Clichy, près de Paris,
Deux jeunes gens très-bien mis
Virent une forme humaine ;

Un cadavre dans les flots,
Un cadavre en deux morceaux

C'était celui d'une dame
De trente années environ :
Cheveux courts, visage rond,
Vêtements de pauvre femme.
Le tronc était ficelé
Tout comme un petit poulet.

À la morgue on l'a portée,
Cette victime du sort
Morte de si triste mort ;
Et pour voir le macchabée
Bien découpé par quartiers,
On vient de tous les quartiers.

On jase, et chacun s'escrime
À trouver la vérité.
Les uns n'ont pas hésité
À dire que c'est un crime.
On ne peut se suicider,
Et puis après se couper.

Cependant, d'autres soutiennent
Qu'il se peut qu'un accident
Incroyable, surprenant,
Soit la cause ; ils le maintiennent.
On pourrait se laisser choir
De très-haut sur un rasoir.

Environ vingt mille femmes
Ayant vu les deux morceaux
De la victime en lambeaux,

Ont jeté des feux, des flammes,
Et poussé toutes ce cri :
Çà, c'est l'œuvre d'un mari.

Il a scié la malheureuse
Parce qu'il était jaloux ;
Ces gueux d'hommes, ces époux
Nous font une peur affreuse.
On ne saurait qu'en tremblant
Avoir un peu d'agrément.

Et nous, tristes pour la frime,
Nous, hommes, allions le soir
À la morgue, pleins d'espoir :
Si c'était la légitime,
Pensions-nous, le cœur content.
On était triste en sortant.

La douleur la plus amère
Se lisait dans tous les yeux
Des gendres très-malheureux :
C'était pas leur belle-mère !
Ils partaient désappointés
Et faisaient un fichu nez[7].

La voix, qui force moins que pour imiter les accents des faubourgs, s'adoucit, s'enveloppe d'un voile. Ça menace de durer, et ça commence à renauder dans le public. Mais voilà que la créature ferme la bouche, esquisse un sourire et pose un doigt sur ses lèvres, tandis que la rengaine se fait encore entendre. C'est à cet instant où la chanson se poursuit sans personne que Punch l'a reconnue.

Ou plutôt qu'il a reconnu son souvenir, qui avait presque complètement disparu. La chanson n'était pas la même, mais la voix était presque semblable, et la voix a ramené avec elle la lumière, une lumière un peu grise de fin de journée, qu'une brume rampante absorbait. Et la nature de la lumière a permis de reconstituer les images, comme si elle ne faisait que se condenser et prendre forme en elles.

Punch a revu la créature chanter devant ses frères et sa mère, qui surplombait la scène depuis l'entrée de sa roulotte, comme une lointaine divinité perpétuellement enceinte de quelque monstre. Il l'a revue disparaître, étrangement sans hâte, et comme glissant sur la brume, harcelée par les pierres que lançaient ses frères, qui ne lui arrachaient pas même un cri.

Avec cette image est revenue la conscience exacte du passé, comme si tout entier il avait été confié à cette voix, et emporté, loin de lui, par la misérable créature que chassaient ses frères. C'était donc cette fille contrefaite, devant lui, qui l'avait conservé avec elle, comme dans une boîte hermétique une sorcière emprisonne une âme.

Quel âge pouvait-elle avoir à présent ? Elle semblait la même que dans le souvenir, qui datait de quinze ans, à peu près. Si à l'époque elle était une gamine impubère, elle devait alors être une jeune fille, mais « jeune fille » ne pouvait pas s'appliquer à cet être équivoque. Elle était toujours habillée en enfant, mais peut-être elle-même, dans sa tête étroite d'idiote, était-elle convaincue d'être encore une enfant, d'être une enfant pour toujours, et qui sait, elle mourrait enfant.

Il connaissait la suite du numéro. Le cicérone à narines se hisse sur la loge, y va d'un petit discours dans lequel il nous présente Mademoiselle Pulchérie. « Mademoiselle Pulchérie a onze ans, elle a été abandonnée par sa famille à l'âge de trois ans, car celle-ci ne pouvait pas supporter son infirmité. Vous vous demandez quelle infirmité, et vous allez bientôt le savoir. Car Mademoiselle Pulchérie, vous l'avez compris, n'est pas la chanteuse, son talent, qui est indéniable, consiste à reproduire les mimiques d'une chanteuse. La véritable chanteuse, je vais avoir l'honneur de vous la présenter maintenant. »

Mademoiselle Pulchérie se tourne légèrement sur le côté, l'autre soulève le lourd trophée de sa chevelure. Et Punch, au cœur du petit groupe de jobards, serrant au plus près le parfum profond de sa petite négresse, se demande s'il va bien voir ce qu'il va voir, si le souvenir réapparu montre bien ce qu'il montre, le passé est si ductile et si peu crédible.

Pendant que la chanson se poursuit imperturbablement, superposant les images du cirque Helquin de jadis à celles du cirque Helquin d'alors, chacun peut à présent admirer la bosse qui déforme l'épaule gauche de la créature, et lui donne l'air de regarder perpétuellement par en dessous, derrière le rideau de son propre corps, engoncée en elle-même, prise dans sa matière. Sur cette protubérance est posé un châle en indienne, à franges, que notre guide soulève, révélant, sous les couinements de ces dames, quelque chose qu'il faut bien appeler une tête, une petite tête qui s'insère au creux de l'épaule de Mademoiselle Pulchérie. Elle a les yeux fermés mais la bouche ouverte articule les paroles de la chanson, tandis que juste derrière l'épaule émerge une troisième tête, souriante, celle de notre guide, de sorte que c'est une créature tricéphale qui se tient devant nous.

La tête chantante a l'air d'une boule de cire jaunâtre maladroitement modelée, sur laquelle on aurait collé du crin de cheval. Car, en misérable contraste avec la forêt capillaire de la vieille enfant, sa tête auxiliaire arbore quelques rares et longs cheveux qui lui dégoulinent sur le front. Elle écarte étrangement les lèvres, du moins les bords de la fente qui lui tient lieu de bouche, au rythme de la chanson, toujours selon les mêmes mouvements. Puis la chanson s'arrête. La fente a encore deux ou trois mouvements hésitants, et puis s'arrête.

Le public hésite, on sent un flottement, mais la narine humaine, qui a du métier, le reprend en main. Il replace tendrement le châle sur les épaules de Mademoiselle Pulchérie, que n'a pas quitté le sourire idiot qui a l'air taillé au couteau dans sa face lunaire, lève un doigt professoral et jaunâtre, et se lance dans l'explication du « cas extraordinaire » que nous avons eu le privilège d'admirer. « La mère de Mademoiselle Pulchérie, une brave femme, employée de maison, mariée à un cultivateur, ne quittait guère son village. Durant le premier mois de sa grossesse, pour la distraire, son mari l'emmena à la foire qui se tient au bourg voisin. Comme à l'accoutumée, il y avait là, outre les marchands, des funambules, des marionnettistes, des prestidigitateurs. Ils déambulèrent, regardèrent les numéros. Une petite baraque annonçait : *Miroirs magiques.* Certains d'entre vous, mesdames et messieurs, ont peut-être eu la chance d'assister à cette attraction. C'était un palais des glaces, du moins un palais des glaces en miniature. Elle n'avait jamais vu cela, elle n'avait pas même idée, la pauvre femme, que cela pût exister, mesdames et messieurs. Or son mari, en galant homme, la laisse pénétrer la première dans la baraque. Et là, mesdames et messieurs, savez-vous ce qui s'est passé ? »

Pendant tout ce discours, la créature arbore le même sourire idiot, comme si tout cela ne la concernait en rien, et la légère inclinaison de sa tête, que détermine son infirmité, lui donne un air pensif.

« Tout à coup, reprend le cicérone, la pauvre femme se trouva en face de son image, mais de son image affreusement déformée, car le miroir lui montrait une femme à deux têtes, deux têtes tordues et aplaties, dans lesquelles pourtant elle reconnaissait ses traits ! La malheureuse en resta figée de saisissement, incapable de bouger, de dire un mot, et c'est son mari qui finalement arracha son épouse bouleversée à cette contemplation ! Sept mois plus tard, mesdames et messieurs, naissait la petite Pulchérie. »

Une fois tiré le torchon rouge, le Démosthène des foires, le Cicéron puissamment nariné proclame que nous attend le clou du spectacle, une attraction unique au monde.

Longtemps la mémoire de Punch n'a pas pu dépasser ce point. Il y revenait, il refaisait le parcours des loges masquées de velours rouge, il revoyait la pachydermique Vénus, le roi Bamboula, la fille à deux têtes, mais rien à faire, le rideau de la quatrième loge demeurait obstinément baissé. Sa mémoire ressemblait à ces cauchemars où l'on refait toujours le même mouvement sans parvenir à avancer. Il savait qu'il lui fallait voir ce qui se trouvait dans la quatrième loge pour comprendre… Pour comprendre quoi ? Pour comprendre ce qu'il faisait là, à errer le soir sur les boulevards au cœur de la foule, sans savoir où il allait, tentant de rassembler les morceaux épars de ses souvenirs.

THALIA 8

— Pourquoi l'enfance ? ai-je demandé à Charles.

— Parce que, m'a-t-il répondu, Thalia, tu m'as montré cette photographie de toi quand tu avais onze ans, tu te souviens ? Tu es adorable, Thalia, sur ces photographies, en tenue de scène, justaucorps blanc et jupe de tulle, tes yeux immenses fixent gravement, depuis les profondeurs de l'enfance, celui qui te regarde, et ton image est si prégnante que tu pourrais l'hypnotiser.

Je suis tombé amoureux de toi enfant. J'ai compris que j'aimais toi en l'enfant, et l'enfant en toi. Et de même que je voudrais posséder toutes tes incarnations dans l'espace, ici, dans la rue, chez Ferroud, sur le mail, penchée pour rattacher ton bas, ou les bras levés pour nouer tes cheveux, je voudrais tout ce que tu as été et tout ce que tu seras. Et j'aime dans ton enfance ce qui ne pourra jamais être à quelqu'un d'autre que moi, la naissance de celle que tu seras avec moi, qui l'est déjà tout entière, mais repliée encore, tout à elle-même. Je voudrais pénétrer dans ce que tu as été sans moi.

— Toi et moi en enfants, alors ?

— Oui, ce serait bien, mais mon rêve serait d'être celui d'aujourd'hui qui vient te chercher dans le passé. Qu'en dis-tu, Thalia ?

— On se raconterait cette histoire ? Je suis enfant, et toi, Charles, tu te glisses dans mon enfance ?

— Avec tout le respect, la crainte sacrée qui s'impose, oui, je voudrais… m'introduire dans ton histoire, comme un héros effarouché[8]…

— Tu sais bien que mes souvenirs sont fragmentaires, pleins de lacunes. Je peine à les rassembler, et je crains que l'histoire que nous bâtirions n'aggrave encore les choses. Écoute. Lorsque j'étais gamine, allongée sur mon lit dans la roulotte, au-dessous d'Alastair, je me racontais d'autres enfances, pas des enfances aventureuses, comme j'imagine qu'en rêvent bien des gamins, mais au contraire des enfances normales, en quelque sorte, sans piste, sans public, sans clowneries. Des enfances bourgeoises et casanières. Je veux bien essayer de me plier à ton désir, viens me rejoindre dans une de ces enfances, même si j'ignore ce que cela peut donner.

— Merci, mon amour.

Enfant, j'aimais dormir la fenêtre ouverte, durant les nuits d'été bien sûr, mais aussi d'automne et de printemps, même lorsque le temps était mauvais je ne pouvais pas résister au plaisir du jeu de la pluie, déroulant sur les ardoises du toit et les contrevents des gammes aiguës dans un rythme saccadé, plaquant des accords plus graves dans les branches, ralentissant ou accélérant le tempo dans une ivresse de virtuosité tandis que le vent articulait l'antienne unanime de la nuit, et le souffle froid qui pénétrait dans ma chambre, où je me recroquevillais délicieusement sous la courtepointe, soulevait les rideaux, dispersait les feuilles de papier sur ma table, palpait mon visage, rafraîchissait les vieux meubles, s'appropriait les lieux, mêlait joyeusement mon intimité bien rangée à la grande confusion du dehors, sans pour autant la saccager, et la sensation de cet échange, le vide agité de la nuit consentant comme une bête féroce de légende à devenir familier, l'ordre douillet de la chambre accueillant l'informe, m'était une source toujours neuve de plaisir. Mes parents bien sûr l'ignoraient, qui, c'était courant à cette époque, craignaient les courants d'air comme de mystérieuses entités invisibles qui se coulaient dans tous les interstices pour vous atteindre insidieusement et vous faire attraper la mort.

Contrairement à celles de mes parents, de mon frère et de mes deux sœurs, qui occupaient les deux étages supérieurs, ma chambre de petite dernière, imprévue dans l'ordonnancement domestique, avait été installée dans une étroite pièce du rez-de-chaussée, un ancien débarras au fond du couloir, dont la fenêtre donnait sur le jardin. Ce lieu me donnait une place particulière dans la maisonnée, entre l'infériorité et l'indépendance.

Le jour, du moins les rares jours où j'étais à la maison, c'est-à-dire ceux de l'été, et les dimanches le reste de l'année, je me conformais sans difficulté à ce que mes parents considéraient comme devant être le comportement d'une petite fille de mon milieu. Les règles ne me pesaient pas car je ne me sentais pas vraiment concernée par elles, et l'ordre avait la vertu de me laisser libre de penser à autre chose. La nuit était à moi. Entre veille et rêve, il me semblait percevoir toute une circulation nocturne, et la variété des bruits suscitait une inépuisable prolifération de volatiles divers. Autant d'insectes imaginaires que d'insectes réels entraient dans ma chambre. J'entendais des murmures, des grincements, des sifflements, j'imaginais que les ombres engendrées par la lune en gésine s'entr'ouvraient comme des cocons ténébreux d'où rampaient, malhabiles encore, des sylphes au corps souple, au visage caprin, qu'attirait la tiédeur de mes draps. Dans cet état confus, incapable de bouger, comme si la bête du rêve m'avait paralysée de son dard pour me féconder de visions, je sentais leur odeur de musc et de bolet, je voyais, dans les branches du vieux tilleul, s'allumer leurs yeux sans iris, et leur regard m'infusait dans les vertèbres une chaleur térébrante.

Me tenant ainsi en permanence, pendant des heures, sur le seuil du sommeil, j'avais au réveil, le lendemain, le sentiment d'avoir vécu cette espèce d'idéale contradiction : jouir de se sentir dormir. Mais avant cela, vers le petit matin, je franchissais toujours la porte de corne, presque insensiblement, tant j'avais été préparée à ce qui m'y attendait.

Je tentais au début de transcrire dans un cahier ces impressions de la nuit, mais dès que je m'asseyais sur ma petite table de bois blanc, je me trouvais ridicule. J'allais m'approprier ces nuits libres, en faire une petite chose couchée en caractères rechignés sur un carré de papier blanc, le sentiment de la vulgarité du geste m'arrêtait vite. Je n'aurais au mieux réussi qu'à rendre insignifiant l'enchantement de mes nuits.

C'est pour cela que, dans cette familiarité avec les créatures du rêve que me permettaient mes longs séjours aux lisières du réel et de l'imaginaire, je me convainquais, certains jours, d'avoir vu ou ressenti des choses dont aujourd'hui encore je me demande si je ne les ai pas inventées *a posteriori*. Il m'est arrivé de surprendre, un soir où j'étais allée à la cuisine demander un morceau de pain à la bonne, un regard fixé sur moi, une fuite instantanée dans une anfractuosité de la cheminée d'un être qui ne ressemblait à aucun animal connu. Et lorsque après le dîner je rejoignais ma chambre à la lueur d'une chandelle, une petite voix indistincte, parfois, quelque part sous l'escalier, semblait occupée à tenir une conversation chuchotante pour elle-même, sur le ton de la complainte, de la récrimination ou de la colère. Dès que la lumière de la chandelle atteignait un certain point, elle se taisait d'un coup.

Dans la famille, je passais pour une rêveuse, une tête de linotte parce que, pendant les repas, ou lorsque je m'attardais au salon à broder avec maman, à lire quelque roman, il m'arrivait de lever les yeux, de fixer un coin mal éclairé de la pièce où, pour tout le monde, il n'y avait rien. Et, lorsqu'on me demandait, sur le ton de l'ironie, ce que je voyais là, je répondais toujours : « rien ». Je suis encore bien souvent en pensée dans le vieux salon de mes parents, avec ses fauteuils démodés tendus de reps rose, la tête levée, toute mon attention mobilisée pour tenter de surprendre, parmi les faïences qui ornent le dessus de la cheminée, ou derrière la vitre qui donne sur la cour, le passage furtif d'un invisible visage.

Plus petite, malgré la ressemblance que tout le monde s'accordait à me trouver avec mes sœurs, et malgré notre complicité, il m'arrivait de rêver que je n'appartenais pas à cette famille, qu'un jour quelqu'un viendrait qui révélerait ma véritable origine. Je me complaisais à m'attribuer des origines romanesques, en brodant sur les intrigues des livres pour enfants aux belles couvertures de carton rouge et or qui garnissaient un des rayons de la bibliothèque. Par exemple, j'avais été volée au berceau par des bohémiens, une famille de clowns et d'acrobates, qui s'étaient finalement décidés à me revendre à mes parents.

Tout cela explique pourquoi je n'étais pas surprise, juste intriguée peut-être, mais pas vraiment surprise, la nuit où j'ai vu pour la première fois la lumière de la lune nimber ta silhouette dressée dans le jardin.

Après avoir assidûment fréquenté notre maison pendant toute une année, du jour au lendemain tu n'étais plus revenu. Mes douze ans approchaient, je comptais bien que tu serais convié à la maison pour partager le gâteau. Mes parents m'avaient expliqué qu'après ton doctorat en syphiligraphie, tu avais demandé à exercer dans les colonies. Tu devais être quelque part dans un hôpital de brousse, à soigner des nègres. Je ne m'expliquais pas cette disparition brutale, sans que tu m'en aies parlé, sans même un adieu.

Combien de temps s'était écoulé depuis ton départ en Afrique ? Je ne sais plus, six ou sept mois peut-être. Tu avais disparu au début de l'automne, le printemps commençait. Comme tous les samedis, j'avais quitté le pensionnat des sœurs pour passer ma seule nuit de la semaine à la maison.

J'avais laissé ma fenêtre ouverte, à écouter la pluie de la soirée finir de s'égoutter, reprendre par accès timides, se calmer à nouveau, au rythme d'un écrivain hésitant sur sa machine à écrire, un de ces appareils récents dont j'avais entendu pour la première fois, fascinée, le crépitement dans le bureau de mon oncle, et j'étais plongée dans cette espèce de catalepsie qui m'était devenue habituelle, incapable de bouger, incapable de savoir si les impressions du monde extérieur venaient nourrir mes rêves, ou si des rêves s'échappaient dans la réalité, simple support passif d'une circulation d'images qui s'effectuait dans une sorte d'autonomie où je trouvais un profond apaisement. Avant de devenir un jour une substance sur laquelle grouilleraient les vers, j'étais une substance où proliféraient les songes.

Quelque chose m'a tirée de ma léthargie, peut-être le vent plus frais du milieu de la nuit, peut-être la lune qui avait fini par dissiper les derniers nuages. Je me suis levée pour fermer la fenêtre et tu étais là, debout sous le grand tilleul familier du jardin, qui abritait parfois l'été de son ombre nos pique-niques, mais dont à présent les branches tourmentées, l'écorce ravinée, creusée de cratères et boursouflée de croûtes brunes, se révélaient à moi comme le corps d'une créature dont nous n'avions jamais soupçonné la foncière étrangeté.

J'imagine que c'est ainsi qu'apparut à Marie de Nazareth, dans sa quatorzième année, une nuit de Galilée qui peut-être était semblable à celle-ci, comme elle embaumée de ces parfums qui serrent le cœur et semblent l'indécryptable formulation d'une promesse, l'ange qui s'agenouilla aux pieds de cette toute jeune fille anonyme pour lui demander d'accepter, toute frêle encore et innocente, le poids du destin qu'un dieu avait choisi de faire peser sur elle. Et je n'avais jamais pu contempler l'Annonciation d'un vieux maître de la Renaissance qui figurait dans l'église que nous fréquentions, avec son jardin planté d'essences exotiques naïvement figurées, son péristyle à colonnes roses où Marie est assise paisiblement, et le visage illuminé de respectueuse douceur de l'ange, sans avoir la gorge serrée à l'idée de ce que l'acceptation si simple et si soumise de la jeune fille impliquait, l'enfant torturé qu'elle aurait à recueillir, mort, dans ses bras.

Pourtant, même si ce n'est pas à cela que je songeais en te voyant, semblable à un messager habillé de grandes étoffes d'ombre, les cheveux en désordre et le visage luisant de pluie, comme si toutes tes larmes te venaient aux yeux d'une seule coulée, je savais que tu venais de très loin, que tes vêtements avaient ramassé pour moi la poussière et les pluies tout au long d'interminables sentiers, et les parfums nocturnes du jardin prenaient la fragrance de l'encens et de la myrrhe. Et tu t'es approché, comme l'ange.

Le lendemain, la pluie a repris de plus belle, le ciel était devenu noir, et la salle à manger où nous nous sommes retrouvés à midi avait l'air de la cabine d'un de ces submersibles que montraient les lithographies des encyclopédies. J'ai tenté de glisser, d'un air indifférent, une allusion à toi, dont il n'avait plus été question une seule fois depuis que tu avais cessé de fréquenter la maison. Cela a figé les conversations et le bruit des couverts. Même Augustine, qui apportait le bœuf mode, s'est un instant arrêtée, le plat dans les mains, au bord de la table, comme si elle venait d'apercevoir, nageant devant la fenêtre, une des monstrueuses bêtes abyssales qui entourent le submersible des encyclopédies. Mon père s'est contenté de hausser les épaules, et a laissé ma mère m'expliquer que le docteur Louis Ducamp était mort aux colonies, elle ne savait pas trop dans quelles circonstances, il accompagnait une expédition qui avait été massacrée par les sauvages, à ce qu'on disait. Il y avait eu un article dans *La Presse* qui dénombrait les victimes. Puis nous sommes passés à d'autres sujets.

Tu étais mort, Louis, mais je t'avais vu la nuit précédente. Et je continuerais à te voir par la suite, pendant les deux années suivantes, deux à trois fois par an, dans le jardin, au milieu de la nuit, comme une parenthèse dans ma vie réglée de petite fille de bonne famille. Personne n'en saurait rien.

Tu m'as parlé, longuement, à voix basse, durant chacun de ces colloques clandestins. Tu aurais pu faire dans le lyrisme, tu aurais pu me dire : « Je me suis englouti, mon amour, dans les étendues ténébreuses de l'Afrique, j'ai remonté des fleuves aussi larges que des mers, entre des falaises de forêts, j'ai croisé dans les brumes des fétiches et des masques de bois, d'os et de peau, cru voir fuir des animaux qui ne figurent pas dans nos encyclopédies, entendu des cris et des appels lointains, respiré le parfum cadavéreux de fleurs cruelles, senti la piqûre d'insectes aux multiples segments, j'ai sombré dans l'humidité, les fièvres et le flot des odeurs, j'ai disparu sous des millions d'arbres dont chacun ressemble à une contrée inexplorée, avec ses peuples et ses provinces ; et par moments je me suis arraché de la profondeur de l'Afrique, comme le naufragé remonte à grand-peine du fond de la mer où les algues s'enlacent obstinément à ses jambes, j'ai tiré, comme une ancre au bout de sa chaîne, la traîne de souvenirs, de coquillages, de parfums et de sommeil qui voulait me retenir, pour être à la nuit dans ton jardin ; parce que toute l'Afrique n'était pas parvenue à me faire oublier la petite provinciale de onze ans, Alice, la délicieuse Alice, la fille bien élevée d'un honorable médecin. »

Mais rien de tout cela. C'est très beau, l'homme qui part très loin, dans des contrées exotiques et mystérieuses, et puis revient une nuit, basané, avec des cicatrices et des remords, un passé trouble et un cœur fatigué, vers la jeune vierge rêveuse qui l'attend, intacte, dans sa famille impeccable, mais nous savions tous deux que, aussi extraordinaire qu'elle fût, la situation avait un côté chromo insoutenable, ce dont rêvent les jeunes filles, et tout ça. C'est toujours l'homme qui revient de loin éveiller sa Belle au bois dormant bien préservée par les ronces et le temps arrêté. Il a beaucoup vécu, elle n'a pas vécu. Je n'ai pas encore l'âge où l'on commence à se méfier des clichés, mais je ne considère pas cela comme une aventure follement romantique qui nous place en rupture avec les conventions et au-dessus des gens ordinaires, au contraire je sens, instinctivement, à quel point la situation peut, paradoxalement, basculer dans l'ordinaire ou même le ridicule. Je me tiens sur la crête étroite entre l'émerveillement et la prudence.

Et puis la fréquentation secrète d'un mort ne me surprenait pas outre mesure. Cela faisait partie, pour moi, d'un mode de fonctionnement du monde que mes parents et les sœurs qui nous faisaient la classe semblaient connaître si parfaitement que rien de ce qui s'y produisait ne pouvait échapper à ses lois et donc les surprendre, alors qu'elles me paraissaient beaucoup plus fluctuantes et beaucoup plus mystérieuses. J'avais du mal à comprendre comment les sœurs, ou le curé de la paroisse, pouvaient à la fois se montrer si raisonnables dans la vie quotidienne et se lancer dans des discours où il n'était question que de pêches miraculeuses, guérisons surnaturelles, multiplication des pains et résurrections. De toute façon je n'étais pas loin de penser que certaines lois de l'univers ne me concernaient pas nécessairement. Leur universalité prétendue me paraissait tout à fait abusive, je ne voyais pas comment des gens intelligents pouvaient envisager de s'y soumettre sans discussion.

Durant ces deux années, j'avais cessé d'être une petite fille. Peut-être le souvenir de notre relation y avait-il contribué, qui n'avait rien de commun avec ce que vivent les filles de mon âge, à moins que ce ne soit ce que j'étais déjà qui avait rendu possible cette relation, comment savoir.

Comme mes sœurs, je recevais l'éducation d'une petite fille de la bonne bourgeoisie, au pensionnat des sœurs de Saint-Vincent. J'apprenais la broderie, l'aquarelle et le piano, et rien, ni dans mes manières, ni dans mes habitudes, ni dans mon comportement, ne me distinguait de n'importe laquelle de mes condisciples. Simplement, rien de ce qui les intéressait, qui faisait leur vie, ne retenait mon attention. Je ne parlais pas de robes ni de chapeaux. Je ne commentais pas à l'infini la tenue arborée par mes camarades à l'office du dimanche, ni la blancheur de leur teint, ni leurs cheveux, ni la forme de leur nez. Je ne me passionnais pas pour les épisodes interminables des relations amicales entre filles, avec leurs accès de passion, leurs brouilles, leurs ruptures et leurs raccommodages. Je ne nourrissais pas de passion secrète pour le jeune ténor à la mode ou le joli sous-lieutenant qui défilait à la tête de sa section. Je n'attribuais pas l'hostilité de telle pensionnaire à l'inévitable jalousie, qui semblait être pour mes camarades l'unique ressort des passions humaines. Je ne me comparais pas sans cesse. Et surtout, je n'étais en rien animée par ce qui semblait être le but ultime de toutes celles qui m'entouraient, alors même qu'on nous apprenait à nous mettre en rang, à ne pas élever la voix, à ne jamais commettre d'excentricités, à nous conformer à tout un réseau de lois et d'usages explicites ou implicites : être différente.

La passion d'être différente était leur point commun à toutes, ce qui en définitive les rendait toutes semblables. Chacune était pénétrée de la certitude de sa différence, ou de la volonté d'en convaincre les autres alors même qu'elles en doutaient, ou désiraient manifester d'une manière ou d'une autre cette différence. Les plus jolies ne se contentaient pas d'être jolies et admirées. Elles affectaient de mépriser la seule beauté physique. « Moi, disait Ernestine, une grande blonde au visage de madone, je ne veux pas que l'homme que je rencontrerai m'aime pour ma beauté physique. Je veux qu'il m'aime pour ma beauté intérieure. »

Je me demandais en quoi pouvait consister la beauté intérieure d'Ernestine, qui ne nous avait jamais donné à connaître qu'un conformisme sentencieux, une absence totale d'imagination, et peu d'intérêt pour les autres, exclusivement préoccupée qu'elle était d'être le centre de l'attention. Quel était donc ce trésor bien caché ? Le réservait-elle pour son futur mari ? Pourquoi ne l'avait-on jamais aperçu ? Il est vrai, me disais-je, que si Ernestine manifestait sa « beauté intérieure », elle cesserait d'être intérieure. Mais à cause de cet éloge de la différence, ce qui est arrivé à Pulchérie m'a d'abord troublée.

Pulchérie était arrivée au pensionnat, en classe de cinquième, trois semaines après la rentrée. Elle avait donc eu droit, un matin d'octobre, à une présentation devant toute la classe par les soins de mère Marie-Joseph. Nous avions vu pénétrer, dans la grande salle froide que peinaient à éclairer, dès le matin, les lampes à gaz haut pendues dans les étendues inexplorées du plafond, et tâchant de s'éloigner le moins possible du scapulaire protecteur de mère Marie-Joseph, une créature rabougrie, bancroche, courbée par une bosse qui lui imposait une posture de permanente soumission. Sa chevelure luisante, luxuriante, qui prenait presque autant de volume que le reste de sa personne et la recouvrait jusqu'à la taille, semblait avoir absorbé, comme une plante parasite, toute sa beauté et toute sa santé. En émergeait une tête bizarrement petite, comme desséchée, dont les yeux mobiles, qui se fixaient alternativement sur tous les objets du décor, sur les fenêtres et la porte, comme pour chercher une issue, parfois coulaient vers nous un regard oblique.

Eudoxie était la plus grande de la classe, elle commençait à être formée et prétendait avoir déjà « eu ses règles », formule bizarre que j'interprétais comme les premiers enseignements donnés à une future religieuse, mais Eudoxie manifestait tellement de dédain pour la religion que je n'y comprenais rien. Parfois elle disait « menstrues », que je rangeais dans le bizarre lexique liturgique ou mystique employé par les sœurs, dont la plupart des mots m'échappaient. Quoi qu'il en soit, cela lui conférait une grande autorité dans la classe, en dépit de la relative disgrâce de son visage dur et de son corps anguleux. Elle aussi, et sans doute avec de plus fortes raisons qu'Ernestine, était une adepte de la « beauté intérieure ». Je me suis demandé pourquoi, elle qui ne cessait de mettre en valeur la notion de « différence », selon elle le *nec plus ultra* de l'intérêt que pouvait présenter quelqu'un, elle pour qui « être comme les autres », attribut de celles qui n'entraient pas dans son petit groupe d'amies, lesquelles l'imitaient en tout afin d'être « différentes », ce qui en définitive les rendait toutes semblables, constituait la tare par excellence, a tout de suite haï Pulchérie, et pris l'initiative de la persécution qui s'est abattue sur la pauvre créature. Il me semblait que justement Pulchérie présentait tous les caractères de cette « différence », l'apanage des élues selon Eudoxie, et que sa laideur pouvait inciter à la découverte d'une éventuelle « beauté intérieure ». Mais non. Au contraire. Eudoxie, efficacement secondée par Ernestine, dont la beauté impérieuse semblait exclure toute bassesse, a orchestré avec maestria son exclusion de la communauté, au point que cela ressemblait parfois à une exclusion de la communauté humaine.

Pulchérie a eu droit aux moqueries sur son prénom, répétées par toutes les filles jusqu'à l'obsession, jusqu'à l'ivresse, il lui arrivait de se trouver coincée dans la grande cour entourée de six ou sept filles lui psalmodiant sous le nez, sans s'arrêter, diverses trouvailles. Nous avions appris en latin que *pulchra* voulait dire *belle*, et Pulchérie n'était plus appelée que *foeda*, qui veut dire laide à faire peur, difforme, ou Tu-pues-chérie, ou Poulpe-qui-rit. On répandait l'idée qu'elle sentait mauvais, et chacun affectait de se boucher le nez et de grimacer à son approche. On l'interrogeait sur ses amoureux, en la secouant assez pour la faire avouer que c'étaient un chimpanzé, ou le vieux prêtre qui desservait l'église du pensionnat, ou le semi-idiot que les sœurs employaient par charité à l'entretien du bâtiment, ou Riquet à la houppe. On lui expliquait que sa mère avait couché avec un singe pour l'avoir. On renversait les encriers sur les devoirs qu'elle s'apprêtait à rendre. On mettait de la colle dans ses beaux cheveux. On volait sa nourriture au réfectoire. On la réveillait en pleine nuit. On glissait de vieux morceaux de fromage entre ses draps. Et comme Pulchérie n'attachait jamais sa crinière noire et portait toujours sur les épaules un vieux châle d'indienne passé, sans doute par un vain effort pour dissimuler sa bosse, Eudoxie avait inventé une histoire assez inquiétante pour nous séduire. Une sœur lui aurait confié que Pulchérie dissimulait, sous ses cheveux et son châle, une deuxième tête. Une tête affreuse qui lui parlait, surtout la nuit.

— Vous avez entendu, comme moi, ces chuchotements bizarres, la nuit, dans le lit de Pulchérie ?

Tout le monde, bien sûr, jurait les avoir entendus.

— Eh bien je me suis levée, une nuit, j'en avais assez, ça m'empêchait de dormir. Je me suis aperçue que Foeda avait la bouche fermée. Elle dormait profondément. Le chuchotis provenait de sous son épaule gauche, là où est la bosse, sous ses cheveux. J'ai écouté.

— Alors ? Que disait la voix ?

Là, Eudoxie se réfugiait dans un silence pudique. Elle ne pouvait pas le répéter. C'étaient des choses abominables. Elle s'était bouché les oreilles. Elle avait même fait un signe de croix avant de se recoucher. Et, comme sa place à la chapelle était toujours au premier rang, elle assurait qu'à la communion, un jour, au moment où Pulchérie recevait l'hostie, elle avait entendu, c'était à peine audible, mais elle avait entendu une petite voix grinçante qui gémissait sous ses cheveux. Pour Eudoxie, il fallait voir là l'explication de la laideur de Pulchérie ; à force d'entendre des horreurs, son corps s'était recroquevillé, son visage s'était ratatiné.

J'assistais à cette mise en fiction de Pulchérie, et à sa transformation en une étrange entité, à la fois victime et divine, sans m'y associer, mais sans éprouver non plus de compassion. Pulchérie était stupide et soumise. Il y avait dans la manière dont elle subissait le déluge d'avanies un manque de dignité et une passivité qui, malgré moi, suscitaient mon dégoût. Même ses larmes étaient affreuses. Ressentir la moindre pitié eût été s'associer à elle, se poisser de Pulchérie, mettre la main sur une substance abjecte. Dans son cas, la compassion répugnait.

En dépit de leur culte affiché de la différence, mes camarades ne cessaient de s'imiter, et leur émulation visait à l'anéantissement symbolique de celle qui, par excellence, incarnait cette différence. Il me semble aujourd'hui que ce qu'elles voulaient supprimer, c'était l'image grotesque de leur désir, le miroir déformant que Pulchérie leur renvoyait de cette différence. Quant à moi, même si je ne m'intéressais en rien à ce qui les séduisait toutes, j'avais échappé au sort de Pulchérie en raison même de mon indifférence. Quelques tentatives d'Eudoxie pour me moquer, pour faire de mauvais calembours sur « Alice », avaient rapidement échoué face à ma tranquillité. J'étais trop loin, tout en ne représentant aucun danger pour elle.

Pulchérie a disparu un jour, quelques semaines après Pâques, et nous n'en avons plus jamais entendu parler. J'en ai été soulagée, non seulement parce que le spectacle de son humiliation quotidienne me navrait, mais aussi parce qu'elle n'honorait pas la condition de victime.

L'une des activités les plus communes de mes camarades consistait à laisser entendre qu'elles avaient des secrets, et parfois à les révéler à des confidentes privilégiées, qui affectaient à leur tour l'impénétrabilité. Le secret suggérait la profondeur de leur intimité, réserve inaccessible où se conservait leur beauté secrète, leur précieuse différence. Mais elles étaient tourmentées par cette contradiction : un secret qui cesse d'être secret perd toute valeur, un secret qui le reste ne peut jamais prendre de la valeur. Elles exécutaient donc une danse incessante, agrémentée de figures nombreuses mais toutes prévisibles, entre dissimulation et révélation. Il y avait les minauderies, les révoltes, les abandons, les lassitudes, et tout cela leur prenait un temps considérable. Elles se sentaient vivre. Plus tard elles se marieraient. Leurs conversations évoqueraient les secrets des autres familles de la ville, en jouant celles qui savent tout sans vouloir tout révéler, et elles feraient semblant de croire que leurs propres secrets restent ignorés des autres.

Étais-je foncièrement différente ? Je détestais les intrusions, mais pas parce que j'avais quelque chose à cacher. Je ne pensais pas que ce qui m'appartenait présentât un extraordinaire intérêt, mais je ne voulais pas que cela devînt le jouet de quelqu'un d'autre. Pas par excès de pudeur, non, mais parce que cela eût tout faussé, comme un arbuste fragile qu'on expose trop au soleil. J'avais besoin de l'ombre pour que ce qui commençait à être moi prenne forme et consistance. Et en même temps, c'est bien pourquoi je comprenais mes camarades, je sentais le désir obscur qu'un jour tout cela soit livré, sans aucune réserve, sans pudeur. Mais il me fallait attendre le moment, et peut-être ne viendrait-il jamais.

Tu te souviens, mon amour, disais-je à Charles qui était censé incarner Louis, la première fois que tu es apparu dans le jardin, tu es entré dans ma chambre par la fenêtre, tu t'es assis familièrement sur le lit, comme si nous ne nous étions quittés que la veille, et que tu venais en voisin. Tu te souviens que tu m'as regardée sans rien dire ? Nous n'osions pas bouger. Puis tu as commencé à essayer d'expliquer l'inexplicable.

ALASTAIR 8

C'est bizarre, avaient dit les voix superposées, les voix changeantes, tantôt paraissant provenir des tréfonds d'une cave inondée d'un très vieil air glacé, tantôt rogommeuse, longuement travaillée au fil-en-six et au perlot, tantôt insinuante et nasillarde comme celle d'un Méphisto de tréteaux, c'est bizarre, mais la dernière attraction du musée des horreurs concocté par les Helquin en débine, celle que promettait la narine humaine avec des circonlocutions et des révérences, pendant des années, chaque fois, elle me sortait par les trous de la tête, voyez-vous, docteur, c'est comme si les souvenirs me coulaient par les oreilles.

Une fois l'obscurité charitable et le rideau pudique à nouveau refermés sur la créature bicéphale, rien à faire, ça s'arrêtait là. Alors je refaisais tout le parcours dans la mémoire, je recommençais, la Femme cent kilos, le roi Bamboula, la deuxième tête, dans l'ordre, scrupuleusement, rien à faire, je butais, je n'arrivais jamais à la dernière attraction. Je repartais de plus loin, comme pour prendre mon élan, si vous voulez, mais ça ne servait à rien. Et puis, parfois, à force de patience, la porte s'ouvrait. C'est ça qui est drôle, vous voyez : je sais que la porte s'est ouverte, je sais que j'ai vu, mais j'oublie ce que j'ai vu.

Alors, que disait le bonimenteur aux vastes naseaux, déjà ? Oui, ça y est, « la plus belle des jeunes filles ». Dans sa bouche immense aux chicots pourris, ça paraissait déjà une profanation. La plus belle des jeunes filles… Tout était à craindre. Une quelconque pierreuse, une chahuteuse fatiguée faisant la pucelle, avec des aperçus de pantalons fendus, tant qu'on y était. En tout cas, oui, ce dont je me souviens, c'est qu'en sortant de la baraque des Helquin, tandis que la foule se dispersait dans la nuit, et que la lune se dispersait elle aussi parmi les flaques comme si elle s'était brisée en milliers d'éclats argentés, à la manière d'une vulgaire boule de sapin de Noël qui éclate sur le parquet, j'ai suivi la petite négresse et sa maman, ou son aïeule, peut-être.

On ne voyait que la robe de faille jaune, qui luisait tout doucement, et rien d'autre, ni tête ni cheveux, tout cela fondu dans la nuit brumeuse, comme si une créature invisible se perdait dans les banlieues sordides au milieu desquelles la fête foraine avait planté son décor. C'était la pleine lune, et je savais bien que ce n'était pas bon, ces nuits-là je n'étais plus tout à fait à moi, je me trouvais comme aspiré, sans pouvoir résister, je ne sais pas comment expliquer ça, la pleine lune changeait tout, les murs lépreux paraissaient en gésine d'inscriptions, à se demander quels *Mané, Thécel, Pharès* dissimulés sous le crépi depuis Nabonide fomentaient leur apparition ; les formes de la ville esquissaient des itinéraires, ouvraient des tunnels qui exigeaient qu'on s'y engouffre, le désir de quelque chose qui n'avait pas encore de figure exsudait de toutes les bouches ordinairement invisibles, mais tout à coup béantes, fentes dans le bois des portes, soupiraux, fenêtres entrebâillées, interstices entre les pavés, carreaux cassés, bas de portes sous lesquels glissait la pulpe grasse d'une lumière.

La pluie avait cessé, mais les pavés fumaient d'humidité. Je suivais de loin la petite robe de faille jaune, qui louvoyait comme un feu follet entre les mares de ténèbres. Je ne savais pas ce que je cherchais là, mais quelqu'un le savait. Le faubourg dans lequel nous avions pénétré était à peu près désert. C'étaient de petites maisons de guingois, mal fagotées et mal éclairées, qui paraissaient avoir été modelées à la hâte dans des rebuts de calcaire. Parfois des effluves de chou cuit passaient majestueusement, qui évoquaient les flatulences des anges déchus. Dans ce désert, on apercevait de loin la vomissure incarnate d'une flaque lumineuse. Elle signalait la devanture d'un mastroquet où l'inamovible auverpin, avec sa carrure de lutteur et ses bacchantes de bois d'ébène, prodiguait le gros bleu, tel le Christ distribuant la tournée à ses apôtres, à des marlous à casquette coulant un œil affûté comme une lame vers l'ombre qui se découpait dans la vitrine. Mais les dimensions de l'ombre et le mufle apocalyptique de son propriétaire, votre serviteur, portaient à la réflexion, et ils préféraient en dernière analyse s'enfoncer dans la méditation sur leur verre de pichtegorne.

Devant le bougnat, la vieille a fouillé dans son cabas, en a extrait un porte-monnaie. De loin, je l'ai vue poser quelques gros sous de cuivre dans la main de la gamine, puis continuer à se traîner jusqu'au coin de la rue, avant de disparaître dans une ruelle à gauche. J'ai compris : la vieille guenon avait besoin de se piquer la ruche le soir, elle avait chargé la gamine de lui rapporter un ou deux litrons. Ça devait être une habitude. Un reste de pudeur devait l'empêcher de l'acheter elle-même.

Mais qu'est-ce que je raconte ? J'ai du mal à avoir de la suite dans les idées. Donc, la baraque aux monstres, la pure jeune fille, voilà. Le couloir où figuraient la Femme cent kilos, le roi Bamboula et la femme à deux têtes s'arrêtait sur un rideau de velours cramoisi qui avait connu des jours meilleurs, mais conservait quelque trace de sa splendeur passée ; derrière, expliquait l'homme aux narines caverneuses, en baissant religieusement la voix comme si nous allions pénétrer dans une église, nous attendait le clou de l'exposition, après ces exemplaires d'une humanité déchue, la beauté à l'état pur, telle qu'on ne la rencontre que rarement, mesdames et messieurs, que dis-je, telle que jamais on ne la rencontre, telle que ni moi ni vous en tout cas ne l'avons jamais rencontrée ailleurs, ni ne la rencontrerons, soit dit sans vous offenser, mesdemoiselles, qui êtes certes fort agréables à regarder, mais vous serez contraintes comme moi de reconnaître, après avoir observé le phénomène, qu'une telle splendeur a quelque chose de surnaturel.

Et d'ouvrir le rideau de velours cramoisi avec des lenteurs, des hésitations et des courbures de l'échine, comme s'il allait nous dévoiler la nudité de sa mère. Et de nous faire pénétrer à sa suite dans une pièce noire qui sent la cire refroidie, l'eau de Cologne, la paille et la terre battue que foulent nos souliers. Comme je n'ai pas cessé de coller la petite négresse, l'odeur de ses cheveux et de sa peau vient se mêler à ces fragrances, composant un bouquet animal et sauvage, un mélange de sous-bois équatorial, de lointains brûlis et d'émanations de fauve qui m'emporte dans une espèce d'excitation immobile.

On entend fourrager dans le noir, puis la mèche allumée d'un grand candélabre nous révèle les profondeurs de deux vastes narines. Lesquelles narines allument trois autres candélabres, disposés en carré autour d'une estrade de faible hauteur. Sur l'estrade, recouverte d'une étoffe bleu roi, un drap blanc paraît mouler une forme humaine. Le mur de planches à gauche, recouvert d'une tenture, porte des cadres de différentes tailles. Le gnome nous fait ranger devant l'estrade, et, tel le sous-préfet dévoilant solennellement une plaque commémorative, il arrache d'un coup le drap blanc.

Suit un moment de silence.

Évoquant le silence, l'ombre massive l'observe elle-même, comme aspirée par le passé, retrouvant sa peau et ses os d'autrefois, le souffle suspendu devant le drap qu'on ôte, mais sa pelisse continue à parler pour elle, dans son insoutenable idiome de remugles et d'exhalaisons, dans lequel ce n'est pas seulement la langue, les lèvres et les poumons qui s'activent, mais l'estomac, mais les boyaux, mais les recoins les plus oubliés des viscères, narrant on ne sait quels contes à faire peur aux petits enfants.

Le gars de la narine doit avoir l'habitude de ménager cette pause dramatique, reprend l'ombre, mais elle apparaît comme nécessaire. Je lui en sais gré. Même les femmes cessent de glousser. Une jeune fille repose sur l'estrade, vêtue d'une simple tunique blanche. Ses longs cheveux roux, qui s'étalent sur l'étoffe bleue et couvrent le haut de ses bras, font paraître plus pâle encore son visage si extraordinairement blanc qu'il a l'air d'avoir été moulé dans la cire.

On la croirait morte. Sans doute pour ne pas avoir à la supposer vivante. Oui, il faut l'avouer, à la honte de la nature humaine, il y a quelque chose d'insupportable à la croire vivante. Non, cela ne concerne pas seulement Punch, pas seulement Punch et son esprit tordu, déformé comme un morceau de métal qu'on a repassé dans les flammes, tous ici, Punch le sait, éprouvent le même sentiment. La beauté est une apocalypse. Elle nous révèle notre désastre intime et nos odeurs de pied. Elle incendie tout sur son passage.

Beaucoup de gens auraient du mal à y croire, avaient sifflé les voix après une nouvelle longue interruption, et vous le premier bien sûr, docteur, vous n'y croyez pas, mais Punch est d'une maladive sensibilité. Cette beauté le déchirait, elle lui labourait les entrailles. Pourquoi ? Pourquoi est-ce que la beauté fait aussi mal ? Je ne sais pas qui se pose une telle question, c'est pourtant une des rares qui vaillent d'être posées. Peut-être parce qu'elle est si intense qu'elle semble exiger quelque chose. Mais quoi ? Qu'est-ce qu'on peut faire ? Qu'est-ce qu'on peut donner ? On n'a pas la réponse. Et on reste là, à la regarder nous saccager, les bras ballants, on ne sait pas quoi en faire. Oui, qu'est-ce qu'on va faire de ce qui nous apparaît là, comme dans un miroir noir, et qui déforme l'espace environnant, le recourbe vers elle dont il n'est plus dès lors qu'une dépendance assez superflue, avec tout le reste en général on sait quoi faire, mais là non, pas la moindre idée. On se demande aussi comment on a pu passer les innombrables secondes de sa vie à faire autre chose que se poser ce genre de question, à accomplir des actes sans rapport avec ce qui est là, sous nos yeux, et qui exigerait toute notre énergie, toute notre capacité d'attention, et en même temps on n'y arrive pas, on est là, devant, mais rien ne se produit, toute l'attention du monde reste inopérante.

La jeune fille blanche allongée là devant Punch le faisait d'autant plus souffrir d'être exposée immobile à ces regards vulgaires qu'elle lui apparaissait comme une chose intime, la chose la plus intime peut-être qu'il y ait jamais eu dans son existence, et pourtant, en même temps, elle demeurait étrangère.

Non, ce n'est pas exactement cela. Je m'exprime mal. Sa beauté faisait irruption dans notre monde comme ce qui lui était par nature radicalement étranger, non, ce n'est pas cela encore, je ne sais pas comment dire, il y a longtemps déjà, et Punch n'a pas l'éducation qui permet de dire, et puis aussi l'émotion le laissait tête vide. Sa beauté dévorait tout, absorbait les visages banals, le décor prévisible, le grain des étoffes, faisant apparaître dans sa lumière ce qui était étranger, ce qui n'était pas de ce monde.

Ah, c'est compliqué de démêler tout cela, mais il le faudrait. Et Punch, devant la jeune fille, ne sachant que faire de ses grosses mains ballantes, et sentant la flamme tout calciner en lui, n'avait d'autre pulsion, la misérable grosse brute, que de la déchirer de ses mains, pour qu'elle disparaisse enfin, pour qu'elle cesse de lui demander quelque chose que sa pauvre tête vide était bien incapable d'identifier.

Comme elle dormait, la jeune fille. Rien de son corps ni de son visage ne bougeait, on ne voyait pas, sous la robe blanche, son torse soulevé par la respiration, on n'entendait pas son souffle, elle avait plus l'air d'une morte que d'une dormeuse. Et Punch, à ce moment, fut frappé par cette évidence que la beauté parfaite est forcément endormie. Peut-être même la beauté morte est-elle le sommet de la perfection. Là, elle est toute à elle-même, concentrée sur sa perfection, rien ne vient la distraire, rien ne contraint ses traits à sortir du repos ni ne l'oblige plus à être autre chose qu'elle-même. La beauté trouve dans l'innocence du sommeil son milieu idéal, où elle semble pouvoir se perpétuer. Et Punch devait en avoir eu l'intuition, lorsqu'il contemplait le visage de Thalia reposant dans l'immémorial. Ce visage, il voudrait le voir à nouveau comme il le voyait enfant, et que sa contemplation nocturne, lorsque ses traits se couvraient du masque brillant de la lune, faisait à son âme tourmentée le don du repos.

Mais le visage de Thalia, qui est peut-être la seule image qu'il eût valu la peine de conserver, malgré tant de nuits à tenter de le reconstituer dans le noir, s'est dissipé dans l'oubli, il en reste une idée, des couleurs, des traits, une chevelure, des détails dispersés qui ne parviennent jamais à se composer pour former cette signification qui est vraiment la nature d'un visage. Et là, dans l'esprit de Punch, le visage disparu de Thalia devient celui de la jeune fille étendue sur l'estrade. Quel âge peut-elle avoir ? Vingt ans ? Vingt-quatre peut-être ? N'est-ce pas l'âge qu'aurait aujourd'hui Thalia ? N'est-ce pas à cela qu'elle ressemblerait ?

THALIA 9

— En réalité, ce n'est pas toi, Louis, mon amour, qui avais pris l'initiative de disparaître. Mon père t'avait demandé de passer le voir dans son service. Lorsqu'il t'a reçu, ce n'était plus l'ami qui invitait à déjeuner un jeune collègue prometteur, mais le grand professeur qui convoquait un simple praticien. Mon père estimait que ta présence auprès de moi dépassait les limites de ce qu'on pouvait attendre d'un jeune homme de vingt-huit ans qui s'intéresse à une petite fille de onze ans. Tu venais trop souvent, tu m'emmenais des dimanches entiers sous prétexte de goûters sur l'herbe ou de parties de canotage, il était question de tout un groupe d'enfants mais la plupart du temps, je le lui avais avoué naïvement, nous n'étions que tous les deux.

Quoi qu'il en soit, cela n'était pas vraiment normal, docteur Ducamp, t'avait dit mon père. Il ne doutait pas que tout cela était bien innocent, bien sûr, comment imaginer autrement, mais pour éviter toute équivoque, tout risque d'interprétation malsaine, il était préférable que tu ne te présentes plus à la maison. Mon père se chargerait de m'expliquer ta disparition. Inutile de dire adieu à Alice. D'ailleurs, avait-il ajouté, il en avait parlé à ton chef de service, la syphilis faisait rage aux colonies, c'était le tribut de la prostitution, on manquait là-bas de médecins jeunes, énergiques et en bonne santé, de vrais spécialistes, alors qu'il y avait surtout des généralistes vieillissants un peu trop portés sur l'absinthe. Tu y ferais tes armes plus utilement qu'en métropole, mon père s'était renseigné, il y avait justement un poste intéressant.

Tu ne m'as pas parlé de ta mort, Louis, la première fois où tu es apparu dans le jardin, et je n'ai pas abordé le sujet. Peut-être préférais-je tenir des conversations nocturnes avec un mort qu'avec un homme de chair, peut-être le statut de mort te semblait-il paradoxalement plus à même de me rassurer, on se laisse approcher plus facilement par un corps impalpable. Mais tu n'as pas cherché à me toucher, c'est moi qui, pendant que tu parlais, assis à côté de moi sur le lit et rebâtissant tes souvenirs tête penchée vers le sol, ai avancé la main, je ne sais pas pourquoi, peut-être pour vérifier de quoi au juste tu étais fait, de la matière des morts ou de la substance des vivants, mais tu as eu un mouvement de recul, le *noli me tangere*, ai-je pensé, de celui qui est passé par le tombeau. Tu es parti avant le matin, tu t'es dissous dans la pluie qui avait repris.

— Oui, Thalia, a enchaîné Charles, c'est exactement cela. C'est parfait. Et tu te souviens de la première fois que je t'ai vue ? Enfin, la première fois que Louis a vu Alice ? C'était à déjeuner chez toi. Ton père s'était pris de sympathie pour moi, je sentais qu'il avait envie de me prendre sous sa protection. C'était un dimanche, bien entendu, la famille était au complet, tes parents, tes deux sœurs, ton frère et toi. Vous aviez tous les quatre cette beauté intimidante de certains enfants, indifférente et souveraine. Toi surtout. De temps à autre tes grands yeux noirs, ceux avec lesquels tu m'as regardé depuis ta photographie, se posaient sur moi, et, sans m'en apercevoir, j'avais envie que tu me regardes encore. Ce n'était pas l'attention de tes parents, mais la tienne en réalité que je sollicitais en parlant, parce qu'il me semblait que tout ce que je disais était par toi pesé et jugé, avec gravité, et cette insignifiance de bon aloi qui constituait la règle des conversations entre adultes n'avait pas cours avec toi, je le sentais, tout avait de l'importance. Là, autour de la table familiale, tu me regardes exactement comme tu regardes au même âge sur cette photographie d'autrefois, toute la poussière des détails mesquins dispersée par le temps, tu me regardes comme nous regardent les morts aux visages encadrés dans les couloirs des vieilles maisons.

Il fait beau, ta mère nous invite à prendre le café au jardin, ton frère, qui s'ennuie, prétexte des devoirs pour se retirer dans sa chambre. Tes sœurs et toi entamez une partie de croquet et, tandis que ton père m'offre un londrès, je vous regarde avec envie. Je n'entends plus ce que raconte ton père. Il fait chaud, le repas trop copieux, la liqueur et le cigare amortissent mes sensations. Tout à coup, tu es devant moi, tu me demandes de venir, de me joindre à vous. Je me sens gêné, mais ton père se met à rire : Alice, il ne faut pas que tu déranges notre invité avec tes jeux de gamine, te dit-il, Louis se repose tranquillement, mais non, je souris innocemment, avec l'air indulgent qu'il faut, au contraire, ça me fait plaisir, et puis un peu d'exercice après le repas…

Je me rends compte que, jusqu'à ce moment, le charme sous lequel j'étais émanait des trois sœurs, Diane, Aurore et toi, Alice. Les ressemblances et les différences de vos corps, celui d'Aurore, la cadette, qui conservait les rondeurs de l'enfance, celui plus élancé de Diane, où les formes féminines commençaient d'apparaître, comme si la même personne était présente à trois âges de sa vie, les ressemblances et les différences de vos visages, tes sourcils un peu plus marqués, les lèvres plus fines de Diane, la peau plus hâlée d'Aurore sur ce fond identique et presque interchangeable, d'où trois personnes me regardaient des mêmes grands yeux noirs, m'adressaient par trois bouches le même sourire, les gestes et les mimiques semblables qui tout à coup dévoilaient, comme par inadvertance, une identité profonde, tout cela tissait autour de moi le voile diaphane, presque impalpable, d'une séduction que je n'aurais même pas osé désigner de ce terme trop lourd, d'autant plus enveloppante qu'elle ne provenait pas d'une personne, d'un foyer unique, mais ne cessait de circuler, de se dérober et de se relancer, comme si vous aviez dansé une ronde autour de moi. Et ma complicité avec cette triade avait été immédiate et parfaite, je pouvais croire être l'élément qui manquait à votre perfection. Je pénétrais avec l'aisance d'un rêve dans le cercle magique de votre enfance. J'étais celui qu'on attendait, le sylphe qu'appelaient les sylphides. Il me semblait voir de la reconnaissance dans vos regards, et j'éprouvais moi-même une sorte de gratitude, pour l'heure, pour la lumière, pour l'innocence de votre don.

Nos rires résonnaient dans le jardin, vos mains touchaient familièrement les miennes, voletaient autour de moi sans cesse, me caressaient de loin, se posaient et s'esquivaient. J'accédais à toutes vos demandes, j'entrais dans tous vos jeux, qui n'étaient que d'autres manières de se voir et de se toucher. J'avais la blancheur de vos draps, votre visage endormi reposant sur l'oreiller, la pénombre heureuse de la chambre dans l'imminence du matin, j'avais le bruit de vos lèvres sur les joues de votre mère qui vous éveille, j'avais la gravité de vos jeux, l'agilité de vos doigts sur l'ouvrage, je savais que tout cela, vos mains me l'apportaient.

Le jeu a fini, tes sœurs sont revenues s'asseoir pour prendre une limonade, mais toi, Alice, tu es insatiable, tu exiges de poursuivre, il faut que je te pousse sur la balançoire. Malgré les objurgations de ta mère, je me soumets à ton désir, conscient que je commence à dépasser les limites de la politesse, je devrais être en train de bavarder avec tes parents, et cette petite rupture instaure entre nous une complicité qui se manifeste dans tes regards. C'est avec toi seule à présent que je poursuis le jeu, mais le charme de votre trio ne s'est pas dissipé, il s'attache à toi qui le représentes et le résumes.

Plus jeune, j'avais déjà participé à ces jeux, et presque toujours les jeunes filles surexcitées poussaient des cris, surjouaient la peur ou la surprise, jouissant d'entendre l'écho de leur voix accaparer l'espace, et moi-même je m'étais parfois laissé gagner par cette hystérie, j'en faisais trop, je gesticulais, je riais trop fort, comme pour me convaincre que quelque chose se passait. Le soir, en repensant à la journée, j'avais honte. Je n'étais pas capable de démêler les causes de cette honte, mais pour tenter de l'exorciser je parlais seul à voix haute, pour couvrir le bourdonnement de ma conscience.

La honte, je le comprendrais bien plus tard, s'attache toujours à l'histrion, parce qu'il dévalue les sentiments, les émotions, en les livrant, il les épuise, il les vide de tout ce qu'ils signifient. Ils n'expriment que son désir pathétique d'accéder à l'être. C'est pourquoi, enfant, j'aimais et détestais à la fois les clowns : ils n'étaient pas seulement des histrions, ils parodiaient l'histrionisme, ce désir obscène d'accéder à l'être sans aucune substance. Je comprenais pourquoi les comédiens étaient si mal considérés jusqu'au siècle dernier : ce n'était pas tant à cause de leur inconduite supposée que parce que leur métier même n'était qu'imitation, parodie, exhibitionnisme. En redoublant la réalité, ils la profanaient. Et moi, en singeant la joie, en exagérant le rire, je dévoilais en moi l'enfant, l'enfant qui n'a rien et qui ne peut qu'imiter.

En allant avec toi à la balançoire, Alice, ces impressions d'enfance me revenaient, et je craignais que tes cris d'excitation ne viennent briser la tranquille magie de l'heure. La balançoire est un exercice d'approche obligé entre jeunes gens de bonne famille, comme tu le sais. On se touche, l'envol des jupons révèle en toute innocence théorique des bas blancs à des hauteurs que la bienséance ordinaire dissimule, le va-et-vient même paraît anticiper d'autres mouvements répétitifs. Il m'était arrivé d'assister dans mon enfance à des scènes parfois gênantes, et tout en ne sachant rien de la sexualité, je comprenais alors qu'il se passait là quelque chose de bizarre, qui excédait les règles de la vie ordinaire.

Ajoutait à mon trouble mon ignorance de la configuration dans laquelle nous nous trouvions. En principe, c'était celle, rassurante, d'un adulte consentant à jouer avec une enfant. Mais tu avais onze ans, devais-je te considérer encore comme une petite fille, ou entrais-tu déjà dans la catégorie des jeunes filles ? Et ce trouble ajoutait au plaisir.

Mais tu t'es laissé pousser sans rien dire, ton sourire seul, ta tête un peu renversée, tes cheveux répandus disaient le plaisir, le vertige auquel tu t'abandonnais en silence, tes lèvres entr'ouvertes sur tes dents légèrement humectées. Parfois je laissais la balançoire aller sur son erre, et je passais sur le côté. Tu tournais le visage vers moi, tes grands yeux me fixaient, tes lèvres esquissaient un sourire que je ne savais pas interpréter. Une sueur légère brillait à ton front et sur tes joues. Tu étais toute à ton plaisir, le mouvement d'oscillation répété de la balançoire paraissait faire converger vers toi toutes les sensations dispersées du moment, la douce brume qui montait de la rivière, le parfum de l'herbe écrasée par les jeux, la lumière oblique de la fin de l'après-midi, comme si ce va-et-vient obstiné fixait les choses les plus ténues, les plus impalpables dans un envoûtement qui me possédait moi aussi, simple desservant du culte de ton enfance radieuse.

— Pour moi aussi, l'instant avait quelque chose d'extraordinaire, même s'il ne s'agissait pas exactement de la fascination que tu décris. Je ne me doutais pas un instant de l'effet que je produisais, au contraire, je craignais de n'être pour toi qu'une petite fille qu'on amuse. Je sentais pourtant, sans oser le croire, que ce n'était pas ça. L'espèce masculine m'avait toujours paru étrangère, comme une race animale avec laquelle il est difficile de communiquer. Ceux de mon âge étaient bruyants, encombrants, intrusifs. Leur seule passion semblait être qu'on reconnaisse leur importance. Quant aux plus grands, ils considéraient qu'une petite fille n'avait pas d'intérêt, et se contentaient d'un peu de condescendance et d'un attendrissement de commande. Tu étais le premier représentant de cette espèce qui paraissait ne pas vraiment se conformer à ses mœurs habituelles. Nous étions sur le même plan, deux êtres humains, la différence d'âge devenait secondaire. Les sentiments de reconnaissance, de complicité, de curiosité se mélangeaient en moi. Justement parce que tu étais un garçon bien élevé, délicat, attentif, qui me laissait être moi-même sans rien exiger, la virilité pouvait m'apparaître comme quelque chose qui me concernait intimement. Il fallait qu'elle entre dans ma vie, même si je ne savais sous quelle forme. Peut-être simplement de cette manière, tes mains sur mes hanches, tes cheveux se mêlant à mes cheveux, je m'étais mise à la vouloir, et elle avait tes traits, ta voix, ta façon de toucher, la chaleur de tes mains.

Et puis il y a eu les parties de canot. Tu m'avais expliqué que tu voulais être seul avec moi, et j'avais réussi à convaincre mes sœurs de prétendre qu'elles n'avaient pas envie de venir. Cette complicité les avait excitées. Et puis, disais-tu, ton canot n'était pas bien grand. Tu évoquais auprès de mes parents des rencontres prévues avec d'autres enfants, de petits rassemblements de canoteurs, et puis il n'en a plus été question. Tu venais me chercher les dimanches matin, ma mère avait préparé un panier de pique-nique, nous allions à pied jusqu'au petit embarcadère installé au fond du jardin de ta mère, dans un repli de la rivière. Nous dépassions quelques pêcheurs, et puis la rivière pénétrait dans la forêt.

Il faisait chaud en cette fin de printemps. Je ne prenais jamais d'ombrelle. Au moment où le canot glissait sous les arbres, je m'étendais, la tête contre un banc, et je regardais le miroitement de l'eau sur les feuilles. Les branches des saules et des aulnes pendaient jusqu'au canot, se prenaient dans mes cheveux, et je m'imaginais nageant au-dessus d'un gouffre vert d'où montait une forêt d'algues oscillant selon des rythmes lents, de même qu'à la maison il m'arrivait de m'étourdir, allongée tête renversée sur un canapé, en contemplant un sol blanc et nu où s'érigeait l'étrange sculpture du lustre, tandis que pendaient au plafond lambrissé, comme des trophées, des tables, des chaises et des sofas.

Le tunnel d'ombre et de verdure nous absorbait, nous aménageait une intimité au creux d'un monde étranger, composé de lueurs et de reflets, d'ondes et de scintillements, d'affleurements et de plongeons, de grincements et de chutes minuscules, sans objets ni localisations précises, comme un labyrinthe mouvant de pures sensations, et chaque dimanche se renouvelait pour moi l'espoir que cette sorte d'épreuve de dématérialisation sensible nous ferait déboucher sur un monde différent, un monde enfin sans redite, sans longueurs, sans explications, fait lui aussi de purs instants, de sensations perdues, sans prolongement et sans retour. Je n'aimais tant le silence et les longues stations allongées que pour les laisser advenir, l'excès de mouvement qui me fatiguait chez les autres n'étant à mes yeux que la précipitation vers le prévisible.

À l'inverse, je prenais plaisir au geste recommencé de ton bras plongeant les rames dans l'eau verte, comme j'aimais le mouvement pendulaire de la balançoire, les tâches répétitives, la broderie par exemple, et les bouts de phrases lues dans des romans que je pouvais me redire en boucle des après-midi entières. La réitération m'était une manière d'épuiser la redite par elle-même, de chercher à retenir l'instant dans la circularité, de vider mon esprit pour le rendre disponible à tout ce dont se composait le moment.

Tu menais la barque parmi les innombrables méandres et bifurcations de la rivière, qui ne cessait d'émettre et d'absorber des répliques difficiles à distinguer entre elles, et à un moment donné, qui me paraissait chaque fois aussi imprévisible, tu la faisais pénétrer dans un bras où l'eau presque stagnante affectait un vert plus profond et une consistance plus épaisse, encombrée de feuilles, de branches, de carapaces d'insectes et de débris inidentifiables.

On avait à peine conscience de progresser le long des rives, toujours semblables. L'heure s'était perdue, le souvenir de la ville se dissipait. Il faisait si sombre ; si lourde, si animale était l'odeur émanée des creux et des replis presque invisibles où s'entrelaçaient des racines qu'il ne m'aurait pas surprise de voir onduler un long serpent, ou quelque autre créature moins identifiable, dont le visage aux yeux fixes viendrait affleurer à la surface d'un bassin mort. Dans l'entrelacs des branches formant voûte au-dessus de nos têtes, qui sait si un regard attentif n'aurait pas distingué une guivre aux écailles aussi vertes que les feuilles, et je m'amusais parfois à essayer de la voir, comme dans ces images que vendaient des colporteurs, où il fallait trouver le loup dissimulé dans le paysage. Mais je savais aussi, d'après les légendes, qu'aussitôt vue, la serpente disparaîtrait dans le paysage, ne laissant derrière elle que l'écho de sa voix, et un cri qui vous navrait le cœur tant il exprimait de douleur.

Et puis, tout à coup, on débouchait sur une clairière éclairée par le soleil. On y abordait par une étroite grève sablonneuse entre deux grands saules qui la masquaient, de sorte que, une fois étendus sur l'herbe, nous ne voyions presque plus la rivière, autrement que sous la forme d'un vague flux lumineux derrière la grille serrée des branches et des feuilles. Et là, après avoir grignoté le contenu du panier préparé par ma mère, nous ne faisions plus rien. Le temps ne passait pas. Entre les plages de silence, tu me racontais parfois les rêves que tu faisais. Ou bien tu évoquais ton enfance, tes déambulations solitaires dans la noire maison de ta mère, débordant de vieux livres, tu détaillais tes peurs. Dans le couloir obscur qui menait à ta chambre, au premier étage, il y avait une massive armoire toujours fermée à clé. Tu n'avais jamais vu personne l'ouvrir. Depuis que ta mère t'avait emmené au cirque, tu t'étais convaincu qu'un clown vivait caché là, il avait le visage de celui qui s'était approché de toi, au bord de la piste, pour te lancer une plaisanterie. La nuit, tu écoutais les grincements du couloir, en te demandant si c'était le clown entrebâillant la porte de l'armoire. Je te savais gré de nous tenir en dehors du temps et du réel. Et moi, de même, j'évoquais une image qui m'avait frappée, une gravure dans un livre d'histoire ou le portrait d'un ancêtre oublié au grenier, les vieilles histoires que me racontait ma grand-mère. Je t'ai même narré l'histoire de Pulchérie, qui plus encore que les autres a paru retenir ton attention.

Jamais aucune barque ne se profilait entre les branches, le rhizome des bras de la rivière, d'embranchement en embranchement, nous avait fait sortir de l'espace ordinaire et, qui sait, du temps ; j'espérais que lorsque nous reviendrions, de longues années auraient passé, mes parents, mon frère et mes sœurs seraient morts, morts aussi leurs enfants, tout le monde nous aurait oubliés, et l'histoire de notre mystérieuse disparition se serait dissipée dans le passé. Je te racontais cela, aussi.

Tu enchaînais sur cette histoire. Nous aurions vieilli de quelques années. Nous débarquions dans cette petite ville de province comme un jeune couple désireux de s'y installer, nous achetions une vieille maison depuis longtemps sans occupants, et je suggérais que ce pourrait être la maison de mes parents. Oui, pourquoi pas, disais-tu. Et nous pourrions avoir un enfant. Alors, disais-je, je voudrais que cet enfant soit comme Pulchérie. Nous aurions cette petite fille, et nous pourrions la chérir et la protéger. Nous nous rêvions toutes sortes d'avenirs étranges ou drôles, des lieux dans lesquels nous apparaissions et disparaissions, étrangers à tout sauf à nous-mêmes, jouant avec l'idée d'un accouplement qui ne pouvait pas se dire autrement que dans ces fictions.

Ces conversations chimériques, que je me répétais inlassablement le soir dans ma chambre, goûtant une inflexion de phrase, rêvant sur un mot, contemplant dans l'obscurité de ma chambre l'éclat déclinant du soleil fixant les ombres solennelles des grands arbres, semblables aux gardiens d'une énigme déposée dans cette clairière, finirent par engendrer une idée que je t'exposai à notre quatrième escapade, dans la barque, et l'inflexion de mes phrases se pliait au rythme de l'eau pénétrée par les rames, à la syntaxe du courant articulé de branches mortes et de longs rameaux immergés. Le discours ininterrompu des choses me rassurait assez pour que j'ose me lancer dans mes chimères, ma parole n'en était qu'une partie, elle émanait du paysage, elle en avait la même nécessité.

Ce serait un jeu, comme cache-cache, le croquet, la balançoire, les devinettes ou les charades. Comme le jeu des métiers, tiens. On serait l'homme et la femme. Mais l'homme et la femme en soi, sans époque, sans métier, sans milieu, sans âge. On serait Adam et Ève. Je n'ai que onze ans, mais je peux en avoir quarante. Je suis née dans une famille bourgeoise de cette ville et de ce pays, dans ce siècle, mais je pourrais aussi être une esclave des Aztèques au XIVe siècle. Puisque nous sommes l'homme et la femme, nous pouvons être n'importe quel homme et n'importe quelle femme. C'est comme une expérimentation, on soumet les ingrédients à des conditions différentes, et on essaie.

On peut tout essayer, tenter les combinaisons les plus intéressantes, les plus amusantes, les plus exotiques, les plus romantiques. C'est si triste, c'est si décourageant, l'amour tel qu'il est vécu. Mon père et ma mère sont ennuyeux au possible. D'ailleurs ils ont toujours l'air de s'ennuyer. Et quand mon père nous emmène visiter une de ses fermes, il y a des paysans qui rudoient leur femme, d'autres qui nous racontent des histoires salaces quand mon père a le dos tourné, en nous faisant voir les poules ou les cochons. À l'école, les garçons se vantent de leurs conquêtes et affectent de parler grossièrement, les filles ricanent et minaudent, on dirait la même vieille blague éternellement ressassée. Essayons d'inventer, de voir ce qui marche et ce qui ne marche pas, ce sera toujours plus amusant. Louis, dis-moi que tu ne penses pas que c'est juste un rêve enfantin, la chimère de quelqu'un qui ne connaît rien à la vie et se construit dans sa chambre de jeune fille des avenirs rêvés, sans tenir compte de la réalité, des nécessités de l'époque ou du milieu.

Mais non, tu ne croyais rien de tel. Tu voulais bien jouer. Ce serait un peu comme du théâtre, chacun improvisant son rôle.

Oui, cela promettait d'être très amusant. Par quoi allions-nous commencer ?

Nous avions lancé toutes sortes d'hypothèses farfelues, en riant, et nous étions sur la petite grève sablonneuse avant même de nous en être aperçus. Tu as tiré silencieusement le bateau hors de l'eau. « Adam et Ève étaient nus », as-tu soufflé. Nous devrions nous baigner nus pour sceller notre alliance. Ce serait notre baptême.

C'était ce qu'il fallait me dire. Le jeu, la solennité, le secret. Nous avons pénétré nus dans l'eau en même temps, en nous tenant par la main. L'anneau froid glissait le long de mes cuisses, de mon ventre, comme un signe d'alliance. Après le sable, mes pieds se sont enfoncés dans la vase, j'étais dans l'eau jusqu'aux hanches, des nénuphars m'entouraient et semblaient s'écarter pour m'accueillir. Rien ne résistait, matière et choses cédaient, s'ouvraient et m'absorbaient. En me retournant, je voyais le tas de nos vêtements sur l'herbe, semblables à des mues de reptiles. Tu as arraché de l'eau des lys jaunes et des renoncules blanches dont tu as noué les longues tiges, et tu as posé cette couronne sur ma tête.

— Le geste s'est imposé, Alice, a dit Charles, je n'ai même pas songé au ridicule, il fallait que Louis pose sur ton front la couronne des épousées. Nous étions hors du temps, ç'aurait pu aussi bien être en Palestine au temps de la jeunesse du Christ, ou en Arcadie à l'époque de Lycurgue. Mes mains tremblaient un peu lorsque je l'ai élevée au-dessus de ta tête. Puis elles se sont posées sur tes épaules. Les tiges fluides descendaient sur tes joues comme une chevelure végétale, et l'eau lustrale ruisselait sur ton front. Je n'avais jamais rien vu d'aussi beau, d'aussi intimidant, tu étais une jeune naïade que la rivière engendrait en la composant de ses limons, de ses eaux et de ses algues.

J'ai hésité un instant, je ne voulais pas mettre fin à ce moment, je voulais continuer à te voir telle que tu étais avant que le temps ne s'engrène à nouveau, avant qu'autre chose n'advienne, je voulais, un instant, un instant encore, retenir mes bras prêts à t'enlacer, ma tête qui se penchait et voulait se poser sur ton épaule, je voulais que tu demeures l'objet pur de mon désir, encore hors de moi, et je sentais, au cœur même de ma joie, la nostalgie de ce moment magique où tout bascule.

— Oui, Charles, ce sont de beaux mots, des phrases tout à fait réussies pour décrire cet instant. Elles sont séduisantes, mais je ne suis pas sûre qu'Alice l'ait vécu dans cette exaltation lyrique. Non, ne parle pas encore, comprends ce que je te dis. J'ai onze ans. Je ne peux qu'être fascinée par ce qui est en train de se passer. Je n'y vois aucun mal, au contraire, je t'ai choisi, tu incarnes le principe masculin tel que je le désire, sans mélange, je ne te vois pas comme un père ni comme un grand frère. En même temps il y a en moi, je ne sais pas comment dire ça, cela se mêle à la confiance et à la gratitude, non pas une prudence, mais une circonspection, un fond de réalisme que la magie ne dissout pas complètement. Je voudrais savoir ce que signifie ce à quoi j'adhère sans comprendre tout à fait pour quelles raisons j'y adhère. Nous sommes Adam et Ève, la nudité ne me gêne pas. À aucun moment de ma vie pourtant je n'ai été nue en présence de quelqu'un, ni mes sœurs, ni ma mère, avec un homme ç'aurait été inimaginable. Mais je me conformais simplement à des habitudes. Je n'y attachais aucune idée morale.

— Ton corps conserve les rondeurs de l'enfance, il est lisse, sans aspérités, rien ne rompt la blancheur parfaite de ta peau, ni veine, ni poil, tes bras ont le potelé de ceux d'un de ces putti qui accompagnent les déesses sur les tableaux mythologiques. Ce corps ne donne rien au monde et ne lui demande rien, il se suffit à lui-même, il repose dans sa propre perfection inconsciente d'elle-même, et quand tes yeux noirs se posent sur moi, grands ouverts, j'ai l'impression qu'on me regarde depuis un autre monde, un monde plein, homogène et parfaitement clos. C'est à cause de cela que ce regard me bouleverse, il vient de l'inaccessible, par lui la pureté absolue me considère, il se pose sur moi et sur le monde sans intention, sans demande, sans désir, il se contente, sur tout ce qu'il touche, d'affirmer ta présence pure. Et par moments, c'est presque insoutenable, je ne sais plus quoi faire, je voudrais te serrer, te serrer tellement fort que tu entrerais en moi, te mêlerais à moi, mais je ne peux que sentir mon impuissance, alors mon envie de tendresse se mue en désir de violence, je voudrais te déchirer, lacérer ce corps parfait et l'ouvrir pour qu'il me livre enfin son impénétrable intériorité. Mais je me contente de te serrer doucement contre moi.

— J'hésite un instant, je pose mes mains sur ton dos. J'ignore ce que nous sommes en train de faire, mais ta douceur, ce moment et ce lieu hors du monde, la voix murmurante de l'eau m'entraînent. Nous n'obéissons plus aux règles qui régissent le monde ordinaire, rien de bas ni de vulgaire ne peut se passer. Et peut-être aussi aurais-je peur, en reculant, d'imiter les filles du collège, qui se targuent de leurs reculs effarouchés et vertueux dès qu'un garçon fait mine de trop les approcher, manière trop évidente de faire étalage du prix élevé de leur corps. Oui, je crains qu'une réaction de méfiance ne montre que je suis incapable d'être à la hauteur de ce qui se passe, incapable d'être introduite dans le sacré. Je tremble un peu. Ma peau aime ta peau. Tes cheveux sentent bon. Tu me serres à peine, c'est un enlacement qui tient de l'effleurement, il serait presque chaste si je ne sentais pas, contre mon ventre, durcir quelque chose que je ne vois pas mais que je sais être ton sexe.

— Je sais, j'aurais préféré que cela n'arrive pas. Bien sûr, j'éprouvais du désir, mais pas un désir proprement sexuel, je désirais ta pureté, et j'aurais voulu que mon désir reste pur lui aussi, sans manifestation physique. Mais désirer ta pureté était une contradiction insoutenable, je voulais que tu restes pure, intacte, je veux dire, pas au sens vulgaire de n'avoir jamais connu le sexe, mais close dans ta perfection, je désirais ce qui excluait par définition la satisfaction de tout désir.

— Ma mère ne m'avait jamais parlé de sexe, mais Adrienne, la gouvernante, qui nous avait fait la leçon lorsque nous étions petites, évoquait parfois les hommes. Pour elle, c'étaient des êtres pervers et dangereux. Tout ce qui les intéressait, c'étaient de « faire leurs saletés ». Nous ne comprenions pas de quelles saletés il s'agissait, mais Adrienne éveillait plus notre curiosité que notre dégoût. Et nous nous demandions si notre père, lui aussi, faisait des saletés. Et quand ils avaient eu ce qu'ils voulaient, ajoutait Adrienne, ils filaient, et abandonnaient les malheureuses qu'ils avaient déshonorées. Elle nous citait des exemples de malheureuses déshonorées, comme la fille d'un fermier de La Ville-aux-Bois, qui avait eu un enfant à seize ans. Son père l'avait chassée, et c'était elle, expliquait Adrienne, que nous voyions le dimanche mendier à la sortie de l'église. Mais il ne fallait pas lui donner, pour ne pas encourager le péché. Voilà en tout cas ce que faisaient les hommes.

Cela ne nous paraissait pas très clair. Mais l'animosité d'Adrienne envers les hommes était intarissable. Seules les femmes, selon elle, pouvaient être belles. La beauté ne concernait pas les hommes. Même ceux qui avaient une réputation de jolis garçons, comme le capitaine de Saint-Arnault, avec ses petites moustaches blondes, qui faisait rêver toutes les filles du collège dont les yeux, comme aimantés, ne cessaient de le regarder à la dérobée pendant la messe. Ceux-là, il fallait s'en méfier encore plus. Il était bien comme les autres, et il en avait déshonoré, de pauvres filles. Et sous son uniforme, c'était le même corps que tous les hommes : velu comme une bête, anguleux et dur. Mais le plus laid, ajoutait Adrienne en baissant la voix, c'étaient leurs choses. Elle appelait ça aussi leur « nature ». Il valait mieux d'ailleurs ne jamais voir ça, tellement c'était dégoûtant. Et en même temps ridicule.

Au collège, diverses spéculations avaient lieu sur la « nature » des hommes, mais des filles plus délurées détenaient des informations de seconde main, qui nous avaient éclairées. Leurs explications ne démentaient pas celles d'Adrienne : elles décrivaient avec des rires sous cape de grotesques sacs poilus.

Au moment où cesse notre étreinte, je vois ton sexe qui se dresse hors de l'eau, comme une créature autonome, les paroles d'Adrienne me reviennent en mémoire, et me semblent étrangement sans rapport avec ce que je vois, qui ne m'effraie pas, ne me paraît ni laid, ni obscène, ni ridicule. Il a au contraire, ce sexe, quelque chose de presque touchant, on dirait un petit animal aveugle et fragile. Il redouble ton corps, comme une ébauche sommaire que tu serais contraint de promener avec toi, une déité archaïque, aux lignes élémentaires et pures. Je ne me sens pas agressée par ce sexe dressé, il me semble plutôt donner prise sur toi. Ton corps, musculeux, hâlé, me semblait beau, mais ton sexe lui ajoutait une bizarre complexité, presque une dualité que n'avait pas un corps de femme, et je me demandais comment on pouvait vivre cette dualité, ce morceau de corps qui ne se rattachait pas totalement au reste.

Par la suite, parmi bien des scènes que je rejouais à l'envi dans le théâtre nocturne de ma chambre, jamais rassasiée d'en goûter les moindres détails, travaillant aussi, des heures durant, à tenter de les préciser, de compléter une forme inachevée, un geste esquissé et toujours fuyant, ou bien encore à les retenir, les forcer à ne pas quitter l'image et le récit avant de s'estomper dans l'oubli, celle de mon couronnement dans l'eau a occupé de nombreuses nuits, tandis qu'allongée dans le noir j'attendais que les formes se précisent, que la chair emplisse les formes et que la couleur anime la chair, et plus encore à partir du moment où l'on m'a annoncé ta mort, sans que je le veuille toujours consciemment, sans que je décide chaque fois de susciter les images, contrairement à ce qui se passait d'habitude, où j'étais à la commande de la scène, de sorte que je me demandais si ce n'était pas toi qui exigeais de reprendre vie par l'intercession de ma mémoire.

Lorsque la nuit la pluie inondait mes carreaux et qu'on entendait le flux de l'eau parcourir les larmiers, lorsque les voix éveillées dans l'espace indistinct commençaient leur chuintement étrangement semblable au discours murmuré de notre rivière, je savais que tu allais venir. Tu te formais lentement, mais avec plus d'autorité que les figures que je prenais l'initiative de convoquer, le fleuve de la nuit te composait de sa propre matière, ta silhouette émergeait progressivement, un soleil invisible t'éclairait d'une lueur noire que reflétaient les centaines de gouttes qui parcouraient ta peau, tu élevais tes bras entrelacés de guirlandes d'herbe et d'eau, portant la couronne de lys et de renoncules au-dessus de ma tête, et ton sexe dressé qu'à son tour formait ma mémoire impérieuse était l'instrument du triomphe.

Tendrement, attentivement, un invisible sculpteur te recomposait pour moi, retouchant sans fin les détails de ton corps, arrangeant la scène que la nuit menaçait en permanence de dissoudre pour qu'enfin se reconstitue la perfection de ce moment.

Tout était allé si vite que c'est à peine si j'avais pu véritablement voir ton corps, et l'invisible sculpteur de ma mémoire me le restituait mieux que la réalité. Sur le moment, j'avais compris, plus que je n'avais véritablement vu, que tu me plaisais. Le bel homme dont rêvaient mes camarades du collège était toujours un peu constitué sur le même modèle. Il avait le moins de corps possible, c'était une sorte d'image plate sur laquelle on avait accroché des signes de virilité, les moustaches, la coiffure gominée, l'uniforme bien sanglé ou le complet serré à la taille, avec les bottines qu'il fallait. Ce n'étaient pas des corps d'homme qui les faisaient rêver, elles en avaient peur, ou ils les dégoûtaient, il leur fallait une sorte de support neutre, asexué, une virilité irréelle et purement rêvée. Au début je pensais que c'était à cause de leur éducation bourgeoise, où l'on éloignait le plus possible les filles de tout ce qui avait trait au corps, où le mari qui constituait leur avenir obligé était un principe désincarné. Mais des conversations que j'ai eues avec des filles de cuisine ou des servantes m'ont laissé penser que les femmes du peuple devaient souvent fonctionner de la même manière. À elles aussi, il fallait de l'imagination plus que de la réalité. Contrairement aux idées reçues, elles n'étaient pas plus proches de la réalité, elles consommaient des signes. Ce n'étaient pas les mêmes, la moustache était différente, il y avait une casquette et un foulard, une cigarette au coin de la lèvre et un grain de la voix, mais les signes leur suffisaient, à elles aussi. Et une fois qu'elles avaient succombé à leur image de l'homme, c'en était fait, elles n'en reviendraient plus. Elles l'avaient « dans la peau », comme elles disaient. Il pouvait rentrer ivre tous les soirs, les battre, la réalité n'aurait plus jamais d'importance.

C'est l'inverse qui s'était passé lors de ce moment irréel dans la rivière. Il m'avait donné ton corps, Louis. Et ton corps était entré dans mon esprit, il était le principe masculin lui-même, qu'il me semblait avoir cherché sans le savoir. Je l'avais pressenti, à ta manière de te déplacer, de te poser dans une pièce, de manger, et ta nudité dans l'eau l'avait confirmé, on ne pouvait pas, toi, Louis, te résumer au support de quelques signes, à un mannequin sur lequel on aurait posé un costume d'homme.

Mais toi aussi, à ta manière, tu as voulu éterniser ce moment. Les deux derniers dimanches, tu es venu avec un appareil de bois et de cuivre, une chambre Dubroni, m'as-tu expliqué. Tu m'as tressé une nouvelle couronne, et tu m'as demandé de prendre la même pose, nue, plongée jusqu'à mi-cuisses dans la rivière. Tu semblais ne pas pouvoir te lasser de me faire corriger tel geste, de reprendre un nouveau cliché, tu parlais de lumière et d'ombre, tu allais et venais, modifiais légèrement la position de mon bras ou de ma tête.

Puis tu as voulu d'autres postures, il fallait que je m'allonge dans l'herbe, le jupon retroussé, le caraco glissant d'une épaule, le corps offert au ciel et la tête tournée vers l'objectif, comme une victime. Ou tu exigeais une simple chemise, que tu déchirais par endroits, tu brouillais mes cheveux, et je devais sembler sortir de la forêt, me retenant d'une main à une branche, comme un enfant sauvage hésitant au seuil du monde des hommes. Tu as même été jusqu'à me salir un peu, déposant très sérieusement un peu de vase de la rivière sur mes joues, dans mes cheveux ou sur ma chemise. Et toujours tu voulais mes yeux grands ouverts en direction de l'objectif, sans jamais sourire, tu disais, je m'en souviens, que j'avais les yeux immenses et noirs d'une bête traquée qui se retourne vers le chasseur, tu disais que toute l'obscurité de la forêt tenait dans mes yeux, tu disais que mes regards venaient d'un monde inaccessible et que de tels regards, irradiant d'un corps à l'abandon, d'un corps livré, incarnaient une innocence qui te bouleversait, plus pure et plus inaccessible encore d'être livrée.

Je me prêtais à tes mises en scène, je ne sais pas pourquoi, sans doute parce que je ne voyais pas de raison de m'y opposer, et aussi parce que je ne voulais pas rompre l'harmonie miraculeuse qui avait présidé jusque-là à nos échappées sur la rivière. Mais la photographie introduisait entre nous une distance, une sorte de séparation des fonctions qui a commencé à me donner à réfléchir.

— Oui. Je dois te l'avouer, Alice, j'ai continué en Afrique. Je faisais poser de toutes jeunes filles, à peine nubiles, à qui je proposais un peu d'argent, d'abord nues, ou dans des tenues propres à représenter les colonies, des pagnes, des colliers de bois, des chaînes même parfois. Je réalisais des centaines de plaques, mais je n'étais jamais satisfait. Et puis je me suis procuré des vêtements européens, et je les ai habillées comme tu l'étais lorsque je te prenais en photographie, je les ai même emmenées au bord d'une rivière, où les ficus tenaient lieu de saules. Je m'évertuais à l'impossible reconstitution d'une minute perdue dans l'espace et dans le temps. Je passais mon temps, le soir, et même la nuit, à manipuler les centaines de tirages que j'avais effectués. Je ne parvenais pas à me défaire de cette obsession. Et plus je m'y accrochais, plus elle produisait l'inverse de ce que je cherchais. Non seulement, au lieu de maintenir la fragile essence de cette heure, elle finissait de l'épuiser, de la vider, mais elle jouait un rôle de révélateur, elle faisait apparaître dans nos journées sur la rivière quelque chose de déplaisant, quelque chose que je ne voulais pas voir.

Je n'avais jamais tenté d'abuser de toi. Non que le sexe fût absent de l'amour que j'éprouvais pour toi, et je ne l'excluais pas, mais l'idée me faisait peur, je rêvais, absurdement, d'une espèce de sexe absolu, qui serait une assomption de la pureté, une pureté devenue sexe, dans le désir porté à son incandescence. Mais les photographies, à force d'effacer dans la réitération l'empreinte du souvenir, substituaient aux images que je conservais des images différentes, sous un autre éclairage. J'ai fini par brûler tous mes tirages.

— Au milieu de l'été, peu après mon couronnement, mon père a mis fin à nos parties de bateau, puis tu es parti et tu es mort. Le monde mythique dans lequel se déroulaient nos rencontres ne s'est pas dissipé pour autant, de sorte que tu y as repris place, quoique mort, avec beaucoup de naturel. J'avais besoin de tes visites, aussi rares qu'elles fussent. Tu me garantissais que le monde dans lequel je vivais, qui n'avait que peu de liens avec le monde dans lequel vivaient tous les autres, ne se dissiperait pas à l'approche de l'âge adulte, que peut-être il y aurait toujours pour moi ces murmures dans les recoins, ces tortillements de mots dans la poussière, ces regards parmi les feuillages.

— La première nuit où je me suis introduit dans le jardin de tes parents, en passant par la rivière et en sautant par-dessus la barrière qui fermait l'accès au ponton, j'ignorais qu'on t'avait raconté ma mort. Cette nuit-là, nous nous sommes surtout remémoré le temps jadis. Nous n'avons pas touché au présent, de crainte sans doute qu'il ne profane le passé. Ces jours d'autrefois, il fallait, comme un très vieux meuble rempli de parfums et d'objets anciens, mais dont le fragile assemblage menace à chaque instant de se défaire, les tirer tout doucement jusqu'à nous, les accueillir dans cette nuit incertaine, les palper, dessiner à nouveau de la main leurs contours. Et cette nuit est restée close sur elle-même, à tel point que je me suis demandé si ce n'était pas elle que nous appelions le passé.

Il y eut une autre nuit, plusieurs mois après, où nous avons évoqué la nuit qui l'avait précédée, de sorte que de nuit en nuit nous aurions pu nous enfoncer dans un emboîtement de répétitions. Mais en fait nous parlions peu. J'étais assis sur la petite chaise de paille de ton bureau, toi sur ton lit, face à moi, et nous laissions passer les minutes. Dans ces interstices, un peu de présent, des bribes de passé plus récent se glissaient parfois, mais jamais il n'a été question de ma mort. Il m'est arrivé d'évoquer l'Afrique, mais ce n'était qu'un autre mythe qui venait côtoyer le nôtre avant de se replier sur ses fleuves et ses forêts brumeuses. Je ne pouvais pas rester longtemps, à peine une heure, au plus creux de la nuit, puis je sortais du jardin, rejoignais le chemin de halage où j'avais laissé la barque plate qui me permettait de rejoindre en toute discrétion le jardin de ma mère, qui donnait directement sur la rivière. Mais je craignais toujours que sur la berge d'en face un noctambule attardé n'aperçoive cette ombre quitter le ponton à bord de son embarcation, courbée sous une grosse capote grise, et longer les berges portée par le lent courant de la rivière.

De nuit en nuit, aussi désespérément que nous puissions lui résister, s'affermissait l'idée que seule la singularité de nos colloques clandestins parvenait à maintenir dans une survie artificielle le charme du passé. Un jeune médecin mort en Afrique dont le fantôme revient visiter tous les six mois une adolescente, ce n'est pas quelque chose dont on peut facilement se défaire. Et je crois que c'est pour cela que je venais encore, contre toute raison : je tenais à maintenir, sous une forme romanesque, cette aventure passée qui ne ressemblait à rien de ce qui peut arriver dans une vie ordinaire, tout en sachant, au plus profond de moi, que tout cela n'avait plus de sens.

Il y a eu une sixième nuit, mais pas de septième. Les mois ont passé. L'écart est devenu plus long qu'entre deux nuits ordinaires. Avais-tu jamais pris l'habitude de m'attendre, Alice ? Chaque nuit, tu ignorais si je reviendrais. Je suppose que tu as dû d'abord trouver le temps un peu long, je suppose que certaines nuits, la visite nocturne t'a manqué, je suppose que tu t'es dit, dans ta naïveté de gamine, que les fantômes finissent par épuiser le peu de consistance qui leur reste, qu'ils perdent la force de s'immiscer dans notre monde. Je suppose qu'insensiblement tu as dû cesser de songer à mon retour. Mes visites, si brèves, si disséminées dans le temps, ont rejoint le bric-à-brac des souvenirs étranges, qui ressemblent à des rêves.

Tu es devenue une femme, et tu as fini par mener l'existence de tout le monde, comme toutes les adolescentes rêveuses. Tu t'es mariée, pourquoi pas avec un jeune collègue brillant de ton père, cela aurait pu être moi si mes désirs avaient été plus ordinaires. Je suppose que tu as vécu l'existence banale d'une épouse de la bourgeoisie de province. Tu as vieilli. Et par moments, tu as dû te remémorer ces visites inexplicables d'un mort, venant converser une heure, au milieu de la nuit, dans la chambre d'une jeune fille. Et moi, de mon côté, rêvant à tout cela, je me réjouissais d'être cette silhouette s'estompant dans un miroir, au fond d'une pièce abandonnée, cette trace du visiteur nocturne que la pluie défait, l'ombre de cette ombre.

Bien entendu, je ne suis pas mort, et sans doute était-ce ton envie de le croire qui t'aidait à maintenir cette fiction. J'avais compris, à certaines de tes paroles, que c'était ce que tu croyais. Tu vivais dans un relatif isolement, tu m'avais expliqué que tu n'avais pas au collège de camarades à qui tu aurais pu te confier, que tes parents te maintenaient à l'abri des bruits du monde et des ragots de la ville, de sorte que tu avais peu de contacts avec la réalité. J'en avais conclu que tes parents avaient fabriqué cette fiction pour libérer ton esprit de l'emprise qu'ils craignaient que j'exerce, même à distance, sur l'esprit d'une jeune fille romanesque.

Je revenais du Congo tous les six mois, par le vapeur de Marseille, pour voir ma mère. Je ne restais chaque fois qu'une semaine, je n'avais rien à dire à ma mère et je n'avais envie de voir personne. En Afrique, j'avais fréquenté des bordels sordides, et les filles indigènes m'avaient transmis la maladie que j'étais censé combattre. De toute façon, j'avais pu constater que les traitements au mercure, que recommandaient toutes les autorités médicales, ne servaient à peu près à rien. Je m'étais, comme les autres, converti à l'absinthe. J'en engloutissais de grandes quantités en compagnie d'officiers cirrhotiques et de négociants incultes. Mes maux de tête étaient de plus en plus fréquents et violents, j'étais régulièrement pris de spasmes dans la jambe droite, je savais ce que cela signifiait. Viendraient peut-être, comme je l'avais vu tant de fois chez mes patients, les douleurs fulgurantes dans les membres, puis les hallucinations. J'étais un raté, un alcoolique vérolé, sans avenir. Je pouvais continuer à pourrir doucement en Afrique, ou revenir au pays, comme tant d'autres, et devenir une ennuyeuse épave racontant les colonies à d'autres ratés au Grand Café du centre. Alors, oui, la première fois que je suis revenu voir ma mère, je n'ai pas pu résister, il a fallu que je me glisse à nouveau dans la peau de celui qui avait couronné d'herbes aquatiques une jeune fille de onze ans, il a fallu que je m'introduise dans sa nuit pour qu'elle me lave de ma médiocrité et fasse renaître sous le médecin colonial précocement fatigué le dieu fluvial de jadis.

— Oui, Charles, ça n'est pas mal, tu as l'air de vouloir dégonfler le romantisme un peu excessif de toute l'histoire. Mais c'est au fond pour mieux le sauver, tu te raccroches à la désillusion, à l'amertume, au voyageur qui s'extrait des profondeurs de l'Afrique pour partir en quête d'un passé enchanté, au mort qui revient et qui est l'image de la mort spirituelle, et tout cela, c'est encore du romantisme. J'avais grandi, et j'étais capable de m'en rendre compte. Je mesurais la beauté de ce qui nous était arrivé, mais aussi la part de théâtre que tout cela contenait, le côté déclamatoire et chromo. Nous avions un peu, juste un peu, forcé les choses pour nous convaincre de vivre une magie que nous ne trouvions pas dans la réalité. Tu vois, la rencontre des âmes, ça ne fonctionne pas. Nous avons construit notre théâtre fantasmatique. Ce n'est pas moi que tu cherches dans cette histoire, ce n'est pas toi que je cherche.

Nous sommes dans le temps, mon amour, il n'y a pas d'âme, il n'y a pas de personne en dehors du temps. Moi, j'ai aimé pouvoir, par toi, accéder au masculin, j'ai aimé aussi vivre dans un mythe, où les scories insignifiantes du quotidien n'avaient pas leur place. Mais ta personne ne m'était pas vraiment accessible. Et toi, c'est l'enfance que tu as désirée en moi, c'est le mythe de la plénitude, et c'est le regard de l'enfance sur toi, la confiance qui t'accueillait et te faisait don de la plénitude. Mais ce n'était pas moi.

C'est pourquoi la fin de l'histoire, telle que tu la racontes, n'est pas nécessairement la bonne. Elle satisfait à la pureté que tu aimerais conserver dans toute cette histoire, mais tu sais bien que c'est une illusion. Tu as brûlé les photographies. Le prétexte esthétique n'a pas réussi à masquer la nudité obscène de ton désir : tu veux une enfant. Tu veux ton sexe d'homme dans le sexe d'une fille pas encore nubile. Et, je le comprends à présent, l'histoire que nous nous sommes racontée ne pouvait que se dérouler de cette manière.

— J'avais rêvé autre chose avec toi enfant, Thalia, sentir qui tu étais déjà, celle que tu allais devenir, encore repliée, concentrée en elle-même. J'avais rêvé d'un amour qui prendrait des formes cérémonielles, et se déroulerait hors des lois du monde.

— C'est un rêve que font les hommes adultes, à qui le monde est offert, dans lequel des petites filles qui ne savent rien, et à qui le monde est interdit, jouent le rôle de ce qui peut les retenir encore un peu dans un autre monde, celui qu'ils s'apprêtent à quitter à jamais. Ce n'est pas exactement le monde du passé qu'ils veulent conserver avec les petites filles, mais plutôt un espace hors du temps, un état où les choses et les êtres n'ont pas de fonction, ne s'insèrent pas dans un réseau de relations, où ils reposent en eux-mêmes, semblables à des princesses endormies, chacun dans son château au fond de forêts impénétrables, et les hommes, certains hommes aimeraient être le Prince charmant qui les éveillera. Et ils ont besoin pour cela des petites filles.

Car les petites filles, parce qu'elles sont enfants et parce qu'elles sont filles, habitent ce monde des forêts impénétrables et des châteaux figés. Elles sont les servantes qui gardent le feu immobile dans la cheminée, le bois qui repose dans le bûcher, les champignons étalés sur le bois de la table de la cuisine. On les a, avec les grand-mères, affectées à tout ce qui se consacre à la tâche la plus humble, la plus nue, celle qui n'intéresse personne, celle qui se déroule sourdement, en deçà des activités ordinaires : être. On croit que les petites filles et les bonnes grand-mères essaient de se rendre utiles, déjà utiles, encore utiles, qu'elles sont là, avec les domestiques, pour broder, mettre du bois dans le feu, tenir la marmite chaude et cuire les confitures, mais elles font semblant, et le Prince charmant le sait, sans le savoir, il a l'intuition que les petites filles sont les gardiennes du foyer de l'être. Alors, avant de se détourner à jamais et de lancer leur blanc destrier dans le monde des hommes, il y a des Princes charmants qui veulent goûter encore à ce que gardent les petites filles.

Il y a même, mon amour, de vieux Princes charmants, des Princes charmants avec des poches sous les yeux, une calvitie, de grosses mains velues, il y a des princes dégoûtants qui n'ont jamais réussi à renoncer à ce que gardent les petites filles. Ils se savent déchus, mais ils continuent à tourner autour d'elles, avec leur concupiscence, ils ne peuvent pas s'empêcher de vouloir ce qu'elles ont. Ils se figurent que l'acte sexuel sera le moyen de le leur prendre. Ils pressentent que le sexe n'est pas exactement ce qu'il paraît être. On le prend pour une fonction, la simple procédure d'assouvissement d'un désir brutal. Mais il est autre chose aussi, de très ancien, qui concerne les choses enterrées, les trésors cachés, le feu dans la cheminée et le champignon dissimulé dans l'obscurité du sous-bois. Le sexe est pour les hommes la cérémonie du sacrifice, celui que l'on offre aux dieux pour que la présence nous soit accordée. Voilà pourquoi, mon amour, le soir de la sixième nuit, trois ans après ta première apparition, toi, le Prince charmant, le visiteur nocturne, tu as violé une petite fille de quatorze ans.

— Non. Non, a dit Charles incarnant Louis, ce n'était pas un viol, c'était tendre et doux, c'était un cérémonial, nous étions ailleurs, très loin des interdits et des limitations de ce monde. Tu n'étais pas une petite fille forcée par un vagabond au coin d'un bois, tu étais le principe féminin, faire l'amour c'était se baigner dans les mêmes eaux lustrales que celles où je t'avais couronnée. Tu as accepté. On ne peut pas salir ce qui s'est passé au nom de la respectabilité bourgeoise.

— Je sais, mon amour, mais qui est ce « tu » qui a accepté ? Nous étions hors du monde et du temps, mais c'est une fiction, ou, si tu préfères, une image. Tu sais très bien que nous devons vivre dans le monde et le temps. Et dans le temps, je continuais à n'être qu'une enfant, qui avait besoin de devenir une femme. Ce n'était pas un cérémonial, c'était la représentation d'un cérémonial. Nous nous étions fabriqué une fiction, nous nous y étions enfoncés comme nous nous enfoncions dans les bras secrets de la rivière, mais je n'avais que quatorze ans, je n'avais pas encore tout à fait émergé de la magie, et tu t'es servi de la magie. Je me suis laissé faire parce que j'étais hypnotisée. Après, j'ai eu envie de mourir. Non pas que j'aie trouvé ça horrible ou déshonorant, ou salissant comme me le serinaient ma mère et plus encore Adrienne, tu sais bien que j'étais assez imperméable à ce genre de considérations. Mais le hiatus m'est apparu entre tout ce que nous avions fait ensemble et cet acte sans charme, entre ce déploiement de prestiges et cette platitude. Il m'a semblé que, depuis le début, je m'étais fourvoyée.

— Moi aussi, Alice. Moi aussi je m'étais fourvoyé, je croyais que faire l'amour avec toi serait une sorte d'acmé, où la pureté absolue me serait donnée dans la chair, par la chair, mais chaque geste me paraissait emprunté, trop théâtral ou trop machinal. Ce que j'avais différé en tremblant chaque fois que je t'avais vue s'avérait d'une parfaite banalité. J'étais floué, je n'avais rien de toi, cette plénitude à laquelle je n'avais cessé de rêver m'était toujours aussi inaccessible, encore plus peut-être. Il n'y avait plus d'issue, plus de possibilité de reculer, ni d'aller plus loin. Et je me suis mis à penser que peut-être, conformément à ce que j'avais lu dans les fragments de Schopenhauer que m'avait donnés à lire ton père, je n'avais construit cette histoire merveilleuse que comme une ruse pour baiser une vierge.

— Et c'est pourquoi, Louis, mon amour, cette nuit-là, tu m'as tuée. Tu m'as tuée parce que tout y aboutissait. Tu t'es aperçu que le sexe, que tu prenais pour une assomption, ne te donnait rien. Tu étais allé trop loin et tu ne pouvais plus en rester là, dans ce vide glacé qu'était tout à coup devenue ma chambre, la fenêtre restée ouverte par laquelle tu étais entré laissant pénétrer le froid que la pleine lune, qui s'affichait en plein milieu du cadre, semblait avoir gardé dans son giron en attendant cet instant où tu reposerais à côté de moi, pour te l'instiller au fond du corps comme tu avais inoculé dans mon ventre de vierge ta semence aussi froide, m'avait-il paru, que celle des incubes. Tu ne pouvais pas renoncer ainsi aux dimanches où l'eau avait accueilli notre métamorphose en divinités, aux quelques nuits dans ma chambre disséminées dans le temps qui te donnaient le sentiment d'être d'une autre essence que l'homme dans la peau duquel on t'avait condamné à demeurer, mais il n'y avait plus moyen de les prolonger, et depuis le début tu le savais sans vouloir te le formuler clairement.

Le meurtre était la solution romantique à l'excès romantique. La mort était aussi l'ultime moyen de t'approprier ce qui depuis le début te demeurait fermé, ce que les photographies n'avaient jamais réussi à te donner, ce trésor dont tu avais seul décidé que je le détenais, que tu n'aurais même pas pu nommer ni définir, l'appelant tantôt beauté, tantôt pureté, et qui n'était, je crois, que ce qui nous manque à tous si profondément que nous nous entêtons à le prêter à d'autres qui le détiendraient, nous figurons-nous, et pourraient dès lors nous le donner, cette substance parfaitement autonome, se suffisant à elle-même, close sur sa plénitude et tellement parfaite qu'elle n'a même pas conscience de l'être. Comme un bon chien de chasse, ton désir, dès notre première rencontre, dans le jardin de mes parents, avait flairé que j'étais l'objet parfait à partir duquel tu pourrais bâtir ta fiction. Tu comprends, Louis, que cette histoire-là ne pouvait pas fonctionner autrement ?

Tu m'as tuée, cette nuit-là, mon amour, parce que la destruction est la seule forme d'appropriation possible quand on ne sait plus comment faire. Tu m'as tuée cette nuit-là parce que tu étais ivre de fiction, saoul à rouler par terre à force d'absorber les histoires que tu t'étais racontées toute ta vie. Tu m'as tuée parce que, de même que toute notre histoire était le fruit de nos imaginations, tu imaginais encore quelque chose, qui n'avait rien à voir avec le banal fait divers d'une jeune fille assassinée par un prédateur sexuel, une sorte de cérémonie qui redoublait mon couronnement dans la rivière, un acte d'amour, te disais-tu sans doute, que tu exécuterais avec toute la piété requise, dans lequel je deviendrais enfin à toi parce que tu pouvais m'anéantir, et où tu serais à moi parce que tu me sacrifiais ton désir en l'accomplissant.

Et tu voyais déjà, dans cette imagination qui allait me détruire, sur le chemin de halage, le passant nocturne qui te regardait, depuis l'autre berge de la rivière, nocher habillé d'ombre, déposer dans sa barque funèbre une forme enveloppée de linges blancs, les draps nuptiaux dans lesquels tu avais roulé mon corps, tu voyais l'insomniaque te voir diriger l'embarcation au milieu du courant, et là, tu le voyais te voir me glisser dans le reflet parfaitement circulaire de la lune, me rendre à cette eau d'où tu t'imaginais m'avoir fait naître un dimanche après-midi, bouclant ainsi la perfection de ta fiction, et peut-être même voyais-tu en lui, dont le regard te métamorphosait en cet être surnaturel que tu avais toujours rêvé d'être, le clown de l'armoire dans la maison de ta mère, qui toute ta vie t'avait suivi pas à pas, qui toute ta vie t'avait surveillé, derrière les portes à demi closes, au coin des murs, dans les caves et jusque dans les forêts équatoriales, attendant que tu devinsses enfin cet être qu'il attendait patiemment de voir éclore, sa créature, son enfant, son double, vision qui ne te quittait pas tandis que tu t'évertuais à m'étrangler, mon amour, t'apercevant que ce n'est pas si facile d'étrangler une jeune fille, que ce n'est pas propre ni romantique, elle se débat, elle effectue des soubresauts grotesques, elle essaie de crier, de la bave coule au coin de ses lèvres, et toi tu t'affoles, ton cœur bat trop vite, tu poses le genou sur sa poitrine pour accélérer l'étouffement, tu sens sous tes doigts craquer des cartilages, son visage tourne au violacé, ses yeux deviennent rouges, tu te bats avec quelque chose que tu ne connais pas, cette chose dont tu te racontais que tu l'aimais, que vous étiez faits l'un pour l'autre, deux âmes appariées pour lesquelles l'âge et le temps sont indifférents, ce n'est plus qu'un déchet souillé de mucosités et de sang que tu abandonnes, repartant par la fenêtre où s'encadre encore la lune froide dans son plein, la fenêtre que franchissent les Roméo, le chant du rossignol et le visiteur des nuits, remportant avec lui, dans son cœur désormais glacé, sa fiction désertée.

— Non, Thalia, il faudrait que tu m'accordes au moins une autre fin.

— Quelle autre fin voudrais-tu ?

— Tu l'as laissé entrevoir. Après cette dernière nuit, je retourne en Afrique, mais je peux de moins en moins supporter la vie là-bas. Tu t'aperçois que tu es enceinte, et cela te contraint à avouer à tes parents l'abracadabrante histoire des visites du Don Juan défunt. Ton père écrit à l'hôpital où je travaille. Bref, retour à la métropole, entrevues entre tes parents et ma mère, arrangements, lorsque l'enfant naîtra tu auras quinze ans révolus depuis deux mois, le vrai coup de chance, c'est l'âge auquel le Code civil permet aux filles de se marier avec l'autorisation des parents.

Le mariage a lieu, bien entendu, dans la plus stricte intimité, et dans une charmante église de campagne, celle du village où tes parents possèdent une villégiature, suffisamment éloigné de notre ville pour que l'état intéressant de l'épousée ne fasse pas trop jaser. Ils ont fait restaurer à la hâte une autre de leurs propriétés, dans une petite ville distante de plus de cent kilomètres, c'est la distance sanitaire minimale entre eux et nous. C'est là qu'ils nous installent, avec un pécule suffisant pour que je puisse y ouvrir un cabinet médical. La chose faite, ils ne veulent plus entendre parler de nous. Tu accouches à la maison, sans sage-femme, je suis seul pour t'assister. Et, comme tu l'envisageais dans les histoires que nous nous racontions sur la rivière, l'enfant est contrefait, bossu, bancroche. Sur son épaule gauche, une protubérance couronnée d'une pilosité noire donne l'apparence d'une tête rabougrie.

Et bien sûr la réalité n'a rien à voir avec les histoires que charriait la rivière. La réalité est que cette créature nous fait horreur, et pas un instant nous n'envisageons l'humiliation de la produire publiquement comme le fruit de nos amours. En ville, je parle d'un enfant mort-né, et personne ne vient vérifier. Nous assistons presque seuls aux obsèques, devant un petit cercueil où j'ai placé le cadavre d'un jeune chat enveloppé de linges. J'aurais voulu délivrer l'enfant de la vie, mais ni toi ni moi n'en avons eu le courage. Pourtant il faut bien donner le change, continuer à employer la cuisinière et la femme de charge. Tu installes une nursery à l'étage infréquenté de la maison, et les lointains vagissements qui parviennent parfois aux oreilles des domestiques, tu les attribues aux chats qui hantent ces zones désaffectées. Mais tu surprends parfois la femme de charge, qui croit aux revenants, se signant lorsqu'elle les entend, convaincue que le spectre de l'enfant mort-né hante la maison.

L'enfant grandit, silencieuse, seule avec les jouets qui s'accumulent dans sa chambre, avec la poussière et les toiles d'araignée, elle n'imagine pas que l'univers puisse être composé d'autre chose, elle est craintive et parle à peine, et tu ne lui donnes pas cette tendresse, ces caresses que tu envisageais tranquillement dans nos fictions qui jadis laissaient comme des algues flotter leurs linéaments avec le courant de la rivière, parce que tu as peur de cet amour que la laideur corrompt, l'amour de ta fille te répugne, c'est la parodie clownesque et grimaçante de tout amour, de sorte que, secrètement, dans ce grenier où tu montes encore une demi-heure tous les jours, tu sens en toi se glacer plus profondément la possibilité d'aimer cette enfant, parce que tu serais incapable de t'abandonner à le faire avec la conscience de ne pas l'avoir fait jusque-là. Et tu la détestes de t'obliger à te détester toi-même, de trahir et souiller l'enfant grave et généreuse que j'avais couronnée dans la rivière.

Et, puisqu'on meurt de n'être pas aimée, un matin tu retrouves l'enfant immobile parmi le monceau des marionnettes et des poupées de chiffon ou de porcelaine, des chevaux de bois et des dînettes, des livres d'images et des boîtes à musique, avec la même peau desséchée et le même visage de bois, et la luxuriance des cheveux sur sa tête d'automate semble postiche, comme si elle avait fini, à force de ne fréquenter qu'eux, par adopter leur substance, pantin parmi les pantins. Et nous ne pouvons plus habiter la même maison que ce pantin, nous disparaissons, laissant les herbes envahir le jardin et la poussière recouvrir de son voile miséricordieux la désolante laideur de la forme recroquevillée dans son fauteuil, au fond de la pièce dont l'humidité décolle patiemment le papier peint, effrite les plâtres et macule les chromos sur lesquels Polichinelle espionne Pierrot au fond d'un parc éclairé par la lune, en attendant que s'égouttent les siècles.

Ainsi se termine l'histoire de mon amour pour toi en enfant, mon amour.

ALASTAIR 9

Mais, avait poursuivi l'ange pourrissant, estimant qu'il a laissé le temps nécessaire à la contemplation muette, le pantin au double cratère nasal se lance dans l'inévitable boniment.

— La beauté que vous contemplez tout à loisir en ce moment, mesdemoiselles, mesdames, messieurs, et vous aussi beau militaire, et dont je vois bien à votre silence que vous éblouit et vous laisse sans voix le miracle de perfection qu'elle incarne, et qui pourrait la faire servir de modèle idéal pour représenter Vénus elle-même, d'ailleurs des peintres et des sculpteurs sont venus travailler ici même, conscients du fait que nulle part ils ne pourraient trouver semblable plastique, la beauté que vous contemplez, disais-je, n'est pas seulement remarquable par ses qualités esthétiques. Non, elle est aussi, hélas, un phénomène unique. Cette jeune fille est en effet endormie depuis bientôt sept ans.

Un brouhaha d'incrédulité et d'étonnement mêlé monte à cet instant du petit groupe, réaction prévue dont la narine semble avoir l'habitude. En orateur consommé, il lève deux petites mains potelées, et reprend.

— Sommeil n'est d'ailleurs pas le mot juste. Il s'agit plus précisément d'un étonnant cas de léthargie. Et depuis sept ans, ce ne sont pas seulement les artistes, mais aussi les savants et les médecins qui sont venus se pencher sur ce corps admirable.

Tout a été tenté pour la réveiller, mais rien n'y a fait, ni les aspersions d'eau glacée, ni les stimulations nerveuses, ni les bruits les plus violents. La beauté que vous avez le privilège d'avoir sous les yeux est suspendue entre la vie et la mort : son souffle est à peine perceptible, de même que ses battements de cœur. Le jour où elle est tombée dans cet état, d'ailleurs, toute sa famille l'a crue morte. On l'a placée sur son lit, avec une branche de buis entre les mains, et on s'apprêtait à l'enterrer le lendemain.

Oui, mesdemoiselles, oui, messieurs, ce miracle de la nature, cette incarnation de la perfection humaine a bien failli être enterrée vivante ! Et si elle s'était réveillée dans son cercueil ? Car personne ne sait pour combien de temps elle est plongée dans cet état, elle peut aussi bien en sortir ce soir même, sous vos yeux, que dans dix ans, ou même jamais ! Heureusement que le médecin appelé pour constater le décès a eu l'idée de placer un miroir sous le nez de la belle endormie. Car alors il a pu observer que le verre s'embuait légèrement, prouvant que la fonction respiratoire était encore active.

Mais vous vous demandez certainement comment cette jeune personne a pu se maintenir en vie durant sept années, comment ses besoins organiques peuvent être satisfaits…

— Ben tiens, elle se tape une entrecôte tous les soirs, après le spectacle, avec un petit verre de picrate, lance un invisible plaisant dans le public, déclenchant les rires et les grognements d'approbation.

— Cher monsieur, je m'attendais à cette réaction. N'ayez crainte, les preuves irréfutables de la réalité de cette extraordinaire léthargie vous seront bientôt fournies. Permettez-moi avant cela de vous dire que maintenir en vie et en bonne condition notre belle endormie exige des soins constants et attentifs. Des massages et des applications d'onguents lui sont dispensés quotidiennement pour éviter que son admirable épiderme ne souffre de cette immobilisation prolongée.

— Moi j'veux bien le faire, si vous êtes en mal de personnel, clame le même amuseur, engendrant les mêmes rires.

Et là, Punch sent monter en lui un de ces débuts d'irritation qu'il connaît bien. Il sait, Punch, comment cela peut finir, il pourrait presque prévoir à quel moment exact il perdra le contrôle de lui-même, sans pouvoir rien faire, et il tente de toutes ses forces de s'apaiser, se contente d'un « Chuuuuut » qui l'énerve lui aussi, parce qu'il lui semble que son intervention participe de la profanation. En même temps il ne peut pas s'empêcher de chercher dans la pénombre éclairée par les flambeaux le pitre de service, il n'est pas loin, ce ne peut être que lui, là, l'espèce de calicot à la moustache avantageuse. Et Punch, doucement, se déplace pour se poster juste derrière le bonhomme.

— Je vous remercie de votre généreuse proposition, cher monsieur, mais cette tâche délicate est exercée à tour de rôle par ses frères, qui n'ont jamais cessé de s'occuper de leur sœur bien-aimée. Et il ne s'agit pas seulement de compenser les inconvénients de l'immobilité, il s'agit de la laver, il s'agit de la nourrir et de l'abreuver. Chaque jour, on fait cuire pendant près de sept heures un kilo de viande dans une marmite américaine. Le jus recueilli, que l'on délaie dans un bouillon de légumes, avec une cuillerée de vieux porto, en y ajoutant parfois un jaune d'œuf, est donné à notre belle endormie, très doucement, à la petite cuiller. Mais certains d'entre vous ne connaissent peut-être pas ce dernier mot du progrès alimentaire qu'est la marmite américaine, aussi dénommée sustenteur. Je vais donc faire passer parmi vous celle qui nous sert quotidiennement pour alimenter notre belle endormie. Voilà. Ce modèle, tout en étain, a reçu la médaille d'argent à l'Exposition universelle de 1867. Regardez bien, mesdemoiselles, on place la viande ici, c'est cela, et après plusieurs heures de cuisson on peut recueillir le précieux condensé nourricier, qui permet de soutenir la santé des malades et de reconstituer les anémiques.

Inutile d'aller boire du sang aux abattoirs. Tout le monde a bien vu ? Merci. À présent, et pour ceux qui douteraient encore de l'authenticité du sommeil de notre belle endormie, je vous demanderai de lire attentivement l'attestation encadrée que voici. Elle porte la signature du célèbre professeur Louis-Edgar Périllon, qui occupe la chaire de neuropathologie à l'hôpital Saint-Mathurin, à la capitale. Le professeur Périllon s'est montré vivement intéressé par notre belle endormie et est venu spécialement l'examiner de la capitale, il y a cinq ans, en compagnie d'un dessinateur qui a pris quelques croquis. Vous pouvez lire ses conclusions, et admirer celui qui se trouve accroché au mur à votre gauche, parmi une série de photographies de notre belle endormie, prises dans différentes villes où nous l'avons présentée. Comme vous pouvez le constater sur ce document, le professeur conclut à une léthargie hystérique, provoquée par une grande frayeur. Nous parlerons tout à l'heure de cette frayeur. Mais, pour certains d'entre vous, un simple papier ne suffit pas à certifier la vérité. Eh bien, vous allez pouvoir vérifier par vous-mêmes la réalité de cette léthargie. Si vous avez lu attentivement ce certificat, vous avez peut-être remarqué que le professeur Périllon mentionne, parmi les symptômes de la léthargie hystérique, la « diathèse de contracture ». Ces mots savants signifient qu'au moindre contact sur sa peau, les muscles de notre belle endormie se contractent, et resteront pris dans cette crampe jusqu'à ce que je leur applique une bouillotte d'eau chaude. Je vais donc demander à une dame, ou à une demoiselle, dans le public, de bien vouloir se livrer devant vous à cette expérience.

L'homme gigantonase fait semblant de chercher, mais je sais bien sur qui il a déjà jeté son dévolu. Il ne pouvait pas en être autrement : question de contraste de couleurs, question d'intensité dramatique. Désignée par lui, la petite négresse tente d'abord de résister, mais la curiosité est la plus forte, elle finit par s'avancer vers l'estrade.

— Quel est votre nom, ma belle enfant ?

— Apolline, monsieur.

— Et d'où nous venez-vous, Apolline ?

— Ben… d'ici, monsieur.

— Ah ah, d'ici, oui, mais votre couleur m'indique que vous devez venir de plus loin… Où sont nés vos parents, Apolline ?

— Ma grand-mère m'a dit que ma mère était née en Martinique.

— Voilà, d'où votre belle couleur ténébreuse, Apolline.

Quelques ricanements se font entendre dans le public, mais Apolline ne leur accorde aucune attention apparente, pas un trait de son visage ne bouge, elle garde sa gravité, son noble maintien, comme si elle était quelque princesse de Saba que la crasse du vulgaire ne saurait atteindre. C'est ainsi que je l'aime, que je la désire, ma petite Apolline, cette reine qui voudrait bien oublier qu'elle n'est qu'une guenon, il y a dans ces tortures de la conscience une friandise infiniment délicate que peu de gens sont capables de goûter.

— Eh bien, Apolline, je vais vous demander de vous placer derrière notre belle endormie, voilà, et avec votre main droite, de lever très doucement son bras gauche. Il y aurait là pour les artistes un beau sujet à peindre, cette main noire comme du charbon qui se pose sur ce bras blanc tel l'albâtre, c'est la princesse et sa fidèle esclave. Chère Apolline, veuillez garder un instant levé le bras de notre belle endormie. Comment est-il ?

— Il est devenu tout dur.

— Il est devenu tout dur ! C'est exactement cela. C'est ce que le professeur Périllon appelle « diathèse de contracture ». À présent, veuillez lâcher le bras… Vous pouvez tous constater que le bras reste dans sa position initiale. Et il le restera jusqu'à ce que je lui applique les compresses chaudes que j'ai préparées. Je ferai remarquer aux incrédules, car il y en a toujours, qu'il serait très difficile pour une jeune fille de garder ainsi son bras rigide, sans trembler. Et pour prouver que ces deux personnes ne sont pas des comparses, j'invite à présent tous les spectateurs qui le désirent à vérifier l'exactitude de ce constat. Merci, mademoiselle Apolline. Voilà. Je vais à présent appliquer la compresse qui permettra au muscle de se détendre. Il nous reste à faire une dernière expérience.

L'état de léthargie dans lequel est plongée notre belle endormie s'accompagne d'une insensibilité totale. Si la jeune fille était une simulatrice, elle ne pourrait se retenir de manifester les effets de la douleur. Vous voyez cette épingle ? Je la fais chauffer à la flamme de ce candélabre, à la fois pour assurer une nécessaire désinfection, mais aussi pour rendre la piqûre insupportable à une personne qui serait dans un état normal. Voyons donc si cette épingle parviendra à éveiller notre belle endormie.

— Moi j'ai une épine qui pourrait bien la réveiller, fait la même voix gouailleuse, suscitant les mêmes gloussements. Elle est dans ma…

La voix du plaisantin s'interrompt brusquement au milieu de son trait d'esprit. Il a senti quelque chose comme une pince lui broyer le biceps, il entend une voix lui souffler dans l'oreille : « Tais-toi à présent. » Il se retourne brusquement, prêt à en découdre. Contemple, incrédule, ventousée sur son bras, et qui l'enserre tout entier, l'énorme chose organique composée de chairs brunâtres, sur laquelle son esprit ne parvient pas à accoler le mot « main ». Lève les yeux.

Les épaules de Punch, le torse de Punch, les mains de Punch découragent ordinairement les plus téméraires. Mais ceux qui insistent tout de même, parce qu'ils ont un surin en poche, ou parce qu'ils sont deux ou trois, lorsqu'ils découvrent la hure de Punch, ne peuvent pas retenir un mouvement de recul. Certains ont continué, et le corps de Punch en porte la trace, sous forme de vieilles cicatrices, si nombreuses que certaines s'entrecroisent et donnent à sa chair très semblable à du bois l'allure d'une idole couverte d'entailles rituelles. Mais ceux qui ont continué ont découvert, yeux et bouche béants, l'appel impérieux de leur corps, la sensation de l'os qui se brise ou du sang qui se répand au profond des organes.

That's the way to do it.

Le plaisantin n'est pas de cet acabit et se soumet tout de suite. Le spectacle peut continuer.

— J'aurais besoin d'un volontaire… Oui, le beau militaire, là, au premier rang, veuillez nous faire l'honneur de procéder. Vous avez l'habitude de la douleur, vous êtes un gaillard, je suis sûr que vous n'allez pas flancher au dernier moment. Vous avez le rare privilège de toucher la belle endormie, n'ayez pas peur, contrairement au roi Bamboula elle ne mord pas, mais je comprends votre hésitation, on ne s'approche pas si facilement de la beauté incarnée. Voici votre instrument de travail, enfoncez-le dans le gras du bras de notre belle endormie, allons, n'hésitez pas.

Le militaire hésite pourtant, devant le tendre bras blanc, et son ombre penchée que fait onduler la flamme des candélabres paraît se recueillir sur le corps immobile de la dormeuse dont elle épouse la forme. L'aiguille est à peu près invisible, mais le geste de la main piquant le bras provoque dans le groupe des spectateurs un léger sursaut, et Punch lui-même, il doit bien l'avouer, alors qu'il a lui-même commis sans frémir des choses infiniment plus cruelles, ne peut retenir un soupir, tant le petit geste paraît attenter à la perfection tranquille de cette chair.

— Comme vous pouvez le constater, mesdames et messieurs, pas un frémissement, pas la moindre réaction. Qui pourrait sérieusement supposer, je vous le demande, que cette frêle jeune fille, nouveau Mucius Scævola, supporterait sans broncher cette douleur ? Non, mesdames et messieurs, notre belle endormie est dans cet état depuis sept ans, et il me reste à présent à vous en révéler les raisons.

Cette jeune fille se prénomme Thalia. Elle est la jeune sœur des célèbres frères Helquin, dont vous avez peut-être eu le privilège de voir le spectacle avant d'assister à cette démonstration. À l'origine, certains d'entre vous le savent peut-être, il y avait quatre frères Helquin. Seuls trois continuent aujourd'hui à se produire sur toutes les scènes du monde. Le quatrième frère, prénommé Alastair, a mystérieusement disparu peu de temps après l'événement qui a mis notre belle endormie dans l'état où vous la voyez aujourd'hui. Que s'est-il donc passé, il y a sept années de cela ?

À l'époque, notre belle endormie était une jeune fille de seize ans, acrobate talentueuse, incomparable engastrimythe. C'était la petite dernière, elle était née bien après ses frères. Mais elle s'entendait très bien avec Alastair, qui était le plus jeune des quatre et s'occupait patiemment de la former au difficile métier de clown et d'acrobate. Cependant sa santé était fragile. Il lui arrivait d'être prise de crises de catatonie, qui duraient à peu près une demi-heure. Médicalement, mesdemoiselles et messieurs, cela signifie que la malheureuse jeune fille, sans que rien eût pu le laisser prévoir, s'immobilisait tout à coup dans la position où elle se trouvait, même si elle était en train de faire un mouvement, et la conservait. Elle cessait d'être consciente et ne gardait aucun souvenir de l'épisode. Sans doute cette propension aux crises catatoniques explique-t-elle ce qui allait suivre, c'est du moins l'avis du professeur Périllon.

Alastair avait une place un peu à part parmi les quatre frères Helquin. Il était peut-être le plus doué, mais aussi le plus casse-cou des quatre. Il tentait des acrobaties toujours plus risquées, il s'ingéniait à inventer des voltiges que tout autre que lui eût considérées comme impossibles. Ses surnoms, à l'époque, étaient *The Flying Man*, l'Homme qui ne touche pas terre ou encore *Skybrusher.* Or, un jour, la jeune Thalia assistait à la répétition d'un nouveau numéro, dans une salle qui avait été prêtée aux artistes pour s'entraîner. Ce numéro devait d'ailleurs, par la suite, devenir un des classiques des frères Helquin. Il s'appelait

La Chute de l'ange et avait été entièrement imaginé par Alastair. Les frères étaient déguisés en anges. Rupert, l'aîné et le plus puissant des quatre, formait toujours la base de leurs compositions acrobatiques. Uriah montait sur ses épaules, Silas sur les épaules d'Uriah, et pour finir Alastair, vêtu d'une tunique blanche resplendissante, escaladait la tour humaine et se plaçait en équilibre sur les épaules de Silas.

Alastair avait changé depuis quelques années. Il avait grandi, forci, ses traits s'étaient modifiés, mais, dit-on, il insistait pour jouer encore les rôles de petit ange qu'il avait tenus avant son adolescence. Il tyrannisait ses frères, qui en avaient peur et devaient se débrouiller pour supporter son poids devenu presque insoutenable. Seul Rupert ne s'en plaignait pas. Vous pourrez tout à l'heure admirer des photographies de ce spectacle fameux, pris dans de grandes cités américaines. Mais ce n'était là que le début ! Une citerne de métal, de la hauteur d'un homme, était placée au pied de la tour humaine. Alastair exécutait un saut périlleux, tandis que Silas sautait des épaules d'Uriah, sur lesquelles Alastair retombait. La manœuvre se répétait un étage plus bas. Une fois sur les épaules de Rupert, le dernier saut périlleux devait envoyer Alastair dans la cuve, au fond de laquelle il disparaissait. Il y était maculé de suie. Il se recouvrait le visage, avec la célérité d'un contorsionniste accompli, d'un masque de démon, ajustait deux ailes de vampire sur ses épaules, et à la place de l'ange aérien du début, c'est un épouvantable diable qui surgissait de la cuve. Je vous laisse imaginer à la fois la difficulté de l'exercice et l'effet que pouvait produire ce numéro sur les spectateurs. Les frères Helquin ne l'ont d'ailleurs pas repris depuis qu'ils ont perdu Alastair.

Dans la demi-obscurité de la pièce, les narines faunesques du conteur, son front bizarrement déprimé et sa voix nasillarde paraissaient recomposer une lointaine représentation dont il eût été le grotesque Monsieur Loyal.

C'est drôle, avait ajouté l'ombre massive. Il m'est apparu à ce moment, par je ne sais quelle poussée d'émotion venant de très loin, que le cirque avait toujours lieu dans le passé. Non, ce n'est pas ça. J'ai du mal à démêler tout ça, voyez-vous, docteur, je ne suis pas un intellectuel, comme vous, un spécialiste de l'esprit humain, mais j'ai pris l'habitude d'essayer de comprendre comment ça fonctionnait, là-dedans. On peut se tromper sur soi-même, mais à la longue, quand on évite la complaisance, quand se regarder devient le même exercice que la discipline des ascètes, on finit par s'arracher des morceaux de vérité, même si c'est un peu sale, même si c'est un peu saignant. Mais ça n'a rien à voir avec mon propos. Où est-ce que j'en étais ? Ah oui…

Oui, la figure grotesque de l'homme aux narines, que l'éclairage gothique faisait émerger d'un autre temps, a ressuscité ce vieux trouble que m'ont toujours donné les spectacles de foire et de cirque. Que m'ont toujours donné du moins ceux que ma mémoire veut bien me conserver, parfois de manière confuse. Oui, c'est bien une sorte d'émotion qui faisait naître cette idée. Une idée engendrée par une émotion, une idée qui est une émotion, ça peut exister ça ? Peut-être que vous le savez, vous qui êtes si savant…

Ces spectacles me paraissaient se dérouler dans une lumière spéciale, et, comment pourrais-je formuler cela, cette lumière était du temps, était leur temps particulier, et elle était aussi l'émotion qui m'étreignait à les regarder, à cause justement de ce temps particulier. C'est un peu comme des souvenirs d'enfance oubliés qui vous remontent à la gorge sans prévenir, vous ne savez pas pourquoi, pour très peu, l'éclairage particulier d'un pan de mur. On pourrait croire que c'est à cause de l'enfance, tout le monde se met à devenir sentimental quand on parle d'enfance, mais je vous garantis que je n'ai aucune raison d'être sentimental quand je pense à mon enfance, quand j'entends au fond de l'oreille le rire grelottant de ma mère. Non, les spectacles de cirque ne parlent pas de l'enfance, mais de la même chose que les contes de fées, ils parlent de quelque chose de très ancien, de profondément enfoui, qui ne vous concerne pas et qui ne me concerne pas, mais quelqu'un en nous qui n'a pas de nom.

Non, ça n'est pas clair pour moi non plus. C'est une cérémonie, voilà, une cérémonie qui se déroule avant la civilisation, avant la morale et la connaissance. C'est un peu comme la messe : les curés nous disent qu'on ne commémore pas le sacrifice du Christ mais qu'on le refait. C'est ça le cirque, docteur, et la foire, et c'est pour ça que tant de monde aime ça, sans savoir vraiment pourquoi : par ces cérémonies, ce qui a lieu hors du temps se déroule aussi dans notre temps, et ça concerne la lune et le soleil, la dévoration et l'engendrement, des choses bien plus grandes et plus anciennes que nous, mais qui ont besoin de nous pour que leurs cycles se perpétuent. Oui, c'est cela, docteur, qui m'est apparu, devant le pantin qui ânonnait son histoire au-dessus du corps immobile de la belle endormie, et en même temps l'idée que moi aussi, peut-être, je recommençais dans ma vie un cérémonial très ancien, et cela m'a apaisé.

— Or ce jour-là, a continué la narine, la répétition n'a pas bien fonctionné. Était-ce la fatigue, était-ce l'énervement, on dit qu'une dispute avait eu lieu sur la manière de réaliser ce tour très difficile. Toujours est-il qu'au premier saut périlleux, au moment d'effectuer son rétablissement sur les épaules de Silas, Alastair a trébuché, et il est retombé tête la première sur le bord de la cuve en métal, au fond de laquelle il a disparu. Ses frères se sont précipités, mais au lieu d'en ressortir un démon triomphant, pourvu de tous ses attributs, ils en ont extrait un pauvre pantin sanglant, et le sang qui coulait sur son front se mêlait aux traces de suie. C'est devant ce spectacle affreux, et ce qu'elle supposait sans doute être la mort de son frère adoré, que notre belle endormie a perdu connaissance. Et depuis lors, elle se trouve dans l'état où vous la voyez aujourd'hui.

L'histoire que je viens de vous raconter, mesdames et messieurs, n'est pas seulement rigoureusement vraie. Elle fait partie de cas certes très rares, mais bien répertoriés par la médecine, et le professeur Périllon y a reconnu un certain nombre de traits classiques, notamment le choc psychologique faisant basculer dans la maladie un organisme fragilisé. Je vous remercie de votre attention. La sortie se fait par la tenture noire au fond à droite. N'oubliez pas de recommander notre spectacle à vos amis.

THALIA 10

Charles convenait que son amour pour moi enfant n'était pas la bonne solution. Dans notre petit théâtre, c'était une tentative, un spectacle charmant et inquiétant à la fois, mais qui ne trouvait pas sa conclusion. Nos belles répliques, nos poses émouvantes, même si nous nous y donnions de tout cœur, ne nous satisfaisaient pas. Et nous imaginions l'obscurité qui nous entourait comme celle d'une salle de spectacle du fond de laquelle nous scrutaient les centaines de regards d'un public au silence inquiétant.

Il aimait à revenir aux tout débuts de notre rencontre, à en reconstruire le dispositif. Il ne s'en lassait pas. Il en rejouait les souvenirs, comme si tout ce qui avait suivi, tout ce que nous avions fait depuis ne servait qu'à compenser la perte de cette perfection initiale. Il y avait un jour pour cela, le dimanche. Nous l'appelions le dimanche au Bois dormant. En fin de matinée, nous prenions une tasse de thé, en silence, de part et d'autre d'une longue table de palissandre, au milieu de laquelle trônait éternellement le même bouquet de grands pavots mauves et bleus.

Nous passions dans la chambre dédiée à ce jeu, il tirait les tentures, éteignait les becs de gaz, allumait deux ou trois chandelles. Je m'allongeais sur le grand lit à baldaquin dans un goût lourdement romantique, avec ses colonnes d'acajou torsadées, ses voilages de mousseline, ses pieds de bronze à figure de sphinges. Je fermais les yeux. Il m'avait déguisée en héroïne préraphaélite ; tout y était : la longue robe blanche, les mains croisées sur la poitrine, au front la couronne d'iris et d'œillets, qu'il changeait religieusement. Immobile, yeux clos, muette. Le rôle n'était pas difficile à tenir. Son rêve depuis toujours, son idéal de beauté, sa divinité, me glissait-il au creux de l'oreille.

Il lui fallait aussi me dévêtir lui-même, effectuer une longue toilette, à l'éponge, qu'il passait avec une infinie douceur sur chaque centimètre carré de ma peau. Puis il me séchait, me rhabillait. Alors venait le moment du repas. Il y tenait également. Goutte à goutte, avec une petite cuiller en argent, Charles déposait sur mes lèvres du jaune d'œuf mélangé de lait et de porto, ou un extrait de viande qu'il avait produit avec un sustenteur, et finissait par quelques gouttes de jus de pomme. Enfin, il essuyait pieusement mes lèvres avec un mouchoir, y déposait un baiser léger, et finissait la séance en me coiffant délicatement, avec une brosse, pendant près d'une demi-heure. C'était le moment que je préférais.

Le plus difficile était de rester complètement relâchée pendant qu'il se livrait à ces opérations. Et de ne pas éclater de rire s'il ratait la cible et me versait du jus de pomme sur la poitrine. Lorsque cela se produisait, malgré le luxe de précautions qu'il prenait, et la lenteur cérémonieuse qu'il mettait à effectuer ces opérations, comme un prêtre servant une grand-messe, le dimanche au Bois dormant était terminé. Le charme, disait-il, était rompu. Il paraissait tellement désemparé qu'il m'émouvait. Il avait l'air d'un enfant privé du jouet auquel il tient le plus. Mais le consoler n'aurait servi à rien, et m'aurait mise dans la position un peu ridicule du jouet qui réconforte son propriétaire, de l'objet du fantasme qui apaise le rêveur désenchanté. Cela n'aurait fait qu'empirer la situation, en sanctionnant sa perte de contrôle sur sa fantasmagorie.

J'aurais aimé que nous puissions rire de nos mises en scène, ménager quelque distance avec elles. J'espérais que cela deviendrait possible un jour, à la longue. Nous l'aurions fait en chuchotant, serrés l'un contre l'autre, je me représentais une tendresse malicieuse, qui n'aurait rien enlevé à la magie de nos jeux. Il m'avait dit un jour que n'importe quel homme était tous les hommes, mais que presque tous l'ignoraient. Tout individu avait en lui tous les désirs, toutes les vertus, toutes les perversions, mais les hommes faisaient dans leur vie un choix étriqué, déterminé par de l'atavisme, par l'éducation, par la morale, par l'époque ; ils préféraient ignorer cette foule qui s'agitait en eux, la crainte, la paresse, l'étroitesse d'esprit les poussaient à décider, ou à laisser décider pour eux qui ils étaient. Seuls les grands artistes, prétendait Charles, avaient la prescience de cette multiplicité en eux. Mais ils en faisaient des livres, des tableaux, des statues. « Nous, c'est dans notre vie que nous jouons de cette multiplicité. Comment pourrais-je prétendre t'aimer, Thalia, disait-il, si tout ce qui est en moi n'aimait pas tout ce qui est en toi ? »

Je lui avais rétorqué, un soir, que cela n'avait pas de sens d'aimer tout le monde. On n'aime jamais que des êtres particuliers, on les aime à cause de leurs particularités. D'ailleurs il se contredisait, puisqu'il me disait ce qu'il aimait en moi, ma voix, mes yeux, mes mains, ma poitrine, ma façon de me déplacer, et ce qu'il appelait mon attention, cette manière que j'avais, d'après lui, d'envisager toute chose comme si elle était neuve et qu'elle méritât un souci particulier, une lente imprégnation, et aussi, à l'inverse, disait-il, ma souplesse mentale d'acrobate, qui trouvait toujours matière, dans les émotions, dans les petits faits de la vie, à des jaillissements de joie. Charles me répétait qu'il aimait mes passages imprévisibles du repli aux manifestations expansives de désir, comme si j'étais toujours partagée entre le sommeil et la vie, et je lui rappelais qu'il m'avait précisé, textuellement, que chacun de ces états semblait toujours se souvenir de l'autre, il y avait du sommeil dans mes élans, comme s'ils se dépliaient depuis la profondeur d'un rêve, et dans mes phases de concentration silencieuse il croyait deviner l'acrobate préparant ses élans. Si c'était tout cela qu'il aimait, quel sens cela avait-il d'aimer en moi tous les autres qu'il supposait que j'étais ?

Il ne parvenait pas à se dépêtrer de ces contradictions, de sorte qu'il y revenait toujours, comme si à nous deux nous avions quelque chance de résoudre le problème. Il ébauchait des réponses, qui ne le satisfaisaient pas, et moi non plus. Je ne devais comprendre que bien plus tard, lorsque tout cela aurait pris fin, quel sens cela avait, pour lui et pour moi. Pour lors, nous nous abandonnions à nos jeux comme à une nécessité vitale, nous avancions à l'aveugle, et nous engagions toute notre énergie dans nos cérémonies, semblables à des fanatiques n'imaginant pas d'autre vie qu'offerte aux rituels de leur secte.

Une fois qu'il m'avait donné mon repas, il gardait le silence. J'aimais ce moment. Yeux clos, je laissais mes pensées vagabonder, au gré des images d'autrefois, l'odeur me revenait de la piste, une odeur animale, musquée, qui se mêlait à celle, soufrée, des lampes à gaz. Le visage d'Alastair, penché vers moi, et ses yeux qui brillaient comme des éclats d'obsidienne, sous le surplomb de ses énormes arcades. La grimace d'horreur et de souffrance factices qui révulsait les traits d'Uriah, tandis que Rupert déroulait de son ventre des entrailles en tissu, blanches et roses, qu'ils avaient poussé le scrupule jusqu'à tremper dans l'eau pour leur donner un aspect visqueux. La scène avait longtemps animé mes cauchemars, parce que tout le sel comique tenait en grande partie à l'incroyable inventivité grimacière d'Uriah, qui parvenait à tirer de ses traits de fantastiques déformations.

Et puis, au moment où le silence semblait s'être définitivement installé, aux heures creuses du milieu de l'après-midi, alors qu'aucune silhouette ne se glissait sur la petite place, qu'aucun bruit ne résonnait dans Saint-Genest, ni cris d'enfants, ni pas de chevaux, et que nous pouvions croire être les ultimes représentants de l'espèce humaine accaparés par la tâche d'en rejouer les drames et les comédies pour la faire vivre encore un peu, Charles parlait.

De sa voix grave, chaude, qui détachait précautionneusement les syllabes, se suspendait parfois sur une respiration, de cette voix qui aurait pu à elle seule me séduire, que j'aurais pu écouter des jours sans me lasser, et dont j'entends encore aujourd'hui les échos venir à moi depuis le passé, traversant les années, surtout un peu avant le sommeil, comme s'il était encore là, à mes côtés, qu'il vivait encore et que j'étais toujours cette endormie, il me disait qu'il m'avait raconté bien des fois cette histoire avant même que je ne me réveille, et qu'il aimait à me la redire pendant le jeu, parce qu'il n'était pas encore parvenu à en épuiser le charme, et que la répétition même semblait encore l'approfondir, en mettre en évidence le pouvoir d'envoûtement, et dans cette voix mon histoire, ce que j'en connaissais et ce qu'il m'en avait raconté, prenait la saveur d'un mythe.

Oui, j'étais amoureuse de sa voix, soit qu'elle résonne dans l'obscurité, tandis qu'il gisait à mes côtés, et puis s'interrompant, dans le silence infusé encore de ses accents, attendant que je prolonge ou corrige ses phrases au gré de mes propres fantaisies, soit qu'étendue sur le lit de la Belle endormie, je la laisse librement dérouler ses notes graves, légèrement nasalisées, qui réveillaient en moi quelque chose qu'il me semblait avoir toujours ignoré, faisaient vibrer des fibres profondes, qui peut-être seraient restées, sans ces accents, à jamais inertes.

Parfois, je cessais même d'écouter ce que la voix disait, pour me focaliser sur sa seule sonorité. En elle, j'entendais tout son corps résonner, sa chair dont j'aimais la texture dense, solide, ses muscles, ses organes, ses os, c'étaient eux qui, dans ce souffle, m'étaient donnés, plus intimement peut-être que lorsque nous faisions l'amour, et dans notre chambre ma main cherchait son corps, glissait sur lui, comme pour en unifier d'un geste les parties que je ne pouvais pas étreindre ensemble, et qui toutes, semblables alors aux différents instruments d'un orchestre, s'harmonisaient dans cette voix.

La voix, au-dessous de ce qui était dit, et qui paraissait vouloir dire quelque chose, ne portait aucune signification. Elle disait *rien*, et elle le disait à la perfection, jamais je n'avais entendu d'autre voix dire comme elle qu'elle aspirait à un sens, qu'elle cherchait à travers les accidents divers de ce qu'elle formulait, qu'il y avait un sens au-delà de tous les sens. Et il me semblait que cette voix était celle de l'amour, ou plutôt était l'amour même, de sorte que, peut-être, je pouvais penser, je pouvais espérer que cette voix m'avait choisie, non pour ce qu'elle avait à me dire, mais pour être celle à qui elle pouvait s'adresser, cette écoute particulière qui était la mienne, et en qui elle pouvait abandonner le poids de ce qu'elle voulait dire, s'en délester pour ne plus être, enfin, que la modulation de son désir.

Et je me souvenais, en l'entendant, du passage que j'avais lu naguère dans la nouvelle d'un écrivain oublié, en feuilletant de vieux numéros de la *Revue des Deux Mondes* dans la bibliothèque de notre maison de Saint-Genest, et qui m'avait intriguée sans que je comprisse pourquoi. J'étais allée le relire :

> On s'assit autour d'elle, et aussitôt, d'une voix fraîche et pénétrante, légèrement voilée, comme celle des filles de ce pays brumeux, elle chanta une de ces anciennes romances pleines de mélancolie et d'amour, qui racontent toujours les malheurs d'une princesse enfermée dans sa tour par la volonté d'un père qui la punit d'avoir aimé. La mélodie se terminait à chaque stance par ces trilles chevrotants que font valoir si bien les voix jeunes, quand elles imitent par un frisson modulé la voix tremblante des aïeules.
>
> À mesure qu'elle chantait, l'ombre descendait des grands arbres, et le clair de lune naissant tombait sur elle seule, isolée de notre cercle attentif[9].

La magie de ce passage, je me l'expliquais mieux à présent. La jeune fille qui chante va bientôt mourir, dans la suite de l'histoire, ou plutôt s'effacer, disparaître, et déjà sa voix est voilée, comme embrumée, au bord de la disparition, de l'effacement dans l'indifférence. Elle ne lui appartient même pas, elle appartient au pays, c'est-à-dire à la brume qui rend fantomatiques les paysages du Valois, enveloppe les bois et occulte les étangs, elle est celle des vieilles femmes qui conservent la mémoire des anciennes romances. Ce qu'elle chante, c'est l'amour, bien sûr, comme presque toutes les chansons, mais un amour sans qualité particulière, comme gommé par la distance du temps et les stéréotypes. La fascination exercée sur moi par la jeune chanteuse venait de cette manière de disparaître dans sa propre voix, pour ne laisser qu'une présence tremblante, un *frisson modulé*, la pulsation de ce qui se tient à la lisière du lieu et de l'absence.

Et, relisant ce passage, m'étaient revenues les anciennes images de la petite fille proposant son numéro de monstre chantant. Ce qu'elle m'avait fait découvrir, et que le récit oublié de la *Revue des Deux Mondes* me permettait de saisir des années après, car la fascination refuse de prendre conscience de ses propres causes, de peur de se dissiper, et une fois qu'elle a pris fin le retour dans le monde ordinaire nous la fait paraître incompréhensible, de sorte que c'est le seul détour de la littérature, avais-je compris à ce moment, qui permet à la fois de la saisir et d'en perpétuer le charme, c'est cet étrange pouvoir que semblent détenir certains chanteurs de ne plus être que l'instrument de leur voix, semblables à des sortes de médiums par lesquels tentent de se glisser dans notre monde les fantômes des douleurs perdues, des mondes évanouis, des sentiments inéprouvés, qui continuaient secrètement à survivre, bien au-dessous du seuil où nous pourrions les percevoir, et auxquels certaines vibrations parviennent seules à confusément redonner corps et présence.

Dans les moments où je parvenais à entendre la voix de Charles, sa voix seule, j'étais prise aussi d'un frisson, un frisson profond, qui naissait dans les reins et se répandait dans ma chair, le même qu'on peut éprouver, étrangement, face à des expériences inverses, un enfant qui joue, un animal naïf, où c'est la concentration de l'être sur soi-même qui nous bouleverse et éveille un désir de possession. La voix au contraire accomplissait ce que j'aurais voulu réaliser sur ces entités closes, elle entrait en moi, elle y ménageait un vide, et je frissonnais d'être alors ouverte et comme donnée tout entière à ce rien que modulait en syllabes et en rythmes sa basse obstinée.

Ah, disais-je à Charles, je ne sais pas s'il y a un dieu. Mais je me souviens que Gertrude nous faisait lire de temps en temps, à voix haute, devant elle, des passages de la Bible du roi Jacques. Elle conservait précieusement cet énorme volume, dont la reliure de cuir noir était très écornée. J'aimais surtout regarder les gravures étranges, auxquelles je ne comprenais rien. Mais il fallait apprendre par cœur certains passages. Un jour, Gertrude m'a demandé de lire le prologue de l'Évangile de saint Jean. Je l'ai encore en tête : *In the beginning was the Word, and the Word was with God, and the Word was God. The same was in the beginning with God*, « Au commencement était la Parole, et la Parole était avec Dieu, et la Parole était Dieu. Elle était au commencement avec Dieu ». Je n'y comprenais rien, mais j'étais fascinée. Qu'est-ce que c'était que cette « parole » ? Maintenant, il me semble que je comprends mieux. S'il y a un Dieu, il ne peut être qu'une voix, et la « parole » de la Bible est la réalisation de cette voix qui se tient en deçà de tout, avant même le sens.

Mais la plupart du temps, bien sûr, comme il en va dans la vie ordinaire, je me concentrais sur ce que Charles me disait. C'est aussi ce qui me faisait l'aimer, et contribuait à m'entraîner dans nos folies, auxquelles mon passé de saltimbanque m'inclinait déjà : nos fantasmes et nos jeux, qui exigeaient des rituels et des répétitions, par leur multiplicité même, mettaient en suspens le réel et nous emprisonnaient dans leur réseau impalpable de gestes, de discours toujours recommencés, mais cette multiplicité les déchargeait d'une part de leur pesanteur et nous donnait l'illusion de nous en libérer. Et plus encore, si j'avais parfois pu m'inquiéter de la nature de ses fantasmes, et par-dessus tout de celui de la Belle endormie, ses discours manifestaient une conscience si précise, si détaillée de ce qu'il faisait, que je ne pouvais pas penser qu'il leur fût entièrement soumis. Au fond, peu m'importait ce qu'il voulait, moi, ce que je désirais, c'était cette conscience qu'il en avait, c'était cette voix qui en dissolvait les lourdeurs.

Il me disait que la Belle endormie était la parfaite incarnation de ce qu'il désirait. Il l'avait compris dès qu'il m'avait vue, exposée chez mes frères, avec les monstres. La Belle endormie, pour moi, m'expliquait-il tandis que j'en jouais le rôle, unit deux états absolument contradictoires : elle est entièrement livrée, et elle est inaccessible. Cette contradiction m'a immédiatement touché au cœur.

Après t'avoir vue dans la baraque de tes frères, me disait-il, je suis rentré immédiatement chez moi, c'était déjà l'automne, le soir commençait à tomber, je me suis préparé une tasse de thé. Là, assis dans mon fauteuil, je me suis rendu compte que je ne pouvais plus me détacher de ton image. Je te voyais, yeux clos, abandonnée, livrée sans défense à des regards inconnus, à des gestes intrusifs. Je souffrais, à distance, de ton infinie vulnérabilité, du viol de ton intimité que chaque regard sur toi accomplissait. Je te voulais pour moi seul, convaincu que je saurais t'entourer de soins et de respect. Mais aussi, il faut l'avouer, parce qu'il me semblait que je pourrais t'aimer sans limites, me donner à toi sans ces réserves, ces distances que créent les rapports ordinaires, où chacun veut préserver sa place et ses prérogatives.

Je sais bien, ajoutait-il en ménageant toujours à cet endroit précis de son discours le même court silence, je sais bien que tu penses que c'est te considérer comme un simple objet, dont je peux faire ce que je veux. Cela, je le reconnais, en a toutes les apparences. J'en ai souffert, m'assurait-il, cela peut paraître absurde mais j'en ai souffert, jusqu'à en désespérer, je voulais que tu ouvres les yeux, que tu me regardes, qu'un premier mot soit articulé par tes lèvres, j'avais le sentiment, dans les pires moments, que je devais faire le deuil de celle que j'aimais, non pas après, mais avant. J'étais en deuil d'un être que j'aimais, je l'avais toujours été et je ne pourrais plus vivre autre chose. Le jour où tu t'es éveillée, je te l'ai dit mille fois, est le plus beau que j'ai vécu. Et pourtant, oui, je dois recommencer, je dois revenir au temps où je contemplais en silence la Belle endormie, à cette joie que j'éprouvais, chaque jour, d'être le serviteur, moins encore que le serviteur, l'appendice qu'utilisait la déesse pour maintenir ses contacts avec une réalité qu'elle dédaignait, tandis que, close sur sa perfection, sa conscience reposait, occupée d'elle seule, étrangère au monde, conscience pure qui ne consentait à se donner d'objets que ceux des rêves. Et cette déesse inatteignable était en même temps cet être fragile, plus vulnérable qu'un enfant. C'est cela qui me bouleversait, et pas que tu sois un objet disponible à mes fantasmes.

Un jour, Thalia, tu m'as confié que si toute ta vie, jusqu'à ton entrée en léthargie, s'était déroulée sous les regards, pour les regards, c'est le lot des artistes, tu en avais honte, tu n'avais jamais aimé te produire sur une piste, jamais aimé sentir, même lorsque les feux des lampes à gaz les rendaient invisibles, les yeux qui te détaillaient, et pas même entendre les applaudissements au moment où, numéro terminé, tu faisais ta révérence. Tu comprenais pourquoi les saltimbanques étaient méprisés, pourquoi jadis on ne pouvait pas même les inhumer en terre chrétienne.

Charles me rappelait que je lui avais avoué qu'être une histrionne, alors que mes frères n'y voyaient aucun problème, me dégradait à mes propres yeux. Cela n'avait rien à voir avec la position sociale, ou avec le fait que nous étions en dehors des classes utiles, des gens qui travaillaient et occupaient une place bien déterminée. Rien à voir non plus avec les mœurs relâchées que l'on attribuait aux gens du spectacle, bien que sur ce point, la supposition ne pouvait pas être réduite à un préjugé, les bourgeois et les ligues de vertu n'avaient pas tort, elle était liée au cœur même de ces métiers, comédiens, chanteuses de caf'conc', prestidigitateurs, acrobates, clowns, mimes, danseurs.

C'étaient des métiers honteux parce qu'ils consistaient à faire l'intéressant. À produire des simagrées. Jamais on ne pouvait y être recueilli en soi-même, ni se contenter de soi-même. Hors de la scène, les regards étaient encore là, obsédants, on les cherchait, on en avait besoin, on se livrait à eux. Au plus profond de l'intimité, on se donnait encore en spectacle. Les saltimbanques restaient toute leur vie dans cet état infantile où l'on cherche à tout prix à se faire admirer et reconnaître par sa maman. Pourquoi à ce point vouloir être vu, pourquoi ce besoin maladif d'être reconnu, sinon parce qu'on manque d'être ? Oui, plus on se montre, plus on révèle son défaut de consistance intérieure. La scène était une maladie honteuse, contractée en se prostituant aux regards, et dont on continuait à souffrir toute sa vie. Charles n'avait pas oublié tout ce que je lui avais avoué, à quel point j'avais honte de moi, de mes frères, eux qui volontiers se montraient si agressifs, si dominateurs, je les voyais se contorsionner pour satisfaire aux exigences de notre mère, ou plutôt aux exigences du regard inquisiteur et toujours railleur de notre mère.

Tout cela, Thalia, me disait Charles, je l'ignorais avant de voir ton corps étendu, plongé dans le sommeil, mais peut-être l'avais-je deviné, peut-être comprenais-je la nécessité de te soustraire à l'empire des regards. Ce que j'ai fini par comprendre aussi, me confiait-il tandis que je gisais dans la pénombre de la chambre dédiée à la Belle endormie, qu'il avait aménagée close et bleue comme une source perdue au fond de la forêt, au fond des eaux de laquelle je baignais, guivre éternellement méditative, lavée des profanations dans le fluide lustral où le feu des regards s'était éteint, c'est que l'hystérie, le déchaînement galvanique de tes frères était une manière de compenser cette soumission aux regards : ils haïssaient le public qui leur imposait cette servitude, ils s'en vengeaient en le violentant, ils déjouaient l'attention par leurs incessantes cabrioles, leur agitation d'automates déréglés, imprévisibles, qui les retirait de l'humanité commune.

Mais toi, Thalia, tu n'étais pas comme eux. Tu étais plus jeune, moins agressive, plus vulnérable. Lorsque tu es tombée en léthargie, il a fallu que tes frères trouvent encore le moyen de vendre ton image, de te livrer inconsciente aux regards curieux du premier venu, des bourgeois en goguette libidineux, avec leur respectable moitié, des loupeurs qui traînent les foires et ne pensent qu'à des saletés, des calicots qui font des mots et se rincent l'œil. C'est à cela qu'il fallait, de toute nécessité, que je t'arrache.

Tendrement, à mi-voix, comme si ces choses nécessitaient des précautions, Charles m'avait après mon réveil raconté l'histoire de notre rencontre. Il la reprenait parfois, avec des ellipses, ou des ajouts, semblable à un aède interprétant sa légende héroïque sur l'agora d'une cité antique. Je ne m'en lassais pas plus que lui, comme on aime à relire le même conte, dans une vieille édition enluminée qui porte les marques du temps et les stigmates de l'usage, et nous semble pour cela toujours nouveau, son charme renaissant de la profondeur du temps qui se creuse à chaque nouvelle lecture.

Un jour, me redisait rituellement Charles, un collègue de l'hôpital m'a raconté le phénomène curieux auquel il avait assisté dans la tente de montreurs de phénomènes, après un spectacle de clowns.

Nous avions, durant nos études, après la guerre, suivi à Paris, à la Salpêtrière, les cours magistraux sur l'hystérie d'un grand neurologue, Baillarguer. Je venais de passer mon internat. Les cours nous avaient passionnés, ils nous avaient ouvert une dimension de l'esprit que la vieille psychologie ignorait complètement. Je suis devenu un de ses disciples, après avoir soutenu ma thèse. Ensuite, à l'hôpital de la Charité où j'exerçais, dans le service de Baillarguer, qui m'y encourageait, je m'étais spécialisé dans ce que l'on appelait à l'époque les maladies « magnétiques » : somnambulisme, catalepsie, hystérie. J'avais tenté diverses thérapies sur des patients atteints de ces affections, magnétisme d'abord, hypnotisme ensuite. Parfois un mixte des deux. J'avais expérimenté aussi les impulsions électriques. Cela avait eu son effet en provoquant la guérison spectaculaire d'un somnambule qui devenait un autre lorsqu'il était endormi.

Un de mes articles avait fait sensation dans une revue spécialisée. En traitant par l'hypnose une hystérique, selon les recommandations de Baillarguer, j'avais constaté que, comme mon somnambule, sa personnalité sous hypnose était complètement différente. Dans ces états, elle se souvenait de ce qu'elle était durant les séances d'hypnose, mais pas de sa personnalité ordinaire. Et j'avais commencé à travailler sérieusement sur les états de catalepsie. Certains malades présentaient eux aussi, comme certaines hystériques, une personnalité différente durant les phases cataleptiques. Ils parlaient, parfois avec une voix complètement dissemblable. Des femmes sans instruction débitaient des discours en allemand, en espagnol, et parfois dans des langues inconnues.

J'avais eu à traiter des cas extraordinaires. Ainsi, la maison de santé d'une petite ville de l'Ouest avait recueilli un commerçant local d'une cinquantaine d'années, qui se nommait Anselme Bornier et était complètement perdu. Il ne savait pas où il était, ce qu'il faisait dans cette ville, quelle était cette chapellerie où il s'était réveillé le matin même. Il disait s'appeler Jules Fraysse, et être menuisier dans un bourg du Cotentin, à deux cents kilomètres de là. Personne évidemment ne prêtait attention à son délire. On le traitait par des douches glacées. L'histoire était arrivée jusque dans le service du professeur Baillarguer. Nul n'avait songé à s'informer sur le Jules Fraysse dont il parlait. Par curiosité, j'ai pris des renseignements. Bornier n'habitait sa ville que depuis cinq ans, il avait débarqué un jour et ouvert une chapellerie, et personne ne savait en réalité d'où il venait. On évitait de lui poser des questions. C'était un homme querelleur, alcoolique, grossier. On a mis son histoire, sa perte de mémoire, sur le compte de l'éthylisme.

Or, dans le bourg du Cotentin, on se souvenait bien de Fraysse, qui avait disparu sans laisser de traces cinq ans auparavant, abandonnant menuiserie, outils, domicile, commandes. Je suis allé à la maison de santé. J'ai trouvé un homme doux, poli, un peu timide. J'ai soumis Bornier à des séances d'hypnose magnétique, auxquelles il s'est prêté de bonne grâce. Durant ces séances, il se souvenait d'être Anselme Bornier. Sa voix n'était plus la même. C'était une voix aigre, vulgaire. Il répondait aux questions de mauvaise grâce, dans un flot d'invectives. À l'état conscient, il redevenait Fraysse, qui avait son propre passé, sa propre mémoire. En poussant un peu les investigations, j'ai compris que Bornier était redevenu Fraysse en se réveillant, à la fin du jour, d'un sommeil qu'il interprétait comme une profonde sieste. Je soupçonnais un état cataleptique. Cela se confirma par la suite.

Je l'ai fait venir dans le service de Baillarguer, où il est resté plusieurs années. Fraysse connut plusieurs épisodes de catalepsie, après lesquels il redevenait Bornier. Mais Bornier à divers âges de sa vie. Les épisodes Bornier mélangeaient complètement la chronologie, alors que Fraysse existait dans un temps linéaire. Durant quelques semaines, nous avons eu affaire au nouveau-né Anselme Bornier, qui ne savait pas parler ni s'alimenter. Une nouvelle crise de catalepsie l'a sorti de cet état. Les épisodes Bornier sont devenus plus espacés et plus courts. En définitive, Fraysse l'a emporté. Nous l'avons laissé sortir.

Or, l'histoire que m'a racontée mon collègue est tombée au moment même où j'étais plongé dans ces recherches, bien décidé à participer, moi aussi, à la création d'une nouvelle science de l'esprit. Il s'agissait d'un cas de léthargie, tel qu'on a bien peu de chances d'en rencontrer. Une aubaine, comme Fraysse-Bornier.

Les clowns qu'il avait vus s'appelaient Helquin. Il y avait déjà quelques années que l'engouement pour les spectacles hystériques des Helquin était retombé. Leur nom ne me disait pas grand-chose, il évoquait quelques souvenirs d'affiches, quelques récits de spectacles entendus autrefois. D'après ce que m'a expliqué mon confrère, ils venaient d'Angleterre, mais avaient triomphé en Amérique, en France, en Allemagne pendant leurs années de gloire. Ils avaient fini par se fixer en France, et vivotaient, en ayant doublé leur spectacle d'une baraque de foire où ils exposaient des phénomènes. Ce qu'il y avait vu, s'était-il dit, ne manquerait pas de m'intéresser.

Les Helquin montraient leur sœur, qui, paraît-il, dormait depuis plusieurs années. Sept ans, précisément. Le vieux Périllon, que connaissait bien mon confrère, il avait été son étudiant, était passé avant nous pour l'examiner, mais n'avait pas pu tenter un traitement. Les Helquin ne voulaient pas entendre parler de traitement, d'après mon collègue, qui avait posé la question à Périllon. C'était peine perdue. Ils s'étaient montrés franchement hostiles. La Belle endormie était leur gagne-pain.

Charles racontait toute cette histoire avec chaque fois des précisions nouvelles, des anecdotes fascinantes sur des cas psychologiques étranges. Et chaque fois, il s'arrêtait au même moment, la visite de son confrère, sans donner de détails, sans parler de lui-même. J'attendais, patiemment. Et puis, un jour, il est allé plus loin.

— La Belle endormie était leur gagne-pain, et, a ajouté mon collègue, je me demande à quel point…

— Qu'est-ce que tu veux dire ? lui ai-je demandé.

— Oh, écoute, je ne peux rien affirmer, mais tout de même. À la sortie, le bonimenteur qui présentait la Belle endormie, un étrange personnage avec une physionomie de chimpanzé, de vastes narines et des bras trop longs, un peu gluant, un peu répugnant, qui, peut-être volontairement, donnait au spectacle l'air d'une variation sur *La Belle et la Bête*, m'a fait un petit signe, discret. Je me suis arrêté et, avant de s'expliquer, le bonimenteur a attendu que tous les spectateurs se soient dispersés dans la foire. Je me demandais où il voulait en venir. Alors, est-ce que ça m'avait plu ? Elle était magnifique, n'est-ce pas ? On faisait parfois des séances privées, pour des gens distingués, comme celui à qui il avait l'honneur de parler, car dans une foule on n'arrivait pas, bien sûr, à se satisfaire de ce spectacle extraordinaire, et si cela pouvait intéresser, les tarifs n'étaient pas exorbitants.

Mon collègue a décliné. Mais... tu vois à quoi il voulait en venir, et à quoi je voulais en venir, je n'osais pas aborder... ça... Je ne sais pas si mon imagination, ma jalousie me fait imaginer des horreurs...

— Charles... Si je comprends bien ce que ton confrère voulait te dire... S'il a compris, si tu l'as compris...

— Je ne sais pas...

— Mon Dieu... Mais mes frères n'auraient pas pu me faire ça... Mes frères...

— Thalia, c'est tout ce que j'espère. C'était peut-être juste une séance privée, rien de plus...

— Oui... Mais à présent... J'aurai toujours le soupçon... de... cette horreur...

— Moi aussi, mon amour. Pardonne-moi. Je n'aurais jamais dû t'en parler.

Et, disait Thalia, j'ai passé toute ma vie à me demander si mes frères m'avaient prostituée pendant mon sommeil, à faire des cauchemars où des inconnus se succédaient, des incubes qui m'infusaient leur venin… Parfois, je me demandais si certains des jeux inventés par Charles constituaient un exorcisme, ou au contraire une malsaine fascination.

Je suis allé voir, a fini par dire Charles. Je t'avoue, mon amour, que l'idée de réussir là où le célèbre professeur Périllon avait échoué était un puissant aiguillon. Ce n'était pas du voyeurisme, j'étais un jeune chercheur passionné par ces cas bizarres.

Je suis arrivé au dernier jour de leur tournée près de la capitale, un matin, pour éviter les représentations de l'après-midi et du soir. Sous le chapiteau, la piste était déserte, dans une lumière grisâtre. J'avais l'impression de surprendre une vieille chanteuse de caf'conc' en train de se démaquiller, révélant, sous la couche de fards, les poches sous les yeux et les rides amères qui tirent les lèvres vers le bas. Une sorte de grand échalas hirsute balayait sans conviction. Il ne m'a pas même regardé, il n'a pas levé le nez de son balai quand je lui ai demandé si on pouvait voir « un de ces messieurs Helquin ». Il a grommelé « roulotte jaune ». Dans l'herbe miteuse du pré qu'on avait abandonné au cirque, près d'une ancienne fortification, il y avait trois roulottes jaunes. J'ai toqué à la première qui s'est présentée.

Sur deux banquettes qui se faisaient face étaient assis trois personnages en bras de chemise et pantalons de calicot usés. Ça sentait l'alcool, la sueur et un fond de parfum musqué, étrangement féminin. Sur une table basse de bois brut s'épanouissait un vaste papier gras, rosé comme une peau de goret, maculé de taches, sur lequel reposait un gros pain bis plus qu'à moitié entamé, un cervelas, un pâté d'allure obscène, une carafe de vin bleu et une autre contenant un liquide transparent, qui devait bien être du fil-en-quatre, à l'odeur puissante qui en émanait.

Ils ont tourné vers moi des prunelles vagues, à la couleur incertaine, qui semblaient faites avec de la gnôle. Il y avait entre eux trois une ressemblance, en dépit de la différence de taille. Ils avaient la même carcasse noueuse et sèche. Les biceps sillonnés de veines saillaient, que découvraient les manches retroussées. Ils avaient les mêmes longues mâchoires, la même absence de lèvres, les mêmes nez éventés surplombant d'imperceptibles moustaches. L'un arborait de vastes oreilles décollées où scintillaient des boucles. Un autre une franche calvitie, que compensaient d'imposants favoris. Le troisième d'étranges cils de fille, longs et soyeux, qui donnaient à sa physionomie de surineur de barrière quelque chose d'équivoque, de vaguement pervers.

La conversation a été d'autant plus difficile qu'ils étaient à moitié ivres. Le plus petit, donc Silas, avec ses cils de fille, ne disait rien, mais ne cessait pas de me fixer d'un air menaçant. Le plus grand, le chauve à favoris, qui devait être l'aîné, tu m'as expliqué qu'il se nommait Rupert, coupait mes explications avec des ricanements à n'importe quel propos. Le troisième, qui devait être Uriah, avec ses oreilles en forme de coquilles Saint-Jacques, glissait de temps à autre, à mi-voix, une phrase équivoque, que je ne cherchais pas à relever. Je me souviens encore de quelques-unes de ces formules, peut-être parce que leur pouvoir corrosif n'a pas cessé d'agir depuis : « Oui, c'est ça, il vient se régaler du spectacle des pauvres, le beau monsieur, avec sa jolie cravate et ses bottines cirées ! » « Tu cherches les filles sans défense ? C'est ça ton truc ? » « Il veut faire quoi, avec notre sœur, le petit gommeux ? » « Tu te figurais que tu pourrais acheter le droit de troncher de la viande fraîche ? » « Je suis sûr qu'il pense qu'on se l'est faite, il a une tête à couver des saletés ».

Il disait ça doucement, presque aimablement, comme des petites blagues entre amis. Je subissais, sans réagir. Pas seulement parce que je ne voulais pas compromettre mes chances. J'étais comme paralysé par les intonations sifflantes de la voix, la malignité des phrases, le regard d'odalisque du frère silencieux et les petits rires entendus de l'aîné, je me sentais comme leur chose, dans cette étroite roulotte encombrée d'objets poussiéreux, où semblait s'être déroulé un sacrifice dont le gros vin et la charcuterie incarnaient les reliefs.

Et moi, disait Thalia, en écoutant Charles me raconter mes frères, j'avais l'impression qu'on me lisait un de ces romans canailles dont la mode littéraire avait depuis quelques années rempli les librairies et les bibliothèques de gare, avec leurs arpins amoureux de vierges dévorées de phtisie, leurs mendigots généreux, leurs pierreuses au cœur pur, leurs chouraveurs fils de grande famille, leurs dos-verts inventifs en cruautés. Leur réputation de brutalité, d'agressivité, je la connaissais, et je les avais vus à l'œuvre avec Alastair quand il était petit, mais j'avais grandi là-dedans, les discours des autres sur cette réalité me paraissaient relever du mythe, et puis ils m'avaient toujours protégée, j'étais la petite, la fille, et même lorsqu'ils me houspillaient dans la mise au point d'un numéro, je n'y voyais rien d'agressif, c'était ainsi que cela devait se passer dans ce métier. Leur réaction était normale, on ne pénétrait pas comme ça dans le monde des gens du cirque, et moins encore dans celui des frères Helquin.

Quand j'ai parlé de payer pour te voir, a poursuivi Charles, tes frères se sont d'abord récriés pour la forme, ou plutôt pour faire monter les enchères, ils n'avaient pas le temps, et s'ils devaient sans cesse autoriser des visites privées, ils n'en sortiraient jamais. Bien entendu, j'ai proposé plus. Le frère aux phrases venimeuses s'est levé, et s'est planté devant moi. Il essuyait machinalement son surin maculé de pâté. Il était si proche que je sentais son haleine saturée d'alcool. « Vas-y, fais voir la fraîche. »

Il a fait disparaître dans sa poche la petite liasse que j'avais à peine eu le temps de sortir : « Messieurs mesdames, en avant pour la visite guidée. » Nous ne sommes pas allés bien loin : c'était dans la roulotte voisine, plus petite. Comme les deux autres, elle arborait, en grosses lettres rouges chantournées, *Les clowns Helquin.* En dessous, les quatre visages grimés des frères, déchirés par un sourire démesuré, les lèvres peintes en noir s'écartant sur des dents énormes. Il en manquait un, autour de la table, mais je ne connaissais rien de leur histoire. Je me demandais où il était.

L'aîné me précédait. Nous avons gravi les trois marches, il a ouvert une porte de bois très basse, s'est écarté pour me laisser entrer dans l'étroit espace. À l'intérieur, il n'y avait rien. Ou plutôt, il y avait tellement de choses que le regard peinait à se reposer sur aucune. Le plafond de bois se recourbait en un demi-cylindre, peint en jaune citron, avec des renforts ouvragés verts et rouges. Les côtés, à part deux étroites banquettes submergées de coussins brodés, hérissés de franges qui les faisaient ressembler à des mollusques abyssaux, à des espèces d'actinies ou de méduses traînant là un restant de vie venimeuse, étaient monopolisés par deux armoires vitrées. Tout évoquait quelque grotte sous-marine, surtout les deux encombrantes vitrines en bois peint, historiées de coquillages, de sirènes naïvement sculptées, de serpents et de poissons. Et la lumière filtrée par les rideaux jaunes qui obstruaient l'étroite fenêtre alourdissait encore la sensation de pression, on se déplaçait péniblement dans ces eaux glauques, encombrées d'épaves et de concrétions étranges. Jusqu'au sansevieria hissant ses longs bras hors du pot de céramique vert bouteille flanqué de deux mascarons de triton, qui prenait des airs de bouquet d'algues ondulant dans le courant.

Dans la pénombre des vitrines, on distinguait un amoncellement d'objets qui devaient pour la plupart être des souvenirs, photographies aux personnages indistincts, bustes de Pierrot en plâtre, petites danseuses, sujets animaliers, oiseaux empaillés. Le fond de la roulotte était barré par une paire de rideaux de velours grenat, galonnés d'or. Ils descendaient jusqu'à un coffrage d'acajou, aux deux battants surchargés de dorures, qui formait la base du lit dissimulé par les rideaux. La petite taille de la roulotte faisait que le fond ne devait pas être éloigné de plus de quatre mètres de la porte d'entrée, mais une étrange impression d'optique, peut-être due à la surabondance du décor, la reculait à des distances lointaines qu'il faudrait du temps et de l'énergie pour franchir. Cet espace démesuré, condensé dans l'étroit volume de la roulotte, m'intimidait. N'allait-il pas s'éloigner à mesure que je tenterais de m'en approcher, n'allait-il pas m'égarer au fond d'une illusion où des miroirs se renverraient à l'infini des bustes de Pierrot et des perroquets naturalisés au plumage mité ?

Une inquiétude irritait le fond de ma conscience, une fantasmagorie, celle d'avoir été introduit par les Helquin dans un espace piégé dont plus jamais je ne parviendrais à sortir, errant parmi un fatras de rossignols ridicules, condamné à l'insignifiance et à la laideur étriquée. C'était donc cela leur secret, cela qu'ils dissimulaient derrière leur violence et leurs excès, une médiocrité un peu honteuse, un peu mièvre, des goûts de rosière, des bibelots bon marché qu'ils conservaient dans cet étrange musée, où s'entassaient toute la quincaillerie infantile, tous les fétiches desséchés des cœurs cruels. Ces sirènes céladon et ces peluches roses diffusaient la même tendresse venimeuse que les yeux du frère aux cils oblongs.

Les deux lourds rideaux rouges avaient l'air de tentures masquant la scène d'un théâtre de marionnettes. Le grand Helquin tira cérémonieusement sur un cordon tressé, à dorures et à gland en forme de nœud gordien, et les rideaux s'écartèrent.

ALASTAIR 10

Dieu qu'elle était gentille, Dieu qu'elle était trognon, la petite négresse aux cheveux crêpelés, avait dit à Charles l'ombre massive. Sa coiffure en deux grosses boules de chaque côté de la tête laissait à découvert la nuque, si désarmée, si fragile, où de petits cheveux plus fins et plus clairs venaient dérouler leurs friselis sur le rivage de peau sombre. Dieu qu'elle était gentille, qu'elle était trognon, cette guenon à grimaces, cette porteuse de cruche aussi candide qu'un tendron de Greuze avec ses yeux tout ronds, cette marchande d'oublies qui portait à mère-grand la jarre du népenthès, le miséricordieux nectar de l'oubli qui poivre et vous refile un bon coup de sirop.

Punch ne pouvait pas ignorer à quel point sa carrure, sa taille, sa hure bestiale décourageaient le contact. À son approche, le bourgeois changeait de trottoir, les petits enfants se réfugiaient dans les jupes de maman, le marlou même passait en regardant ses pieds. Alors, quand il a vu la petite payer les litrons, il l'a précédée sur le chemin de chez mère-grand. Le coin d'un étroit passage qui débouchait dans la rue ferait l'affaire. Assis, humblement courbé, replié sur lui-même, il ne ferait plus peur. Il est devenu ce paquet de hardes crasseuses entassé au pied d'un mur compissé par les chiens, cette sacoche à plaintes qui chiquaient bien la douleur et la faim. Dans le passage obscur et aveugle, sur lequel n'ouvraient que deux hautes petites fenêtres noircies, ça sentait fort le chou, l'urine et l'humidité. C'est craintif, la fillette, mais c'est plein de compassion aussi, ça ne peut pas s'en empêcher.

That's the way to do it.

Comme prévu, elle a hésité, elle s'est arrêtée avec ses deux litrons de gros bleu, coulant un œil vers la masse informe, mais elle n'a pas résisté au long lamento de la souffrance, que Punch a eu d'autant moins de mal à pousser qu'il souffrait en effet, il souffrait pour la petite négresse et ce qui l'attendait, il souffrait pour lui-même et ce qu'il ne pouvait pas s'empêcher de faire, ce que la lune le poussait à faire, et qui l'enfonçait encore un peu dans la haine de lui-même, aussi gémissait-il sur la gamine et sur lui, sur l'enfer où elle allait entrer et sur l'enfer où il s'enfonçait.

« Écoute, petite, avait dit ma voix multiple, en laquelle j'entendais en même temps les grincements aigus de ma mère et les basses caverneuses de Rupert, écoute-moi, pour l'amour de Dieu, j'ai cinquante centimes, c'est tout ce que j'ai ramassé à gueuser devant l'église Saint-Lydwine, hier, tu sais, qu'il faisait si froid, avec ce vent aigre. Ah, les bons chrétiens se bousculent pas pour lâcher leur braise aux pauvres bougres, il en faut, des heures à se transir, pour leur arracher trois deniers. Ils préféreraient mourir plutôt que de te lâcher cent sous. J'ai pris du mal. Je suis fatigué. Je ne sais pas ce qui m'arrive, je ne parviens plus à bouger pied ni patte. La jambe me fait mal. Alors voilà, si tu voulais bien être gentille, tu irais au mastroquet me prendre un quart de trois-six. C'est à deux pas. Y en a bien assez, et tu garderas la monnaie, nous autres de la purée, on est moins pingres que les bourgeois, pas vrai, la gosse ? Je sens qu'un peu d'eau-de-vie, ça me remonterait, va, tu serais bien gentille. »

Au creux de ma main tendue, les cinq pièces de dix avaient l'air minuscules, à moitié englouties dans la masse de viande et les replis calleux. C'était ça, la main de Punch, cette chose dont j'avais du mal à penser qu'elle pouvait m'appartenir, comme tout le reste, qui s'était mis à pousser en désordre à l'adolescence. Comme un insecte s'extrayant de son ancienne carapace, le petit enfant blond s'était fendu, déplié, et de cette peau désormais vide avait surgi la chose excessive, faites d'os pesants et de paquets désordonnés de muscles qui est Punch. La main de Punch tendait les piécettes de bronze comme des graines pour les petits oiseaux, et la négrillonne au parfum de forêt sauvage, fascinée, n'a pas pu s'empêcher de s'approcher et de tendre la main.

La suite, je ne sais plus très bien. Punch connaît son affaire. Punch a la technique. Tout le monde fait son boulot chez lui. La grosse main gauche qui se pose sur la bouche, engloutissant la moitié du visage, la grosse main droite dans laquelle se retrouve le surin qui attendait, bien caché dans la manche, et, hop, magie, voilà qu'il apparaît. Ah comme il accroche joliment la lumière, le surin à Punch, comme il commande le silence et l'obéissance sans phrase, magie aussi, par la pureté de son fil, presque immatériel, à ce point affûté qu'il pourrait séparer presque insensiblement le membre et le tronc, la peau et le muscle, le corps et l'âme. Je rêvais à cela parfois, en l'affûtant, travailler à ce point une lame que son fil deviendrait à peu près immatériel. Que ne pourrait-on faire avec une telle lame, ce serait le numéro de cirque parfait, mais bien entendu réservé aux seuls amateurs, âmes sensibles s'abstenir, interdit aux enfants et aux femmes enceintes, mesdames et messieurs, grâce à ce couteau spécialement aiguisé, je vais devant vos yeux séparer l'apparence de mademoiselle du corps de mademoiselle, c'est une opération délicate durant le déroulement de laquelle je vous demanderai d'observer le plus grand silence, attention…

Et là, sur le sable de la piste, il y aurait d'un côté cette masse de matière dépourvue d'apparence, à qui il ne resterait plus qu'une visibilité sans qualité et sans contenu, et de l'autre l'apparence, immatérielle, une sorte de peau, si l'on veut, mais une peau sans la moindre épaisseur, une image pure qui se plierait avec souplesse à toutes les manipulations, infiniment déformable, prête à toutes les anamorphoses sans perdre rien de ses éléments, et l'on distinguerait encore, dans ce voile que Punch déploierait devant les spectateurs, un œil, une bouche, un genou, des doigts impalpables.

That's the way to do it.

Et nous voilà partis, la petite négresse et moi, oh le beau couple, elle si frêle et si noire, si peu de corps dans ses jupes fatiguées, l'œil d'encre grand ouvert sur la nuit des rues, les deux litrons de picrate dans son cabas, et au-dessus d'elle, autour d'elle, l'enveloppant, l'englobant, la masse hétéroclite de Punch, abritant de la lumière le surin caché dans les profondeurs, dont la pointe touche les reins de la petite. À la sentir ainsi en lui, tremblante, tel un oiseau réfugié dans un arbre, il en frissonnait d'émotion, le sensible Punch. Ah, comme il la chérissait, sa petite guenon, d'autant plus bouleversante qu'elle était presque un animal, sans défense, sans intelligence, même. Elle n'était pas capable de comprendre, hélas, la fureur de tendresse qui animait, jusque dans ses moindres replis de chair, jusqu'à la moelle de ses os difformes, la carcasse émue de Punch. Il aurait voulu la serrer contre lui, l'étouffer d'amour, l'absorber, que sa chair se mêle à la sienne, qu'il se nourrisse de candeur. Mais cela dépassait le simple désir. Punch se sentait investi d'une mission, un zèle sacré l'animait, ce qui devait s'accomplir était inéluctable, inscrit depuis toujours dans l'ordre de l'univers, il n'était, lui, Punch, que l'instrument de la nécessité, et la petite avait la chance de pouvoir participer à cette mission, même si elle ne s'en rendait pas compte.

D'ailleurs, même s'il l'avait voulu, il n'aurait pas été capable de faire autrement. La pleine lune, dont la face ronde se glissait entre les toits, exigeait son dû. Pas moyen de se défiler. Excités par l'alcool glacé de sa lueur, les cris des pochards retentissaient entre les ruelles étroites, avec les injures à la rogomme des pipelettes, les feulements des chats, le raclement du crochet des biffins dans les tas d'ordures, mais ils ne couvraient pas le murmure insinuant de la voix de la lune, qui grattait Punch au creux de l'oreille, y versait goutte à goutte son petit filet aigre, qui descendait profond. La voix souveraine de la lune rappelait à Punch qu'il lui appartenait, il était de ce monde, soumis à ses lois qui n'étaient pas celles qui régissaient le monde des hommes ordinaires. Punch se souvenait de ces nuits d'enfance où le visage de sa sœur lui était apparu aussi absolu, aussi parfait, dans sa présence fascinante, que le visage de la lune. Punch n'était que l'exécuteur de la lune.

À l'époque je gagnais mon pain en faisant des petits travaux pour les mastroquets et les bouchers, de quoi payer le pain et un peu de vin. Les bougnats, quand ils n'en avaient pas le temps, me faisaient porter les sacs de boulets de cinquante kilos, les quartauts, et même, parfois, les feuillettes de beaujolais de cent dix kilos. Ils n'en revenaient pas, c'était l'attraction, les commères regardaient ça les poings sur les hanches, en rigolant, et les Auvergnats du quartier appréciaient en connaisseurs, les bras de chemise relevés sur leurs gros biceps velus, en tirant sur leurs moustaches charbonneuses.

Mes exploits d'hercule forain m'avaient valu une faveur. Un des marchands de bois et charbon m'autorisait à dormir dans une cahute en planches où pourrissaient de vieux fûts, des bouts de ferraille et des sacs de jute, dans la petite cour pavée derrière le bistrot. Il n'y mettait jamais les pieds. À l'étage au-dessus du bistrot, dans une mansarde, il logeait le grand-père, celui qui était venu de son Cantal natal avec la paille dans les sabots, soixante ans auparavant, pour faire le porteur d'eau. Le grand âge l'avait rendu idiot, complètement sourd et aveugle. Ça le rassurait que je sois là, le bougnat. Lui entassait sa femme et ses huit enfants dans un logis humide, au bout de la rue.

Pour Punch, c'était un petit paradis, un jardin d'Éden. Entre les pavés de bois de la courette, qui absorbaient le bruit des pas, poussaient des herbes, des boutons-d'or, des pariétaires, des millefeuilles. Lorsque nous l'avons traversée avec la petite, la cour était tout entière la proie de la lune, qui l'éclairait comme une scène de mélodrame, avec ses vieilles barriques et son acacia souffreteux, c'était au choix le monastère sanglant, le château hanté, l'auberge du diable, et les formes blafardes engendraient des ombres incompréhensibles. C'était le décor parfait, il appelait tout naturellement l'horreur et le tremblement, pour le plus grand plaisir des spectateurs imaginaires, qui allaient en verser des flots de sueur entre leurs épaules spectrales. Punch est un homme de théâtre, il lui faut le cadre et tous les apprêts pour se sentir à l'aise, que voulez-vous.

That's the way to do it.

Je sais bien que vous prenez Punch pour une brute et un fou. Vous vous trompez, cher docteur, malgré vos compétences. Vous confondez folie et lucidité. Et Punch est un idéaliste, un raffiné. Dans sa vie, il n'a guère connu que des prostituées, des bergères mal dégrossies et mal lavées, des pauvresses qui se donnaient pour quarante sous, ou alors des gamines égarées comme la petite négresse, alors qu'il aspirait à la délicatesse. Punch ne vous dit pas combien de fois il a attrapé des poux, et mieux vaut ne pas parler d'autres inconvénients.

Je peux bien vous l'avouer, faute d'avoir des marquises ou des bourgeoises bien récurées et bien attifées, je m'étais constitué une petite collection d'accessoires féminins. Ah, il fallait voir la binette des marchandes à la toilette, quand je franchissais le seuil de leur échoppe minuscule, pour négocier des bas, des jarretières et des corsets ! J'avais beau dire que c'était pour ma fiancée, elles me regardaient d'un œil effaré, comme si j'allais les croquer. Mais elles n'avaient que des nippes de seconde main. C'était encore autre chose lorsque j'introduisais ma carcasse dans un magasin de nouveautés, où une jeune fille bien fardée attendait la bourgeoise derrière son comptoir. Pour les fards et les parfums, je m'aventurais dans la vaste boutique

Violet, boulevard des Capucines, avec ses salons intimes, ses décors luxueux, ses odeurs enivrantes. On me dévisageait du coin de l'œil.

Bref, j'avais mon armoire, dans un coin de ma cahute repoussante, et lorsque je l'ouvrais, c'était comme si tout à coup je glissais dans un monde enchanté. Je manipulais tout cela, oubliant mon existence sordide, je caressais longuement l'infinie douceur des bas de soie, je fourrais ma tête dans les jupons qui fleuraient bon le coton frais et l'opopanax ou l'eau de Chypre, car je les parfumais, j'ouvrais précautionneusement les merveilleuses petites boîtes en nacre ou en bois de Sainte-Lucie, contenant les poudres de riz, les serkis du sérail, la pommade rosat pour les lèvres, le rouge de Chine. Dans un flacon en forme de coupe renversée reposait un mélange d'eau de rose et d'encre de Chine pour souligner les yeux et les cils.

Un soir, j'ai réussi à attirer dans ma cahute une jeune marchande d'oublies, bien propre, bien jolie, avec son chignon noir de jais et ses yeux verts. Dix-huit ou dix-neuf ans. Je lui ai raconté que je voulais lui acheter tout son panier, mais que je n'avais pas assez sur moi, il fallait qu'elle m'accompagne chez moi. Évidemment, en entrant dans la cahute, elle a regimbé, elle avait peur. Mais c'était trop tard. Bon, je lui ai payé le panier, et je lui ai exposé mon affaire. Ça ne lui plaisait pas trop. Mais elle voyait bien que je ne la lâcherais pas. Je lui ai glissé un louis d'or, qui l'a convaincue, je n'avais pas envie de la brutaliser, je voulais de la douceur, du consentement.

— Surtout, prends tes aises, prends tout ton temps, ma petite chérie.

J'ai ouvert l'armoire aux merveilles, devant laquelle j'ai placé un tabouret. Elle s'est déshabillée, gauchement, dans un coin de la pièce, en essayant de ne rien toucher, et peut-être surtout de ne rien voir, comme si un seul coup d'œil pouvait la contaminer, en me demandant de regarder ailleurs. Puis, selon mes indications, elle s'est fardée, parfumée, a entouré son chignon d'un long ruban rouge, gainé ses jambes de bas blancs à coins roses, qu'elle a arrangés sur ses cuisses avec deux charmantes jarretières vieux rose, avec un nœud blanc, elle a chaussé deux bottines à lacets et fin talon, qui lui étaient un peu grandes, et je l'ai aidée à serrer un étroit corset blanc, orné de motifs floraux également roses, qui faisait gonfler sa petite poitrine. Ah, quel long travail de recherche il m'avait fallu pour choisir ce qui correspondait pour moi à la perfection de l'accessoire érotique ! Toutes mes économies y avaient passé.

Mais lorsque enfin, lorsque je suis allé au fond de la pièce en lui demandant d'attendre avant de se retourner, la révélation, docteur, m'a presque terrassé. Oui, c'était cela, exactement cela. Dans un geste de pudeur touchant et absurde, elle couvrait son pubis de ses deux mains. Et je lui en savais gré, car la pudeur donne sa valeur à l'exhibition. Eh bien, docteur, votre diagnostic ?

Charles, à qui la seule idée de dialoguer avec l'ombre paraissait à la fois absurde et terrorisante, un peu comme si le fait d'échanger allait installer cette scène invraisemblable dans la réalité ordinaire, avait tenté de se cuirasser de références.

— On ne peut pas comme ça émettre un diagnostic, mais au moins voir de quoi ça se rapproche le plus. C'est le vieux Pinel, le père des aliénistes, qui rangeait les maladies mentales en genres, ordres et sous-ordres. Il appelait cela des « monomanies ». Mais un livre passionnant a paru en Allemagne l'an dernier, il n'est même pas traduit. Je ne suis plus médecin aliéniste, mais je continue à suivre ce qui se fait, et la psychiatrie allemande m'a toujours paru supérieure. Je me le suis procuré grâce à mon vieil ami et collègue de l'époque du service de Baillarguer. Cela s'appelle *Psychopathia sexualis*, par un certain Krafft-Ebing, dont je n'avais jamais entendu parler[10]. C'est un monument, tout y est classé et répertorié. Pour lui, votre cas relèverait de ce qu'il appelle paresthésies, perversions de l'instinct sexuel : sadisme et fétichisme.

— Fétichisme ?

— Le fait d'être en adoration devant un objet inanimé, comme les sauvages…

— Ah ah… À ce compte-là, les chrétiens sont de sacrés fétichistes…

— Bref, le fait d'être sexuellement attiré par des objets, liés à une personne. Il détaille celui des chaussures, des parties du corps, des pantalons, des jarretières, des jupons, des mouchoirs, et même, vous ne me croirez pas, des bonnets de nuit !

— Je vois… Un bon professeur teuton, bien grave et bien lourd, qui répertorie sérieusement tout ce qui lui tombe sous la main… Et comment votre Grac-Eving explique-t-il le fétichisme ?

— Pour autant que je m'en souvienne, il explique le fétichisme par l'association d'idées. Le sous-vêtement, par son caractère intime, évoque le corps dans ses parties sexuelles.

Charles disait qu'à ce moment, l'ombre à ses côtés avait émis un son saccadé, rauque, qui devait être un rire.

Vous êtes intelligent, vous vous rendez bien compte, j'espère, docteur, de la faiblesse de ce genre d'explication ? Ah, c'est bien la peine d'être un grand professeur pour sortir de pareilles platitudes… il faut qu'il se remette au travail, le Frac-Tebing. Pourquoi est-ce que Punch a besoin du bas, de la jarretière, du corset ? Mais pour donner sens au corps. Pour lui donner forme. La nudité n'est pas quelque chose qui se révèle toujours facilement. Elle peut n'être qu'un état naturel, une forme d'innocence. Le paradoxe est que la pièce de vêtement révèle la nudité, elle l'active en quelque sorte. Et plus encore, elle la concentre en elle, on peut en prendre possession, alors qu'un corps nu, c'est vaste, c'est compliqué. Le fétichisme n'est pas une maladie mentale, une perversion, c'est une pratique lucide et raisonnée. Je regardais la petite marchande d'oublies, et avec ce que je lui avais fait mettre, ses seins, ses cuisses, ses fesses se détachaient de l'ensemble, prenaient une espèce d'autonomie qui fixait le désir.

Et puis il y a encore autre chose, qui va au-delà du fétichisme. Punch a eu le temps de réfléchir à ce qu'il faisait. Ce qui est terriblement excitant, et demandez-vous, docteur, si vous-même n'avez pas éprouvé cela, c'est le contraste étrange, presque saugrenu, entre l'extrême délicatesse de la parure féminine, ces ongles soigneusement peints, ces bouches dessinées par les fards, ces bijoux, ces dentelles irréelles, et la brutalité du sexe. Une main fine et soignée, avec ses cinq petites terminaisons roses bien dessinées, qui se referme autour d'un phallus, cet organe grossier, velu, et l'enfourne entre deux lèvres peintes, rien que l'idée suffisait à mettre Punch dans un état d'éréthisme furieux.

J'ai demandé à la petite de prendre des poses. Elle le faisait de mauvaise grâce, mais sa maladresse faisait partie du charme, elle se livrait d'autant plus qu'elle ne se contrôlait pas bien. Et puis, que voulez-vous, Punch a fini par se lasser du jeu, la magie du début s'était usée, et la fille restait là, les bras ballants, n'osant pas se rhabiller. Elle avait dilapidé le peu de lumière qui était en elle. Il n'y avait plus rien à faire, que s'en débarrasser.

Dans la cahute, je m'étais aménagé un palais de fortune. Des sacs à charbon, diverses guenilles et de vieux journaux me servaient de lit, une futaille, de table, un vieux seau en bois, de cuvette. Luxe suprême, un miroir cassé, cloué à la cloison, reflétait une bonne moitié de ma tête, que diverses fêlures entaillaient de cicatrices, comme si cette face improbable avait été fabriquée de bric et de broc, en raboutant divers morceaux. C'était ma foi un brave et honnête miroir, d'autres que lui, plus nobles peut-être, en meilleur état, avec de riches cadres dorés, auraient peut-être reculé à la perspective de redoubler le visage de Punch, mais lui non, il s'acquittait du sale boulot à la bonne franquette. Là, dans le noir complet de la masure, il se concentrait sur le difficile travail de garder un peu de lumière, un noyau obscur d'éclat lunaire, comme une braise gelée subsistant de flambées glaciales.

Le morceau de chandelle que j'ai allumé n'a pas vraiment éclairci les lieux. J'en avais l'habitude. La carne de feu fumait tellement qu'elle avait l'air de s'évertuer à ajouter du noir à l'obscurité, qu'elle parfumait de relents de graisse de mouton. À peine si elle tirait de leur enfouissement au sein des ténèbres les masses indéchiffrables composant le capharnaüm édifié là par les années, chiffons, bouteilles, caisses, morceaux de bois, de métal, morceaux de n'importe quoi, qu'il m'arrivait de revendre aux biffins, mais qu'une loi mystérieuse paraissait faire croître encore à mesure que je m'en défaisais.

Et puis il y avait tout ce dont je ne me séparais pas, eh oui, il fallait bien en venir là, ces choses qui m'étaient plus précieuses, croyez-moi, que tous les trésors de Golconde, les Régent, les Koh-i-Noor ou les Sancy. Parce que tout l'or et les diamants ne m'auraient pas donné ce qu'elles me donnaient, ce que depuis toujours, je veux le croire, en dépit de ma mémoire à trous, je recherche : ne plus être Punch. Ne plus être ce vaste sac d'os et de muscles, être une chose délicate et fine, que la lune enfin apaisée vient éclairer sereinement pendant son sommeil, être la beauté. Ces choses qui pour Punch seul avaient sens étaient pliées dans des sacs, rangées dans des boîtes, pendues à des tringles, mais qui aurait pu les identifier, qui aurait pu même concevoir l'idée de ce qu'elles étaient ?

Mais qu'est-ce que je disais ? Je me perds dans mes histoires, parfois, je sais bien, c'est fastidieux. Il faut comprendre, ma mémoire a été fracturée comme le bout de miroir dont je me souviens, ça oui, et qui pendait dans une cabane que j'ai habitée quelques années, à Paris. Il conservait dans ses eaux huileuses la sainte face couturée de Punch, qui devait bien y rester pendant que Punch s'absentait, le miroir n'avait plus la force de s'en séparer, et elle continuait à inquiéter, jour et nuit, la cahute qui s'en rétractait d'angoisse, sans personne.

Punch sait tout cela. Punch connaît les choses, voyez-vous, intimement, c'est un don qui lui a été fait, avec tous les autres, cabrioler, porter des poids, comprendre la voix de la lune. Punch sait entendre aussi la voix, la toute petite voix des choses, les histoires qu'elles se murmurent juste au-dessous de la ligne du silence. Oui, c'est un don, comme il y en a qui savent se faire aimer des animaux et les apprivoiser, Punch apprivoise le vieux bois et les pierres, il console les chagrins immémoriaux qui ont imbibé la substance des chaises et des murs, il sait les en soulager un peu, il prend ça sur lui, et en échange ils l'allègent de lui, ils savent le laisser, juste un peu, déposer à leurs pieds la lourde fatigue d'être lui.

Qu'est-ce que je disais ? Je perds le fil encore, parfois, même si ça va mieux. J'étais sur le champ de foire. Oui, ça je l'ai dit, le spectacle des clowns, le roi Bamboula, et puis la Belle endormie. Mais ensuite ? Ce que j'ai fait après mes visites à la Belle endormie, je l'ai longtemps oublié. Ça refait surface, parfois, et puis je l'oublie de nouveau. Oui, la pleine lune, la petite négresse. La petite ne disait rien. À peine si on la voyait. Elle se fondait dans les ombres mouvantes, elle tremblait tout entière, elle tremblait terriblement, comme si elle cherchait à se séparer d'elle-même, à se diffuser dans l'espace environnant. Ses grands yeux roulaient dans l'eau de ses larmes comme des poissons affolés. Elle ne comprenait pas. Et, voyez-vous, j'ai toujours du mal à expliquer ça, mais la conscience de son incompréhension me donnait des frissons tout le long de la colonne vertébrale. Cette incompréhension, je l'aimais d'amour, et vous ne comprenez pas, personne ne comprend. Je désirais, plus encore qu'on désire une belle fille, devenir le maître absolu de cette incompréhension, entrer ma conscience dans cette incompréhension comme la lame entre dans la chair.

Mais ce n'est pas l'important. La foire. La Belle endormie. La Belle endormie, c'est là que j'en revenais toujours. Je butais sur cet obstacle, comme si j'étais condamné à y revenir sans cesse, sans comprendre ce que cela signifiait. Combien de fois suis-je allé voir la Belle endormie ? Deux fois ? Trois fois ? Dix fois ? Elles se confondent dans ma mémoire. Les Helquin, si je me souviens bien, n'étaient là que pour deux ou trois semaines. Et puis un soir, je ne sais pas lequel, tout est devenu clair. Je sais que j'aurais pu y penser avant. Avoir peur des clowns et se précipiter pour voir un spectacle de clowns. Se souvenir de spectacles de clowns. Mais quelque chose en moi résistait, ne voulait pas regagner cette vieille peau, accueillir cette mémoire. Pourtant la coïncidence s'est faite.

À nouveau Mademoiselle Calliope, à nouveau Mademoiselle Camille, à nouveau le roi Bamboula, à nouveau Mademoiselle Pulchérie. Et puis les ricanements des bonniches, la gouaille des tourlourous en permission. La dernière salle, où reposait la Belle endormie, baignait dans une lumière différente. J'avais en tête un espace creusé d'ombres profondes par les candélabres. Mais les Helquin avaient décidé de se moderniser. Derrière la Belle endormie, ils avaient installé un piédestal en haut duquel trônait un de ces becs de gaz qu'on appelle becs Monnier. Emprisonnée comme dans un vase de verre, une longue tige blanche de flamme se balançait doucement, et l'étroitesse du bec permettait d'éclairer en plein, juste au-dessous, le visage de la Belle endormie, qui se détachait nettement dans la pénombre.

Thalia avait bien grandi. Son visage avait perdu les rondeurs de l'enfance. Il s'était creusé, aussi, les méplats s'étaient accentués, le menton s'était dessiné ; sur la douceur d'autrefois, sur son étrange air d'abandon qui étreignait le cœur de Punch, une sourde volonté semblait l'avoir emporté en dépit du long sommeil qui la tenait enfermée, et ces angles plus tranchés témoignaient aussi d'une sourde souffrance. Je ne l'avais pas reconnue lors de mes précédentes visites, mais quelque chose en moi m'imposait de revenir, et me poussait à la reconnaître.

C'est la lumière blanchâtre du bec de gaz qui avait tout changé. Elle m'avait rendu ce visage que j'avais scruté pendant tant de nuits, dans la substance duquel tout mon être s'était abîmé. Et avec ce visage j'ai su qui j'étais.

THALIA 11

D'abord je ne vis rien, a continué Charles. La seule lumière était assurée par la flamme d'une bougie qui grelottait dans un verre rose. Elle donnait au chaos de draps et d'édredons une lente pulsation de marée, faisait écumer le flot des dentelles, dans le sein duquel je finis par apercevoir tes cheveux noirs et ton visage livide de noyée.

J'ai compris pourquoi l'espace donnait l'impression de se creuser dans la roulotte, pourquoi il paraissait si difficile d'approcher de ce simple lit où tu reposais. Ta seule présence semblait avoir la capacité de déformer l'espace et le temps, de leur donner une courbure qui condamnerait celui qui voudrait t'atteindre à refaire sans cesse les mêmes gestes, à recommencer ses pas, à tourner dans les mêmes pensées et les mêmes rêves.

Dans cette scène, au sein de ce décor futile, tu n'étais pas cette gisante rigide et solennelle que j'avais imaginée, un travail secret était à l'œuvre en toi, comme si une force tentait d'émerger du sommeil, tandis qu'une force contraire y résistait. Tu n'étais pas abandonnée à ces fétiches frivoles à qui tes frères avaient confié ta garde, comme par une sorte de culte naïf ; au contraire, c'est toi qui leur donnais la solennité un peu enfantine, l'innocence dont ils manquaient. En ta présence, même tes frères paraissaient des gamins maladroits, une sorte de candeur transparaissait sous leurs masques crispés de vieux clowns. De ton visage dans cette incertaine lumière, jamais je ne me suis remis.

On croise de très beaux visages, qu'on admire, mais qui ne donnent jamais que l'harmonie de leurs traits, une sorte de beauté objective, extérieure à soi. Et puis il y a celui dont l'inflexion, dont la substance, dont le plus petit détail vient, avec une stupéfiante exactitude, épouser une forme, un modèle, déposé depuis longtemps, depuis toujours peut-être, au fond de notre esprit, sans même qu'on en ait conscience, et qu'on a cherché, pendant des années, instinctivement, sans savoir même ce que l'on cherchait, comme le nourrisson cherche aveuglément le sein. Cette beauté-là vous nourrit d'une substance qui n'est pas purement esthétique, elle réalise, à chaque seconde, dans une durée dépourvue d'accidents et de mesure, l'unité de la matière et de l'esprit.

Non, ce n'est pas tout à fait cela, pardonne-moi, Thalia, a bredouillé Charles, je m'exprime mal, ou de manière par trop pompeuse, j'ai l'impression de donner une conférence de philosophie…

Charles reprenait l'histoire, hésitait, butait sur ce moment. Il essayait de décrire ce qu'il avait ressenti, il s'empêtrait, tantôt c'était trop philosophique, tantôt c'était trop lyrique, tantôt il trouvait ses explications trop confuses, et il n'avait pas tout à fait tort, mais je me gardais bien d'intervenir, je le laissais tracer sa voie, difficilement, dans l'embrouillamini des souvenirs et des pensées.

Voilà, disait-il, moi qui ne cesse de parler, pourquoi j'aime le silence : l'une des plus fortes impressions que j'aie jamais éprouvée dans mon existence, je ne parviens, en cherchant à l'exprimer, qu'à la déformer ridiculement, qu'à la profaner, exactement comme tes frères profanaient ta beauté en l'exposant. Les mots exagèrent ou restreignent, ils ne parviennent jamais à donner le poids exact de ce qu'ils veulent dire. La parole, tu sais, est comme la goualante déroulée par la chanteuse de caf'conc', comme les contorsions de l'acrobate ou les grimaces du clown : elle nous humilie, elle ravale tout ce que nous sommes à une basse exhibition. Et pourtant, je parle, je ne cesse pas de parler, comme s'il m'était indispensable de croire malgré tout à une parole juste, à moins que, comme pour tes frères, il ne s'agisse simplement d'égarer ma honte dans la quantité de mots, de perdre celui qui m'écoute dans les circonvolutions de mes phrases. Oui, c'est que je me dis par moments, je ne suis pas sincère avec toi, je ne suis pas véridique, j'entasse les mots pour masquer mon impuissance.

Je savais gré à Charles de cet aveu, que je dégustais yeux fermés, comme si j'étais en train de siroter un vin précieux, non pas celui de son impuissance, mais celui de son aveu. Il essayait, il essayait toujours, je savais qu'il fallait pour cela mon immobilité, mon apparente insensibilité, je ne devais pas le regarder se contorsionner avec les serpents qui, de jour ou de nuit, ressortaient de leur obscurité, s'enlaçaient à lui et ne lui laissaient aucun repos.

Comment te dire, Thalia… Je me suis aperçu, lorsque ton visage m'a été révélé, au fond de cette roulotte tout entière consacrée à ces colifichets, à ces succédanés qui nous font oublier ce qu'a pu être la beauté, que le visage peut incarner l'esprit. Pas en général, pas pour tout le monde : il y a un visage qui un jour peut l'incarner pour quelqu'un en particulier, qui n'aurait jamais eu sinon cette révélation. Il faut que ce soit pour lui, juste pour lui, parce que ce visage particulier, dans sa texture, fait venir à la lumière la réponse à toutes les tentatives, les impasses, les secrètes recherches qui se sont déroulées en lui, inconsciemment, durant toute sa vie, ont élaboré leur langage, leurs symboles, et c'est dans cette langue, la seule qu'il puisse comprendre, la seule qui parle de sa vie, qu'une réponse lui est formulée.

J'ai compris, a dit Charles, en te regardant dormir dans ce lit de poupée, de princesse de pacotille, ce que signifiaient les portraits des grands maîtres que j'avais vus avec indifférence dans les musées. C'est cela que ces visages silencieux cherchaient à dire, c'est pour cela qu'ils nous fixaient, ils nous invitaient à trouver notre visage, ils nous assuraient qu'il y en aurait un pour nous aussi, peut-être, à moins que, comme beaucoup de gens sans doute, nous ne passions toute notre existence sans le rencontrer, sans même soupçonner qu'il existât.

Et cela aussi m'a saisi en même temps, dans la roulotte : j'aurais pu ne jamais voir ton visage, Thalia, cette évidence m'a saisi à la gorge, comme celui qui comprend qu'il vient d'échapper à la mort. Combien d'êtres, l'immense majorité sans doute, n'auront jamais trouvé leur visage, ni compris l'exigence des portraits ? Et j'ai su que je ne pouvais pas laisser passer cette chance. Que je ne pouvais plus m'abstenir de la contemplation de ton visage, que peut-être elle suffirait à combler mes incertitudes et mes souffrances, comme on m'a dit au catéchisme que la béatitude des élus consiste tout simplement à contempler le visage de Dieu.

Cette forme de visage déposée en moi, et qui était devenue la forme cachée de mes émotions, comme Aristote disait que l'âme est la forme du corps, j'en avais aperçu l'ébauche, sans m'en rendre vraiment compte, en Angleterre.

Charles me racontait souvent l'histoire du portrait, en me brossant les cheveux, tandis que j'étais la gisante idéale, livrée muette à son adoration. L'histoire du portrait se déroulait au-dessus de moi, de plus en plus haut, les mots ne voulaient plus rien dire, je savais que c'était l'histoire du portrait, mais cela ne voulait rien dire, de quel portrait pouvait-il s'agir, pourquoi cela avait-il une telle importance, il aurait fallu que je le comprenne, mais un engourdissement finissait par diluer toute espèce d'importance, et, bercée par sa voix, par ses formules que je finissais par connaître par cœur, je m'endormais pour de bon.

Je retrouvais au fond du sommeil le portrait que Charles m'avait minutieusement décrit. Sans les circonstances qui avaient amené celui qui me le décrivait à le contempler, il baignait dans une lumière étrange, et les détails inexplicables que j'apercevais en rêve sur la toile pesaient sur mon esprit, l'énigme irrésolue qu'ils me proposaient devenait une exigence à laquelle ma faiblesse, l'abandon du sommeil et une sourde appréhension m'empêchaient de satisfaire.

Le tableau représentait un buste de femme assise dont les deux mains, entr'ouvertes, reposaient l'une dans l'autre sur ses genoux, dans une position qui évoquait l'abandon, l'acceptation. La tête très pâle, yeux clos, était légèrement renversée en arrière, comme entraînée par le poids d'une lourde masse de cheveux roux, en attente, requise par quelque événement intérieur. Un oiseau rouge s'apprêtait à déposer une fleur entre ses mains, et c'est ce minuscule événement qui paraissait mobiliser les forces mentales de la femme aux yeux fermés.

De quelle fleur s'agissait-il ? Je la connaissais bien, mais dans mon sommeil, le nom se refusait à me revenir. C'était une fleur jaune au cœur noir, entre de larges pétales d'aspect fragile et doux. Mon incapacité à l'identifier m'obsédait. À l'arrière-plan se tenaient, à gauche, une figure vêtue de rouge, à droite, une figure vêtue de noir, trop floues pour que je puisse les identifier. Devant la figure noire s'élevait un instrument en forme d'aileron de requin, en métal noir, ou en pierre. Il se trouvait au milieu d'un cercle sur la circonférence duquel étaient inscrits des signes difficiles à distinguer, mais une lumière provenant de hauteurs invisibles tombait sur ce dispositif, où je finis par reconnaître un cadran solaire[11].

Lorsque je me réveillais, je ne savais plus où j'étais, ni en quel temps. J'avais un peu froid. Je n'ouvrais pas les yeux tout de suite, je n'en avais pas même la force. Je me figurais être sur la couchette du bas, dans la petite roulotte, et je sentais le regard d'Alastair, au-dessus de moi, j'étais enveloppée, étouffée dans son amour, je savais qu'il fallait que je me lève, que j'ouvre les yeux, que je marche, mais je n'y parvenais pas.

Et puis je comprenais où je me trouvais : je recomposais, autour de moi, la vieille maison de Saint-Genest, ses escaliers grinçants, ses longs couloirs perçant la poussière, la chambre aux meubles d'acajou, les tentures murales un peu défraîchies, avec leurs fleurs vert et rose mille fois répétées, où je voyais des têtes bouche ouverte dans un éternel effarement. Nos théâtres, nos rituels, la fabrique à fantasmes que nos vies ne suffisaient pas à alimenter, tant elle exigeait de nous tout ce que nous pouvions lui donner, temps, énergie, désir, intelligence, cherchant, jour après jour, quel masque irait le mieux à nos masques.

Alors, consciente du lieu et du temps, je n'ouvrais pas encore les yeux, pour ne pas voir ce décor qui s'associait à mon rôle, pour faire semblant de ne pas y être encore, pas tout à fait, sous cet implacable regard d'adoration auquel je ne pourrais plus jamais échapper, et il me semblait que c'était celui de mon frère qui me poursuivait, par-delà les années, par-delà la mort peut-être, qui exigeait de moi qu'à jamais je sois l'être à qui il adressait tout son amour. Et, n'ouvrant pas les yeux, je continuais à jouer ce rôle d'endormie auquel je ne me résolvais pas.

Toute petite, alors que la plupart des enfants sont des dormeurs, je souffrais d'insomnies. Pour dormir, il faut avoir le sentiment d'être chez soi, dans un lieu tranquille et protégé. Un tel lieu n'existait pas pour les Helquin, toujours en déplacement, toujours inquiets du succès, de la recette. Notre mère tenait la caisse et recomptait sans arrêt, maugréait sempiternellement sur la maigreur des bénéfices, entretenait comme à plaisir l'angoisse de l'insuccès et de la déchéance, nous promettait, sous les apparences d'une blague grinçante, un avenir semblable à celui de ces baladins faméliques qui hantent les routes de campagne et volent pour manger, quand ne suffit pas la recette des pitoyables spectacles. Elle ne s'était jamais habituée à la France, qu'elle dénigrait férocement, et nous rebattait les oreilles avec l'Angleterre, que j'avais à peine connue, mais qui, dans ses histoires, prenait des airs de Jérusalem à jamais perdue.

Nous n'étions nulle part à notre place. Les répétitions, les spectacles ne suffisaient pas à me donner cette bonne fatigue qui permet le sommeil, me maintenaient dans un état d'énervement que je ne laissais jamais paraître, mais mes nuits étaient hantées d'incessantes répétitions du même numéro jamais au point, des regards inquisiteurs de spectateurs invisibles, et la lumière de la piste les éclairait encore de ses lueurs acides, venimeuses, qui dissolvaient le silence. J'avais pris l'habitude de reposer les yeux fermés, en attendant la miséricorde d'un peu d'inconscience. Parfois je levais les paupières dans la pénombre, j'apercevais le regard d'Alastair fixé sur moi, et ce regard, aussi pesant, aussi obsédant qu'il fût, compensait celui, inquisiteur, de notre mère. Le regard d'Alastair me prenait telle que j'étais, tout entière, sans restrictions. Souvent, je m'endormais en lui. Mais, plus souvent encore, je flottais entre veille et sommeil, approchant de cette jouissance impossible à obtenir pleinement d'un sommeil qui serait conscient de lui-même. Des sensations, des lumières m'attendaient dans ces eaux intermédiaires qui s'étendent au-dessus des abysses du sommeil : je ne percevais pas d'images, pas de souvenirs, mais quelque chose comme l'émotion à l'état pur, le sentiment nu et déchirant de la présence, dont je pressentais que rien d'autre ne pourrait le restituer que le chant de la petite bossue. C'est en mémoire de tels moments, qui exigeaient de persister, que j'acceptai de bonne grâce le rôle de la Belle endormie, et sa passivité.

Mon existence, coupée en deux parties presque étrangères par un sommeil de plusieurs années, se composait d'une part de souvenirs incertains et d'un monde avec lequel je ne conservais aucun lien et d'une part de vie presque entièrement composée de fiction. Je m'apercevais que le rôle de la Belle endormie convenait à une sorte de fidélité à cet étrange désir, chez moi, qui était le désir du sommeil. Jouer des héroïnes à la vie romanesque m'aurait moins convenu que ce rôle le plus insolite, le plus fabuleux de tous : dormir. Dormir, comme un idéal absolu et inatteignable. Cela, Charles l'avait bien senti, il savait que son fantasme répondait chez moi à ce désir ancien.

J'aurais dû, en dehors de ces jeux hebdomadaires, vouloir à tout prix les contrebalancer par un surcroît d'activités et de mots. Et pourtant, lorsque nous nous retrouvions dans le vieux salon de la maison de Saint-Genest, avec ses portraits de gens qui n'étaient pas nos ancêtres, avec ses bustes antiques, ses pendules de bronze à sujets mythologiques, je ne me décidais pas à sortir du mutisme que je m'étais imposé pour mon rôle.

Plus le silence se prolonge, plus il apparaît comme seul légitime, seul il représente la civilité, la dignité, la présence. Des années de léthargie m'avaient habituée à une sorte d'économie de paroles et de gestes. Rompre le silence m'était toujours difficile, et Charles, en dehors des moments particuliers, presque rituels, consacrés aux divagations de l'imagination, s'était habitué à demeurer presque aussi laconique que je pouvais l'être, par longues périodes qui conféraient une espèce de majesté à notre vie quotidienne. Parler alors eût été incongru, presque obscène.

Il lui arrivait pourtant de souhaiter entendre plus souvent ma voix. Que j'évoque plus en détail ma vie avec mes frères, mes impressions, ce que j'avais ressenti en me réveillant. J'étais assez rétive, lui expliquais-je, non à la confidence en elle-même, mais à la manière dont les mots instauraient presque fatalement une réalité fictive. On prononce une phrase pour tenter de rendre compte d'une expérience, même infime. La phrase, bien sûr, ne va pas tout à fait. D'abord par nécessité : elle opère un choix, elle installe l'immédiat dans la succession, elle use de mots imprécis. Mais surtout parce que n'importe quelle phrase, une fois prononcée, pose la question des intentions exactes de celui qui l'a prononcée. Il faut une autre phrase, et encore une autre phrase, pour tenter de corriger les imprécisions, les lacunes et les ambiguïtés de la première. Mais alors, à force de vouloir se rapprocher de la réalité, le langage finit par prendre le dessus, il prend son autonomie et s'occupe de lui-même. Il faudrait, disais-je à Charles, énoncer les choses sans intention, avec ce silence, cette espèce de neutralité qui est la substance du réel. Je sais, c'est contradictoire. Il m'a semblé pourtant approcher de cela dans certains poèmes, dans certains passages de romans où on eût dit que personne ne prononçait les phrases, et qu'elles attendaient là, au cœur de l'amoncellement des feuillets, sous les reliures de chagrin rouge, dans une sorte de sommeil.

Toi aussi, Charles, lui disais-je, par moments, quand tu parles, quand tu me racontes à moi-même durant ces moments où j'imite le sommeil, comme tu le faisais lorsque j'étais réellement plongée dans la léthargie, tu n'es pas loin de cet état de grâce. Alors demain, nous rouvrirons la chambre de la Belle endormie, qui est restée close toute la semaine, la chambre qui creuse sa pénombre dans la vieille maison de Saint-Genest et qui chaque fois que nous y pénétrons paraît s'être enfoncée un peu plus loin dans le temps, et ce sera comme si des siècles étaient passés, nous rallumerons les flambeaux éteints, je revêtirai la robe d'épousée. *Les meubles auront des formes allongées, prostrées, alanguies. Les meubles auront l'air de rêver*[12]. Et tu me raconteras ma vie.

Lorsque Charles s'était rendu au cirque Helquin, il n'avait en vue qu'un cas médical intéressant à exploiter. Mais, me disait-il, lorsqu'il m'avait vue, il avait su qu'il fallait que je lui appartienne. Non, ajoutait-il, qu'il se fût immédiatement avoué qu'il s'agissait de tout autre chose que de science. Il s'était raconté qu'il ne pourrait en aucune façon étudier de manière satisfaisante ce bel exemple de léthargie s'il devait suivre les pérégrinations du cirque Helquin et passer par leur autorisation pour chaque nouvel examen. Il ne restait qu'une solution : avoir la malade à son entière disposition. Ce qui avait aussi l'avantage d'écarter la concurrence. Inutile, bien entendu, d'essayer de convaincre mes frères que je serais bien soignée si le bon docteur me recueillait dans une maison de santé. Il leur avait donc proposé de m'acheter. Et, ajoutait-il, il ne parvenait même pas à en avoir honte. L'idée qu'il m'arrachait à la condition de phénomène de foire, au voyeurisme un peu salace des mises en scène orchestrées par mes frères, et peut-être à la prostitution, lui avait permis de se dissimuler l'excitation qu'il avait secrètement éprouvée à l'idée d'acheter une jeune fille comme sur un marché aux esclaves.

La réaction de mes frères, telle qu'il me la décrivait, n'avait rien pour m'étonner : d'abord se récrier, se proclamer offensés par une telle proposition, jurer que jamais, etc., et menacer de jeter l'offenseur à la porte. Lequel revoit sa proposition à la hausse. C'était évidemment le but. On passe à un refus exprimé en des termes moins radicaux. D'étape en étape, Charles était finalement parvenu à m'acquérir, pour une petite fortune. Sans aucune garantie, bien sûr, que mes frères s'abstiennent de chercher un jour à me récupérer. J'ignorais si je devais me sentir flattée de la somme qu'il avait déboursée, et qui avait sérieusement entamé, disait-il, la rente que lui avaient laissée ses parents.

Dès le lendemain, il revenait au cirque Helquin avec deux infirmiers, et je quittais définitivement ce qui restait de ma famille et ce monde dans lequel j'avais toujours vécu, pour rejoindre la salle commune d'un hôpital.

Au début, il était encore convaincu que ses motivations étaient purement scientifiques. Je suis apparue régulièrement dans des cours qu'il donnait avec le professeur Baillarguer, dont il était l'assistant et le chef de clinique.

Baillarguer, qui jouissait d'une véritable célébrité, était le médecin à la mode. Ses cours à la Charité étaient devenus une sorte de rendez-vous mondain, on y allait comme on va à l'opéra, et se pressaient, parmi les étudiants et les aliénistes réputés, des figures de l'aristocratie, de la grande bourgeoisie, des journalistes réputés, des écrivains. On venait même de l'étranger. Certaines grandes bourgeoises se découvraient les symptômes des maladies qu'il décrivait, et tenaient absolument à être traitées par lui. On le recevait dans des salons huppés, mais pas encore dans ceux, très sélectifs, de l'aristocratie. Pour Charles, l'un des objectifs de Baillarguer, qui était déjà officier de la Légion d'honneur et membre de l'Académie des sciences, était d'être un jour reçu chez la princesse de Sagan.

Il me considérait, disait Charles, comme son meilleur disciple, et il avait décidé de m'emmener dans certains salons. À ses yeux, la valeur intellectuelle et le travail étaient certes essentiels, mais ils ne suffisaient pas pour faire ce qu'il appelait une « belle carrière ». Il y fallait des relations, des connaissances influentes, susceptibles de donner, selon ses termes, le « coup de pouce » décisif.

Je me laissais faire, à la fois pour complaire au patron, et par curiosité, car je n'avais pas vraiment d'ambition, en dehors de ma passion pour la recherche en psychiatrie. Je ne l'ai pas regretté, d'ailleurs. Cela m'a permis d'écouter des morceaux de musique française contemporaine dont j'ignorais tout, et des écrivains qui venaient lire leurs textes. L'un d'eux, un grand jeune homme timide, a dit un soir quelques poèmes bizarres, dont une espèce de complainte populaire qui m'a ému. Il n'a guère été applaudi, et j'ai été le seul à venir lui parler. Il a recopié le poème sur un bout de papier et l'a signé, je te le montrerai. Je ne me rappelle pas son nom. Bref, je n'étais pas doué pour me faire valoir dans ces soirées.

Baillarguer, m'expliquait encore Charles, était le grand neurologue de l'époque, le rival de Périllon, qu'il tenait pour un dangereux imbécile. Pour Périllon, l'hystérie était un problème ovarien, et il prônait la compression des ovaires à titre de cure. Baillarguer défendait l'origine traumatique de l'hystérie, parmi les manifestations de laquelle il rangeait le somnambulisme, certains cas d'épilepsie, de catatonie, de paralysie. Il provoquait des crises sous hypnose, et en recommandait l'emploi dans le traitement à long terme.

Le cas de la « belle endormie » était particulier, et se prêtait difficilement à un traitement. Baillarguer, toutefois, avait effectué une tentative, que Charles me décrivait en détail. Il y revenait, comme pour que je me pénètre bien de ce qu'il avait contribué à me faire subir, tel le pénitent qui fouille sa conscience pour ne rien dissimuler de ses péchés à son confesseur. Mais je me disais que les récits de ce qui s'était passé durant mon sommeil n'avaient pas seulement pour fonction de se décharger par l'aveu de la culpabilité qui s'y attachait : au lieu de faire renaître la douleur qui s'y associait, leur ressassement finissait par calcifier ce qui demeurait à vif dans son souvenir, le recouvrait d'une couche de mots toujours semblables qui lui donnait une sorte de normalité.

Les yeux fermés, dans mon rôle de Belle endormie, j'entendais Charles me décrire ce que je n'avais pas pu voir, je me figurais la scène comme si je l'avais vécue en toute conscience, comme si elle aussi faisait partie du jeu. D'abord le brouhaha des étudiants pénétrant dans l'amphithéâtre, le grincement des escaliers de bois, et autour de moi les gestes des appariteurs installant le matériel. Une odeur de poussière, de vieilles boiseries, mêlée du musc dont s'étaient vaporisées les quelques femmes qui devaient assister à la séance déployait dans mon imagination la couleur roussie des pupitres, les murs jaunes, et quelque fresque solennelle où des gris ternes répondaient à des bistres, figeant des allégories des arts et des sciences dans des poses convenues, avec feuilles de laurier et plis de toge. Mes yeux demeuraient clos, mais son récit levait des images précises.

L'amphithéâtre est rempli d'étudiants et même de spectateurs, qui s'intéressaient de plus en plus à cette discipline assez jeune et en plein développement qui s'appelait la psychiatrie. On découvrait un continent, dont la carte se modifiait très rapidement, chaque année, presque chaque mois, apportait ses expériences et ses théories. C'était un monde étrange, peuplé de convulsionnaires et de somnambules, de masochistes et de travestis, de mélancoliques et de doubles, que manipulaient comme des marionnettes des forces profondément dissimulées, des mécanismes à l'inextricable complexité.

On y allait comme on allait aux clowns, c'était finalement un peu le même genre de spectacle : la violente, l'agressive étrangeté qui s'y déployait était d'autant plus saisissante qu'on n'en comprenait pas vraiment la cause, et les explications alambiquées déployées sur un ton professoral par les mandarins barbus ne faisaient qu'ajouter le prestige de la science à un mystère qui aurait aussi bien pu se jouer sur des tréteaux du Moyen Âge.

Baillarguer appelait « clownisme » l'agitation convulsive des hystériques pendant la crise, parce qu'elle rappelait, selon lui, les mouvements saccadés des clowns, leurs gestes qui se déclenchaient brutalement, leurs chorégraphies d'automates survoltés qui donnaient l'impression de corps soumis à des secousses galvaniques.

Il avait demandé à Charles d'assurer le rôle du manipulateur pendant qu'il donnerait les explications au public. On m'a assise, vêtue d'une simple chemise et d'un jupon, cheveux noués en chignon, sur un fauteuil rembourré d'oreillers, les deux poignets et les deux chevilles attachés aux bras et aux pieds du fauteuil par de solides sangles.

Charles se tient à ma gauche, et explique au public le fonctionnement de l'appareil « magnéto-faradique » qu'il a mis au point en suivant les instructions du professeur. C'est une sorte d'énorme cylindre de cuivre posé sur un socle, d'où partent deux fils torsadés reliés aux électrodes. Il a gardé ses notes de l'époque, et refait à mon seul usage son petit discours, il veut que se répètent, religieusement, toutes les étapes franchies depuis qu'il m'a achetée à mes frères.

« Les appareils électro-dynamiques comme celui que vous voyez ici, et qui a été mis au point spécialement pour traiter les maladies psychiques telles que l'hystérie ou les névroses, prennent leur source dans une pile. Ils se composent d'un fil de cuivre rouge, recouvert d'un fil de soie isolant, et enroulé en spires serrées de manière à former une hélice, au centre de laquelle on place un fer doux. Cet appareil comporte deux hélices de ce type. Pour le mettre en action, on établit une communication entre les extrémités d'un circuit formé par le fil enroulé sur le fer doux central. À l'instant où ce circuit est fermé, il s'opère une modification électrique dans l'état du fil et dans l'état du fer doux qui s'aimante temporairement. Voilà. L'appareil est à présent en action. L'électricité d'induction produite par cette machine est le seul agent thérapeutique qui puisse produire la sensation cutanée la plus vive, laquelle se gradue depuis le simple chatouillement jusqu'à la douleur aiguë, en passant par tous les degrés intermédiaires, sans jamais laisser d'autre trace à sa surface qu'un léger érythème. On conçoit qu'un tel agent réponde à une foule d'indications, soit qu'on veuille rappeler la sensibilité de la peau, comme dans les anesthésies de cet organe, soit qu'on veuille seulement produire une perturbation sur un point quelconque de la peau. »

Baillarguer, à ma droite, écoute la présentation. Charles me le décrit en détail, je le vois, c'est une sorte de géant qui pourrait jouer les hercules de foire, agrémenté d'un nez en tubercule et de favoris hypertrophiés qui tombent en touffes blanches sur les épaules de la redingote dont il s'affuble en permanence, avec une chemise amidonnée et un col de celluloïd. Il a passé les pouces dans les poches de son gilet. De sa voix de basse noble, il explique les vertus reconnues de la galvanisation pour stimuler les sens anesthésiés.

Emporté par le spectacle sonore qu'il me donne, pris dans le mimétisme, Charles se met à discourir à peu près comme Baillarguer avait pu le faire, du moins comme il me laisse supposer que Baillarguer l'a fait. Et Baillarguer d'expliquer, par cette voix qui rituellement, dans ces séances, me raconte ma propre vie, le beau cas, le cas très rare qu'il allait avoir l'honneur de présenter à l'assistance.

« Le sujet que nous vous présentons aujourd'hui est âgé de vingt-trois ans ; cette jeune femme est plongée dans un état de léthargie depuis plus de sept ans. Oui, mesdames et messieurs, depuis sept années, elle est inconsciente et immobile. Sa respiration est lente, faible, mais régulière. Les battements du cœur sont rapides. Le pouls, presque insaisissable, est fréquent, à cent pulsations. Le visage de la malade est pâle et inexpressif.

« Cette jeune personne a été maintenue en vie au moyen de l'apport quotidien de quelques cuillerées de nourriture à l'état liquide. L'excrétion est presque inexistante, et les règles ne semblent pas se manifester. L'examen de la malade m'a permis d'observer un net amaigrissement des jambes et des cuisses ; cependant les masses musculaires ne sont atrophiées que dans une certaine mesure. Dans la région abdominale, l'amaigrissement est plus marqué. Toute trace de tissu adipeux a disparu. Les os iliaques font saillie sous la peau et circonscrivent la cavité abdominale profondément creusée en bateau. Les membres supérieurs sont aussi amaigris, mais l'amaigrissement porte plutôt sur le tissu adipeux que sur le tissu musculaire.

« Je vais à présent explorer devant vous la sensibilité cutanée de ces régions. Voici une aiguille préalablement désinfectée. Je l'enfonce assez profondément dans la cuisse. Comme vous pouvez le constater, l'anesthésie à la piqûre est complète. Si je réitère l'expérience en haut du genou, comme ceci… dans le biceps à présent… Vous pouvez l'observer comme moi, la réaction aux stimulations douloureuses est totalement absente. »

Charles ne me touchait pas, pendant son récit, mais il me semblait sentir l'aiguille s'enfoncer dans ma peau et les fibres de mes muscles. Étrangement, cette sensation me paraissait concerner quelqu'un d'autre. Elle existait, je suivais son déroulement, mais dans une zone mentale qui ne communiquait pas avec le reste. Il me semblait qu'on aurait pu me déchirer en morceaux avec le même résultat : aussi atroce qu'elle fût, la souffrance n'aurait pas atteint la sérénité de mon esprit.

À chacune des narrations de Charles, le discours de Baillarguer était légèrement différent, et j'avais l'impression d'avoir été soumise à de nombreuses démonstrations publiques, alors qu'il n'y en avait eu qu'une. Tout ce qui m'était arrivé prenait l'allure d'une répétition obsessionnelle, à laquelle moi aussi, il me faut bien l'avouer, je m'abandonnais, comme à ces phrases absurdes que je me répétais sans fin dans mon enfance, parce qu'elles m'entouraient d'une cloison impénétrable à d'autres paroles, à tout ce qui aurait pu avoir du sens, transporter des messages gênants, honteux, angoissants. Le discours de Baillarguer me répétait que j'étais un objet, mais un objet inviolable.

« À présent, je vais lever un bras de la malade. Comme vous le voyez, il se laisse soulever facilement. Toutefois, il se contracte presque immédiatement. Vous ne pouvez pas le sentir comme moi, mais si je le relâche… Oui, le bras reste en position. Et il me faut forcer sensiblement pour le replacer dans sa position initiale. Mais ce n'est pas tout. Je me contente d'effleurer de la main le cou de la patiente. Les muscles du cou se contractent visiblement et demeurent raidis. J'en conclus que la malade présente cette "diathèse de contracture", pour reprendre la formule que j'ai introduite dans mes recherches en neurologie, qui constitue un véritable stigmate de l'état hystérique. Dans cet état, les manifestations sensitives, sensorielles et psychiques sont entièrement ou presque entièrement négatives. L'anesthésie des divers modes de sensibilité est telle que toutes les excitations restent impuissantes.

« L'enquête qu'a menée mon jeune collègue ici présent, le docteur Louvel, a permis de recueillir quelques informations dans la famille du sujet, des artistes de cirque. La jeune fille a toujours été très sensible, très proche de son frère aîné, qui exerçait sur elle une certaine emprise, mais se montrait, de son côté, attaché presque maladivement à sa sœur, et manifestait envers elle des sentiments qui excèdent ceux que l'on s'attend à voir d'ordinaire entre un frère et une sœur. Le point qui nous intéresse plus spécialement ici c'est que notre sujet, à diverses occasions, dans son enfance, qu'il s'agisse de peur ou de contrariété, est tombé dans des états de catalepsie qui pouvaient durer quelques heures. Ce qui a provoqué l'état de léthargie actuel est un accident qui est arrivé à ce frère, sous les yeux de sa sœur. Ce frère a été sérieusement blessé au cours d'une répétition. La jeune fille a été prise d'un malaise, on a dû l'aliter, elle n'a jamais repris conscience.

« Nous avons en l'espèce la symptomatologie classique de ce que j'ai nommé "léthargie hystérique". C'est une manifestation relativement rare dans les cas d'hystérie, et peu d'auteurs la mentionnent. Aussi devons-nous nous féliciter de la chance qui nous est offerte de pouvoir en observer un cas *in vivo.* Évidemment, nous ne pouvons rien savoir de la manière exacte dont le sujet est entré en léthargie, et quels symptômes se sont manifestés à cette occasion. En revanche, j'ai pour ma part été à même d'observer une femme sujette aux attaques de catalepsie, avant qu'elle ne tombe dans un sommeil léthargique, dont elle est sortie au bout de près de deux années. Avant chaque attaque, la patiente présentait une vive rougeur à la face, un raidissement des mâchoires et des membres, et une constriction à l'épigastre. Le sommeil venait au bout d'environ trente secondes, et durait de vingt minutes à deux heures environ. Dans quelques cas, rapportés par les médecins depuis l'Antiquité, l'insensibilité est si profonde, avec une respiration en apparence inexistante, que l'on peut parler de mort apparente. Comme l'a dit Pline l'Ancien dans le livre VII de son *Histoire naturelle* : "*Feminarum sexus huic malo videtur maxime opportunus conversione vulvæ : quæ si corrigatur, spiritus restituitur. Huc pertinet nobile illud apud Græcos volumen Heraclidis, septem diebus feminæ exanimis ad vitam revocatæ.*" C'est-à-dire : "Le sexe féminin semble particulièrement sujet à ce mal, provoqué par la déformation de l'utérus. Avec un traitement approprié, la vie est rétablie. Le livre d'Héraclide, bien connu en Grèce, traite de cette question, à propos d'une femme ramenée à la vie après être restée morte sept jours." Pline, mesdames et messieurs, fait allusion au livre d'Héraclide intitulé *Sur les maladies*, qui n'est pas parvenu jusqu'à nous. Ce que nous pouvons en savoir se trouve dans Diogène Laërce, qui rapporte qu'Empédocle aurait dicté à son disciple Pausanias – Pausanias de Sicile, bien entendu, et non pas Pausanias le Périégète, le célèbre géographe – la manière dont il avait ramené à la vie une femme. »

L'auditoire, disait Charles, se pâmait d'admiration à l'évocation de ces noms qu'il ne connaissait que vaguement, mais qui brillaient d'un bel éclat culturel ; on voyait, à leur air pénétré et ravi à la fois, qu'ils avaient conscience de se trouver dans un lieu, un moment importants, réservés à une élite, où se perpétuait un savoir toujours menacé par le flot montant de l'ignorance populacière et de l'utilitarisme petit-bourgeois. Les belles dames en tenue d'apparat, chapeaux hérissés de plumes et de fleurs, robes de taffetas mauves ou grenat, à volants et à faux culs, rien qu'à entendre parler latin et articuler « Héraclide », « Périégète » et « Diogène Laërce », quand elles ne connaissaient Virgile et Homère que par ouï-dire, se sentaient toutes savantes, participaient comme par imprégnation de cette érudition profonde. Le vieux Baillarguer savait ménager ses effets et tirait une partie de son succès du vernis culturel qu'il donnait toujours à ses cours.

« Toujours selon Diogène Laërce, Héraclide estimait que l'on pouvait continuer à vivre trente jours sans respiration ni pouls apparents. Ce que Pline appelle “mort”, nous l’appelons “léthargie hystérique”. Mais comme vous le constatez, mon illustre prédécesseur (ici, précisait Charles, il fallait se représenter les rires de complaisance dans la salle) parlait déjà d’utérus, qui est bien le siège de la névrose hystérique.

« Mon distingué collègue Pierre Brichet a publié il y a quelques années un article sur un cas de mort apparente. Mme Rachel M., trente-deux ans, mariée, avait été traitée dans sa jeunesse pour des convulsions hystériques. Elle en fut débarrassée par un traitement sous hypnose. Mais elle se trouva dans la rue face à une carriole dont les chevaux s’étaient emballés. Elle manqua de justesse d’être renversée. Rentrée chez elle après cet incident, elle se plaignit d’une boule dans la gorge, ce qui a été identifié dans la littérature comme un des prodromes de l’attaque de catalepsie hystérique. Elle tomba dans le coma. Un médecin appelé ne perçut ni respiration ni pouls et conclut au décès. La malheureuse femme fut inhumée trois jours après.

« Dans la nuit qui suivit ses obsèques, le fossoyeur ouvrit le cercueil, dans l’intention de s’emparer des bijoux qu’on avait laissés sur le supposé cadavre (ici, bien sûr, il faudrait entendre le bourdonnement inquiet du public). Or, à peine eut-il porté la main sur la défunte qu’à sa grande épouvante, celle-ci ouvre les yeux. Il veut fuir, elle le retient en s’agrippant à ses vêtements, et le supplie de l’aider à sortir, et de l’emmener chez le médecin. Il faut imaginer la stupeur du mari en voyant arriver à la maison l’épouse revenue d’entre les morts. La stupeur et la joie, du moins préféré-je le supposer (rires). Depuis, Rachel M. n’a pas été sujette à d’autres crises.

« Ce n’est pas une résurrection que nous allons tenter aujourd’hui, mes pouvoirs ne vont pas jusque-là, du moins pas encore (rires – et Charles, bien sûr, il l’avouait, riait aussi, comme un assistant empressé). Mais le choc électrique peut produire certains résultats, et c’est ce que nous allons expérimenter à présent. Si vous voulez bien procéder, mon cher confrère…

« Voilà… Vous constatez la contracture immédiate. Notre belle endormie est bien vivante. Mais pas de signe de réveil pour le moment. La chose est normale. Si nous voulons avoir une chance de réveil, nous allons devoir appliquer les électrodes dans la région crânienne. Nous allons commencer par les tempes. Vous constatez que l'application des électrodes modifie l'expression du visage de la patiente. Je vais vous demander, docteur, de bien vouloir augmenter la puissance du courant… »

Charles déroulait cette séance pour se fustiger de sa lâcheté, de sa complaisance. Et je me disais aussi que cet aveu, toujours recommencé, avec un luxe de détails souvent inédits, devait constituer à ses yeux une sorte de garantie : puisqu'il allait jusqu'à reconnaître avoir joué ce rôle dans lequel il se haïssait, c'est bien qu'il ne s'était rien passé d'autre. Je le laissais aller.

Venait ensuite le récit de la rédemption, que j'accueillais tenant mon rôle d'endormie, le seul, disait-il, qui ait pu lui permettre de me dire ce qu'il n'aurait pas osé dire à quelqu'un qui le regarderait, pourrait lui répondre, poser des questions, non, il ne pouvait me faire entendre ces choses que dans cette fiction où j'étais censée ne pas les entendre, et le fait est qu'elles me parvenaient avec la distance de la légende.

Les tentatives de réveil de Baillarguer n'avaient rien donné, sinon un spectacle palpitant, qui finalement ne se différenciait guère des mises en scène des bateleurs de faubourg. Il avait pronostiqué un réveil probable, mais à une date indéterminée. La première séance avait suffi à dessiller les yeux du brillant élève qui lui avait amené le beau cas. Oui, Charles avait pleinement pris conscience à ce moment que la science ne lui était qu'un prétexte, et que, par besoin de s'illusionner sur ses véritables motivations, il n'avait fait que reproduire ce à quoi il voulait me soustraire : le spectacle, les regards. En pire : au moins les baraques foraines maintenaient-elles une apparence de sortilège, une liturgie, même grossière, même caricaturale. Les blagues des pue-la-sueur en goguette étaient destinées, comme celles qu'on fait dans une église, à se défendre de la solennité des lieux, à se dissimuler la crainte respectueuse qu'on éprouve devant le mystère. Les savants comme Baillarguer utilisaient les corps au profit de leur seule gloire. Ils chassaient avec un zèle fanatique tout ce qui pouvait ressembler à du sacré, nettoyaient scrupuleusement les derniers coins d'ombre.

Quelques années auparavant, m'avait expliqué Charles, Baillarguer avait publié un ouvrage où il se livrait à une analyse médicale des cas de possession diabolique recensés au XVIIe siècle, des danses de Saint-Guy au XVe siècle, des histoires de paysannes incultes manifestant tout à coup le don des langues et prophétisant, de jeunes religieuses assaillies de stigmates, de maladies atroces et guérissant miraculeusement, ou de malades qui, au XVIIIe siècle, sur le tombeau d'un diacre mort en odeur de sainteté, étaient pris de convulsions qu'on attribuait à la faveur divine et qui étaient censées les guérir.

L'affaire était limpide, le diagnostic inévitable : hystérie. Et voilà pourquoi votre fille est muette ! Jusque dans les œuvres des peintres qui représentaient des saintes en extase, dans une attitude exprimant la joie, l'amour, la contemplation, il identifiait les poses que prenaient certaines de ses patientes dans les phases calmes de ce qu'il appelait la grande attaque ; bref, comme il l'avait conclu, les artistes eux-mêmes, dans leurs représentations, s'étaient pliés à « toute la constance et l'inflexibilité d'une loi scientifique ». Nulle part, me disait Charles, pas plus que Caïn ne parvenait à se dissimuler à l'œil de Dieu, on ne pouvait espérer échapper au regard inquisiteur, inflexible, en effet, de Baillarguer et de ses confrères, qui traquaient la spiritualité, laquelle, pour eux, n'était que le masque d'une maladie, jusque dans le fond des monastères, jusque dans l'art des maîtres anciens, jusque dans la vie d'hommes morts depuis des siècles, et qu'ils ranimaient pour les présenter aux belles dames frissonnantes de plaisir et aux messieurs pénétrés de zèle scientifique comme des sujets d'expérience.

Les Baillarguer ne vous dépouillaient pas seulement de vos vêtements, comme il l'avait vu faire à certaines femmes du peuple que l'on présentait nues à un public d'étudiants en médecine, ils vous délestaient de la peau et des os, ils vous traquaient au fond des organes, ils vous coinçaient à l'intérieur de vous-même, ils vous déshabillaient même de vos sentiments et de vos idées, et vous étiez là, cloué à la planche de la science comme une grenouille écartelée, tout l'intérieur révélé, vous ne saviez plus qui vous étiez, ce qui vous appartenait, le froid du monde prenait possession de vous.

Cela te paraîtra loufoque, Thalia, me disait Charles, mais à force d'écouter pérorer Baillarguer, j'ai repensé aux Évangiles. Disons que je me suis plu à construire à mon usage personnel une exégèse de fantaisie, que je ruminais le soir, après mes journées d'hôpital.

Le Christ, disait Charles, avec une gravité qui démentait ses précautions de langage, est le dieu des grenouilles.

Il a subi le supplice des grenouilles, exposé, membres écartés, cloués, offert au supplice des regards, à la pénétration des épines, des clous et de la lance, afin de vivre pleinement la condition grenouillère des hommes. Son sacrifice ne pouvait pas être compris à l'époque, parce qu'il prophétisait le sort de l'homme moderne, l'exposition devenue complète, la transparente inconsistance. On croit toujours que les ténèbres sont l'image du Mal, mais c'est le contraire : Lucifer, c'est le porteur de lumière, celui qui porte son regard partout, à qui rien n'échappe. La damnation, c'est la lumière du feu, qui éclaire et qui consume à la fois.

Tu te souviens, Thalia, du passage des pèlerins d'Emmaüs, après la Résurrection, dans l'Évangile de Luc ? Les deux pèlerins croisent Jésus mais ne le reconnaissent pas, et lui racontent la disparition du corps du Christ, le tombeau vide. Jésus est là, devant eux, mais il n'est pas identifiable. Puis il rompt le pain, et au moment même où ils comprennent que c'est lui, il disparaît. Son corps est un autre corps, que la lumière ne suffit plus à révéler, sa substance même appartient à l'invisible. Il y a un tableau de Rembrandt qui montre ça d'une manière saisissante (et, tandis que Charles me décrivait le tableau, je reconnus celui que m'avait évoqué le chant de la petite bossue, à moins, me disais-je, que je ne me sois fabriqué un faux souvenir *a posteriori*, dans les rêveries où m'entraînaient ses histoires, et où ma propre vie passée parfois ne paraissait qu'un chapitre d'une plus vaste fiction), je ne sais pas si tu l'as jamais eu sous les yeux, je crois que je n'en ai vu qu'une reproduction dans un livre d'histoire de l'art, en tout cas l'image m'avait frappé et je ne l'ai jamais oubliée, on voit le Christ de profil, c'est une silhouette noire, la lumière qui l'éclaire vient de l'autre côté, le spectateur ne peut pas voir la partie éclairée du corps du Christ, mais un pèlerin la voit, dont le visage exprime la stupéfaction de ce qu'il voit, et qui nous reste invisible. C'est la seule manière possible de voir ce corps après qu'il est sorti de l'enfer du visible : voir quelqu'un qui le voit, ou plutôt voir quelqu'un qui voit une manière inexprimable d'être visible.

Et quand j'avais bien ruminé ces extravagances, disait Charles, je revenais à l'hôpital, je retournais dans le service de Baillarguer, que je me représentais, dans mes fantasmes, ou dans mes obsessions, comme une espèce d'image de l'enfer, où l'on travaillait sans relâche les corps et les âmes. Je ne me serais jamais pardonné de ne pas avoir cherché à réparer l'erreur de t'y avoir envoyée. Je finissais par haïr ce métier, ceux qui l'exerçaient et jouissaient du pouvoir qu'ils exerçaient sur les corps, au nom du désintéressement scientifique. Mais comment sortir de là ? Je tergiversais.

L'histoire de Charles se poursuivait, aussi immuable qu'une messe, les mots restaient identiques à peu près, les variations ne tenant qu'à la distribution des silences, à l'appui de certaines syllabes. À reprendre ainsi sa propre histoire, il la transformait en destin.

Un jour, disait-il, j'ai appris qu'un des frères Helquin s'était introduit dans la consultation de Baillarguer. Il s'était plaint auprès de lui de s'être laissé séduire par les beaux discours qui lui permettaient d'espérer une guérison de sa sœur, mais il voyait bien que cela ne donnait rien. Il exigeait de la récupérer, et de toucher une compensation, faute de quoi, menaçait-il, il saurait bien faire savoir que l'hôpital utilisait de pauvres patientes qu'on enlevait aux familles pour les donner en spectacle, comme des bêtes de cirque. J'avais dû subir les foudres de Baillarguer, qui ne voulait pas d'ennuis, et me chargeait de restituer leur sœur aux Helquin.

Cela, je ne pouvais pas le faire. La solution s'est vite imposée. Mes parents m'avaient laissé quarante mille francs de rente. Je n'avais pas envie de passer mon temps dans une oisiveté confortable, et la médecine neurologique me passionnait. J'étais devenu médecin, alors que je n'en avais nullement besoin, pour l'amour de la science, en quelque sorte. Mais cette partie de ma vie était désormais terminée. Je commençais à douter de la science, et à me demander si elle ne nous détournait pas de l'essentiel. Ce n'était ni le savoir ni le bien de l'humanité que j'avais cherché en elle, mais l'exploration de possibilités inconnues de l'esprit. J'ai emprunté, et fait l'acquisition d'un hôtel particulier discret, dans le nord de la capitale, bien loin de l'hôpital où Baillarguer exerçait son magistère. L'ancien propriétaire, un antique baron, y était mort centenaire, et ses petits-neveux l'avaient bradé avec tout l'ameublement, qui datait du siècle dernier. J'ai acheté les services de deux hommes de main, qui, convenablement habillés en infirmiers, ont extrait la dormeuse de l'hôpital. Pour tout le monde, je la restituais à sa famille.

J'ai continué à exercer un mois, pour donner le change, et

qu'on n'établisse pas de relation entre le départ de la léthargique et le mien. Puis j'ai donné ma démission à Baillarguer, qui n'y a rien compris. Pour lui, la médecine ne s'abandonne pas, un peu comme la prêtrise. Mais je lui ai expliqué que j'entendais désormais vivre de mes rentes.

J'ai appris par la suite que les frères Helquin étaient venus une nouvelle fois réclamer leur sœur, et avaient fait un petit scandale. Ils ne s'étaient pas laissé chasser des lieux sans menaces et insultes, et puis on n'en avait plus entendu parler.

La nuit où on t'a extraite de l'hôpital, Thalia, le fiacre a atteint la grille de l'hôtel vers deux heures et demie. On t'a installée dans la pièce que j'avais préparée depuis des semaines, celle où je te raconte encore cette histoire. Je n'ai pas pu dormir. J'ai attendu le jour derrière la fenêtre de ma chambre. Il est arrivé, incertain, hésitant, engourdi de songes nocturnes, comme un vieil oiseau titubant sur l'arête d'un toit. C'était un jour d'octobre, à la lumière d'aquarium, où des brumes dérivaient lentement, effaçant le monde visible. Je ne voyais même pas la grille de l'hôtel, à vingt mètres. Je savais que désormais j'étais chez moi. J'avais enfin quitté le monde de la vérité positive, avec ses lois d'acier, sa lumière inflexible, pour entrer dans le territoire du rêve, où, du fond de ton sommeil, tu me guidais. Avec toi, je savais que j'irais très loin dans les royaumes souterrains, des ombres nous approcheraient, murmurant les mots de savoirs oubliés, ceux d'Éleusis, de Pessinonte, d'Émèse, de Samothrace, de Dolichê, de Baalbek, d'Oxyrhynchos, que les religions officielles et la science avaient enfouis dans la cendre. Je rêvais ces rencontres, et de nuit en nuit je m'enfonçais toujours plus loin. Au réveil j'avais tout oublié. J'allais te voir. Un sourire s'esquissait sur tes lèvres. Tu ressemblais à ces gisants semblant savoir quelque chose qui nous demeure hors de portée, et en jouir avec une sérénité doucement ironique.

ALASTAIR 11

Et, devant le visage de Thalia endormie, tout est revenu. J'ai vu, avait dit à Charles dans le compartiment l'ombre encapuchonnée, les numéros d'acrobatie de mon père dans les petits théâtres du Lancashire. Je me suis souvenu de cet homme sans méchanceté, un peu timide, entièrement soumis à notre mère qui lui reprochait rituellement son manque d'ambition, les faibles sommes que nous rapportaient ses épuisants exercices. Je me suis souvenu que, dans l'obscurité de mon cœur d'enfant, rôdait quelque chose qui devait bien s'appeler de l'amour, et qui s'adressait à notre père.

Mes frères aînés ont vite commencé à travailler avec lui. Ils étaient tout jeunes, mais notre père les entraînait depuis qu'ils étaient petits. Moi, il a commencé à me montrer de petits tours tout simples alors que j'avais quatre ans. Quel âge avait Rupert à ce moment ? Oui, quatorze ans. On commence tôt, dans la balle. Uriah, du coup, devait avoir douze ans, et Silas dix. J'étais encore Alastair. Ce n'est que plus tard qu'on me surnommerait Punch, ou Polichinelle. Thalia n'existait pas.

Je me suis souvenu du premier spectacle qui me soit resté en mémoire. La famille se consacrait exclusivement, à cette époque, à l'acrobatie, au jonglage et à la voltige. Ils avaient donné, ce soir-là, dans un théâtre dont j'ai oublié le nom, à Liverpool ou à Leeds, un numéro qu'ils devaient répéter par la suite avec succès : notre père, couché sur le dos, jambes tendues à la verticale, faisait faire à mes frères, l'un après autre, toutes sortes de cabrioles et de figures d'équilibre. Ils terminaient chaque fois par un saut périlleux, retombaient sur les pieds de notre père, face au public, et se fendaient d'une révérence, sans la moindre marque d'effort ou de fatigue, absolument comme s'ils n'avaient rien fait du tout, et comme si les semelles paternelles étaient aussi sûres et confortables que le plancher.

C'est cette fin surtout qui m'avait enthousiasmé, rester comme suspendu dans les airs, avec aisance et presque négligence, ce qui donnait le sentiment qu'ils vivaient dans une espèce de légèreté absolue. Je me suis souvenu de mon désir de prendre ma place dans la troupe, et de la timidité, de la crainte même que suscitait en moi cette idée, comme celui qui se prépare à quelque cérémonie sacrée.

Je me suis souvenu de ma fierté lorsque notre père m'a fait faire des exercices un peu plus élaborés, à l'âge de six ans. Il me disait que j'étais doué, que j'étais rapide, souple, fort. Au bout d'un certain temps, il a commencé à me faire travailler avec mes frères, et je sentais bien, parmi les quolibets de rigueur, qu'ils me considéraient désormais comme l'un des leurs, et plus comme un simple gosse. Je me suis souvenu que j'idolâtrais mon père.

Je me suis souvenu de certains des spectacles qu'il nous emmenait voir. Il tenait à ce que nous ayons une vraie culture des arts forains. Il aimait évoquer les légendes anglaises du métier : le fameux Grimaldi, qui fut pratiquement l'inventeur du clown, et dont Dickens s'était fait un honneur de publier les mémoires, ou Philip Astley et Antonio Franconi, qui avaient donné ses lettres de noblesse à l'acrobatie équestre. Mais sa grande admiration, c'était Auriol, un clown très célèbre en France, qui s'est produit en Angleterre alors que je devais avoir quatre ans. Mais je m'en souviens encore. Un petit homme, rondelet, souriant sous sa petite moustache. N'importe qui. N'importe qui en culottes bouffantes et en justaucorps cramoisi.

Et ça commençait. On avait l'impression qu'il volait. Les lois de la pesanteur étaient abolies. Il escaladait des colonnes lisses, dansait gracieusement sur des goulots de bouteilles, reposait en équilibre, à l'envers, tout droit, le crâne sur un autre goulot de bouteille. Ah oui, ça m'a marqué, il me semblait tout à coup possible que les lois physiques ne fussent qu'une illusion, il fallait être assez adroit pour retrouver la liberté. Et pour mieux convaincre qu'il se jouait de tout cela, il ne cessait d'envoyer des plaisanteries, en anglais s'il vous plaît. Le clou du spectacle, ce fut lorsque, en équilibre sur la pointe d'un seul pied, sur l'échine d'un cheval, il a fait semblant de tomber. C'était terrible : la loi fatale s'imposait donc à lui ! Mais non, serrant encore de la main un étrier, il tentait de remonter, et tous ses faux échecs étaient l'occasion de nouvelles cabrioles, jusqu'à ce qu'il retrouve sa position de départ. Un triomphe !

Un soir, j'étais allé assister, seul avec mon père, à un spectacle de marionnettes à fils, car mes frères s'estimaient trop âgés pour ce genre de distractions enfantines. Ils avaient tort, d'ailleurs la petite salle était pleine d'adultes. On jouait une vieille pièce, *Maria Marten ou le Meurtre dans la grange rouge,* d'après une authentique affaire criminelle. Une jeune fille, Maria Marten, qui fréquentait un homme, avait disparu. Son amant écrivait des lettres à sa famille en expliquant qu'ils s'étaient mariés et étaient partis ensemble à l'autre bout de l'Angleterre. Mais finalement son père découvre les restes de Maria enterrés dans la grange rouge, où elle voyait son amant, lequel s'était marié avec une autre, à Londres. Il est arrêté et pendu.

J'avais déjà l'habitude des spectacles, mais à part *Punch et Judy,* c'était la première fois que je voyais un spectacle de marionnettes. Quelque chose m'avait ravi dans cette manière de représenter un mélo qui aurait aussi bien pu figurer au théâtre, un mélo comme j'en ai vu abondamment par la suite. Je ne comprenais pas pourquoi. Il y avait une sorte de pureté dans cet art naïf, et pourtant techniquement ardu. Mais après j'ai compris.

Dès que j'allais au théâtre, même si le spectacle était réussi, bien joué, je ne pouvais m'empêcher de mépriser un peu les acteurs. Ils étaient conscients de ce qu'ils faisaient, voyez-vous, et cette conscience leur ôtait la grâce. Je ne parle même pas des cabotins, des affectés, des poseurs, mais des vrais bons acteurs. La grâce exige de s'oublier. Et c'est ce que je trouvais dans les marionnettes. Sinon, où trouver la grâce ? Dans l'opposé, à l'autre bout : dans la conscience absolue. Oui, j'ai compris cela à présent, il n'y a de grâce qu'en Dieu ou dans les marionnettes. Ou alors par fragments, dans de petits moments de grâce qui échappent à la conscience de l'acteur. Et j'ai saisi brusquement ce qui m'avait toujours échappé dans ce que dit la Genèse sur le péché de goûter aux fruits de l'arbre de la connaissance : l'excès de conscience, c'est la perte de la grâce. Il ne reste plus alors qu'à se perdre en Dieu, dans la conscience absolue, mais c'est compliqué, vous me l'accorderez[13].

Mais une fois que j'ai compris ça, j'ai mieux aimé mon métier de clown. Le clown, de tous les artistes du spectacle, avec peut-être certains mimes, est celui qui se rapproche le plus de la marionnette. En tout cas, c'est le caractère que les Helquin donnaient au clown et à l'acrobate. Ils les mécanisaient. Les clowns n'avaient pas de conscience, c'étaient des machines déchaînées, quelque chose en eux de profond, d'inconnu, de sauvage les menait. Les clowns, en un sens, c'est la grâce inversée.

Je me suis souvenu aussi de l'événement qui se produisit alors que je venais d'avoir huit ans, et que j'avais fait mes débuts sur la piste. Notre père ne travaillait pas seulement avec nous. Il faisait des numéros de voltige dans les cirques de la région. Je me suis souvenu de ma joie, la joie secrète, dissimulée sous le chagrin, lorsque notre mère nous a annoncé qu'il s'était écrasé sur la piste du théâtre de la Gaieté, à Manchester. J'ai ressenti à nouveau en moi, comme si chaque centimètre de mes entrailles m'était devenu sensible, ce paquet d'émotions entremêlées, parmi lesquelles il me fallait bien reconnaître l'allégresse née du sentiment de l'événement : il se passait quelque chose, enfin, quelque chose de terrible, la mort de mon père bien-aimé, mais c'était ça, la réalité, et elle m'inondait de jouissance. J'ai compris, ce jour-là, qu'il y avait en Alastair quelqu'un d'autre qu'Alastair, un inconnu, une figure obscure et muette, semblable à ces bustes de faunes dont le temps a effacé tous les traits, envenimant le coin d'un vieux parc de leur visage absent.

J'ai revu, en contemplant le visage retrouvé de Thalia, notre père tassé dans son cercueil, les épaules à l'étroit entre les planches, ce costume qu'il n'avait jamais mis, ce visage en bois, ces cheveux lustrés, qui en faisaient une marionnette, un petit pantin prêt à s'en aller amuser les diables au fond des enfers. Et puis j'ai vu, des mois plus tard, comme un autre pantin, Thalia dans son couffin, minuscule et mauve, yeux clos, hurlant d'incompréhensibles imprécations, et je me souviens avoir pensé que c'était le diablotin que les enfers avaient vomi après avoir englouti notre père.

J'ai revu les yeux de ma mère, ses yeux bleu pâle, fixés sur nous, tandis que sa voix grinçante nous ânonnait, comme une leçon à bien retenir, que c'était notre petite sœur, et qu'il faudrait la protéger. J'ai senti son parfum, dont elle s'aspergeait tous les jours, et qui se mêlait aux puissants remugles de sueur de mes frères.

Je me suis souvenu que ma mère, après la disparition de notre père, avait pris en main notre formation, et l'avait confiée à un de ses vieux amis, un cousin de notre père qui s'appelait Carlyst. C'était un petit homme râblé, tout en muscles, le crâne presque rasé, arborant une courte royale. J'ai revu son nez camus, ses petits yeux féroces qui scrutaient l'exécution des figures, ses oreilles décollées, vastes et rubicondes, aux circonvolutions obscènes, où semblait se concentrer toute sa brutalité. J'ai revécu mon antipathie envers cet homme, ma crainte de lui, qui pourtant est parvenu à obtenir de mes frères et moi, ou plutôt de nos corps, des accomplissements inespérés, qui tenaient de la métamorphose. Carlyst nous a sortis de nous-mêmes. Nous nous doutions bien que notre mère l'utilisait aussi à un tout autre usage, ce qui nous le faisait plus redouter encore, comme s'il était entré dans l'intimité de la Grande Déesse, et que d'elle il tenait désormais d'étranges pouvoirs.

Je me suis rappelé comment notre mère, qui avait toujours conservé avec notre père une distance toute britannique, se comportait avec Carlyst. Elle lui chuchotait des choses dans les coins, riait d'un petit rire que je ne lui connaissais pas. À table, il lui arrivait de lâcher des allusions lestes, sans sourire, tout en nous fixant de ses yeux froids. Elle laissait flotter un silence, et puis s'adressait à l'un d'entre nous. « Tu verras, Alastair, qu'un jour la petite nouille qui te sert à pisser a aussi un autre usage. Ah, tu ne t'y attendais pas, n'est-ce pas ? Oui, tu fais le petit ange, mais tu verras, tu deviendras comme les autres, un gentil cochon, qui ne pense qu'à fourrer sa nouille sous les jupes des dames. Mais tu ne sais pas encore le secret que cachent les jupes des dames, n'est-ce pas ? Et tu voudrais bien le savoir ? Eh bien, écoute ta maman, Alastair. Sous les jupes des dames, il y a un trou, un trou humide, qui est très sale, mais les cochons comme toi aiment ce qui est sale, et les dames aussi. N'oublie pas ça, mon fils. Les pasteurs, les dames bien éduquées te diront que ce qui est sale, il ne faut pas le toucher. Mais c'est justement parce que c'est sale qu'on a envie de toucher. Tous les enfants savent ça. » Et parfois, lorsque Carlyst lui parlait à voix basse, elle me coulait un regard de côté, avec ce sourire aigu qui me mettait mal à l'aise.

Si dans nos répétitions nous obéissions sans guère de discussion à Carlyst, le soir, dans notre chambre, une fois la lampe éteinte, nous prenions notre revanche, mais notre aigreur restait tempérée par l'admiration qu'il nous inspirait, et surtout par la crainte, comme s'il pouvait nous entendre jusqu'au fond de l'étroite maison de bois et de torchis que nous habitions à Manchester. Nous chuchotions nos plaisanteries et nos rancœurs, mais toujours l'un d'entre nous intervenait pour modérer l'échange.

Un soir, les vers expectorés jadis par Boswell me sont venus aux lèvres comme d'eux-mêmes, et une voix qui me semblait étrangère, détachée de moi, a murmuré quelque part dans la pénombre :

> *Ay, that incestuous, that adulterate beast,*
> *With witchcraft of his wit, with traitorous gifts, –*
> *O wicked wit and gifts, that have the power*
> *So to seduce ! – won to his shameful lust*
> *The will of my most seeming-virtuous queen*[14]...

Les vers donnaient sens à la situation, fixaient ce que nous ressentions confusément. Un parent avait pris la place de notre père dans le lit de notre mère. D'une certaine manière, il avait tué notre père.

Dans la confusion de mon esprit se dispersant dans le sommeil, je revoyais Boswell, livide sur la piste, déclamant les paroles du spectre, et j'y voyais le spectre futur de notre père, sortant du placard pour se lamenter sur son sort, sa couche déshonorée par un étranger, qui le remplaçait jusque dans l'autorité exercée sur ses enfants. Entre nous, nous n'avons plus appelé Carlyst que « Claudius ». Et notre mère y a gagné un surnom définitif : « Gertrude ».

Carlyst voulait faire évoluer nos spectacles, pour les différencier des classiques acrobaties, même si nous nous y distinguions par nos audaces. Je le soupçonne aussi d'avoir voulu rompre avec ce que notre père avait instauré. Alors que nous nous produisions à Londres, un soir de relâche, nous avons eu la curiosité d'aller voir, à l'Astley's Amphitheatre, une troupe qui, paraît-il, avait suscité la frénésie à Paris. Leur succès avait commencé avec leur fameux quadrille au bal de l'Opéra, et depuis c'était la folie partout où ils se produisaient. Leur célébrité avait atteint l'Amérique, et ils avaient donné un spectacle au Niblo's Garden, à Broadway. Ils s'appelaient les Clodoches.

Ils étaient quatre, avec chacun leur rôle : le patron de la troupe, qui se nommait en réalité Clodomir Ricart, avait pris le pseudonyme de Clodoche. Il était affublé d'un costume de highlander écossais, d'un nez en tubercule, de monstrueuses incisives qui dépassaient sur sa lèvre inférieure, et de favoris qui descendaient sur sa poitrine. Il y avait aussi Flageolet le pompier, la Comète, censée être une pêcheuse de crevettes, et la Normande, une nourrice, deux rôles féminins tenus par des hommes, équipés de monstrueuses poitrines postiches. À Londres, ils ont repris leur fameux quadrille, parodiant les figures classiques, le pantalon, la poule, la pastourelle, l'été et le galop final. Mais c'était un déchaînement frénétique, des envols, des cabrioles, des sauts comme sous des impulsions électriques, des retombées en grand écart, une émeute d'ivrognes en délire. C'était l'épilepsie dans la pantomime.

En sortant du spectacle, Carlyst est resté un moment silencieux, puis il a laissé tomber : « C'est ça qu'il faut faire. » Gertrude n'était pas enthousiaste. Ils en ont discuté quelques jours. Pour Carlyst, il fallait s'inspirer des Clodoches, mais en mieux, nous avions largement la technique, il fallait simplement aller plus loin, monter de véritables petites pièces, dans lesquels courrait ce genre de folie furieuse.

Nous ne savions pas trop comment rédiger des canevas. Carlyst savait à peine écrire, et Gertrude regimbait. Or, un matin, Silas nous a raconté son rêve de la nuit. C'était notre scénario ! Depuis, nous avons pris l'habitude de nous raconter nos rêves. Les songes les plus incohérents ou les pires cauchemars nous séduisaient surtout. Plus c'était macabre, plus nous aimions. Nous brodions là-dessus. Et régulièrement ils fournissaient matière à nos spectacles. Je dois dire, toute modestie mise à part, que Punch était un rêveur inspiré, ses nuits regorgeaient d'images, de personnages et d'action. Rupert, qui ne se souvenait jamais de ses rêves, mais qui était le plus instruit, mettait cela en forme. Et c'est ainsi que les premiers spectacles des Helquin étaient du rêve mis en scène.

Ça a marché. J'ai revu la scène du Playhouse de Liverpool, où nous ne passions pas encore en vedette, puis à Londres, Drury Lane, et l'Adelphi, avec la grande affiche : *The Helquin Brothers, in « Punch's Wedding »*, notre premier succès, que nous avons repris ensuite sur le continent.

Au bout de trois ou quatre ans, un beau jour, il n'y eut plus de Claudius. Il ne vint pas à la répétition prévue. Mais Gertrude fit comme si de rien n'était. Elle affecta d'abord de ne donner aucune importance à cette disparition. Selon elle il avait dû, comme en effet cela lui arrivait régulièrement, abuser des pintes d'ale dans quelques-uns de ses pubs favoris. Il lui fallait alors un ou deux jours pour cuver. Mais, au bout d'une semaine, aucune nouvelle de Claudius. Il s'était volatilisé. Nous avons continué à travailler comme si de rien n'était, et de fait nous nous sommes aperçus que nous pouvions nous passer de lui. Il nous avait appris tout ce qui nous était nécessaire.

Bizarrement, dans le petit monde des clowns, tout le monde se connaissait, et nous aurions dû entendre parler de lui s'il avait décidé d'aller faire usage de ses talents ailleurs. Mais rien. Claudius était querelleur, et sa tournée des pubs avait dû mal se terminer, c'était l'hypothèse la plus probable. Il devait poursuivre ses acrobaties au fond de la Tamise.

Les mois passant, Gertrude a fini par élaborer toute une fiction sur cette disparition. Ses versions variaient, comme si Claudius avait eu le pouvoir de recommencer sans cesse sa mort, de différentes manières. C'était tantôt une tentative de maîtriser un cheval emballé, tantôt un chien féroce, tantôt une noyade en cherchant à sauver une petite fille tombée dans le fleuve, tantôt une bagarre au couteau avec des voleurs, mais c'était toujours héroïque et grandiose. Elle ne s'illusionnait pas elle-même et ne mettait guère de conviction ni de vraisemblance dans ses histoires, comme si elle ne les racontait, en grimaçant des sourires, que pour se moquer de nous et d'elle-même, transformant Claudius en une image d'Épinal qui le ridiculisait au lieu de l'élever. Mes frères savaient à quoi s'en tenir et ricanaient. Moi, j'acceptais les récits de ma mère, tout en les sachant inventés. Pourquoi n'aurait-on pas pu mourir de différentes manières ? Rupert disait que Claudius avait dû, en effet, mourir et re-mourir, pour fuir à tout prix notre mère, cette sarcastique articulation d'ossements qui semblait toujours grosse de quelque bizarrerie de la nature.

J'ai senti à nouveau, dans la pénombre de la tente de foire, plongé au sein des exhalaisons étrangères, entouré de corps inconnus, la métamorphose de mes quatorze ans. Cela avait commencé certaines nuits de printemps, oui, cela aussi je l'avais oublié, je me demande comment c'est possible. La lune s'affichait à la fenêtre, la nuit était traversée d'une circulation de souffles, invisibles fleuves charriant leur limon d'insectes et de germes, c'est cela, les haleines qui m'entouraient, les odeurs lourdes, l'obscurité, le visage éclairé de Thalia me ramenaient à ces vieux printemps. Cela a commencé par des douleurs dans le dos et dans les mains, puis cela a gagné, progressivement, les genoux, les tibias, la mâchoire. Ma mère, lorsque je lui en parlais, évoquait de normales douleurs de croissance, mes frères étaient passés par là.

Mais cela a continué, tout le printemps, et l'été, les douleurs sont devenues insupportables. Je m'en souviens, j'avais l'impression que quelque chose en moi me travaillait, un autre corps, comme ces larves qui se métamorphosent en un corps d'insecte qui n'a rien de commun avec elles. Durant ces nuits où je grinçais des dents sous les assauts successifs du tourment, égaré entre une veille assourdie et un sommeil qui ne voulait pas venir me soulager, je me représentais, en moi, dans la profondeur des tissus et des cavités, l'autre, celui que la mort de mon père avait réjoui, et qui voulait prendre ma place, déformer assez mon corps pour qu'Alastair disparaisse.

Jusqu'alors, m'a raconté ma mémoire devant ce visage que j'avais tant de fois scruté, jusqu'à ce qu'il devienne le signe de ce qui me reliait encore à un passé englouti, j'avais dans les spectacles joué le rôle du petit ange à boucles blondes, vif et léger, celui qu'on envoyait comme un simple jouet au sommet des pyramides, celui qui était chargé d'attendrir le public, de saluer avec grâce et d'envoyer des baisers. Avec le temps, c'est devenu plus difficile. L'ange blond s'est rapidement mué en une sorte de Caliban, au menton en galoche, aux arcades démesurées. Thalia avait cinq ans. Elle était blond-roux et tout aussi bouclée que je l'avais été. Elle a repris en partie mon rôle, pour de courts passages qui ravissaient le public et le détendaient entre deux exercices spectaculaires. Nous avons joué en Allemagne, en Italie, et jusque dans l'Empire ottoman. Et puis il y eut l'Amérique.

THALIA 12

Progressivement, disait Charles, dans cet hôtel particulier de la capitale où nous nous étions réfugiés, je me réveillais de plus en plus tard. La femme de chambre, qui venait ouvrir les rideaux à huit heures, sur mon ordre, me trouvait profondément endormi. Elle me laissait. La lumière ne me réveillait pas, je restais pris dans le sommeil, d'abord jusqu'à neuf heures, puis dix, puis jusqu'à midi, et au-delà. Comme si je peinais à remonter des profondeurs où tu me guidais. Dans la journée, j'étais ralenti, encore englué des rêves de la nuit, qui me tiraient vers eux, m'empêchaient de vivre dans ce qu'il est convenu d'appeler la réalité mais qui me semblait plus incertaine, plus inconsistante que le monde des songes. J'allais sans but de pièce en pièce, attendant la nuit et le retour dans la vraie vie. Je ne parvenais à rien faire. Lassé de mes pérégrinations, je m'asseyais, l'esprit brumeux, dans un fauteuil de la bibliothèque, et regardais se consumer les innombrables cigarettes de dubèque aromatique que je grillais en y touchant à peine.

Il m'arrivait aussi, le soir, de me préparer une pipe d'opium. J'avais été initié à cet art difficile par un médecin militaire qui avait fréquenté les fumeries dans la concession de Shanghaï. Lui-même avait demandé à la congaï avec laquelle il s'était collé en Cochinchine, et qui l'avait suivi en Chine, de lui en apprendre les techniques. Il avait rapporté des pipes superbes, et je lui en avais acheté une, une petite merveille chinoise de finesse. Elle n'était pas en bambou, mais en argent. L'embout et le fourneau étaient taillés dans un jade nuage dont les volutes vert tendre présageaient les circonvolutions rêveuses qui bientôt s'en échapperaient. En sept points qui rappelaient les sept nœuds du bois figurant sur les meilleures pipes de bambou, que l'on décore, l'artisan avait travaillé de minuscules figurines en argent, représentant des animaux imaginaires, qui n'attendaient que l'opium pour s'animer, et la base du fourneau était un anneau d'argent finement guilloché. J'avais fait installer devant la cheminée de la bibliothèque une méridienne Pompadour en ébène, tendue d'un satin rose poudre semé de paniers de fleurs, qui avait dû accueillir bien des lascivetés à la fin du règne de Louis XV. Je l'avais acquise à prix d'or chez un marchand d'antiques. Je disposais devant moi une petite table sur laquelle je posais le matériel pour fumer et quelques livres de poésie, par acquit de conscience.

Avec l'aiguille, je prélevais, dans le tube de corne contenant l'opium, une goutte gluante, je portais la parcelle d'opium au-dessus de la flamme de la lampe, jusqu'à ce qu'elle entre en ébullition. Je la posais sur le fourneau plat, la malaxais un peu, la replongeais dans le pot pour l'augmenter, la refaisais chauffer, recommençant l'opération plusieurs fois pour que la boulette d'opium ait la consistance et la grosseur idéale. J'aimais cette minutie inutile, cet art de produire délicatement ce qui partirait en fumée et en songes.

Une fois la boulette à point, je la posais avec l'aiguille dans le petit trou du fourneau de la pipe que je portais au-dessus de la lampe. L'opium grésillait, et j'en tirais l'essence vaporeuse en une longue aspiration qui suffisait à faire entrer en moi les fantasmagories que le jour tenait cachées. Semblables à des animaux effarouchés, elles pointaient leurs formes incertaines derrière les lourdes tentures de velours d'Utrecht, derrière les miroirs, se glissaient depuis les tiroirs des commodes, sous les portes, descendaient d'invisibles échelles de soie tissées par les araignées le long des tiges des lustres. Elles suintaient des objets mêmes, qui avaient contenu leur essence, étroitement mêlée aux parfums du bois et des étoffes, amalgamée aux dépôts impalpables du temps ; je m'étonnais d'avoir ignoré leur présence familière, et je comprenais que le monde quotidien était intimement constitué de la substance des rêves.

Nous nous apprivoisions mutuellement, les fantasmagories et moi. Elles tournaient autour de moi, se rapprochaient. Je reconnaissais certaines d'entre elles. J'étais surpris d'identifier des personnages ou des objets qui avaient figuré dans des rêves très anciens, dont certains remontaient à mon enfance. Pendant toutes ces années, ils avaient continué à vivre secrètement en moi, blottis dans un coin de mon esprit, résignés peut-être à n'être jamais ranimés et à disparaître avec moi, et voici que l'occasion leur était offerte de venir à moi et d'être reconnus. Je les retrouvais avec émotion, c'est à moi-même que je revenais grâce à eux, et c'est moi que je cessais d'oublier en me rendant compte qu'ils avaient plus profondément peut-être contribué à me constituer que les accidents de ma vie consciente. Et parmi ces physionomies de rêve, il y avait celle d'une jeune femme reposant dans la pénombre, la tête enfouie dans les oreillers, les cheveux roux largement étalés autour du visage comme une végétation sous-marine. Il m'a semblé te reconnaître. Je n'ai jamais cru que les rêves annonçaient l'avenir, comme les cousettes qui cherchent leur futur mari dans les clés des songes. Ils se tiennent quelque part où les temps se touchent et communiquent.

Mais d'autres visages, d'autres silhouettes ne venaient pas des rêves. Ils s'étaient penchés sur moi dans ma toute petite enfance, je les avais croisés dans une rue sans y prêter attention, ils revenaient de si loin pour me murmurer qu'ils avaient besoin de moi, pour vivre encore un peu, même si ceux dont ils incarnaient l'identité étaient morts depuis longtemps, et j'avais besoin d'eux, pour que ce que j'avais été, tout ce détail d'impressions et de sensations, ne se perde pas, pas encore. Mais plus encore, ils m'avaient proposé une énigme, comme autant de sphinges croisées à des carrefours de la vie, que j'avais négligé de résoudre, tout occupé à aller de l'avant, à séduire, à conquérir le monde, à devenir un grand médecin. À présent que j'avais renoncé, ils revenaient, doucement, me proposer la même énigme, et il me paraissait évident que c'était elle aussi qui m'avait été proposée par ton visage clos, elle à laquelle je ne pouvais plus ne pas tenter de répondre.

L'opium me donnait certaines réponses à des questions que j'avais négligées. Pourquoi avais-je été à ce point requis d'orienter toute ma vie en fonction d'une jeune femme immobilisée dans la léthargie ? Étais-je incapable d'affronter l'amour d'un être autrement que s'il dépendait totalement de moi ? Étais-je un de ces obsessionnels, de ces pervers recensés par Krafft-Ebing ? Il avait oublié cette spécialité : le désir des femmes endormies. Non, me disait le miséricordieux opium, mais le visage aimé concentré sur sa vie intérieure est la plus prégnante image de la présence, la présence nue, dépourvue d'autre sens qu'elle-même, que la parole et le mouvement dissipent.

Mais sourdaient aussi des consoles et des vases, des lampes et des becs de gaz, comme une inépuisable substance, des impressions sans images, sans lieu, sans temps précis. Airs de musique, souvenirs de voix, couleurs, et moins encore, presque rien, juste une qualité particulière de lumière qui, dans quelque point oublié du passé, avait baigné une scène à jamais disparue. Ces fantômes étaient les plus humbles de tous, les plus nus, mais les plus bouleversants. J'avais cru vivre une scène particulière, contempler un paysage, écouter les notes fugitives d'un violon jouées quelque part, dans une chambre invisible, j'avais cru qu'on me parlait et qu'on disait quelque chose, mais ce n'était pas de cela qu'il était question au fond, la voix, le violon, le paysage n'étaient que les intercesseurs d'eux-mêmes, de ce qui les faisait être mais serait imperceptible sans eux, ils parlaient de leur dissipation, de la manière dont ils s'étaient constitués autour de leur propre effacement, dans la lumière d'une certaine heure, où ne subsistait d'eux que la trace de leur effort vers l'être. Et l'opium avait recueilli pour moi cette intensité de présence, ce nectar longuement concentré par le temps que l'on ne rencontre que dans les rêves.

Tout en m'abandonnant à la miséricorde des songes de l'opium, je relisais pour la centième fois ce passage d'un auteur que je ne connaissais pas, dans un petit bouquin blanc sur lequel j'étais tombé par hasard, dans le chaos de la bibliothèque :

> (...) tu bâtis sur le sein des ténèbres, avec les matériaux imaginaires du cerveau, avec un art plus profond que celui de Phidias et de Praxitèle, des cités et des temples qui dépassent en splendeur Babylone et Hékatompylos ; et du chaos d'un sommeil plein de songes tu évoques à la lumière du soleil les visages des beautés depuis longtemps ensevelies, et les physionomies familières et bénies, nettoyées des outrages de la tombe. Toi seul, tu donnes à l'homme ces trésors, et tu possèdes les clefs du paradis, ô juste, subtil et puissant opium[15] !

De tels textes étaient oubliés de tous, et le resteraient sans doute. Je me demandais ce qu'était devenu celui qui l'avait écrit, et qui paraissait si proche de ce que je ressentais. Était-il mort ? Finissait-il sa vie d'écrivain dans l'amertume et l'indifférence ?

Pendant mes soirées opiomanes, une domestique silencieuse parfois passait, vaquant à je ne sais quelle tâche, et dans la confusion de mon esprit elle m'apparaissait comme une vague résurgence des silhouettes rencontrées dans les royaumes souterrains. Mais contrairement à elles, elle semblait animée, de même que tous ceux que j'employais, par une frénésie de mouvement. À peine était-elle entrée dans la pièce qu'elle avait déjà disparu.

La femme de chambre passait le plumeau et le chiffon à une vitesse très supérieure à celle qu'atteignaient les femmes de chambre les plus expérimentées dans l'art d'imiter le nettoyage. Je n'avais même pas le temps de placer un mot. Je me disais que, certainement, j'avais fini par exister dans une autre temporalité.

Dans les rêves, ce qui semble avoir duré de longs jours n'a été, pour le dormeur enveloppé dans sa literie, au cœur de sa chambre constituée de boiseries et de tentures tangibles, qu'une petite seconde. Le rêve va vite, que n'alourdit pas le poids des choses. Ses décors, aussi complexes, aussi vastes soient-ils, sont montés, démontés, métamorphosés en un instant, de même que l'identité des êtres se modifie instantanément, sans efforts, sans que rien l'ait annoncé. Bizarrement, c'est le contraire qui se passait pour moi lorsque j'étais hors du rêve, le réel allait trop vite. Mais en y réfléchissant, j'ai fini par me dire que justement, par une sorte de réfraction symétrique de sa temporalité, la densité du monde enfoui ralentissait mon corps dans le monde réel, et que je n'appartenais plus tout à fait au même temps que celui de mes domestiques. Peut-être finiraient-ils, de leur côté, par me voir à peu près immobile, alors que je serais en train d'ébaucher un pas, un mouvement du bras, infiniment étiré à ce qui à leur échelle deviendrait des semaines, quant à moi, je ne les verrais même plus, tant leur vitesse ne me laisserait même plus le temps de les percevoir.

Dans la journée, j'avalais machinalement les repas qu'on me servait, et le soir venu, lorsque je ne fumais pas, j'essayais de lire, devant la cheminée, quelque roman sur lequel je somnolais, après avoir vidé une demi-bouteille de vieux whisky. Un jour, peut-être, je serais allé si loin que je ne pourrais plus remonter. Il ne resterait à la surface que mon enveloppe désertée par l'esprit, comme toi. Je m'engloutissais voluptueusement dans l'éternité.

Deux aspirations se disputaient mon esprit. L'une, qui semblait l'emporter parce qu'elle avait pour elle la force d'inertie, voulait que je m'abandonne à la marée débordante des rêves, à l'enchaînement ininterrompu des images. Je n'avais rien à faire pour cela, juste continuer à dormir, à la laisser monter, au gré des pipes d'opium et des bouteilles de whisky. Peut-être finirais-je, moi aussi, par entrer sans retour dans le sommeil. L'autre exigeait de moi que je veille, que je me fasse le domestique de ce sommeil qui se creusait toujours plus profondément dans la maison. Je craignais et espérais à la fois ton réveil, comme on espère et redoute de basculer dans un univers différent. Ce qui m'attendait, si je renonçais à me laisser emporter par les fantômes de l'opium, serait-ce l'entrée dans une *vita nuova*, dans une vie rédimée par l'amour, ou bien l'habituel enchaînement de paroles prévisibles, de gestes inévitables, de compromis et de banalités ?

Charles gardait le silence un moment, puis :

La *vita nuova*, c'est une vieille illusion poétique. Il fallait, et tu l'as compris aussi, Thalia, toi qui viens du spectacle, de la mise en scène, que notre vie soit la cérémonie que l'on déroule pour que le dieu puisse se manifester, un jour, sans savoir s'il le fera jamais.

Tu es restée endormie, chez nous, plus d'un an. Je savais que, dans les cas de léthargie, la durée du sommeil était imprévisible. Tu aurais pu te réveiller le lendemain, ou cinq ans après. Et qui sait s'il n'existe pas, au fond de quelque campagne, des cas ignorés de tous, des familles de paysans qui maintiennent reclus, dans une chambre au fond de la maison, jamais ouverte à l'étranger, un dormeur qui ne se réveillera jamais, et mourra dans cette pièce où il aura passé un demi-siècle, sous un crucifix barré d'un vieux brin de buis, oublié par le village, ou relégué dans un coin de la conscience, dans une zone où être vivant et être mort se confondent, soigné avec négligence par deux générations successives, pareille à cette vieille que j'ai connue jadis, à la campagne, qui achevait sa vie dans un lit semblable dont elle ne sortait jamais non plus, dans une semblable pièce reléguée au fond d'une maison du village, impotente, sénile, à peine plus consciente que le dormeur, car les images du passé qu'elle substituait, dans sa décrépitude mentale, à ce qui l'entourait, n'avaient guère plus de réalité que les rêves qui agitent le dormeur éternel.

Je me suis parfois dit que dans ton cas cela durerait toujours, tant ton réveil me paraissait inimaginable, comme un basculement de la réalité, un passage dans un autre univers. Le fait de s'endormir ou de s'éveiller m'a toujours paru un peu miraculeux, et tu réalisais ce qui me paraissait, paradoxalement, le plus normal. Non, je ne craignais pas l'idée que tu puisses demeurer dans un sommeil perpétuel. Je ne craignais pas l'idée de vieillir avec cette gisante, qui me communiquait, m'imaginais-je, un peu de l'éternité à laquelle elle était livrée.

Ainsi Charles avait-il pendant toute une année, sans écarter l'éventualité que cela pût durer toujours, gardé mon sommeil, écouté attentivement mon souffle presque imperceptible, comme si dans ses rythmes il allait entendre s'ébaucher un langage, se formuler des oracles qui de manière cryptée auraient interprété son destin, et qu'en moi, au plus intime de ma chair, reposât le sens qui le fuyait. Pendant toute une année il avait été le serviteur et le zélote d'une déesse gisante, me disait-il. Pendant toute une année il avait passé de l'eau sur le visage de la déesse, versé goutte à goutte dans sa bouche les cuillerées du mélange qui la maintenait en vie, massé ses articulations après les avoir ointes d'huile, déposé quelques perles de parfum sur ses tempes, passé des heures assis, sur un fauteuil, à côté du lit, lisant de vieux livres, préparant sa pipe à opium, rêvant. Il n'abandonnait à la femme qui en était chargée que les basses besognes corporelles.

Elle, je n'avais pas eu le temps de la voir beaucoup. Elle avait disparu peu de temps après mon réveil. Sans explication, comme si elle n'était que l'incarnation provisoire d'un esprit domestique affecté au service de la déesse. Charles avait reçu plusieurs femmes de chambre pourvues de références impeccables, mais c'est sur elle que son choix s'était porté. C'était une petite femme bancroche et sans âge, au visage rond et livide. Elle boitait, et une bosse semblait déformer son épaule gauche. Elle la dissimulait avec un grand fichu de laine tricotée qu'elle portait en permanence, et qu'elle attachait sur sa poitrine avec une grosse épingle de cuivre. Elle s'appelait Pulchérie.

Il lui avait donné la préférence par pitié, mais aussi pour d'autres raisons. Elle parlait peu, semblant éprouver une sorte de dégoût à extraire des phrases de sa gorge. Cela lui avait plu aussi, et il s'était dit que ce n'était sans doute pas le genre de fille à bavarder dans l'office ou sur les marchés. D'ailleurs il préférait maintenir à domicile celle qui se chargerait de moi, et réserver le marché à la cuisinière.

Pulchérie s'était acquittée de sa tâche avec dévouement, sans jamais se plaindre. Elle faisait preuve, m'avait-il dit, d'une force étonnante, et parvenait sans aide à me manipuler, à me retourner, à changer les matelas. Elle ne semblait guère communiquer avec les autres domestiques, qui ne l'aimaient pas, et la craignaient un peu. Elle était étrange.

Charles préférait que la cuisinière et les femmes de charge ignorent, autant que possible, l'existence de la dormeuse, dont la pièce se trouvait dans une partie de la demeure qui leur était interdite. Il avait ordonné le silence à Pulchérie, sans savoir si elle avait compris. Il était bien conscient que de toute façon on jasait, à l'office, sur sa fonction, et personne n'accordait un grand crédit à la fiction qu'il avait élaborée, selon laquelle il avait affecté Pulchérie à l'entretien d'une pièce sacrée pour lui, remplie d'objets fragiles et de souvenirs précieux de sa mère. Le secret de polichinelle s'éventerait fatalement. Mais il s'agissait de retarder autant que possible le moment où les bonnes commenceraient à comprendre, puis à bavarder sur le marché avec d'autres domestiques, lesquelles répandraient l'étrange histoire, enrichie de détails, auprès de leurs maîtres, ou à on ne sait quels traîneurs de barrière, jusqu'à ce que le bruit parvienne aux oreilles des Helquin.

Un jour, il lui était arrivé d'entrer tout doucement dans la chambre lorsque Pulchérie y était, pour voir comment elle s'acquittait de sa tâche. La pièce était toujours plongée dans la pénombre, contrevents clos, et une petite antichambre permettait de se placer dans un angle obscur d'où l'on voyait le lit, éclairé par une veilleuse, sans être vu. D'abord, il n'avait pas vu la servante, elle s'affairait du côté de la commode, dans une partie de la pièce qui n'était pas visible de l'antichambre. Mais il avait entendu quelqu'un chuchoter. C'était une petite voix douce et bien timbrée, autant que le murmure pût le laisser deviner, qui n'avait rien à voir avec celle, aigre et nasale, de Pulchérie. La voix débitait sans discontinuer des mots à voix basse, impossibles à comprendre. Et tout à coup, il entendit celle de Pulchérie articuler, de son habituel ton rechigné, un « non » sonore.

Qui était là avec elle ? Avait-elle permis à la cuisinière, ou à une étrangère, de pénétrer dans la chambre, ce qui était formellement interdit à tout autre qu'elle ? Mais lorsque Charles était entré dans la pièce, il n'y avait que Pulchérie, qui pliait du linge dans la commode, et l'avait regardé d'un air effaré, comme si elle le fixait de derrière sa bosse.

Il arrivait que s'élève, quelque part dans la maison, un air d'opéra-bouffe à la mode, ou une aria du répertoire classique. C'était toujours après la fin du service, le soir, ou dans les heures creuses du début de l'après-midi. C'était une superbe voix de femme, sonore, légèrement voilée, comme si celle qui chantait avait longtemps séjourné dans des pays brumeux, dans des chambres froides qui lui avaient donné cette sorte de patine qui ajoute au charme des objets anciens. Impossible de savoir d'où elle provenait : l'hôtel était vaste, constitué d'un embrouillamini de couloirs, de recoins, d'escaliers menant à d'autres escaliers.

Une ou deux fois, disait-il, il avait tenté de localiser la source du chant et, partant dans la direction d'où il pensait qu'il venait, il avait fini par s'apercevoir que, par un système de répercussions propre à la bizarre configuration des aîtres, le chant émanait de la partie opposée. Le temps qu'il y aille, le silence était retombé sur la demeure.

Un jour, finalement, il était arrivé dans une chambre éloignée, où l'on n'entrait jamais, sinon pour faire la poussière. Le chant venait de cesser. Pulchérie était là, occupée à cirer l'acajou d'un monumental lit Louis XIII, hérissé de colonnes, de têtes de chérubins et de nymphes versant les eaux du sommeil, legs du vieux baron, qui devait le tenir de ses ancêtres.

— Est-ce vous qui chantez si bien, Pulchérie ?

— Chaipas, msieur.

— Enfin, vous devez bien savoir si vous chantez ou pas. Vous avez une très belle voix quand vous chantez…

— Estcequechais…

Il n'y avait jamais eu moyen de lui en tirer plus. Les autres domestiques, la cuisinière, la fille de cuisine, la bonne, interrogées, avaient déclaré qu'elle était folle, elle ne cessait de marmonner, les lèvres presque closes, d'incompréhensibles histoires. Elle ne chantait que lorsqu'elle était seule et que personne ne pouvait la voir.

« Et fouineuse, avec ça… », disaient-elles.

Les domestiques s'étaient lâchées sur Pulchérie. Sous prétexte de faire du ménage, elle passait beaucoup de temps à divaguer dans la maison, s'aventurant dans les zones les moins fréquentées, secouant la poussière de tapis séculaires, déflorant des armoires, ouvrant des tiroirs, dont elle sortait des éventails, des gants, des dentelles qu'elle rapportait à l'office, pour les astiquer ou les rafistoler, mais ce qu'elle peut être maladroite, et qui sait si elle n'en barbotait pas, ajoutaient les bonnes, éveillant avec sa chandelle des miroirs depuis longtemps endormis, où elle se regardait, paraît-il, longuement, pour ce qu'elle est belle, on l'a vu le faire dans le petit salon vert, elle reste là, comme une idiote qu'elle est, bras ballants, bouche ouverte, à regarder son reflet comme si c'était celui de quelqu'un d'autre qu'elle n'arrive pas à reconnaître.

Charles s'était bien douté que la cuisinière et la femme de chambre devaient la moquer, la persécuter un peu, mais Pulchérie ne se plaignait jamais, arborait toujours le même visage fermé, et semblait prendre du plaisir à son service auprès de la dormeuse. Les domestiques qui auraient tenté de lui soutirer des détails sur la nature exacte de ce service en seraient sans doute restés pour leurs frais, espérait-il. Mais il se doutait bien qu'il ne pourrait pas longtemps dissimuler l'existence du second habitant de l'hôtel particulier : la pièce fermée, le service exclusif de Pulchérie, le linge que l'on lavait finissaient par dessiner un hôte fantôme, et au bout de quelques semaines on devait chuchoter parmi les domestiques.

De ce qu'il me racontait qui était censé s'être passé durant mon long sommeil, je n'avais aucun moyen de savoir ce qui relevait de la vérité et ce qui relevait de la fiction. Le personnage de Pulchérie paraissait bien appartenir à cette dernière, et elle offrait des traits communs avec des personnages similaires qui avaient traversé notre histoire. Cela faisait bien des coïncidences. Mais j'avais pris l'habitude de demeurer dans cet espace incertain entre réalité et fiction.

Des questions du même ordre m'étaient apparues après mon réveil. Charles était, par la force des choses, devenu mon narrateur. Lui seul savait quelle vie j'avais vécue après avoir sombré dans la léthargie, j'étais prisonnière de la toile d'araignée de ses récits, que construisait, jour après jour, sa voix. Mais, d'un autre côté, moi seule savais quelle avait été ma vie avant de sombrer dans le sommeil, et cette vie suscitait en lui, il me l'avait avoué, une curiosité dévorante. Il aurait voulu tout savoir, qu'aucun détail ne lui échappât. Il souffrait cruellement, me disait-il, de ce que d'autres m'avaient vue, de ce que des inconnus m'avaient contemplée sur la piste, de tout ce qui, à jamais, lui demeurerait interdit, et d'après lui ce désir dévorant ne pourrait être apaisé, un peu, que par un récit potentiellement infini, qui détaillerait non seulement mes tenues, mon apparence, mes faits et gestes à chaque moment, mais restituerait aussi les différents regards qui s'étaient posés sur moi, les points de vue d'où l'on m'avait considérée, les pensées qu'on avait conçues à mon égard. Et c'est moi qui en étais la narratrice, forcément lacunaire.

Charles ne comprenait pas que, puisque je dépendais de lui pour une partie de ma vie, je ne pouvais pas accepter de lui livrer l'autre, faute de devenir sa chose. C'est bien cela que je lui reprochais, ce féroce désir de possession qui voulait me transformer en une sorte d'annexe de sa conscience. « Je n'éprouve pas, lui disais-je, le même désir envers toi, c'est ta liberté que je veux. » Il se défendait comme il pouvait, jurait qu'il ne voulait pas une chose, mais ma conscience de moi, c'est-à-dire, justement, ma liberté. Nous nous épuisions en arguties. Le jeu nous réconciliait.

Un jour, m'avait-il dit, il était entré dans la chambre, et, pour la première fois, j'avais les yeux ouverts. Il avait eu peur. C'était un regard fixe, un regard tourné vers l'intérieur, et qui voyait des choses qui n'appartenaient pas à ce monde.

Le regard fixe avait duré des jours. Puis mes yeux avaient commencé à suivre les gens qui se déplaçaient. J'avais fixé attentivement un miroir que l'on m'avait présenté. De tout cela, il ne me restait aucun souvenir. Les phases de mon réveil avaient disparu de ma mémoire. Il me restait des impressions confuses, celle de ne pas savoir exactement où je me trouvais. Il me semblait que ce lieu devait être la roulotte. Je venais de me réveiller après une bonne nuit de sommeil. J'entendais autour de moi l'agitation matinale, la voix de mes frères qui se lançaient leurs habituelles plaisanteries avant la journée de répétition. J'aurais dû déjà être levée, mais une sorte d'engourdissement m'en empêchait.

Progressivement, l'illusion de ce décor sonore s'est estompée. Un lieu étranger s'est concrétisé autour de moi. J'ai vu un visage inconnu se pencher vers moi. Ce n'était pas celui d'Alastair. Mais ce visage, quelque chose en moi l'a accueilli immédiatement, comme une évidence. Il venait prendre naturellement la place de celui de mon frère, qui, durant tant de nuits, avait scruté mon sommeil. Sans lui ressembler – personne ne pouvait ressembler à Alastair –, il accusait avec lui certains traits communs : des arcades sourcilières prononcées, une mâchoire fortement dessinée, des lèvres épaisses, mais moins accusés, moins brutaux. J'y lisais, au-delà de la dévorante jalousie possessive d'Alastair, une bonté inquiète, tourmentée, en laquelle il me semblait que je pouvais me reposer.

Plus encore, lorsque le visage ne se penchait pas sur moi, j'entendais la voix qui parlait à quelqu'un, dans un coin de l'espace qui n'entrait pas dans mon champ de vision, et cette voix, dans ses inflexions chaudes, dans la manière dont elle déroulait tranquillement les articulations des mots, semblait me guider, précautionneusement, hors du sommeil. Elle aussi je l'accueillais, j'y trouvais des résonances auxquelles mon corps était préparé, qui avaient été faites pour lui. Dans le conte, la princesse reconnaît immédiatement le prince sans l'avoir jamais vu. Cette invraisemblable reconnaissance ne semble étonner personne, et lorsqu'on me le lisait, enfant, je trouvais cela tout naturel.

Je disais parfois à Charles que le conte avait raison : je l'avais reconnu, avant même que nous ayons échangé une parole. Cette confidence désaltérait sa confiance, calmait les scrupules qui le travaillaient. Je lui disais que je n'étais pas simplement Thalia, le sommeil avait instauré entre Thalia et moi cette distance que peu d'êtres ont avec eux-mêmes, et que Thalia n'était que l'une des personnes de la petite foule qui en moi exigeait l'existence. Obscurément, sans savoir exactement de quoi il s'agissait, nous nous étions trouvés.

Je me suis réveillée comme un nouveau-né. Il fallait tout m'expliquer, le monde, la vie, qui j'étais. Je me rendormais souvent. J'avais du mal à prendre conscience de la réalité qui m'entourait. Où étais-je ?

Charles ne laissait pas Pulchérie s'occuper de moi, ni pour me nourrir, ni pour me coiffer ou me laver, à part pour les soins intimes. Je n'arrivais à avaler rien de consistant, il a fallu beaucoup de patience et d'attention à Charles pour parvenir à me faire mâcher de petits morceaux de fruit. Mais surtout, des semaines pour réapprendre à marcher. Je n'avais plus de muscles, plus d'équilibre. Chaque matin, il m'aidait à m'asseoir. Au bout de quelques jours, ce fut la station debout. Et puis, un peu plus tard, un premier pas, un autre. C'était tellement difficile que j'en pleurais. Mais je me rappelle, je sens encore, sur ma taille, sur mes bras, la chaleur des mains de Charles, comme si on me les avait imprimées à jamais sur la chair. Ses gestes ressemblaient à sa voix, souples et doux, minutieux. Et il me parlait, avec les mêmes précautions qu'il mettait à m'aider à marcher, il ouvrait la profondeur du passé, qui se creusait devant moi comme l'espace, et me donnait encore plus le vertige.

À aucun moment je n'ai senti qu'il cherchait à profiter de la situation pour égarer ses mains. Rien d'équivoque dans ses gestes, et lorsque parfois je tombais, s'il lui arrivait, en me rattrapant, de toucher mon sein, il s'en excusait aussitôt ; il était mon serviteur dévoué, le raconteur d'histoires d'une princesse isolée du monde.

Lorsque j'ai pu marcher seule, la première chose à laquelle nous avons été confrontés était purement pratique. Mais la pratique, parfois, crée les conditions d'expérience à la faveur desquelles l'esprit, qui cherche obscurément son incarnation, consent à se manifester. Comment faire admettre aux domestiques que, tout à coup, une femme habitait la maison ?

C'est moi qui lui avais suggéré l'idée. Monsieur Charles avait annoncé à la domesticité son intention d'effectuer un petit voyage. Nous étions sortis une nuit, discrètement, et la voiture de louage qu'il avait réservée nous attendait à deux cents mètres de là. Elle avait roulé une partie de la nuit et nous avait conduits dans un petit hôtel du littoral normand, presque désert, c'était le début de l'arrière-saison.

Il avait plu pendant deux semaines. Nous sortions peu de la chambre, sinon pour les repas, ou pour quelques heures de lecture dans le salon, près du feu qui palpitait tout le jour dans la grande cheminée, tandis que les averses venaient battre la baie vitrée, avec le froissement d'ailes d'un grand oiseau affolé.

Parfois nous nous décidions à les affronter, armés de caoutchoucs et de vastes parapluies qu'il fallait défendre contre les entreprises du vent. J'avais l'impression, tant la pluie était dense, tant la teinte glauque de la mer se confondait avec celle du ciel et des prairies, d'avancer sous l'eau, suspendue à la traîne d'une méduse noire gonflant spasmodiquement son voile.

La chambre, bien sûr, comportait un seul lit, comme il sied pour le jeune couple que nous étions censés être. Nous nous dévêtions chastement derrière un paravent. Le soir, nous nous allongions côte à côte, laissant entre nos deux corps un espace assez large pour qu'y repose l'épée de Tristan. J'éteignais la lampe à pétrole. Un calme absolu régnait dans l'hôtel. On n'entendait que les arpèges assourdis de la pluie derrière les contrevents. Nous ne dormions pas tout de suite. Dans le noir, nous laissions le silence accomplir sa gésine. C'est là, sans doute, que tout a commencé. La pluie préludait indéfiniment, jusqu'à ce que les voix s'élèvent, comme séparées des corps invisibles dont elles étaient issues. Les histoires pouvaient commencer.

Histoires timides d'abord, et comme tâtonnantes, par lesquelles nous nous identifiions, deux aveugles dessinant des doigts le visage de l'autre.

Moi, j'avais été, et j'étais encore, car la coupure des années m'avait laissée au moment où j'assistais terrifiée à l'accident d'Alastair, une gamine du cirque, habituée à ne jamais être moi-même, toujours dans la peau d'une autre, ne serait-ce que celle de la petite fille touchante et gracieuse, non seulement sur scène, mais pendant les interminables répétitions. Pour Alastair aussi j'étais ce rôle, dans la vie, qu'il confondait avec la scène : la petite fille si naïve et si fraîche que les plus sèches des vieilles, que les plus endurcis des marlous sentaient, paraît-il, une larme leur monter à l'œil et se souvenaient qu'ils avaient eu, eux aussi, cette innocence. Cela faisait partie de l'argument de vente.

Seule ma mère, peut-être, n'en était pas dupe. Elle percevait en moi ce qu'il y avait d'indifférence, la neutralité polie sous la grâce. Mon attachement même pour Alastair, il m'arrivait de tenter de le formuler sous le parapluie, tandis que le vent et les vagues couvraient ma voix et la rendaient presque insignifiante, presque ridicule, à tenter ainsi d'exister parmi tant d'espace faisant donner ses instruments, se partageait entre une passion pour ce Caliban féroce et fragile et un désir de lui échapper que je ne cessais de me reprocher. Il était le seul qui parvînt à me faire regretter d'être quelqu'un d'autre que ce qu'il adorait, mais il fallait qu'un jour, je le sentais, j'échappe à Alastair. En moi, quelque chose savait qu'il y avait une étrangère qui se contentait de supporter ces incarnations, mais qu'aucune ne pourrait satisfaire.

Charles aussi avait son histoire : fils de notable de province, il fait sa médecine, se consume pour la fille d'un grand médecin ami de la famille, qui destine sa progéniture à un autre, digère son chagrin d'amour, cherche l'oubli dans le travail, se spécialise dans une jeune discipline d'avenir, la neurologie, et devient le bras droit du célèbre Baillarguer. Il trouvait tout cela, avec le recul, d'une accablante banalité. Il incarnait le personnage type d'un de ces romans « psychologiques » qui faisaient fureur parmi les femmes de la grande bourgeoisie qui s'ennuyaient. Tout y était, la profession, l'amour de jeunesse désespéré, les mystères de la psyché.

J'en convenais : son histoire ne m'intéressait pas. Être ainsi plutôt qu'autrement n'avait pas la moindre nécessité. Mais lorsqu'il me rétorquait que la mienne était autrement originale, loin des conventions bourgeoises, je lui répondais que les « conventions bourgeoises » était le nom qu'on était convenu d'attribuer à un certain comportement social pour mieux se dissimuler le fait que l'humanité était conventionnelle par essence. Ce qui était conventionnel, et aussi vieux que les hommes, c'était d'être soi.

Des morceaux de mémoire affluaient dans mon esprit, en désordre. Je me souviens, lui disais-je, des gamines que je fréquentais lorsque ma mère consentait à me laisser quelques semaines à l'école, dans un quelconque bourg dont nous amusions le soir les habitants. Elles me considéraient avec une curiosité hostile, ne me parlaient pas, parce que j'appartenais à une espèce inconnue, qui n'habitait nulle part et ne faisait rien de ce qu'une jeune fille faisait normalement. En un sens, l'originalité était ma demeure, mais je ne m'y sentais pas bien. Non que je veuille l'effacer pour rejoindre la normalité des autres gamines. Elle me paraissait fausse, aussi fausse que leurs aspirations. C'est peut-être pour cela que je m'étais tant attachée à Alastair. Il n'était de nulle part, il semblait débarquer d'une autre planète, il ne cherchait pas à être quoi que ce soit, il se contentait de désirer, férocement, douloureusement, quelque chose à quoi je ne pouvais pas encore donner de nom.

Il y a une question que je n'osais pas poser à Charles, une question violente, offensante, qui a mis du temps à s'énoncer, mais je ne pouvais pas ne pas la poser. J'ai voulu savoir si, durant ces longs mois où j'étais inconsciente, à sa merci, il m'avait violée.

Il m'a raconté, dans le noir de la petite chambre, tandis que le vent et la pluie faisaient le siège de l'hôtel, comment un soir, m'ayant déshabillée pour faire ma toilette, il s'était senti, plus profondément que d'habitude, comme opprimé par mon corps, écrasé par sa présence. La blancheur parfaite de ma peau rendait ma nudité absolue, je rayonnais de nudité, m'a-t-il dit, nul être sans doute n'avait jamais été aussi nu. Mes cheveux roux étalés sur l'oreiller, la touffe rousse qui jaillissait d'entre mes cuisses lui avaient paru les flammes engendrées par cette nudité en ignition.

Il en avait conçu une sorte de désespoir. Il ne pouvait que rester en dehors, jamais la beauté ne lui serait donnée, dans sa plénitude. Il ne lui restait qu'une solution, pour calmer sa souffrance. Profaner la déesse, en faire une simple mortelle. La parfaite pureté de cette nudité exigeait la profanation. C'est par la profanation, se disait-il, et les discours à ce moment affluaient, se bousculaient dans sa tête, que la beauté existe. C'est la blessure qu'on lui inflige qui l'enlève du lieu inaccessible où elle se tient et lui donne toute sa réalité. « Je ne t'avais soustraite aux vulgaires sacrilèges des médecins et des spectateurs, qui ne savaient pas ce qu'ils faisaient, que pour commettre un sacrilège véritable. » Le viol lui apparaissait comme une nécessité. Et puis, après tout, il était le Prince charmant, le viol, qui sait, était ce qu'il fallait faire pour réveiller la Belle au bois dormant.

Et pourtant, il n'avait pu se résoudre à le commettre. Il pressentait vaguement ce qu'il y aurait après, ces terres calcinées qu'il aurait à traverser, le dégoût de tout, le désir vécu comme un fardeau honteux. Mais la seule pensée d'avoir envisagé ce viol lui paraissait presque équivalente à l'avoir réellement accompli. C'est la pensée, disait-il, qui est la vraie, la seule réalité.

— Mais je me suis réveillée. Tu devrais le regretter, n'est-ce pas ?

— C'est vrai, Thalia, et pourtant ce n'est pas le cas.

— Parce que ce que tu désires en moi, ce n'est ni la petite fille adorable subjuguant les spectateurs par son innocence, ni la Belle au bois dormant, ni rien, mais tout ce qui en moi n'est pas moi.

Depuis ces premières nuits, nous n'avons plus cessé de nous raconter des histoires.

Nous sommes rentrés au bout de quinze jours. Pour les domestiques, Monsieur installait une maîtresse dans son hôtel particulier. Elles n'y accordaient peut-être pas crédit, mais elles consentaient à valider la fiction. Tout était dans l'ordre. Je m'étais trouvé un nom de guerre, un nom bien clinquant de demi-mondaine, Pauline de Ferval, et fabriqué une vie susceptible de donner le change, telle qu'on en trouvait par charretées dans les petits romans lestes qui, avec les romans psychologiques, constituaient l'essentiel des lectures de nos contemporains. Abandonnée à la naissance par une jeune femme bien née qui avait fauté, élevée par les bonnes sœurs dans un pensionnat de province grâce à la générosité d'un donateur discret, avec toutes les options, piano, chant et révérences, protégée par de généreux vieux messieurs, j'avais tous les accessoires de la cocotte qui se prépare à faire une fin avec un riche médecin amoureux. L'histoire ne pouvait que plaire à la domesticité, et, obéissant à un modèle courant, elle passerait facilement en société, d'autant que son côté fabriqué autorisait un scepticisme de bon aloi qui faisait partie de sa crédibilité. Qui, dans cette jeune femme à la mode, irait reconnaître le cas pathologique de la léthargique, présentée au public en cheveux et vêtue d'une chemise et d'un sarrau de grosse toile, ou la Belle endormie promenée de foire en foire ? Le temps avait passé, ces filles avaient disparu, et personne ne s'en souciait plus, pas même le professeur Baillarguer, qui avait bien d'autres cas intéressants à exhiber.

Je craignais encore un peu mes frères. Mais qui sait où ils étaient alors, dans quelle partie du monde ? Et quel lien auraient-ils pu faire entre leur sœur et la femme que j'étais devenue ? C'est sans trop d'appréhension que nous avions introduit ces mensonges dans une vie sociale qui y était de toute manière habituée. Cela nous amusait de composer ce rôle. Nous jouions à l'amour, avec la légère distance ironique qu'exige le monde en matière de sentiments.

Mais il ne s'agissait pas seulement de cela. Nous nous apercevions que la comédie nous servait à apprivoiser le sentiment, à lui permettre d'exister sur un mode suspendu, virtuel. Il n'avait encore été question de rien. Et, paradoxalement, ce qui nous retenait l'un et l'autre, Charles me l'a avoué par la suite et je lui ai alors confié, soulagée, que j'avais éprouvé exactement la même chose, c'était l'excès d'évidence, le romanesque du prince charmant et de la belle endormie, qui nous paraissait trop prévisible pour être vrai. Nous avions besoin de ne pas succomber à cette évidence. La vie sociale nous servait à cela : nous imprégner de vérité par le biais du semblant.

Mais une fois qu'elle a eu accompli sa fonction, elle a cessé d'avoir du sens. Ce petit théâtre avait été comme l'accomplissement de rites permettant d'apprivoiser un peu cette déité sauvage et informe qu'on est convenu d'appeler amour. Nous n'en avions plus besoin, mais notre vie sociale continuait sur son erre. Paradoxalement, manifester l'amour, du moins son avatar social, ce sentiment léger et charmant, nous était devenu pénible, comme une profanation, depuis que nous avions compris qu'il existait.

Autre chose, comme une ombre, pesait sur notre vie. Mon réveil ne semblait pas avoir troublé d'abord le service de Pulchérie. Elle continuait à accomplir les mêmes tâches avec la même énergie silencieuse. J'étais passée presque insensiblement du sommeil à la conscience. Lorsque j'ai commencé à parler, elle a paru perturbée. Elle ne cessait de grommeler des phrases incompréhensibles, ou disparaissait des heures entières, comme s'il était entendu que désormais, on n'avait plus besoin d'elle. Les échos de chants sublimes nous parvenaient plus fréquemment des étages infréquentés de la maison. Ce qui nous rassurait, c'est qu'on ne la voyait plus non plus à l'office, on pouvait espérer qu'elle n'avait rien dit aux autres domestiques de mon retour dans le monde de l'éveil. Mais le moment approchait où j'allais redevenir autonome. Le mieux aurait été de lui donner son congé. Nous n'avons pas eu cette peine : un beau jour, elle n'est plus venue. La cuisinière et la fille de service, interrogées par Charles, n'en savaient pas plus que nous. Elles se montraient ostensiblement satisfaites de sa disparition. Elles la méprisaient et la craignaient.

— Que si elle pouvait ne jamais revenir…

— Ça… Pour sûr…

— Une marteau de cet acabit…

— Que si elle pouvait retourner d'où elle sort…

Il leur a demandé d'où elle venait, puisqu'elles semblaient si bien informées.

— Comment ? Monsieur ne sait pas d'où sort cette drôle d'espèce ?

— Eh bien, d'une place précédente, je suppose…

— Ça, pour une place…

— Je ne sais pas ce qu'elle fournissait comme références, mais m'est avis que là d'où elle venait, ils ne lui en ont pas donné…

— Enfin, Rose, cela suffit, n'est-ce pas… expliquez-vous…

— Écoutez, Monsieur, lorsque je l'ai vue arriver, je me suis dit que sa tête me disait quelque chose… Après, je me suis souvenue où je l'avais vue. C'est à la foire.

— À la foire ?

— Oui, Monsieur, à la foire… elle s'était fait embaucher pour faire le phénomène… La femme à deux têtes… J'ai bien vu que c'était du chiqué, mais y en a qui s'y laissent prendre… Ah, sûr qu'elle ne devait pas bien y gagner sa vie… On est tout de même mieux dans le service de maison, quoi que certains en disent… Mais allez savoir ce qui passe par la tête de ces bêtes-là, Monsieur… elle regrettait peut-être de faire le phénomène… Elle y sera retournée, qui sait… Mais d'après ma sœur, les montreurs de phénomènes s'en sont allés... ça ne fait que bouger, ces gens-là...

Au bout de quelques mois, la vie sociale nous pesait, mais le fantôme de Pulchérie retrouvant mes frères ne fut pas étranger à notre décision de partir à Saint-Genest.

ALASTAIR 12

Je me suis souvenu de notre tournée américaine, à l'acmé de notre succès, et j'ai vu les inscriptions à l'encre sur les trottoirs de Broadway, *See the Helquin Show.* Ce truc de réclame avait été inventé par Rupert, qui avait eu surtout pour but de faire écrire les journalistes. Nous avions payé une troupe d'hommes-sandwichs pour promener l'affiche du spectacle que nous donnions au Bowery. Rupert avait eu l'idée de coller à leurs chaussures des semelles spéciales où se trouvait gravé, en relief, *See the Helquin Show.* Ils encraient ces semelles et imprimaient partout la phrase.

Nous avions compris tout de suite l'importance de la réclame en Amérique ; à Baltimore, nous sommes montés au sommet du Washington Monument, une colonne de cinquante-quatre mètres de haut. Il y avait beaucoup de passants à cette heure de la fin de journée. Nous grimpons jusqu'à la petite plate-forme, juste sous la statue de Washington. Silas lance un cri affreux et fait mine de se lancer dans le vide, en arrière. Rupert et moi le retenons, chacun par une jambe, et il pend ainsi à cinquante mètres de haut, se débat, cabriole. Tout en bas, les badauds se rassemblent, se multiplient, se figent, tête levée, yeux écarquillés. Lorsqu'ils sont bien à point, Uriah lance à la volée des dollars, sur lesquels, évidemment, chacun se précipite, sans chercher à comprendre, et tombe sur un faux billet, avec l'inscription : *See the Helquin Show – Front Street Theatre.*

Nous avons écumé les États-Unis, Cincinnati, Chicago, New York, San Francisco, Buffalo, Philadelphie, Saratoga, Nashville, Louisville, Colombus, Rochester, Indianapolis, Memphis, Charleston, Savannah, Atlanta, Portland, Pittsburgh, Detroit, et on y revenait, on faisait des cercles qui n'en finissaient pas.

Je me suis souvenu de notre rencontre avec Barnum. C'était à Saint-Louis, Missouri. Il parcourait les États-Unis avec son train interminable et son monstrueux chapiteau qui pouvait abriter des milliers de personnes. Il nous a reçus dans son wagon personnel. C'était un personnage roublard, vulgaire, content de lui, obsédé par les manipulations psychologiques qu'on pouvait exercer sur le public pour le faire adhérer à n'importe quoi. Sa face aussi était vulgaire, ou pour mieux dire sa trogne, avec ses cheveux frisés en bataille au sommet de son front dégarni, son nez en tubercule et son gros menton de travers. Mes frères recevaient ses discours sentencieux avec un respect empreint d'admiration. Il les traitait comme des disciples, des apprentis, alors que son cirque nécessitait vingt fois moins d'art et de travail que nos spectacles. Je restais en retrait, mais c'est à moi qu'il a consenti à s'intéresser un peu plus. Il nous considérait d'un air satisfait, engoncé dans son fauteuil, et s'est décidé à allumer un monstrueux cigare, dont il nous a détaillé complaisamment le pedigree. Nous avons décliné l'offre d'en allumer un, nous évitions de fumer.

« Ceci, messieurs, est un Punch Double Corona. Pas facile de se les procurer, c'est une petite marque cubaine. Ils s'appellent *Punch* parce que la bague représente cette espèce de Polichinelle du folklore anglais qui porte ce nom. »

Cela a fait sourire mes frères qui lui ont expliqué que tel était justement mon surnom.

« Nous étions prédestinés à nous rencontrer ! Oui, depuis que vous êtes entrés, j'avoue que la physionomie de Mister Punch a retenu mon attention. Vous avez là un beau spécimen, messieurs, une tête et un corps impressionnants. C'est de l'or, un physique pareil. Je pourrais en faire un phénomène qui attirerait les foules. *Le dernier représentant d'une race oubliée, retrouvé dans le Caucase. Sa spécialité : la lutte à mains nues avec les ours.* Ou soulever une femme par chaque bras, *oui mesdames messieurs, les paysans de Géorgie ont réussi à l'attraper alors qu'il enlevait deux jeunes filles de cette manière, trois hommes solides ont trouvé la mort dans l'affaire.* Le tout, c'est un physique, avec une bonne histoire. Qu'en dites-vous ? »

Tout ce discours débité sans hésitation, avec un étrange accent qu'on nous a expliqué par la suite être celui du Connecticut.

J'ai décliné. Barnum a haussé les épaules, et il a tenu à nous faire voir certains de ses phénomènes les plus célèbres. Nous avons d'abord rencontré la sirène.

« Cette fameuse sirène, messieurs, qui a attiré tant de spectateurs à l'American Museum que j'avais ouvert à New York, est une momie en parfait état de conservation. »

Barnum a ouvert une porte, donnant sur un petit compartiment sans fenêtre, comportant pour tout ameublement une banquette. Une lumière glauque était dispensée par une lampe à pétrole accrochée au plafond, pourvue d'un abat-jour vert. Les cloisons de pitchpin du compartiment étaient couvertes de coquillages géants, de poissons naturalisés et de gravures représentant des navires. Face à la banquette, sur un piédestal, un grand cylindre de verre reposait, fermé sur le dessus par une écoutille en bronze ajustée par de gros rivets, que l'on pouvait ouvrir au moyen d'un volant. La flore marine artificielle qui décorait le cylindre donnait l'illusion qu'il était rempli d'eau. Il pouvait tout juste contenir le corps de la sirène.

C'était une hideuse chimère. Punch la revoit encore nettement, sculptée par la pénombre verdâtre. La queue d'un grand poisson, thon ou espadon, qui présentait des déchirures plus ou moins bien rafistolées, se rattachait au torse velu de ce qui ressemblait à un chimpanzé, torse parcheminé, gueule ouverte découvrant quelques dents jaunes entre les babines desséchées.

Les bras maigres et noueux se tordaient, brandis et comme tétanisés. C'était à la fois répugnant et pitoyable. Ce pauvre reste épouvantable paraissait pris dans un tourment éternel, fixé au moment où on l'avait arraché à ses profondeurs imaginaires. Entre la queue de poisson et le corps simiesque, la jointure était visible, mélange de rembourrage qui s'effilochait et de coutures déchirées. Quelque chose de désolant vous étreignait le cœur à ce spectacle, comme un chiffon que roule le vent sur l'étendue d'une fête achevée. D'autant plus pitoyable était la chimère que sa laideur décourageait toute compassion. Elle ne pouvait susciter que le dégoût. Cette épave témoignait de ce que les hommes font des rêves.

Et puis Charles s'est mis à imiter l'ombre imitant un long discours de Barnum : C'est une pauvre chose, n'est-ce pas ? Et pourtant elle attirait le public. Parce que j'avais une bonne histoire, parce qu'elle est affreusement laide, et c'est ce qui rend crédible l'affaire, en relevant l'histoire d'une petite sauce scientifique, car la science, contrairement au spectacle, ne cherche pas à séduire. Si c'est laid, c'est que c'est vrai. D'ailleurs le public, même sceptique, aime aller voir le phénomène pour montrer sa supériorité d'esprit. Mais, quoi qu'il en soit, les crédules restaient majoritaires.

Oui, messieurs, les bizarreries de l'esprit humain sont notre gagne-pain, ce n'est pas à vous que je vais l'expliquer ! Je me suis contenté d'exploiter cela sur une grande échelle. La duperie est voyante ? Et puis ? Raison de plus pour la faire avaler ! Voilà le *challenge* du marchand d'illusions ! Car le gogo se dit aussi : Ça a l'air tellement incroyable que ça ne peut pas être faux ! Ils n'oseraient pas ! C'est pourquoi on m'a appelé le « prince du puff » ! L'enfumeur, le roi de l'arnaque ! Ce n'était pas une critique, mais un hommage ! Les gens se fichent d'être enfumés, ils veulent être partie prenante de l'arnaque, du moment qu'elle est célèbre ! Ça a si bien marché que je rêvais d'exhiber une sirène vivante. Non seulement vivante, mais chantante ! Oui, j'y ai songé, dissimuler un troubadour qui aurait dégorgé, derrière une tenture, non des airs enchanteurs, mais des gargouillis sinistres ! Et puis je me suis lassé de ma sirène.

L'histoire, messieurs, c'est ce qui compte ! L'homme est un consommateur de rêves, plus encore que de pain. Tout était minutieusement préparé pour l'apparition de la sirène. J'ai fait insérer dans le *Herald* de New York un entrefilet tout à fait neutre annonçant que le professeur Griffin, du Muséum d'histoire naturelle de Londres, venait d'arriver à San Francisco avec une sirène découverte aux îles Fidji. Il allait s'embarquer à New York pour Londres, où il la remettrait au Muséum.

Quelques jours plus tard, le *Herald* publiait un courrier de lecteur demandant à la rédaction d'insister auprès du professeur Griffin pour qu'il consente à montrer sa trouvaille aux New-Yorkais. Là-dessus, un de mes employés descend à l'hôtel du Pacifique de New York, pour une semaine, sous le nom de Griffin. Trois jours avant son départ, pour remercier le gérant, il lui propose de lui montrer quelque chose qui l'étonnera, et lui dévoile, dans sa chambre, la fameuse sirène ! Le brave hôtelier supplie le faux Griffin de bien vouloir exhiber la merveille à quelques-uns de ses amis, à titre privé. Inutile de dire que la nouvelle se répand très vite. Les journalistes, alertés par mes entrefilets, accourent et s'extasient. Il faut avouer qu'à l'époque, cette pauvre momie était dans un bien meilleur état que celui où vous la voyez. J'admets l'avoir un peu négligée ces derniers temps. La jointure en était indétectable. Une épine dorsale de poisson courait depuis la queue jusqu'à la nuque, et une touffe de cheveux orangés, semblables à du varech, dont il ne subsiste aujourd'hui que quelques poils, tombait sur ses épaules.

Je fais annoncer dans différents quotidiens que le professeur Griffin consent à différer son départ et à exposer sa créature pendant une semaine, pour l'instruction du public. Je fais fabriquer et distribuer dans les boutiques et les hôtels de petites brochures d'allure scientifique sur les sirènes, et j'envoie aux principaux journaux des gravures représentant la créature. Il n'en fallait pas plus pour attirer les foules. Je loue la salle des concerts de Broadway, on fait la queue pour acheter des billets, et le faux professeur Griffin débite de savants discours sur la créature installée sur scène dans un bocal. Il inventait une espèce mal connue, mais dont l'histoire nous apprenait qu'on avait pu en apercevoir divers exemplaires ici et là dans le monde. Il brodait sur les circonstances de sa capture.

Griffin expliquait qu'il se trouvait, un mois auparavant, dans les Indes néerlandaises, étudiant le *Spilocuscus maculatus*, et diverses autres espèces fascinantes qui peuplent la Nouvelle-Guinée, lorsque la nouvelle lui était parvenue de la capture de la sirène. Il était accouru aux Fidji. Les pêcheurs fidjiens racontaient qu'ils l'avaient ramenée encore vivante dans leurs filets. À peine échouée, d'une voix suave, elle avait entamé une sorte de complainte dans une langue inconnue. Irrésistiblement attirés par ce chant merveilleux, les pêcheurs s'étaient approchés, et l'un d'eux avait été mordu. La sirène était morte juste après. Le professeur Griffin déclarait que là était l'origine du mythe des sirènes tel qu'il est rapporté chez Homère. Certains animaux émettent des chants sublimes, que l'on peut prendre pour des airs articulés par une voix humaine. Tel est le cas du ménure d'Australie, du béluga, du rorqual ou de l'érismature à barbillons. Il ne reste aux indigènes qu'à enjoliver la rencontre, et à construire la légende, expliquait-il, toujours très scientifique, démystificateur de mythes pour mieux vendre du conte.

Pour faire bon poids, on exposait aussi un ornithorynque, un tatou du Brésil, deux poissons volants desséchés, un protée capturé dans une grotte de Dalmatie, et la massue qui avait tué le capitaine Cook. Lorsque j'ai annoncé que le professeur Griffin consentait à me céder la sirène pour une somme mirobolante, que je n'ai évidemment jamais versée, le succès a redoublé, et j'ai promené ma sirène dans plusieurs États américains.

Le visage muet de Thalia, révélé par la lumière, avait dit l'ombre géante à Charles, ranimait les fantômes, qui se pressaient dans les recoins obscurs de la tente aux phénomènes, et je croyais distinguer dans la petite foule qui contemplait la Belle endormie le visage disgracieux de Barnum nous expliquant que le monde était une histoire bien troussée.

C'est un peu grâce à lui que j'avais retrouvé Thalia. À l'époque, forts de notre succès, nous méprisions l'exhibition de monstres et de phénomènes de foire, qui n'avaient rien à voir avec l'art difficile de l'acrobate. Mais mes frères ont bien dû s'y résoudre, poussés par la nécessité, lorsque ma disparition et la léthargie de Thalia leur ont porté la poisse, lorsque plus rien ne leur réussissait et que le public cessait de s'intéresser au comique funèbre qui avait été à la mode durant une vingtaine d'années. Alors ils se sont souvenus de Barnum, alors Thalia est devenue leur plus rentable phénomène.

Elle était, dans cette lumière glauque, avec ses longs cheveux roux étalés sur ses épaules, comme une sirène sortie du fond des eaux du rêve, et je savais qu'il me revenait de l'y replonger. Un vieux poème allemand m'est revenu en mémoire, qu'on m'avait fait apprendre par cœur. Gertrude tenait à ce que nous connaissions l'allemand, le français et l'espagnol, pour nos tournées. Nous avions des précepteurs d'occasion. Celui qui était chargé de l'allemand, sa méthode consistait à faire apprendre des poèmes. Pourquoi pas. Il m'en est resté, comme celui-ci. Je crois que vous comprenez l'allemand, docteur :

Der Abend kommt gezogen,
Der Nebel bedeckt die See ;
Geheimnißvoll rauschen die Wogen,
Da steigt es weiß in die Höh'.
Die Meerfrau steigt aus den Wellen,
Und setzt sich zu mir, am Strand ;

Die weißen Brüste quellen
Hervor aus dem Schleiergewand.
Sie drückt mich und sie preßt mich,
Und thut mir fast ein Weh' ;
Du drückst ja viel zu fest mich,
Du schöne Wasserfee !
« Ich presse dich, in meinen Armen,
Und drücke dich mit Gewalt ;
Ich will bei dir erwarmen,
Der Abend ist gar zu kalt. »
Der Mond schaut immer blasser
Aus dämmriger Wolkenhöh' ;
« Dein Auge wird trüber und nasser,
Du schöne Wasserfee ! »
« Es wird nicht trüber und nasser,
Mein Aug' ist naß und trüb',
Weil, als ich stieg aus dem Wasser,
Ein Tropfen im Auge blieb. »
Die Möven schrillen kläglich,
Es grollt und brandet die See ;
Dein Herz pocht wild beweglich,
Du schöne Wasserfee !
« Mein Herz pocht wild beweglich,
Es pocht beweglich wild ;
Weil ich dich liebe unsäglich,
Du liebes Menschenbild[16] *! »*

Punch enfant avait trouvé dans ce poème je ne sais quelle tristesse sans cause, le sentiment déchirant qu'aucune rencontre, aucun amour, n'était possible, car les âmes appartenaient à des espaces inconciliables, et que le monde n'était, sous la lune glacée, que la concrétisation, en arbres, en collines, en chemins, de la mélancolie qui en constituait la plus intime substance. Rien n'aurait jamais lieu et rien ne reviendrait jamais, le temps et la mémoire se perdaient, absorbés par la lune glacée. Le poème, Punch le suçait et le resuçait, comme ces vieux bonbons qu'il tentait de faire durer indéfiniment, jusqu'à le vider de tout contenu, de toute raison, et là, il avait le sentiment de l'avoir enfin compris. Mais bref, docteur, je vous faisais Barnum. Je continue, c'est plus amusant que la mélancolie d'un vieux clown.

Et le plus beau, disait Barnum, c'est que la véritable histoire de la sirène était peut-être plus romanesque que celle de la fausse. Voici comment elle est entrée en ma possession. Pas plus de San Francisco, de professeur Griffin et d'îles Fidji que sur ma main. En réalité, c'est le capitaine d'un navire affrété à Boston qui la vit un jour exhibée, dans un bouge de Calcutta, par des marins japonais qui prétendaient que ce genre de créatures abondait dans les eaux du Japon. Il l'acheta six mille dollars, une fortune qu'il ne possédait évidemment pas, mais il y mit l'argent de ses armateurs. Il abandonna son navire, et partit à Londres, convaincu de faire fortune.

Il ne réussit qu'à tomber dans la plus noire misère : sa sirène n'intéressait personne. Il mourut seul avec elle, croyant qu'un jour la chance tournerait, et que sa sirène lui apporterait la fortune. Son fils, matelot, vint à Londres recueillir son héritage, et dut se contenter de la sirène et des dettes contractées par son père. Il la promena des années sur les mers, en essayant de la négocier, en vain. De retour à Boston, il la vendit trois sous au conservateur du musée, qui l'oublia dans un coin quelques années, et me la fit voir. Je compris le parti qu'on pouvait en tirer, à condition de faire donner le *puff*. Le conservateur ne fit pas de difficultés pour me la céder un bon prix, et les dollars l'ont persuadé aussi de tenir sa langue. Inutile de dire que la sirène est arrivée directement à New York de Boston, sans passer par San Francisco.

Barnum était rempli de contentement de lui-même, comme s'il était un grand inventeur ou un romancier de génie. Il tenait absolument à nous faire admirer ses merveilles. Et j'ai revu aussi, en ce moment, penché sur le visage retrouvé de Thalia, devant lequel j'avais passé tant d'heures enchantées jadis, n'imaginant pas que la vie pût réserver quoi que ce fût de meilleur, dans une tente tout aussi obscure que celle-ci, où nous avions pénétré à l'aveuglette, guidés par Barnum, brusquement révélées par un jet de lumière qui les découpait sur le fond noir, les chutes du Niagara, immense tableau à l'huile d'au moins six mètres de large, où se trouvait représenté, avec un grand luxe de détails, le site des fameuses cataractes. Bizarrement, les chutes elles-mêmes étaient absentes, on ne voyait qu'un rectangle noir à leur emplacement. Barnum avait disparu. Tout à coup, une cascade a jailli du rectangle noir. « Les chutes du Niagara comme si vous y étiez ! a claironné Barnum. Un triomphe à Kansas City, à Omaha, à Denver. Un bon tableau et une arrivée d'eau ! »

Après le Niagara à la portée de tous les Américains, Barnum nous a montré, au fond d'un wagon, un bahut en bois, dont le battant, fermé par un solide cadenas, était constitué d'une plaque de verre insérée dans des montants d'acier.

— Tiens, a fait Rupert, j'ai l'impression que nous allons voir Blanche-Neige dans son cercueil de verre, comme dans le conte…

Il n'a pas pu s'empêcher de rire quand il a vu ce que contenait la caisse.

— Ça alors, voilà une sacrée Blanche-Neige !…

Derrière la plaque de verre reposait le corps parcheminé d'une vieille négresse, nu, à l'exception d'un cache-sexe. Le visage osseux était sillonné d'innombrables rides, et les paupières levées révélaient des yeux opaques de poisson mort. Des touffes grises de cheveux crépus parsemaient la tête. L'os des bras et des jambes transparaissait, et les genoux étaient plus larges que les cuisses, dont il ne restait à peu près rien. Le bras gauche était replié contre la poitrine. Les ongles avaient extraordinairement poussé, et devaient bien mesurer vingt centimètres. Ils se recourbaient vers la paume des mains, jusqu'à la toucher.

— Vous avez devant vous, proclama Barnum, une autre momie, celle qui donna ses soins au père fondateur de notre pays.

Comme nous ne comprenions pas, ce qui était sans doute le but recherché, il précisa après une pause :

— Permettez-moi de vous présenter la nourrice de George Washington !

Un respectueux silence, quelque peu dubitatif, accueillit cette déclaration.

— Vous n'avez sans doute pas entendu parler d'elle, mais elle a fait ma fortune à mes tout débuts, dans les années 1830. À l'époque, je possédais une maison d'épicerie. Un associé qui était allé s'approvisionner en Virginie me parla de l'histoire qui se racontait dans le comté de Westmoreland. Un planteur, mettant de l'ordre dans les vieux papiers de la propriété, y avait trouvé un acte de vente d'une esclave, achetée par son arrière-grand-père. Il s'agissait d'une négresse nommée Joyce Heith, réputée bonne cuisinière, et la vente était datée de 1745. Elle avait été cédée par Augustin Washington, le père de George, qui possédait une vaste plantation dans le comté de Westmoreland, où est né George Washington. L'âge de la négresse était indiqué au jour de la cession : cinquante ans. Née en 1695, par conséquent. Mais ce devait être assez approximatif. Or, le planteur avait parmi ses esclaves une très vieille négresse dont l'aspect correspondait à ce que décrivait l'acte de vente, et qui s'appelait Joyce. Elle ne se souvenait pas de son nom de famille, et personne ne le connaissait. Mais le planteur, qui avait soixante ans passés, l'avait toujours connue dans la maison, où elle ne faisait pas grand-chose, et toujours vieille, aussi loin qu'il s'en souvienne. Il en conclut que ce ne pouvait être que Joyce Heith. Nous étions en 1835. Cela lui faisait donc cent quarante ans.

J'allai aussitôt en Virginie, vis la négresse. Elle était aveugle et à peu près paralysée, ce qui témoignait en faveur de sa vétusté. On aurait aussi bien pu prétendre que c'était la reine de Saba ! Elle chantait toutes sortes de berceuses, et bredouillait parfois des considérations embrouillées à propos de son « cher petit George ». Il suffisait de lui apprendre toutes sortes d'anecdotes touchantes sur l'enfance du grand homme, et de l'entraîner à les réciter avec un air de conviction et de modestie. Je liquidai mes parts de l'épicerie, ce qui donna la somme de mille dollars, prix exigé par le planteur, qui avait flairé la bonne affaire, car pour une négresse de cet âge c'était exorbitant. J'acquis la vieille.

Elle me dura trois années seulement, mais je n'eus pas à regretter mon argent, croyez-moi, car elle m'en rapporta cinquante fois plus. On se ruait sur les exhibitions de « La nourrice de George Washington ». L'engouement était tel qu'il suffisait de lui faire fumer la pipe, en indiquant la marque du tabac, pour qu'on se rue sur ce tabac.

Lorsque l'intérêt commença à faiblir, je payai un journaliste pour qu'il m'accuse de produire, non pas une vraie femme, mais un automate habilement fabriqué. Cela relança le succès : les gens venaient soit pour se moquer de la supercherie, soit pour admirer l'automate. Ils touchaient la vieille Joyce, sentaient son pouls, son souffle, et je leur expliquais qu'il s'agissait de machines sophistiquées. Ils y croyaient, ou pas, peu importe !

En janvier 1838, la poule aux œufs d'or finit par mourir, ce qui lui faisait cent quarante-trois ans, du moins en principe. Mais je n'étais pas décidé à abandonner comme ça un si rentable investissement. Je fis autopsier la négresse, et le médecin estima que son âge réel se situait entre quatre-vingts et quatre-vingt-cinq ans. Je ne fis rien pour cacher ce résultat, contrairement à ce qu'on pourrait croire. Un article dénonça la supercherie. Je n'en avais cure. Le même journaliste qui avait feint de m'attaquer en m'accusant de montrer un automate, et qui donc ne pouvait être accusé de complaisance, publia, à ma demande, dans le *Herald*, un article grassement payé où il expliquait que la vraie Joyce n'était pas morte du tout, qu'elle s'était retirée dans le Connecticut, et que c'était une autre négresse qu'on avait autopsiée à sa place, pour me faire tort.

Évidemment, tous ceux qui avaient cru à la nourrice de cent quarante-trois ans s'empressèrent d'y voir la confirmation de ce qu'ils désiraient croire. D'autres articles racontèrent l'histoire de ma rencontre avec Joyce, de nos relations, faites de confiance et d'amitié. Je ne pouvais plus la montrer, certes, mais l'important était de voir mon nom répété dans les journaux, et ma réputation de découvreur de phénomènes établie. Des histoires sur des histoires, messieurs : là est le secret. C'est la répétition d'une fiction, c'est son approfondissement qui la rendent réelle.

Après la nourrice de Washington, Barnum nous a fait voir ses articles vivants. Nous avons salué Tom Pouce, Isaac Sprague le Squelette humain, la Femme à quatre jambes, et divers autres phénomènes qui assuraient le fonctionnement quotidien du cirque Barnum. Chacun était occupé dans sa chambre, l'un écrivant, l'autre fumant tranquillement sa pipe dans un fauteuil, et la Femme à quatre jambes tricotait. La plupart nous recevaient d'un air contraint. Je me souviens de la gêne que j'avais ressentie à devoir, sur l'invitation de Barnum, remettre en posture de phénomènes des gens qui n'en avaient nulle envie, qui n'étaient pas des images ou des monstres, mais des êtres accaparés par la vie quotidienne. Mais mes frères ne semblaient nullement gênés, et se régalaient de la parade improvisée.

Barnum tenait absolument à nous refiler une de ses attractions, il en possédait tellement que beaucoup ne lui servaient plus. Il nous faisait l'article comme un bonimenteur de rue. Par politesse et par lassitude, nous lui avons acheté, à bas prix, sa tête parlante, qui est longtemps restée inutilisée.

THALIA 13

Dans notre nouvelle fiction, nous n'habitons plus à Saint-Genest, mais dans l'Angleterre de mon enfance, disait Thalia. Ou plutôt celle que me décrivaient ma mère et ma grand-mère, l'Angleterre des années 1850. Pour elles c'était un âge d'or, une décennie inaugurée par la grande Exposition universelle de 1851, quand la reine Victoria était jeune. Oui, j'aurais aimé que Charles et moi vivions cette époque.

Le tableau que Charles m'avait décrit, et qui avait jadis pénétré mon sommeil, était un tableau anglais. C'était, disait-il, mon portrait : cette abondante chevelure rousse, cette carnation, ces paupières lourdes, cette courbe des lèvres. Peut-être ce qu'il m'en avait décrit ne correspondait-il pas exactement à ce qu'il avait vu il y a longtemps, lors d'un passage en Angleterre. Il avait sans doute reconstruit l'image pour qu'elle me ressemble. Il lui fallait comprendre le sens de ce portrait, reconstituer l'histoire qui avait mené à cette image obsédante : mes yeux clos, l'oiseau rouge, la fleur. C'était un tableau empli de silence.

Je ne parle, disait-il, que pour atteindre ce point où le silence suffirait. Je veux dire que toutes les histoires, toutes les fantaisies que je ne peux pas m'empêcher d'engendrer sont le déploiement d'une contemplation. La contemplation de ton visage endormi, de sa beauté qui repose en elle-même, comme si elle se lovait dans sa forme, suscite les mots qui le baigneront dans les histoires humaines, le mêleront à nos vies, lui feront signifier quelque chose. Mais tout en parlant, Thalia, je m'éloigne de toi et de ton visage, j'oublie le sens de son repos, je fuis le silence à force de vouloir le rejoindre. J'ai honte de mon bavardage, parce qu'il est une trahison. J'ai honte de tous ces mots.

Lorsque je t'ai vue pour la première fois, j'ai compris que quelque chose était exigé de moi. Il fallait que je réponde à cette injonction muette, et j'ignorais comment faire. Comme un banal romancier, je me suis mis à aligner des mots, qui tout en ayant l'air de se soumettre à l'exigence pure ne font que la contourner. Les mots et les histoires vont de l'avant, ils engrènent le temps, toujours plus loin, ils fuient leur propre origine. Mais ce qui était là, devant moi, ce n'était pas essentiellement un objet, comme n'importe quel autre objet. Les vieux peintres qui avaient représenté des madones avaient compris cela. Le visage de la Vierge est neutre, il est indifférent. Ce qui le caractérise, c'est qu'il retient autour de lui, en halo, la lumière. Cette lumière que suscite le visage des madones est aussi ancienne que le temps. Elle vient d'avant, d'une antériorité absolue, où les temps se mêlent et se replient sur eux-mêmes, où la mort est aussi l'enfance éternelle. Il me semble parfois que je ne parle, que je ne raconte, que mes histoires ne se déploient dans le temps que par peur de cette lumière, comme on a peur de s'abandonner à ce qui nous dépasse infiniment.

Oui, Thalia, murmurait Charles dans l'obscurité de notre chambre de Saint-Genest, les mots trahissent cette présence. Lorsque je dis que je ne parle que pour rejoindre le silence, je trahis le silence. Pas seulement parce que je continue à parler, mais parce que le mot « silence », une fois prononcé, est une trahison. Il ne signifie plus rien. Il prend un air solennel, sérieux, presque religieux. Il pèse comme un bourgeois à col monté qui débite de graves apophtegmes. Les mots manquent de discrétion.

Tiens, je vais te raconter une histoire qui, pour une fois, est totalement vraie, si cela a du sens. Lorsque j'étais étudiant, à l'école de médecine de Paris, j'ai eu l'occasion de visiter l'Observatoire, construit par Claude Perrault, le frère de l'auteur des contes. Richet, notre professeur de chirurgie, connaissait Le Verrier, le découvreur de la planète Neptune, qui voulait le faire entrer à l'Académie des sciences. Le vieux despote n'allait pas tarder à être éjecté de son poste de directeur de l'Observatoire, tant il s'était fait haïr par tout le monde. Il avait consenti à nous guider dans ce qu'il considérait comme son domaine privé, de mauvaise grâce, avec cette hauteur dédaigneuse qui le caractérisait. Même Richet courbait l'échine.

Une bizarrerie m'avait frappé. Sous la coupole, la grande lunette équatoriale d'Arago avait l'apparence d'un monstre, un insecte aux articulations compliquées, grand comme plusieurs hommes. Elle pivotait pour recueillir, pour sucer la lumière en provenance des astres. Les étoiles doubles, les comètes, la Lune la déversaient sans éteindre sa soif inextinguible. Puis Le Verrier, muni d'une lampe à pétrole, nous avait fait visiter les caves. C'était un labyrinthe de galeries, qui préexistaient à la construction. On y faisait des expériences de physique, de mathématiques. À l'angle d'un couloir, en passant, car Le Verrier ne s'y arrêta pas, j'ai vu, fugitivement, la dernière chose que je me serais attendu à voir dans ces lieux.

Dans un coin, posée sur un socle qui reposait sur le sol de terre battue, il y avait une petite statue. C'était une Vierge, une Vierge banale, mais noire. Je n'ai pas eu le temps de m'attarder, la lumière de la lampe à pétrole l'avait un instant arrachée à l'obscurité, et puis elle s'y était de nouveau fondue, comme si elle n'avait été qu'une illusion. Dans ce dédale souterrain, j'aurais été incapable de la retrouver. Le contraste était étrange entre la coupole tournée vers la lumière, avec ses engins modernes, et cette chose noire et archaïque secrètement enfouie dans les profondeurs, comme si quelqu'un, en la plaçant là, avait voulu rétablir l'équilibre.

En y rêvant, par la suite, je me suis dit que c'était bien cela. L'Observatoire fonctionnait sur cet axe vertical, qui reliait la puissance d'Ouranos, le ciel (Uranus, jusqu'à Le Verrier, avait été considérée comme la dernière planète du système solaire), et la puissance chthonienne. La lumière froide des étoiles, les calculs, l'espace, tout cela ne se suffisait pas. La lumière de l'univers n'avait de sens que si elle animait, dans les profondeurs secrètes, cette chose dense et obscure, qui, comme toute Vierge, était émotion pure, pathos. En retour, l'émotion noire diffusait sa lumière noire jusqu'aux confins du monde, car elle était aussi un mode de connaissance, une connaissance différente, méconnue, hermétique, qui tenait aux racines mêmes de l'Être.

Cette vision a déclenché pour moi, à l'époque, une passion pour les Vierges noires. J'ai voyagé en Auvergne expressément pour cela. J'ai vu celle de Moulins, celle du Puy, celle de Besse, et celle qui se trouve dans la petite église d'un village de montagne perdu, Laurie, dans le Cantal. À la fin de mes études, je suis allé à Berlin assister à la fameuse conférence de Griesinger sur les *Zwangsvorstellungen*, les obsessions, les hantises. Il est mort juste après. Je suis resté quelque temps pour suivre les cours de son successeur, Carl Westphal, à l'hôpital de la Charité à Berlin. Peu de Français faisaient cette démarche, qui méprisaient la science teutonne. Mais je savais que c'était là-bas que des idées nouvelles naissaient. Et comme il semble n'y avoir aucun hasard dans notre histoire, peu de temps après, Westphal donnerait la première description clinique de la narcolepsie. Ma passion des Vierges noires m'a poussé à un voyage de Berlin jusqu'en Silésie, à Czestochowa, en Pologne russe. Celle-là fut une révélation.

La fameuse Vierge de Czestochowa, qui attire tant de pèlerins, est une icône conservée dans la basilique du monastère de Jasna Gora. Elle se trouve dans une chapelle, posée sur un autel noir, entre deux colonnes noires, dans un pléthorique cadre d'argent.

Un guide m'a raconté, en allemand, que l'icône avait été peinte par saint Luc l'évangéliste, à Nazareth, sur le bois de la table où la Sainte Famille prenait ses repas. Il m'assurait que c'était la vérité vraie. Hélène, la mère de l'empereur Constantin, l'a fait venir à Constantinople, d'où elle a fini par arriver à Jasna Gora. Depuis, les miracles, assurait-il, se produisaient à la pelle, on ne savait plus où entasser les ex voto. Il m'a expliqué l'origine des balafres qui entaillent le visage. Le jour de Pâques 1430, les hussites ont envahi le monastère, découpé l'icône en morceaux, et l'ont jetée. Là où l'on en a retrouvé les morceaux, une source pure a jailli. On a reconstitué l'image, mais les balafres n'ont jamais disparu, signes que la Vierge, a murmuré le guide, souffre pour la Pologne déchirée, persécutée, et à travers la Pologne, pour toute l'humanité.

L'image est sombre et austère, sans personnalité, conforme à l'esthétique des icônes byzantines. Elle porte un manteau noir. Mais de cette noirceur émane la lumière des deux auréoles, celle de la Vierge et celle du Christ. Cette lumière, chaude et dorée, semble étrangement conserver quelque chose de la noirceur du visage et des vêtements. On ne sait pas si les personnages reçoivent la lumière, ou la diffusent. La circularité des auréoles évoque une sorte de circulation constante de l'énergie, entre la matière noire des corps et la matière lumineuse. La Vierge, avec l'enfant, concentre toutes les joies et toutes les douleurs de la vie terrestre, les émotions débordantes, les souffrances. Mais rien sur son visage ne le laisse paraître. Sa noirceur est le combustible de la lumière. La Vierge reste indifférente à elle-même, parce qu'elle sait que l'indifférence et l'émotion doivent se lier. Et cette lumière, c'est la fusion des deux, elle est bouleversante, elle est hors du monde, mais on ne peut l'atteindre qu'en passant par le chagrin et la souffrance, alors, en elle, chagrin et souffrance, tout en continuant d'exister, se détachent d'eux-mêmes et deviennent une contemplation bouleversante.

C'était cela qu'il faudrait faire, assurait Charles. La peinture moderne, celle qu'avait créée Raphaël, s'éloignait de cet idéal, et du réel, jusque dans les représentations célestes, les triomphes, les assomptions, qui en devenaient écœurants à force de spectaculaire, de débauches de formes et de mouvement. Pense, Thalia, mais je ne sais pas si tu l'as vue, à la fameuse *Transfiguration* de Raphaël : ce manque de simplicité, ce pompeux, c'est le contraire du spirituel. Il n'avait rien compris. L'idéal, c'est de montrer le spirituel au cœur du réel le plus simple. Je donnerais tout Raphaël pour un Giotto.

Le rêve du tableau, disait-il, lui avait donné la solution : il serait peintre, et je serais son modèle. Il me peindrait d'une manière nouvelle, qui n'aurait rien à voir avec les répugnantes afféteries moralisantes et sociales de Frith ou de Wilkie. Car c'est en Angleterre que naissait une peinture nouvelle.

Donc, pour Charles, nous habitons au 14, Chatham Place, dans une partie un peu retirée de Londres, du côté de Victoria Park. Notre appartement se situe au deuxième étage d'un immeuble en brique un peu triste, mais qu'agrémente un vaste bow-window. Nous sommes Béatrice et Gabriel. Nous ne voyons personne, nous ne sortons quasiment pas. Ce que nous n'avons pas pu réaliser à Saint-Genest, nous l'accomplissons là. Charles me dit que c'est grâce à la peinture. Il me peint sans cesse, multiplie les esquisses, les dessins, les gouaches, les huiles. Il me dit qu'il ne parvient pas à épuiser celle qui se tient devant lui, il pourrait me représenter sans cesse, jamais il ne saisira totalement tout ce que je représente. Ce n'est pas, dit-il, une question de beauté. La beauté est un instrument de connaissance, c'est ce qu'il cherche en elle, je suis celle qui introduit à une appréhension différente du monde.

Charles écrit de la poésie aussi, bien sûr, sur moi, sur nous. Et j'aime cette poésie, non sans réserve. Je la trouve un peu trop idéalisée. Il n'a, me dit-il, pas renoncé complètement aux mots. Mais notre histoire à Chatham Place est une manière d'envisager une autre solution que celle que nous avons adoptée à Saint-Genest. D'ailleurs, ajoute-t-il, je te raconte en peignant, pour meubler les longues heures de pose et te faire patienter, cette vie que nous aurions eue si nous avions habité cette petite ville de province française, tout occupés à nous raconter des vies qui seraient autant de tentatives pour donner à l'amour sa véritable figure. Là serait l'erreur, dit-il, me regardant sans vraiment me regarder, regardant ce que de moi il veut reproduire sans envisager la personne susceptible de lui répondre, se perdre dans les histoires infinies, courir sans cesse après l'oiseau de paradis qui nous égare dans la forêt du temps, poursuivre nos propres ombres en espérant leur donner forme. C'est la présence qu'il faut saisir, la peinture et la poésie sont les seuls arts de la présence.

— Sur la poésie, Charles, je me souviens d'un beau poème anglais qui dit quelque chose comme ça :

A Sonnet is a moment's monument,
Memorial from the Soul's eternity
To one dead deathless hour[17]...

Toujours est-il, disait Thalia dans le personnage de Béatrice, que, quant à moi, je pose. Ma vie consiste à être un objet d'amour et un objet qui a pour fonction de révéler à Gabriel ce que peut être l'amour. Il n'aime pas que je parle pendant les séances, comme si cela rompait le charme. Je rêve, je me récite de la poésie, je fais revivre des scènes du passé, de l'enfance, encore et encore, je tente même d'esquisser des poèmes. Mais rapidement, je n'y tiens plus.

— Donc, l'idée, Charles, enfin Gabriel, c'est que tu me peins ? C'est là l'histoire ?

— Tu ne trouves pas que c'est la meilleure de nos histoires ? Silence, réclusion, et par ta représentation sans cesse recommencée, je parviendrai peut-être à saisir enfin ce que tu es, ta réalité, que j'ai toujours souffert de ne pas pleinement saisir. C'est à cause de cette incapacité à se pénétrer de la totalité de l'être aimé que l'amour est une souffrance. Oui, ce sera une histoire répétitive, dépourvue des accidents banals de la vie. Une histoire purement spirituelle. Il faudrait parvenir à cela : une histoire qui ne parle que d'événements spirituels, à travers leurs manifestations dans l'art.

— Histoire ennuyeuse…

— Ça vaut la peine d'essayer…

— Donc, tu me contemples, tu me peins, je t'inspire…

— C'est l'idée. C'est ce que nous faisons, à Londres, dans cet appartement qui nous est consacré.

— Et moi, je suis belle.

— Comment ça ?

— Dans cette histoire, mon activité consiste à être belle. C'est ce que je fais.

— Je ne comprends pas…

— Non, en effet. Écoute, Charles. Je t'aime. Mais je soupçonne que ça n'a peut-être pas la même signification que ce que tu entends, toi, quand tu dis « je t'aime ». Je suis une fille du cirque, une acrobate. Pas quelqu'un que l'on contemple : quelqu'un qui se donne à voir, en effet, il semble que ce soit mon destin, mais qui demeure insaisissable dans l'enchaînement de ses mouvements, qui disparaît dans les figures qu'elle produit. Mais la nuit, le regard inexorable d'Alastair me contemplait. Puis j'ai passé des années à être exposée, passive, aux regards du public des foires. Puis ce furent les exhibitions médicales. Puis tu as voulu poursuivre le jeu de la Belle endormie, et je m'y suis prêtée, peut-être parce que c'était une manière pour moi d'intégrer ces années où j'avais été absente de moi-même, d'en faire autre chose qu'un vide dans ma vie. Et à présent, tu veux que je reste devant toi, immobile, et je n'ai qu'à être belle !

Oui, je sais, je suis Béatrice, la Muse, l'Inspiratrice, celle qui guide le poète vers les chemins de la connaissance, et tout ça. C'est très beau, mais cela ne concerne que le poète, ou l'artiste. Il va créer une œuvre immortelle, devenir célèbre, en utilisant cette matière. Et la matière en question devrait lui être reconnaissante d'être immortalisée par lui, c'est ce qu'on lit dans tous les poèmes. Tu n'as jamais trouvé ça un peu dégoûtant, ce commerce d'immortalité ? Couche avec moi, je suis un poète, et ta récompense c'est de devenir un objet célèbre à jamais. Un élément essentiel de mon œuvre. C'est un négoce, en quelque sorte.

Tu sais, Charles, j'ai été élevée dans le cirque. Ce n'est pas un milieu très distingué. On fréquente toutes sortes de gens plus ou moins douteux, on entend des choses assez raides, on se fait tripoter par des palefreniers. On a tenté de m'acheter à ma mère, alors que j'étais toute gamine. Je peux te donner une version de l'amour du poète pour sa muse. Voyons. À part moi, qu'est-ce qu'il y a dans notre appartement de Chatham Place ?

Charles était un brillant improvisateur, c'est une des qualités qui m'impressionnait le plus dans nos histoires. Donc, il me répond que c'est un capharnaüm de bibelots, de tableaux, d'objets d'art, comme il sied à un intérieur d'artiste. Aux murs, des gravures de Hogarth, des aquarelles de Cozens, un Piranèse, un Hunt hiératique saturé de couleurs, un étrange paysage tourmenté de Joos de Momper, un Monsu Desiderio où des palais fantastiques s'écroulent dans les flammes contre un ciel ténébreux, une nature morte de Jan de Heem où la précision extrême des détails de fruits et d'animaux leur donne l'air de dépouilles venues d'un autre monde, une copie du Christ ressuscité du Bramantin, une gravure d'après les sorcières de *Macbeth* peintes par Füssli, une minutieuse estampe de Hiroshige représentant des insectes, un éventail japonais à lames de papier dont chacune est une geisha tenant un éventail.

— Je me targue, disait Charles, de posséder la toute première collection d'objets japonais en Europe, bien avant la mode de cette fin de siècle. J'ai des gravures, des écrans peints, des broderies, des paravents, des kimonos.

Dans un coin mal éclairé, au fond du salon, se dresse une reproduction en stuc de l'Aphrodite Sosandra, que Charles, dans son avatar de Gabriel, peintre anglais, déclarait placer au-dessus de toute autre Aphrodite, pour son côté austère, qui la fait ressembler plus à la prêtresse d'un culte initiatique qu'à une déesse de la beauté. Sur une console, un petit buste en marbre de Canova. Et Charles ajoutait qu'il possédait une des plus importantes collections de chinoiseries d'Angleterre ! Un buffet à portes vitrées révèle un entassement de vaisselle en porcelaine de Nankin blanche et bleue. Dans tous les coins de la pièce, des magots s'enchantent de leur propre grotesque, des dragons s'entortillent autour des flancs de monstrueuses potiches bleues et jettent des flammes de céramique. Un énorme bouddha ventru noir et jaune sourit imperturbablement. Sur une petite table Sheraton en citronnier, quatre tasses et soucoupes de porcelaine Yangcai, aussi légères qu'une écaille, aussi impalpables qu'une fumée, où des oiseaux couleur jade, hérissés d'aigrettes, survolent des pins compliqués. Derrière le chevalet, une obèse potiche famille rose, coiffée de son bonnet, où s'épanouissent, au gré des courbes, des chrysanthèmes aux nuances d'ongle et de fuchsia.

Non loin du chevalet, la lumière dispensée par le bow-window souligne les courbes tourmentées d'un petit Silène en bronze de la Renaissance, au pied des lourds rideaux de velours grenat de derrière lesquels il paraît surgir. Et sur un paravent japonais presque uni, à la surface duquel s'esquisse à peine en ratures noires une barque de pêcheur mêlée à des roseaux résumés d'un trait, est accroché un éclaté de Beauchêne, une langouste dont tous les éléments, carapace, antennes, pattes, sont séparés et réassujettis par des fils de laiton, comme si la bête tentait dans son mouvement de réunir ses morceaux qui la fuient, et vois-tu, ajoutait Charles, cet éclaté est l'élément indispensable, car le père d'Edmé-François Chauvot de Beauchêne, Edmé-Pierre Chauvot de Beauchêne, a écrit un livre sur l'hystérie. Et pas en 1870, mais en 1783 ! Baillarguer le citait parfois, et j'ai eu la curiosité d'aller lire son grand livre, *De l'influence des affections de l'âme dans les maladies nerveuses des femmes*, qui a pratiquement un siècle d'avance.

Comme projetés par une lanterne magique, les tableaux, les objets, les sculptures apparaissaient dans l'obscurité de la chambre de Saint-Genest, venaient se disposer dans tous les coins de l'espace, précisaient leurs formes et leurs couleurs à mesure que Charles les décrivait.

— Eh bien Charles, nous allons sonoriser ce décor. Prenons la Vénus. Je la vois bien, à droite. Et le Silène, tu le vois comme moi, au fond à gauche ? Très bien ; alors écoute...

Et le Silène imaginaire a commencé à parler, dans le noir du fond de la chambre, à gauche :

— *Tu vas-t-y t'arrêter de gueuler, oui ? Ou si il faut que je repasse les plats ?*

C'était une voix de rogomme, éraillée et traînante, ignoble, qui s'était élevée du Silène, dont le sourire carnassier convenait parfaitement à ces phrases. Comme le Silène toujours ivre, la voix était visiblement façonnée au gros bleu et au trois-six. Elle énonçait des mots français, en argot, la vulgarité et les ressources d'expressivité de la langue des petites crapules françaises m'avaient toujours fascinée, je les écoutais quand ils se querellaient avec mes frères qui les prenaient à resquiller, ou lorsqu'ils me contaient fleurette, avec leurs sourires équivoques, leur casquette sur l'œil et leurs mains fureteuses.

Dans son coin, la Vénus Sosandra, enveloppée de son long manteau, un léger sourire aux lèvres, lui a donné la réplique, avec ces intonations traînantes des faubourgs qui m'avaient tant amusée lorsque nous étions à Paris.

— Et pis quoi ? Tu voudrais-t-y que je crie de joie, quand tu me chicornes ?

— Tiens, c'est une idée. Après tout tu craches pas dessus, pas, une bonne torgnole de temps en temps ?

— Faut-y que je te remercie ?

— Dis-le, que t'aimes pas ça !

— Des fois… je dis pas…

— Ah !

— J'aime pas ça, et pis tout de même, des fois oui. Mais n'en profite pas pour doubler la dose, hein ! Quand t'y vas pas trop fort, je sens ta pogne, mais ça fait pas trop mal, et je sais pas comment dire, ça me secoue à l'intérieur. Et pis après tu deviens tout gentil, et c'est encore meilleur. Mais quand t'es bu, ça non, t'y vas trop fort.

— Qu'est-ce que tu veux, c'est que j'en pince pour toi, je mentirais si je disais le contraire. Des fois, quand je te vois, j'sais pas quoi faire de mes mains, je voudrais te prendre. J'sais pas comment faire. Alors je cogne.

— Va, t'as de la chance que je t'aie dans la peau.

— Sinon ?

— Sinon je prendrais mes cliques et mes claques, ça serait vite fait. Et j'ai été bien près de le faire.

— À la place, tu casses la vaisselle, tu ramasses une mornifle, et on s'arrange au pageot, pas vrai ?…

— Mais laisse-moi donc tranquille, que c'est pas le moment. Ôte tes pattes de là.

— Bon, alors, t'y retournes, chez ce vieux ?

— Ça me dit rien, je te dis. Y me fait endêver, ce vieux.

— Endêver ou pas, tu vas y retourner, et fissa.

— Y me dégoûte.

— Et les louis qu'y te met dans le réticule, les billets de cent qu'il te glisse dans la jarretière, y te dégoûtent ? Lui, il y va pas de larantequet, il crache sans faire d'histoires, ce miché, c'est du nanan.

— Il est sale.

— Un louis, c'est jamais sale.

— Il a des passions qui me débectent.

— La belle affaire. Une pluie dorée, c'est pas bien méchant. On te demande pas de l'aimer, le clille. On te demande de le rincer, et voilà tout. Allez ma petite pouliche, fais-moi plaisir, va au charbon sans renauder. Et après, on se la coulera douce. Si qu'on allait guincher chez le père Isidore, dimanche, et manger de la friture ?

— Je veux bien, si tu ne sors pas encore ton surin dès qu'un pue-la-sueur me guigne de trop près…

— Juré, craché ! Tu verras, quand on l'aura bien dépouillé, le vioque, on se mettra au vert. J'ai repéré un petit mastroquet tout ce qu'il y a de choucard, rue des Panoyaux. Le patron fait de la tortore comac, mais il est vieux, il va lâcher l'affaire. Tu te verrais pas en patronne, avec un chouette tablier blanc ?

— Ah, tiens, je sais pas pourquoi je fais ça. C'est bien parce que c'est toi.

— Allez, ma petite reine, donne un bécot à ton homme avant d'aller au turbin.

— Tiens, mon petit salaud, en voilà, du bécot. Y te plaît ? Et pis en voilà un autre, et un autre. T'en fais pas, c'est pas le vieux qu'aura les mêmes.

— Nom de nom, t'as un joufflu… t'as de quoi t'asseoir, toi…

— Tu l'aimes, mon cul ?

— Si je l'aime… J'en rêve la nuit, de ton gros cul…

— Il est comment, mon gros cul ? Dis-le-moi, parce que j'ai du mal à le voir… Tu le connais mieux que moi…

— Ta taille est si mince qu'on se dit, jusqu'aux hanches, que tu es maigre, et puis ton cul s'épanouit, il remplit ta robe, il fait de petites bosses qui boursouflent le tissu, on a l'impression qu'il fait signe, quand tu marches il se balance, il se pavane, il fait le joli cul, quoi… et quand je le vois chalouper sous l'étoffe, nom de Dieu, j'ai un bras d'enfant qui me pousse sur le ventre…

— Ah, t'es un vrai cochon, toi !

— On dirait que c'est pas toi qui commandes, c'est ton cul. Il est vivant, ton cul. Et quand je soulève la robe, et les jupons, et qu'il apparaît, j'en reviens pas…

— *Comment ça ?*

— *Il est si blanc… Plus blanc que les jupons qui l'encadrent, plus blanc que tout ce qui existe… Une blancheur comme ça, c'est pas possible… ça te fait tourner la tête, comme la lune. D'ailleurs il est aussi rond et blanc que la lune pleine, et les jupons, on dirait les nuages autour…*

— *C'est un poète, mon petit homme…*

— *On peut pas se retenir de le pogner, de le pétrir, de le baiser. Ou alors de le fesser, de le fouetter, de le faire rougir… Tu te souviens quand je t'ai fessée… Qu'est-ce que tu gueulais…*

— *Si je m'en souviens… Et mon cul s'en est souvenu… Il a gardé des marques quinze jours…*

— *Ce que j'aimais les baiser, ces marques…*

— *Vas-y, cause-moi encore de mon cul… Ça me fait tout drôle… Comme si je trimballais un dieu sous mes reins…*

— *Je te dis, j'en rêve la nuit, il apparaît dans le noir, comme la lune, mais bien fendu, profondément fendu, avec le trait d'ombre de la fente qui t'invite…*

— *Et il rêve de toi aussi, mon gros cul, mon énorme cul… Il rêve qu'il se fait défoncer… qu'est-ce que t'attends ? allez, prends dans le régulier, prends du chouette, mais fais-moi reluire…*

— *Ah quand tu parles de ton propre cul, j'en peux plus, c'est comme si tu étais toute dans ton cul. Tu vas voir…*

Le silence est retombé sur l'appartement de Chatham Place. L'Aphrodite Sosandra a cessé de parler de son cul. Elle et le Silène se sont repliés sur leur mutisme et leur dignité d'antiques. Les portraits de Lely ou de Pickersgill semblent contempler, incrédules, la scène où vient de se dérouler ce qui a l'air d'une illusion sonore. Et le décor de Chatham Place s'efface doucement, comme une illusion d'optique, de l'écran noir de notre chambre de Saint-Genest.

Je me suis laissé entraîner par mon histoire, disait Thalia. C'est venu tout seul. J'avais les mots et le scénario. Ce que je n'ai pas dit à Charles, sur le moment, mais je le lui ai expliqué plus tard, quand il m'a demandé de recommencer le jeu, c'est que ma mère, rapidement, a aperçu le parti qu'elle pourrait tirer de mon don d'engastrimythe. Elle n'avait jamais osé me demander de me prostituer, elle savait que j'aurais refusé et que mes frères l'auraient mal pris, mais elle a réussi à obtenir de moi quelque chose qui y ressemblait un peu, une prostitution chaste, en quelque sorte.

Gertrude savait s'y prendre. Elle a commencé doucement. Au début, il s'agissait juste de se rendre dans la demeure de quelque bourgeois, et de lui faire un petit spectacle à domicile, avec deux ou trois poupées à qui je faisais réciter des fables, des saynètes, de petits dialogues amusants, du divertissement familial en somme, et le bourgeois y assistait le plus souvent avec femme et enfants.

Mais il y avait aussi des bourgeois solitaires, des vieux cochons, ou des hommes mariés propriétaires d'une garçonnière. Ceux-là voulaient du salé, pour eux seuls, ou en compagnie de leur maîtresse. Je me dissimulais derrière un paravent, pour que l'illusion soit parfaite, et je faisais articuler des discours salaces, rédigés par ma mère, non seulement à mes poupées, mais aussi à de chastes portraits, à des statues, une fois même un vieux jeune homme a exigé qu'un tableau solennel représentant sa mère, une femme émaciée sévèrement habillée de noir, énonce des ordures d'une voix distinguée. Ma mère se tenait toujours à portée de voix pendant les séances, sachant bien que certains, surexcités par la voix, voudraient goûter quelque chose de plus substantiel. J'accomplissais ces tâches comme j'imagine que font les prostituées, avec une indifférence méticuleuse. Cela ne me concernait pas vraiment. Mais ce soir-là, dans le noir, à Saint-Genest, ma voix m'a prise à mon propre piège.

J'ai allumé la veilleuse. Je n'ai même pas regardé Charles. La plupart du temps, nous dialoguions tout habillés, comme des gisants, comme des suicidés, avant de nous mettre au lit. Je portais ma robe de soie grenat un peu cérémonieuse. Je me suis levée, j'ai allumé ma veilleuse, et je suis allée m'agenouiller sur le grand fauteuil en velours d'Utrecht. Penchée sur le dossier, j'ai relevé ma robe et mes trois jupons, les ai rabattus sur ma tête pour prendre la posture la plus obscène et la plus humiliante, j'imaginais la lumière de la veilleuse sur mon cul encadré par les dentelles des jupons, la jarretière, et la soie des bas blancs, semblables à des linges sacrés disposés autour d'une icône impure, et puis j'ai entendu une voix rauque et basse, sortant de moi, énoncer distinctement : *Défonce-moi le cul.*

Quand nous faisions l'amour, je n'avais pas le sentiment, ni dans les gestes ni dans les positions, qu'il soit le désir et moi l'objet désiré, qu'il soit seul actif et moi passive. Il y avait une réciprocité, les actes étaient à double face, il me pénétrait, je l'absorbais. Mais les jeux étaient différents. Et j'ignorais, à ce moment, si nous étions dans un jeu ou non, si je poursuivais ma fiction ou si elle s'imposait dans la réalité, tandis que, debout derrière moi, les deux mains empoignant la chair un peu grasse de mes fesses, il entrait en moi, puis, trempé, se retirait et forçait mon anus. Je sentais couler la liqueur le long de mes cuisses, jusqu'à mes jarretières. Je me frottais de la main gauche, et j'ai joui, interminablement, en sentant le sperme jaillir par saccades dans mon cul.

— Je croyais, a murmuré Charles, que tu n'aimais pas ça, Thalia.

— Ça quoi ?

— Ça… Ce qu'on vient de faire…

— Tu veux dire, être un cul ?… En faisant parler la Vénus, j'ai été prise de ce désir, être une chose, un objet passif. Tu étais excité aussi par ça.

— En tout cas, toi qui détestes l'idée que les femmes puissent être passives…

— C'est un jeu, Charles, l'envie d'un moment. C'est reposant d'être une chose, d'être saisie et de se laisser faire, de renoncer à sa liberté et à sa conscience, on a le sentiment fugitif que là, enfin, on *est.* Il me semble que tout le monde peut connaître ce désir de devenir juste de la chair, les hommes aussi, même si on leur en fait honte, en partant du principe que c'est féminin. Et puis, quand tu me peins, je deviens une chose aussi, n'est-ce pas ?

— Qu'est-ce que tu racontes ? C'est ton esprit que je veux saisir en te peignant.

— Écoute, Charles, mon amour, si on réfléchit, l'histoire du satyre et de la Sosandra, celle de Gabriel qui peint Béatrice à Chatham Place, c'est à peu près la même chose. L'amour, le commerce de la beauté, mais mis à nu, brutalement. Gabriel est peintre. Béatrice est la beauté. Mais bien entendu, être la beauté, tu sens que ce n'est pas suffisant, cela me réduirait trop évidemment à n'être qu'un objet, alors qu'il faut tout de même que je sois un esprit, ou que j'en aie l'air. Je suis donc ta muse, ton inspiratrice. Je t'aime parce que tu m'idéalises. Tu m'aimes parce que je te fais croire à ta grandeur d'âme artistique, tu te consacres à un idéal. C'est notre petit trafic. Et le vieux chez qui tu m'envoies, ce sont les regards du public, qui te paient en monnaie symbolique.

Charles était décontenancé. Il ne comprenait pas. Je venais de briser l'espèce d'harmonie dans laquelle nous accordions nos fantasmes, nos vies fictives, qui étaient devenues plus réelles que la vraie vie. Je le sentais blessé de ce prosaïsme agressif. Pour lui, cela n'avait aucun sens. La pauvre fille, la putain que j'avais interprétée existait, c'était même un stéréotype, mais il ne voyait pas quel rapport cela pouvait avoir avec l'amour. « Je t'ai dans la peau » signifiait qu'elle s'était viscéralement attachée à un homme qui lui donnait l'illusion d'être aimée, elle qui ne l'avait sans doute guère été, et son mac aurait beau tout lui faire, elle s'accrocherait à cette fiction, elle ferait n'importe quoi pour lui, elle prendrait les coups mêmes pour des marques d'amour, tant elle avait besoin qu'on s'intéresse à elle. L'amour, dans ma saynète, n'était que le nom de convention qu'on donne à un besoin désespéré de se voir exister, approuver dans le regard de quelqu'un, à des failles qui ne concernaient que la personne qui en était affectée. Ni le Silène ni la Vénus n'avaient en réalité rien à voir.

J'ai suggéré à Charles que c'était peut-être là la définition de l'amour : la création d'une fiction qui attribue à l'attachement à un autre celui qu'on éprouve envers soi. C'est une ruse : l'amour ne sauve rien, comme on voudrait nous le faire croire, il perpétue le malheur des hommes, la souffrance, dans son geste éternellement recommencé.

Écoute, Charles, mon amour, je vais te raconter notre vie d'artistes dans Londres.

Il était une fois le cimetière de Highgate…

Non, tu ne le connais pas. J'y suis allée une fois, petite fille, avec Rupert et Alastair. Rupert tenait absolument à voir et à nous montrer la tombe de Tom Sayers, le célèbre boxeur qui venait de mourir, et pour qui il professait une grande admiration : « Un grand artiste ! Invaincu, sauf une fois, au soixante et unième round ! »…

Il était une fois le cimetière de Highgate. Il est minuit passé, nous sommes au début du mois d'octobre. Les portes du cimetière sont fermées depuis longtemps. Pas un passant, pas une voiture sur Swain's Lane, qui divise les deux parties du cimetière. Pour l'atmosphère, il me faudrait une brume londonienne, enveloppant les murs du cimetière, s'effilochant en longues traînées déchirées par le vent et semblables à des linceuls, mais rien de tout cela, c'est une soirée douce, la lune gibbeuse s'épanouit dans le ciel clair, et déverse sa lumière laiteuse sur les pavés de la rue et le crépi lézardé des murs. Elle baigne aussi le landau, sa capote de cuir noir, le gros cocher coiffé de son chapeau à boucle qui luit doucement, ainsi que les deux lourds chevaux, et semble les alléger de leur poids, les soulager de leur excès de réalité.

Quatre hommes descendent du landau. Deux sont coiffés d'un haut-de-forme. Les deux autres arborent une casquette plébéienne et des bourgerons. L'un porte une besace d'où sortent des manches d'outils, et dans le dos une petite échelle de bois de quelques degrés. L'autre un édifice de fagots sur les épaules. L'un des hauts-de-forme sort de sa poche une grosse clé dont la lune se plaît à souligner les contours compliqués, peine un instant sur la serrure de la grille, qui consent enfin à s'ouvrir. Les deux casquettes l'éclairent avec des falots, assez inutilement tant la lumière crayeuse dégage avec netteté les moindres détails. Ils pénètrent dans l'allée principale.

Highgate est à la fois un cimetière, une forêt et un parc. Par moments, les quatre personnages ont l'air de s'enfoncer dans un lieu sauvage où l'on aurait, çà et là, procédé à des inhumations. Les stèles émergent difficilement d'une végétation proliférante, et les chapelles mêmes sont bousculées par la houle de feuillages jaunissants, qui paraît soulevée et attirée par l'inflexible lune, dans les hauteurs du ciel. On ne sait à quelle invisible créature abyssale appartiennent les tentacules qui surgissent au milieu des vagues de buissons et s'enroulent étroitement autour des colonnes, des cippes et des sépulcres comme si elles avaient trouvé là des proies. Parfois le flot de frondaisons est monté si haut qu'il a presque englouti le monument, dont ne surnage qu'une tête d'ange, tendrement enveloppée par les feuilles qui s'empressent et se bousculent autour d'elle, et l'angoisse que manifeste le visage de l'ange, poli par la patience de la lune, ne trouve aucun réconfort dans le ciel.

Au bout d'un quart d'heure de marche, les visiteurs s'arrêtent devant une tombe très simple, qu'ils atteignent en traversant un groupe serré de sépultures similaires, de petites dalles de marbre, avec des stèles basses surmontées d'une croix grecque, ou de croix en forme de trèfles à quatre feuilles, penchant de côté et d'autre, comme secouées par des vagues. L'épaisseur des feuilles mortes, la courbe des arbustes et des herbes prodiguent quelque tendresse, quelque adoucissement à la dureté des angles et de la pierre, de concert avec l'usure du temps.

Tous ceux qui reposent ici ont des noms, des familles, ils eurent des personnalités et laissent des regrets. Pour la plupart, avant de mourir, ils ont vieilli, leur visage et leurs caractères se sont marqués plus nettement, et puis ils ont vieilli encore, ils se sont progressivement effacés, les angles de leur corps, la netteté de leurs traits, le fil tranchant de leurs désirs et de leur volonté se sont émoussés. À force de devenir eux-mêmes, d'affiner ce qu'ils étaient, ils se sont approchés de la disparition, et leur mort, en parachevant leur vie, les a fait devenir enfin pleinement eux-mêmes, c'est-à-dire rien.

Mais ce n'est pas encore assez, la douceur attentive de la lune, qui anime le lent travail des arbres et des herbes, les enveloppe de miséricorde, mène leur souvenir titubant vers l'oubli, le son de leur voix déjà ne résonne plus dans aucune mémoire, leurs traits achèvent de se défaire dans l'esprit de ceux qui encore se souviennent un peu d'eux, bientôt il ne restera plus que le nom, et le nom même s'effacera de la stèle sur laquelle il est gravé. Il survivra dans des registres, et leur chair se perpétuera un moment dans leurs descendants, si leur lignée ne s'interrompt pas. Mais encore un pas, encore un peu plus loin, suggère la lune qui répand ses effluves apaisants, et tout ce qui a été l'humanité disparaîtra dans l'embrasement des astres, les constructions et les livres, les tombeaux et les palais, les mots et la conscience, et c'est demain, souffle la lune, c'est dans un instant, puis les astres eux-mêmes disparaîtront, il n'y aura plus rien, même plus le silence, même plus le temps, même plus le sommeil, rien, enfin.

Sur la tombe figure mon prénom, et la date de mon décès. Je suis morte depuis sept ans.

Les falots ne suffisent pas. Les deux casquettes édifient un bûcher au bord de la tombe. On a l'impression, lorsque le feu prend, d'un brasier funéraire prêt à accueillir un corps. Mais il ne s'agit pas de cela. La flamme monte, détache, du fond obscur et confus des frondaisons, des formes changeantes de branches et de feuilles dramatisées par les lueurs rougeâtres, oscillant sans cesse au gré des balancements du feu, comme prises dans une rituelle gestuelle de désolation.

Avec un ciseau et un marteau, les casquettes descellent la dalle, qu'ils font ensuite glisser sur le côté, révélant un cercueil de chêne. Puis ils posent l'échelle au fond, se glissent dans la fosse, peu profonde, et, engoncés dans l'étroit espace entre les parois cimentées et la bière, entreprennent d'en dévisser le couvercle.

Et la lune, cette lune dont Alastair aimait tant la lumière sur les traits de sa sœur chérie lorsque j'étais endormie, assistée par le feu, révèle dans le cercueil un épais buisson roussâtre qu'animent les oscillations de lumière et d'ombre. Presque tout le cercueil est rempli par cette végétation proliférante, que les plaques de chêne paraissent avoir peine à contenir, et on imagine son travail patient, souterrain, les radicelles couleur de rouille se glissant sous le couvercle, poursuivant leur croissance, instillant leurs premières pousses dans le secret de l'humus jusqu'à glisser une pointe entre les feuilles mortes.

Mais le buisson roux n'est pas seul dans le cercueil, il enveloppe un visage et un corps revêtu d'une robe de velours vert. Et le visage est le mien, mon amour. C'est le visage de ta Béatrice.

Les saints dont on exhumait le corps, parfois après des mois, après des années, étaient intacts, nous racontent les hagiographies, épargnés par la corruption, et leur dépouille répandait une odeur suave. Curieusement, les histoires de gens ordinaires dont on ouvre le cercueil et dont on trouve le corps parfaitement conservé abondent également. Je suis morte il y a plus de sept ans mais je semble endormie, simplement un peu pâle, un peu amaigrie, comme je l'étais lorsque j'étais en léthargie pendant des années, mais ce n'est pas la même histoire.

Un haut-de-forme descend à son tour dans la fosse, au

risque de salir son impeccable redingote noire. Sans doute ne veut-il pas que de vulgaires ouvriers exécutent la tâche qui lui a été confiée. Car, après un instant d'hésitation, il plonge ses mains gantées dans la toison rousse, dont il soulève de lourds pans comme les plis d'une tenture. Il finit par trouver ce qu'il cherche. C'est un paquet de feuillets attachés par une ficelle. En cherchant à le dégager de mes cheveux, qui paraissent vouloir le retenir, il en arrache de larges poignées, qu'il écarte de lui avec des gestes horrifiés.

Le couvercle du cercueil se referme sur mon visage pâli et ma chevelure couleur de lune rousse, la dalle sur le caveau, la grille sur le cimetière.

Ne crois pas que mon histoire se complaise dans l'excès de romantisme noir. En un sens, c'est le contraire.

Au matin, ton ami, à qui tu avais confié cette mission que tu n'avais pas eu le courage d'accomplir toi-même, se présente dans l'appartement de Chatham Place, et te remet le paquet de feuillets. Ce sont tes poèmes, mon amour, ceux de Gabriel, car bien sûr tu t'es lassé de toujours me peindre, et tu t'es lancé dans la poésie. Avec ton ami, vous détachez précautionneusement les cheveux auburn encore collés au papier, vous désinfectez chaque page, tu tentes de retrouver tes mots qu'ont fait disparaître des taches brunâtres, tes vers mangés aux vers, tu débarrasses ta poésie de mon corps décomposé.

Lorsque je suis morte, tu as eu ce beau geste, ce geste sublime, de nature à entrer dans ta légende d'artiste, tu as enterré avec moi le manuscrit de tous tes poèmes. Non, ne dis rien, je ne cherche pas à diminuer la beauté de ton geste, même s'il est presque trop beau. L'art commence avec la mort, c'est une banalité que de le dire. Je l'ai entendu dire, d'un ton grave et pénétré, à plusieurs reprises, dans le cercle d'artistes et d'écrivains que nous fréquentions. Je ne sais pas en revanche s'ils répétaient une formule toujours susceptible de rendre intéressant celui qui l'émet, ou s'ils savaient vraiment ce que cela veut dire. Que le deuil, bien sûr, et le manque, et la nostalgie suscitent la création, comme une réparation, ce qui est plus banal que l'ébouriffante formule sur l'art et la mort ; mais plus essentiellement je crois, qu'avant même la mort comme événement réellement advenu, l'artiste est celui qui voit des morts dans tous les vivants, des ruines dans tout ce qui est bâti. Il est nostalgique avant toute disparition. Il voit la fêlure dans ce qui est, le vide au cœur des choses, qui les détruit et sans lequel pourtant elles ne seraient pas, qui les exalte et les rend poignantes. Cela le bouleverse, même s'il ne sait pas au juste d'où cela vient, même s'il ne serait pas capable de formuler l'origine de son émotion, c'est bien elle qu'il suit, et à quoi il tente de donner forme.

Mais la vie te prive de ton amour, Gabriel, et tu fais ce geste sublime d'enterrer ton œuvre avec ton amour, la littérature même n'a plus d'importance, c'est l'amour, l'amour que la mort scelle dans l'absolu, qui renvoie la littérature à sa futilité.

Et bien sûr, tu ne l'ignorais pas, ou tu le sentais sans te le formuler, c'était aussi le geste le plus littéraire qui soit. La littérature ne veut pas être littéraire, elle ne déteste rien tant que d'être réduite à une activité culturelle ou esthétique. Elle prétend toujours être au-delà d'elle-même. Qu'est-ce qu'un texte, qu'est-ce qu'un manuscrit, qu'est-ce que de l'encre sur du papier, au regard de la littérature ? En sacrifiant la matière littéraire, tu réalisais en fait l'idéal littéraire. Mais l'écrivain est toujours en deçà de ses prétentions grandioses. Il veut publier, il veut être reconnu. En fait, il voudrait les deux : sacrifier son œuvre à son idéal littéraire, et en même temps être reconnu comme tel. Comme celui qui affirme être un grand solitaire, détaché de toute forme de reconnaissance sociale, mais vérifie du coin de l'œil si on le regarde être un grand solitaire, si on admire son détachement.

— Mais pourquoi, Thalia, répliquait Charles, inventer cette histoire horrible, ce manuscrit récupéré dans un cercueil, tu sais bien que je serais incapable de faire une chose pareille ?

Je lui répondais qu'il trichait. C'est lui qui avait commencé l'histoire de l'artiste, et je comprenais bien pourquoi, nous étions déjà des artistes, des romanciers, il fallait logiquement en arriver là. Mais la distribution des tâches ne me convenait pas dans cette histoire. Les artistes, il ne les connaissait pas, il les imaginait, il les voyait comme des espèces de saints prêts à tout sacrifier à leur idéal. Moi je savais ce que c'était que les artistes. Mes frères et moi, nous étions des artistes, et nous en avions rencontré de toutes sortes, des chanteurs, des peintres qui venaient prendre des croquis de nos spectacles, des écrivains qui avaient succombé à la mode du cirque.

Rupert avait répondu aux questions d'un jeune écrivain, John Heynis, qui avait ensuite publié un article enthousiaste sur nous dans le *Times.* C'est son histoire qui m'a inspiré celle du cimetière. Heynis posait au nouveau Byron. Il se prenait pour un aventurier, ne parlait que de danger, d'abîmes, d'équipées lointaines, criait sur tous les toits qu'il allait rejoindre telle ou telle guerre lointaine, alors qu'il vivait chez sa mère, à Southwark, qu'il ne quittait guère. Il se trouvait du génie et ne comprenait pas l'insuccès de ses recueils de poésie enflammés. J'ai tenté d'en lire un, c'était beaucoup de grands mots et de situations dramatiques. Mais il a pris sa revanche, et son histoire a été abondamment détaillée dans les journaux de l'époque.

Il s'est dit un beau jour, dans les cercles littéraires, que Heynis devait, au crépuscule, du haut du pont de Blackfriars, jeter tous ses manuscrits dans la Tamise, à une date qu'il n'avait précisée qu'à quelques amis, en leur demandant de garder le secret.

En réalité, il s'est avéré que les quelques amis étaient assez nombreux, et tous n'avaient pas souvenir d'avoir reçu la consigne du secret. De sorte qu'au jour fixé, il se trouva, comme par l'effet du hasard, un nombre anormalement élevé d'écrivains et de journalistes traînant sur le pont de Blackfriars ou sur les quais, humant l'air frais d'une belle soirée de printemps.

Vers vingt heures, un homme vêtu d'un macfarlane gris perle

et d'un haut-de-forme de même couleur s'avança sur le pont, portant une grosse liasse de papiers entourée d'une forte courroie. C'était John Heynis. Un certain nombre de passants se rapprochèrent insensiblement pour mieux voir. Cela finit par s'agglomérer en une petite foule. Arrivé au milieu du pont, Heynis se tourna vers l'aval du fleuve, dos au soleil couchant qui éclairait la scène d'une lumière glorieuse et allongeait dramatiquement les ombres. Le choix du pont de Blackfriars était parfait. Heynis ignorait superbement la curiosité de la petite foule qui faisait semblant de n'en être pas une. Il défit la boucle de la courroie, et éleva des deux mains le paquet de feuilles à hauteur de la rambarde. Il y eut un frémissement parmi les spectateurs.

Alors, lentement, d'un geste du bras à la courbe élégante, il jeta, par petits paquets de deux ou trois feuilles sur lesquelles couraient des signes noirs, sa poésie dans la Tamise. Le léger vent d'ouest les prenait en charge, les soutenait un instant dans leur vol. Après quelques virevoltes de feuilles mortes, les pages, presque semblables aux mouettes que la curiosité avait attirées, se posaient sur l'eau de la Tamise rougie par le couchant, et c'était, avaient dit les journaux, à se demander si le poète offrait le fruit de ses veilles, de son art, de ses angoisses, à l'eau ou au feu, les deux sans doute, qui en le purifiant, en effaçant les dansantes lignes noires, les dédiait à cet absolu qu'elles avaient si passionnément cherché sans le trouver.

Lorsque Heynis eut les mains vides, lorsque le fleuve eut emporté vers l'orient ou englouti sa poésie, il en regarda quelques instants la disparition, sans rien dire ni rien laisser paraître, ses mains gantées posées sur la rambarde. À la nuit close, il se détourna, rejoignit la rive sans prêter attention aux assistants silencieux, et reprit son chemin vers Soho, où il habitait.

Pendant plusieurs mois, on n'entendit plus parler de lui. Les poètes avouaient, dans leurs déclarations, admirer son courage et le silence auquel il semblait désormais se vouer. Ils étaient unanimes à estimer qu'il entrerait dans la légende, mais sans doute la plupart se disaient *in petto* qu'il était surtout promis à l'oubli, les trois plaquettes qu'il avait publiées avant son grand sacrifice ne valant pas grand-chose.

Et puis, plus d'un an après la scène du pont de Blackfriars, parut un recueil de poèmes de Heynis, intitulé : *Beyond the River*. On se rua dessus. Le poète famélique que nous avions connu accéda à la gloire, et tous ses ouvrages furent des succès. Il concurrençait Tennyson. On l'admirait de s'être remis à la poésie, après le sacrifice de toute son œuvre. Ses vers ne différaient guère de ceux qu'il publiait avant le pont de Blackfriars, mais on les lisait autrement. D'être les rescapés de la destruction de toute une œuvre les nimbait d'une aura qui ne rendait même pas nécessaire la lecture. Notre mère a acheté *Beyond the River*, et l'a aussitôt abandonné dans un coin, le posséder lui suffisait. Je l'ai lu, m'enivrant, comme une adolescente, des mots plus somptueux les uns que les autres que Heynis dispensait généreusement. Je me souviens encore de certains vers, tels que :

A man for whom is not a dread the Naught
Will dance his life along the chasms and laugh[18].

Ces pompeuses formules m'exaltaient à l'époque. Heynis, dans les journaux, dans ses ouvrages, ne parlait que de « risque », de « danger de mort », d'« infini », d'« aventure », dans des phrases grandiloquentes qui impressionnaient les journalistes, toujours prêts à prendre les grands mots pour de la grande littérature. Heynis n'avait jamais pris un risque de sa vie. À plus de trente ans, il vivait chez sa mère.

Après *Beyond the River*, il y eut *The Winds of Madness*, également porté aux nues par la critique. Et c'est là que se produisit le petit scandale. Depuis des années, Heynis entretenait une maîtresse qui avait fini par acquérir une sorte de renom, par sa beauté, dans le milieu des artistes. Elle posait pour de jeunes peintres qui commençaient à se faire connaître. Mais c'était une notoriété de mauvais aloi, et on lui prêtait, évidemment, de nombreuses aventures. Heynis finit par rompre avec elle. Furieuse, elle se vengea en multipliant les médisances sur le poète. Surtout, elle révéla la vérité sur le pont de Blackfriars.

Heynis la chargeait de prendre en copie tout ce qu'il écrivait. Parfois il lui dictait ses poèmes sous le coup de l'inspiration, mais il fallait toujours qu'elle fasse un double. Et bien sûr, avant de jeter ses œuvres à la Tamise, Heynis en avait gardé un double de la main de sa maîtresse. Les poèmes qui paraissaient depuis étaient ceux-là mêmes qui étaient censés avoir été sacrifiés.

La fille pensait naïvement que c'en serait fini de la réputation de Heynis. Mais ce n'est pas ce qui se produisit. On ne prêta guère attention à ses révélations, soit qu'on les attribuât à une invention de femme jalouse, soit qu'on refusât de s'avouer dupe. Surtout, la célébrité du poète, son image de fier artiste éloigné des mesquineries du monde ordinaire ne pouvaient plus être atteintes, elles absorbaient tout, et l'on refusait de se compromettre avec des histoires pas bien propres, la poésie était au-dessus de ça.

Cette histoire, et tant d'autres semblables que j'ai entendu raconter sur les artistes qui fréquentaient notre cirque n'ont pas diminué mon goût pour la poésie, mais je ne me fais aucune illusion sur les poètes et les artistes. C'est pourquoi, mon amour, je vais te raconter notre vie, telle qu'elle a réellement eu lieu, à Londres.

ALASTAIR 13

Toute ma vie était inscrite dans la lumière où baignait le visage de Thalia.

J'ai revu notre père dans son cercueil. J'ai revu la mouche au menton de Carlyst. J'ai senti le parfum puissant des chevaux de piste, celui de la sueur de mes frères, l'effluve prégnant des quinquets à huile qu'on allumait encore pour les répétitions, afin d'économiser le gaz.

J'ai revu nos spectacles, avec des précisions de détail que peut-être une mémoire qui se serait poursuivie sans rupture n'aurait pas conservées. Au début, nous avions repris le canevas d'*Arlequin*, une pantomime de la troupe du théâtre royal de Covent Garden ; les deux rôles principaux étaient tenus par Howell en Arlequin et Tom Matthews en Clown. Ils l'avaient jouée à Paris, au théâtre des Variétés, sous le règne de Louis-Philippe, et ç'avait été la première pantomime anglaise jouée en France, avant que les clowns et les funambules anglais n'envahissent le pays, devant un public médusé, qui avait l'habitude du souple et délié Deburau. Matthews nous avait autorisés à la reprendre, et il était même venu nous voir, lorsque nous l'avions jouée à Londres, au théâtre de Drury Lane, où il avait longtemps été une sorte de vedette.

C'était bien sûr une histoire d'amours contrariées, mais le canevas n'était qu'un prétexte à une distribution de gifles et de coups de pied. Voulant délivrer son maître Pantalon enfermé dans une malle, le maladroit Clown le sciait en deux. On le condamnait à la guillotine. La guillotine, pour les Anglais, qui pendent leurs condamnés, c'est le comble de l'horreur exotique. Nous avions soigné la représentation, et notre guillotine faisait illusion. Deux bourreaux en frac noir menaient Clown à la guillotine, contenant à grand-peine ses soubresauts de terreur. Ils le liaient sur la planche. Clown passait la tête dans la lunette face au public et clac, la lame tombait dans des cataractes de sang, sa grosse tête peinte roulait sur le plancher, jusque devant le trou du souffleur, comme pour mieux l'entendre. Et l'on voyait bien le tronçon du cou, rouge vif, avec le rond blanc de la vertèbre. L'un des bourreaux saisissait par les cheveux la tête, qui continuait à parler et à grimacer. De son côté, le corps finissait par se relever, reprenait sa tête, la fourrait dans sa poche, et fuyait en zigzaguant dans les coulisses, poursuivi par les deux bourreaux[19]. Au milieu d'une pantomime plutôt classique, l'effet était saisissant.

That's the way to do it.

Dans *Le Barbier de village*, un vieux barbon refusait sa fille à Pierrot, un simple barbier. La famille se retrouvait à table, pour le dîner, un orage éclatait et dans un éclair le jeune barbier faisait son apparition dans la salle à manger, équipé d'un grand savon et d'un rasoir. Et il rasait le père, la mère, le fils, de si près qu'il les décapitait. Devant la mine déconfite de sa Colombine, Pierrot recollait les têtes avec des pains à cacheter, réveillait tout ce monde à coups de pied, leur déversait des seaux d'eau savonneuse sur la tête, ratait des gifles qui atteignaient Colombine, laquelle ratait à son tour sa riposte, qui atteignait sa vénérable mère.

Dans une autre pantomime, Pierrot, qui vendait des cercueils, et ne faisait pas de bonnes affaires à son goût, massacrait des bourgeois pour en faire ses clients, mais certains, mécontents du produit, revenaient à la vie, faisaient éclater la bière en mille morceaux, et poursuivaient Pierrot en poussant des cris lugubres, couverts de leur suaire, la hache du crime encore plantée dans le dos dégouttant de sang. La pièce se terminait dans un déluge de chatons et de chiots, manière de prendre à la lettre l'expression anglaise *it's raining cats and dogs.* Rien n'était logique, les événements les plus spectaculaires se produisaient sans cause et sans suite. Toutes nos pantomimes avaient en commun un rythme frénétique, des traits absurdes, des rebondissements incessants, des effets spectaculaires, et un goût prononcé pour le macabre. Tout cela, bien souvent, issu de nos cauchemars, comme je vous l'ai expliqué, docteur.

Dans une pantomime sur un chef d'orchestre en proie à un orchestre en folie, on se battait avec les instruments, on se les brisait sur le crâne, des jambes, des bras servaient de guitare ou de violon, le chef était ligoté et traîné à travers la salle. Dans *Le Dentiste,* Uriah jouait un apprenti quenottier, qui reçoit des malades aux joues monstrueusement gonflées, aux chicots noirs. Il soigne chaque cas par une claque qui fait crever la fluxion, par un coup de poing, ou avec des tenailles gigantesques avec lesquelles il arrache les chicots. Arrive enfin un patient à l'aspect déplorable : il n'a même plus figure humaine. Le rôle était joué par votre serviteur, pourvu d'un masque plein de gibbosités. Uriah attaque la dent malade avec une monstrueuse tenaille. Le patient s'accroche aux meubles, aux portes pour n'être pas entraîné par la traction, Silas, qui fait l'assistant, s'y met aussi, rien à faire, la dent résiste. On va chercher un brave paysan, joué par Rupert, et on lui demande son âne. Le paysan tergiverse, finit par céder, se prend au jeu, mais l'âne, dont la queue est reliée à la dent par un câble, ne fait pas mieux, à part traîner le malheureux patient un peu partout. On fait venir une grue, sans résultat. Pour finir, Uriah installe sur scène un petit mortier, garni de sa fusée, et relie la fusée à la dent. Dans un jet d'étincelles, la dent est emportée dans les cieux, d'où se déverse une pluie de légumes. Pourquoi une pluie de légumes ? C'est ce qu'avait rêvé Silas, et ça nous avait amusés.

L'incohérence était notre marque de fabrique. Mais aussi la précision, et l'impassibilité absolue dans les mouvements et les situations les plus délirants. Je vous garantis que c'était, pour chaque spectacle, de longues heures de travail.

Il y a eu aussi *Le Voyage de noces.* Une grosse diligence arrive lourdement sur scène, conduite par un Pierrot joué par Silas, surchargée de malles, de voyageurs, un couple de jeunes mariés en voyage de noces, un paysan avec sa poule en cage, inextricablement mêlés, débordant de tous les côtés. Et là, la diligence s'effondre et s'aplatit, roues, caisse, chevaux, voyageurs, tout est par terre, mais nous avions longuement travaillé ce moment, c'était une acrobatie qui demandait beaucoup de précision : tous les voyageurs et les deux cochers se retrouvaient assis au bord de la scène, parfaitement rangés côte à côte, avec leurs bagages, leurs poules, l'air parfaitement ahuris.

Les voyageurs décident de prendre le train. Mais un wagon explose aussi et projette ses occupants, c'est-à-dire nous quatre, incarnant le jeune couple, le paysan et le cocher, dans les arbres, sur les branches desquels ils se retrouvent assis au même moment précis, avec toujours le même air ahuri. Ils rejoignent le train en sautant dans le wagon-restaurant dont ils crèvent le plafond, atterrissant pile dans quatre sièges libres au milieu de quatre autres convives. Le cocher se met à jongler avec un œuf dur, puis avec un verre, et sa jonglerie est contagieuse : l'un après l'autre, les convives se mettent à faire tourner en l'air les assiettes, les couverts, les poulets, les pommes, les bouteilles, tout est en suspension et en mouvement perpétuel.

La pantomime que je préférais, c'était *Les Pierrots déchaînés.* Le décor représente une place de village, avec une boucherie, une boulangerie, un tailleur. Arrive un infirme en fauteuil roulant. Deux Pierrots débarquent (Rupert et moi), s'amusent avec le fauteuil, le font tourner, et l'envoient contre un mur. D'un saut prodigieux, l'infirme (Silas, très fort pour les cabrioles) disparaît derrière le mur. Arrive un élégant jeune homme, attiré par la vitrine du tailleur. C'était le rôle d'Uriah. Les deux Pierrots se jettent sur lui, le font tourner dans tous les sens, et entreprennent de le déshabiller complètement. L'élégant résiste. La scène tourne à la distribution générale de claques et de coups de poing. Cela finit par se calmer. On le mesure, avec les instruments les plus bizarres, et on finit par l'habiller, en lui appliquant derrière le pantalon l'énorme cachet de la maison, et en le reconduisant par un coup de pied au derrière.

Les Pierrots tailleurs vont déjeuner chez le boucher, joué par Uriah. Que choisir ? Les têtes de mouton éternuent. Les têtes de veau tirent une langue qui se déroule démesurément. Rien d'appétissant. Furieux, les Pierrots massacrent le boucher, l'ensevelissent sous les biftecks et les tranches de lard. Ils se décident pour le boulanger. Devant eux, un jeune garçon demande un petit pain au lait. « Un petit pain au lait ? Et comment », fait le boulanger. Le boulanger, c'était Silas. Il empoigne le gamin par le fond de la culotte et le jette dans le four, ce qui réjouit les Pierrots.

« Ces messieurs désirent ? »

Les Pierrots s'installent à une table chargée de gâteaux, de pâtés, de vol-au-vent, de brioches, tous plus appétissants les uns que les autres. Mais voici que les gâteaux reculent devant leur main, se sauvent, toute la victuaille grouille comme un nid d'insectes. Il ne reste sur la table que la casquette du petit garçon. Les Pierrots tentent de la mâchonner, mais ça ne leur plaît pas. Nouvelle bagarre, cette fois avec le boulanger, les coups pleuvent, esquivés ou pas par des cabrioles et des bonds. Le boulanger ferme boutique. La nuit tombe. Les deux Pierrots ne savent plus que faire. Il ne reste sur la place, sur son piédestal, que la statue d'un général local. Ils l'invitent à boire un coup, ils ont quelques bouteilles. Le général (Uriah) descend volontiers, et les Pierrots le grisent affreusement. Le général titube, fait de grands gestes épiques. Les Pierrots le rossent, le dépouillent de son uniforme et le déposent au poste de police, où le héros local est enfermé comme un vulgaire ivrogne.

Jamais rassasiés de malfaisance, les Pierrots forcent la serrure d'une belle maison de la place, dont l'éclairage révèle tout à coup le contenu. Un gros monsieur dort dans sa chambre, bonnet de nuit sur la tête, avec des ronflements déchirants. Sa jolie femme, la Colombine, repose à ses côtés. Les Pierrots ouvrent le coffre-fort, se chargent de sacs d'or, de lingots, à tel point que le plancher s'écroule sous eux, et c'est une nouvelle bagarre générale, les Pierrots s'enfuient, poursuivis par le bourgeois et les gendarmes. Colombine dort toujours à poings fermés. Tout est calme. Un des Pierrots, Rupert, revient tout doucement, bâillant, s'étirant, et monte se coucher à côté de Colombine. Il tente de la lutiner, va un peu trop loin, et à ce moment Colombine disparaît, tombe dans une trappe et atterrit au rez-de-chaussée, dans les bras de l'autre Pierrot, votre serviteur, qui s'enfuit avec elle, sans qu'elle se soit réveillée.

Puis le Pierrot dans le lit doit faire face à une attaque d'énormes rats, qu'il massacre sans pitié, à coups de chandelier et de statue de Diane en bronze. La paix revenue, il décide de lire, chausse d'énormes bésicles, allume deux chandelles, et ouvre un épais volume. Nous mettions en grosses lettres ANNUAIRE DE..., suivant la ville des États-Unis où nous nous trouvions. Il semble prendre beaucoup de plaisir à sa lecture, rit, se désole, ouvre de grands yeux. Mais les chandelles se mettent à pousser. Impossible de les arrêter dans leur croissance. Elles finissent par mettre le feu à la maison, et à toutes les maisons environnantes.

C'est alors un pandémonium de pompiers, de bourgeois, de policiers. Une affreuse vieille concierge, en bonnet et chemise, appelle au secours par la fenêtre d'une maison en flammes. L'autre Pierrot réapparaît tout à coup, sauve la vieille, et dans le mouvement l'envoie dans la fosse d'orchestre. Sanctifié par sa bonne action, Pierrot monte au ciel, parmi le feu, les étincelles,

les étoiles crépitantes, bombardé de biftecks et de tartes à la crème par les commerçants furieux.

Une pantomime plus sobre avait également très bien marché, notamment en France, qui n'avait pas l'habitude de ce genre d'humour. Le rideau se levait sur un cimetière, de nuit. Sur une tombe, une inscription : *Ci-gît Samuel William, tué en duel.*

Simultanément, côté cour et côté jardin, entrent, à pas lents, deux Pierrots, le visage enfariné, vêtus d'habits noirs, et suivis chacun par deux graves personnages, en redingote noire. De part et d'autre, l'un des deux accompagnateurs tient religieusement une étoffe d'où dépasse la poignée d'une épée. On comprend : ce sont les témoins, il s'agit d'un duel.

En parfaite synchronie, les deux Pierrots voient l'inscription sur la tombe, s'arrêtent net, se mettent à trembler de la tête aux pieds, tandis que les témoins sortent les épées, et qu'un docteur arrive, préparant la charpie, les bandelettes, les seringues pour les blessés. Le tremblement devient épileptique, ils bavent, ils se contractent convulsivement, ne parviennent pas, miroirs l'un de l'autre, avec les mêmes gestes crispés, à défaire leurs cravates. Ils ont des velléités de fuite, tentent de bousculer les témoins, qui les maintiennent, les empêchent de s'écrouler, leur mettent l'épée au poing.

Alors, désespérés, ils se jettent l'un sur l'autre, ferraillent comme des fous, en désordre, à grands gestes exagérés, pris de sursauts tétaniques, de bonds, de raidissements brusques, et finissent par mutuellement s'embrocher.

Sur leurs faces blafardes, les yeux chargés de fards noirs expriment la stupéfaction, l'horreur, le désespoir. Ils restent quelques secondes en place, comme tétanisés, puis s'écroulent au même moment, raides. Après quelques sursauts nerveux, les deux corps s'immobilisent. Le docteur, penché sur l'un puis sur l'autre, secoue la tête, et les témoins enlèvent leurs chapeaux, puis s'en vont, tirant de leurs manteaux des fioles qu'ils se font joyeusement goûter[20].

Et Charles, qui me rapportait ces histoires, tous ces spectacles que je n'avais jamais vus, a dit que lorsque l'ombre a ajouté : « Je me suis souvenu aussi du dernier spectacle auquel j'ai participé, *Le Mariage de Punch* », il lui a dit :

— Celui-là, je l'ai vu...

— Ah ? Et où ça ? à Paris ?

— Oui, au cirque Fernando...

— Ah, au cirque Fernando, c'était parfait, même si déjà je commençais...

Oui, *Le Mariage de Punch,* dernier spectacle, mais pas dernières représentations. Tout le monde le voulait, et après Covent Garden et Fernando, nous l'avons repris, pour la troisième fois, à Londres, à l'Adelphi. C'est là, je m'en suis souvenu, comme de tout le reste, avec la lumière qui éclairait le visage de Thalia, c'est là, oui, grognait l'ombre, dont la voix descendait alors dans des basses sépulcrales, que je me suis déchaîné comme jamais. Au lieu de faire semblant, je distribuais des gifles bien assaisonnées, des horions, je rossais vraiment Silas, qui jouait le prêtre, Rupert, mon valet maladroit, et Uriah, qui tenait le rôle de Pierrot, le marié, si vous vous souvenez de la pièce. Après les représentations, nous avions des explications orageuses dans les coulisses. Les valets, les machinistes nous regardaient hurler, nous empoigner. Au début, mes frères n'osaient pas trop frapper, mais après la troisième représentation, Rupert, échauffé dans la dispute, m'a collé une torgnole d'anthologie, où il avait mis toute sa haine, toute son envie, ah oui, pas piquée des vers, je la sens encore. Mon coup de poing l'a mis par terre, je voulais le finir, Uriah et Silas ont eu toutes les peines du monde à m'arrêter.

That's the way to do it.

Punch s'est finalement excusé, a promis de ne pas recommencer, mais bien sûr, ça n'a pas duré.

Je ne dormais presque plus, torturé par des maux de tête abominables, et mes longues insomnies étaient coupées de brèves incursions dans les territoires du cauchemar, où je déambulais, comme le Dante, parmi des terres désolées, plongées dans une obscurité fracturée de feux et trouée de mares fangeuses, dans une pestilence de viscères en décomposition. À distance, dans les brouillards fuligineux, j'apercevais des fourches patibulaires, des croix, des poteaux, sur lesquels étaient cloués des corps, des corps nus, modelés par l'ombre et les feux, travaillés par d'abominables supplices. Je voulais dormir, désespérément, et en même temps j'étais terrorisé à l'idée de retrouver cette géhenne.

Et la voix caverneuse de l'ange pourrissant, me racontait Charles, avait déclamé sur un ton mélodramatique quelques vers anglais que Charles n'avait pas d'abord identifiés :

I found me of the lamentable vale
The dread abyss, that joins a thund'rous sound,
Of plaints innumerable[21]...

Mes cauchemars s'expliquaient sans doute par le fait qu'à l'époque, j'avais proposé à mes frères une grande pantomime à partir de *L'Enfer* de Dante, qui serait l'apogée des Helquin, et, je les en assurais, remporterait un énorme succès. Ils m'avaient laissé préparer le canevas, et je m'immergeais avec délices dans les horreurs de Dante.

On avait soigné ma fracture du crâne. J'étais resté trois jours complètement inconscient, et on m'avait trépané, au Royal London Hospital. Je ne suis pas du tout sûr qu'ils étaient très compétents. Mes frères, qui étaient restés un peu primitifs, espéraient, m'a confié Gertrude, qu'on en profiterait pour m'extraire de la tête le grain de la folie. Les chirurgiens, paraît-il, avaient bien ri de cette exigence incongrue : « On n'est plus à l'époque de Robert Burton, qui préconisait de soigner la mélancolie par une opération du cerveau ! » Quand je me suis réveillé, je ne savais plus du tout qui j'étais, ni où j'étais. La mémoire m'est revenue petit à petit, mais déjà morcelée, incertaine. J'ai pu reprendre les répétitions au bout de trois semaines. Un peu précoce, je n'en avais pas très envie, je me sentais encore assez mal, mais mes frères insistaient, nous nous étions engagés pour *Le Mariage de Punch.*

Voyez-vous, docteur, disaient les voix multiples de l'ombre, qui passaient sans prélude de l'emphatique au gargouillis, du chuchotement confidentiel au charabia du clown, de l'accent anglais au français académique, j'avais changé, surtout physiquement, je m'étais complètement transformé au début de mon adolescence, tel un insecte qui s'extrait de la nymphe. Et, comme vous pouvez le constater, pas un joli insecte décoratif, comme un papillon. Plutôt le genre tarentule. Après mon accident, il m'a semblé, progressivement, que je n'étais plus tout à fait le même. J'étais bien Punch, avec tout ce que ça implique, mais un Punch plus compliqué, plus imprévisible, même pour Punch lui-même. Je prenais beaucoup d'opium, et du laudanum, pour calmer mes maux de tête.

— Oui, je connais ça, avait dit Charles.

— Ah, vous avez pris de l'opium, vous aussi ? Alors vous comprenez ce que je veux dire. Vous connaissez De Quincey, l'écrivain ?

— Ça ne me dit rien…

— Vous devriez essayer. Je ne sais pas s'il est traduit en français. Je le lisais passionnément quand j'avais vingt ans. *De l'assassinat considéré comme un des beaux-arts,* c'est un chef-d'œuvre de l'humour noir. Mais Punch a accordé au texte plus de sérieux qu'on ne lui en prête généralement. Oui, il y a une esthétique du meurtre, et même, docteur, et c'est ce que j'essaie de vous expliquer, une éthique du meurtre. Mais je pensais aux *Confessions d'un mangeur d'opium anglais.* Dans mes pérégrinations sous opium, je faisais des expériences proches de celles qu'il décrit, en particulier l'élargissement gigantesque du temps, au-delà des limites de ma propre vie, au-delà de l'existence des hommes. Mais dans mon cas, il me semble qu'il y avait quelque chose d'un peu spécial dans ces expériences. Il me semblait confusément que, là où l'opium me conduisait, je faisais des rencontres, des visages passaient, des silhouettes, des ombres, on me chuchotait des phrases au fond de l'oreille, qui me paraissaient capitales, mais que j'oubliais aussitôt. J'avais le sentiment que l'opium me révélait quelque chose... Il me permettait d'apercevoir tous ceux que j'étais et que j'ignorais.

Enfin, a repris l'ombre, Punch a tenté de se modérer durant les dernières représentations du *Mariage de Punch*, mais lorsqu'il ne collait pas des horions soignés à ses frères, c'est au public qu'il s'en prenait et il le provoquait avec des gestes obscènes et des grimaces qui terrorisaient les moutards. En ville, ça n'était pas mieux, il y a eu des parties fines qui ont dégénéré. Gertrude tentait de raisonner Punch, le sermonnait, l'engueulait, mais rien n'y faisait. La seule chose qui calmait Punch, c'était le spectacle de sa sœur.

Depuis mon accident, elle était tombée en léthargie, comme vous le savez. Cela lui arrivait parfois, mais là, cela a duré. Un jour, et puis un jour, et puis un jour. Chaque matin on espérait son réveil. On lui avait dégagé toute une chambre dans notre vieille maison de Manchester. Gertrude la nourrissait en lui versant des cuillerées de bouillon entre les lèvres, remuait tous les jours ses bras et ses jambes et l'oignait d'embrocations qu'une vieille sibylle de Hulme lui fournissait. Jamais elle n'avait autant ressemblé à une mère. Une mère qui ne cessait de maugréer et qui s'encourageait avec force lampées de whisky. Avec l'âge, elle buvait de plus en plus. On la trouvait parfois, toute seule, dans son fauteuil, se racontant tout bas d'interminables histoires coupées par son rire chevrotant.

Thalia était plus pâle encore qu'à l'accoutumée, et ses cheveux couleur d'automne, autour de sa tête, lui donnaient l'air d'un astre rayonnant au fond des espaces obscurs. Ah, Punch aurait voulu se rouler dans cette toison lumineuse, s'en couvrir, qu'elle devienne sa propre chevelure, et puis aller par les rues, au hasard, répandre cette ténébreuse lumière.

THALIA 14

Bien entendu, je suis issue des classes populaires. Les jeunes artistes fraient nécessairement avec ces filles-là. Et pourtant, j'ai eu très tôt du goût pour la poésie. J'ai découvert la poésie d'une manière curieuse, c'est le moins qu'on puisse dire. Mon père était un petit artisan. Il avait une coutellerie au marché de Covent Garden. Lorsque j'étais petite fille, ma mère me confiait toutes sortes de commissions, et j'avais plaisir à courir dans les ruelles du quartier pour m'en acquitter. Les commerçants me connaissaient bien et me hélaient au passage : « *Hey Triss !* », « *Hey Trissy !* ». Personne ne m'appelait par mon prénom, trop solennel, de Béatrice.

Je rapportais régulièrement de chez la crémière un gros morceau de beurre, qu'elle enveloppait dans une feuille de journal. Mon père lisait le *Guardian* tous les jours, et j'avais essayé de le lire aussi, mais cette façon de parler du monde, de rapporter les événements, les faits divers, la politique, m'ennuyait profondément. Tout m'y semblait plat, vulgaire, sans vie, alors que j'y cherchais la vie, cette vie qui m'entourait, et qui me paraissait immense, profonde, inépuisable. Mais ce n'est pas dans le journal qu'elle se trouvait. Tu vas me trouver farfelue, il y avait pourtant une manière de lire le journal qui me plaisait, c'est lorsque je dépliais la feuille tachée de gras qui enveloppait la motte de beurre. Avec ses lacunes, ses passages noyés dans la graisse, sa saleté, il me semblait que ce langage formaté acquérait, paradoxalement, une sorte de noblesse. La matière la plus prosaïque qui fût le libérait de ses conventions, le rendait mystérieux et poétique.

Or, un jour, je devais avoir douze ou treize ans, la feuille de journal qui enveloppait le beurre, lorsque je la dépliai, curieuse d'explorer ces contrées de papier où les mots les plus graves perdaient leur sens pour devenir la langue absurde d'un pays de cocagne aux collines de beurre, aux champs de saucisses et aux maisons de beignets, portait une suite de lignes inégales. Un poème, comme il s'en publiait dans les quotidiens. Le journal publiait un extrait du nouveau recueil d'un certain Alfred Tennyson, qui n'avait rien publié depuis dix ans, disait la présentation.

Le poème s'intitulait *The Lady of Shalott.* Tout de suite il m'a fascinée. Je l'ai lu, relu, je l'ai serré, tout gras de beurre qu'il était, sous mon matelas, et pendant des mois je le relisais presque tous les jours. C'était cela, me disais-je, c'était cela qu'il fallait faire avec la langue, avec cette langue qui ne disait jamais rien. Mais cette façon d'en user me semblait réservée à quelques génies, et hors de portée du commun.

Le poème racontait l'histoire d'une femme enfermée dans sa tour, qui se dressait sur une île au milieu de la rivière qui menait à Camelot. Victime d'un sortilège, elle ne peut voir le monde que dans un miroir qui reflète ce qui se passe à l'extérieur de la tour. Elle reproduit ces images sur son métier à tisser. Un jour, sur la route, passe Lancelot. Le miroir se brise, le sortilège est levé. Elle prend place à bord d'une barque et descend la rivière en direction de Camelot, siège des chevaliers de la Table ronde. Mais elle meurt avant d'arriver. Parmi les dernières strophes, il y avait ma préférée :

Lying, robed in snowy white
That loosely flew to left and right—

The leaves upon her falling light—
Thro' the noises of the night
She floated down to Camelot :
And as the boat-head wound along
The willowy hills and fields among,
They heard her singing her last song,
The Lady of Shalott[22].

Il me semble, *a posteriori*, et toi qui es amateur de signes et de prophéties, tu ne devrais pas trouver cela incongru, que sans le savoir je lisais mon destin dans ces vers, mon destin qui était aussi celui de bien des jeunes filles. Nous sommes enfermées. Enfermées dans l'idée de ce que doit être une jeune fille. Cela ne signifie pas que cela ne concerne que les filles, nous sommes tous enfermés, nous voyons tous la réalité dans un miroir obscur, et nous ne savons pas comment sortir. Mais les filles le savent mieux, parce que l'enfermement prend pour elles des aspects plus précis et plus visibles. Et je devais être cette fille abandonnée à l'eau, comme Ophélie, en quête de cette chimère, de cet idéal décevant qu'on appelle l'amour, qui est censé briser l'enfermement. Mais on meurt avant de l'avoir connu. Et les hommes, qui se croient libres, et qui ne savent pas quoi faire de cette liberté, rêvent à la jeune fille enfermée, à délivrer, comme si elle détenait ce qui leur manque, l'être défini par ses limites, le repos de la présence pure.

À seize ans, j'ai trouvé un emploi tout près du marché de Covent Garden, dans une chapellerie de Cranbourne Alley. J'étais une cousette, comme bien des filles du peuple de mon âge. Moins turbulente, moins rieuse, plus rêveuse que mes camarades. Je commençais, maladroitement, à ébaucher mes premières tentatives de poésie, avec l'excès de lyrisme de la débutante. Je m'enivrais avec du Rossetti, du Byron, du Shelley, du Keats. Et du Thomas Gray. C'étaient des alcools forts. Tu connais Gray ? Non ? Écoute, je savais par cœur son *Élégie écrite dans un cimetière de campagne* :

The curfew tolls the knell of parting day,
The lowing herd wind slowly o'er the lea,
The ploughman homeward plods his weary way,
And leaves the world to darkness and to me[23].

Mais j'ai fini par la trouver trop solennelle, trop pathétique. En matière de *curfew*, je préférais l'étrangeté grandiose de Prospero, dans *La Tempête* :

Ye elves of hills, brooks, standing lakes and groves,
And ye that on the sands with printless foot
Do chase the ebbing Neptune and do fly him
When he comes back ; you demi-puppets that
By moonshine do the green sour ringlets make,
Whereof the ewe not bites, and you whose pastime
Is to make midnight mushrooms, that rejoice
To hear the solemn curfew[24]

C'était cela, le monde des clowns, cette magie aérienne, ces métamorphoses insensibles, et cette ironie avec la mort.

L'histoire que je viens de te raconter, Charles, est absolument vraie. La motte de beurre et le journal, avec le poème de Tennyson, c'est ce qui m'est vraiment arrivé, à moi, Thalia, et pas seulement à Béatrice, et j'avais en effet douze ans. Je me suis mise à griffonner des vers. Je les cachais, bien sûr, mais ma mère est tombée dessus, elle fouillait dans mes affaires.

Évidemment, c'étaient de mauvais vers, naïfs et sentimentaux. Elle les a lus, en ricanant, à mes frères, devant moi. J'étais tétanisée de honte. Je la haïssais. Elle livrait mon intimité aux chiens, je n'avais plus rien. J'ai passé toute la soirée et toute la nuit à pleurer. Seul Alastair a tenté de me consoler. L'année suivante, il m'a offert un recueil de poésie qui venait de paraître : les poèmes de Dante Gabriel Rossetti. Je les ai lus, relus, appris par cœur. C'étaient exclusivement des poèmes d'amour. J'ai voulu tout savoir de Rossetti. J'en rompais la tête de ma mère. Le recueil avait reçu un mauvais accueil, il y avait des scènes d'amour trop explicites. Et puis il venait d'un tombeau...

— C'était donc cela, l'histoire des poèmes dans le tombeau ?

— Oui, c'est l'histoire de Rossetti. Il m'a semblé qu'elle irait bien dans notre histoire de peintre et de modèle.

— Mais pourquoi, Thalia, tiens-tu à noircir tout ce que nous essayons d'imaginer ? Je voudrais des histoires d'amour merveilleuses, où nous serions tout entiers l'un à l'autre...

— Je suis plus exigeante que toi. Il faut faire table rase de tout ce qui relève de l'illusion. Continuons, déroulons l'histoire du peintre et de son modèle.

Un client de la chapellerie m'a remarquée. C'était un tout jeune peintre, un de tes amis, rencontré aussi à la Royal Academy. Il est tombé en admiration, dira-t-il à ses amis, et à toi le premier, devant ma beauté. Mais pas seulement devant ma beauté. Il a aussi été frappé par ma haute taille, ma gravité, mon calme. Et plus encore par la lourde masse de ma chevelure d'un roux cuivré. Il est revenu. Il m'a parlé. Il m'a convaincue de poser pour lui. Je me suis laissé tenter, un peu comme un jeu, un hobby. J'avais envie de rencontrer des artistes, et j'avoue que je me suis sentie flattée des éloges qu'il a faits de ma personne pour me décider.

Et puis il m'a présentée à ses amis. Je suis devenue modèle pour de jeunes peintres décidés à changer les codes esthétiques en vigueur. Ils s'en prenaient à l'académisme, prônaient les couleurs vives, les perspectives réduites et la sobriété des jeux d'ombre des primitifs italiens. Tu étais une des têtes pensantes de ce cénacle, Gabriel. Oui, j'ai posé pour toi, d'innombrables fois, des centaines, des milliers de portraits, dans tous les formats, dans tous les matériaux, c'était une obsession, tellement que les moments finissaient par se confondre en un instant indéfiniment étiré, qui se rapprochait de cette présence pure que tu recherchais dans la peinture et la poésie. Tu vois, je suis près de te donner raison.

Rapidement, tu as exigé l'exclusivité, tu as interdit que je pose pour quiconque d'autre que toi. Mais ne te semble-t-il pas, mon amour, que cette quête infinie de ce qu'est la beauté, de ce qu'est la réalité d'un corps, la substance d'un visage, ne finissait pas au contraire par éloigner la réalité ? Est-ce que tu ne t'étais pas enfermé dans un piège ? Oui, n'est-ce pas ? Tu le soupçonnes comme moi ?

La dernière fois que j'ai servi de modèle à un autre que toi a donné, je crois, un chef-d'œuvre. C'était une Ophélie. Le sujet n'était pas encore à la mode, mais les Ophélie se sont multipliées par la suite, avant qu'on ne passe aux Salomé. Le peintre, Millais, était un de tes amis, rencontré lors de vos études à la Royal Academy. Et la toile, qu'il a mis des mois à achever, a eu un énorme succès. Elle a commencé à retourner les critiques, qui s'acharnaient sur vous. Elle a figuré à l'Exposition universelle de 1855.

Il m'a fait poser dans son atelier, un capharnaüm bien pire que celui de Chatham Place. Je devais porter une robe de mousseline ornée de motifs végétaux dorés. La mousseline avait l'avantage d'être légère et de ne pas trop se charger d'eau. Ses plis redoublaient la fluidité de l'eau, et les motifs redoublaient la végétation, de sorte que je paraissais prête à me fondre dans le décor. Quand je suis arrivée, je ne savais pas trop comment il comptait s'y prendre pour la pose. J'ai compris lorsque j'ai vu la baignoire, installée au beau milieu de l'atelier, aussi incongrue qu'une charrette à foin dans un salon.

Une servante finissait de la remplir, avec des seaux d'eau qu'elle faisait chauffer sur un fourneau en fonte. Et je dus m'allonger dans cette baignoire, pendant qu'il peignait. Cela durait des heures. L'eau refroidissait, et la servante n'était pas toujours là. Il avait imaginé, pour n'être pas dérangé dans sa concentration, de disposer sous la baignoire des chandelles et des lampes à huile pour tenter de la maintenir à température. Mais je finissais invariablement par avoir froid.

Il voulait peindre aussi exactement que possible la scène telle qu'elle est décrite dans Shakespeare :

QUEEN GERTRUDE
One woe doth tread upon another's heel,
So fast they follow ; your sister's drown'd, Laertes.
LAERTES
Drown'd ! O, where ?
QUEEN GERTRUDE
There is a willow grows aslant a brook,
That shows his hoar leaves in the glassy stream ;
There with fantastic garlands did she come
Of crow-flowers, nettles, daisies, and long purples
That liberal shepherds give a grosser name,
But our cold maids do dead men's fingers call them :
There, on the pendent boughs her coronet weeds
Clambering to hang, an envious sliver broke ;
When down her weedy trophies and herself
Fell in the weeping brook. Her clothes spread wide ;
And, mermaid-like, awhile they bore her up :
Which time she chanted snatches of old tunes ;
As one incapable of her own distress,
Or like a creature native and indued
Unto that element : but long it could not be
Till that her garments, heavy with their drink,
Pull'd the poor wretch from her melodious lay
To muddy death.
LAERTES
Alas, then, she is drown'd ?
QUEEN GERTRUDE
Drown'd, drown'd[25].

Son exigence d'exactitude l'a poussé à représenter toutes les plantes nommées dans la pièce, renoncules, orties, marguerites, et ces orchidées violettes qu'on appelle « doigts d'homme mort », et puis des roses, des pensées, des coquelicots, de l'avoine, tout un bouquet rassemblé par la folle Ophélie qui s'effilochait au gré de l'eau, bleuets, coquelicots, pensées, roses, s'en allait dans le courant, le long de la robe gonflée par l'eau. Ophélie passait sous un saule perché très bas sur la rivière, et dont les feuilles la touchaient presque. La nature envahissante occupe l'essentiel du tableau, avec ses fleurs de toutes sortes, ses roseaux, ses algues mousseuses qui ressemblent à la robe, le vieux tronc cuivré du saule qui a la même couleur que ses cheveux.

En fait, on ne pouvait pas savoir, à son visage, bouche entr'ouverte, yeux dépourvus d'expression, qui ne fixent rien, si elle était morte, ou égarée dans ses derniers rêves, dans une sorte d'extase, lâchant prise et accueillant ce qui vient. La force de la scène tenait à cette espèce d'indifférence du personnage à son propre sort, à son abandon, à la gaieté des fleurs qui auraient pu tout aussi bien figurer dans une représentation bucolique du printemps. Et j'ai eu la faiblesse de croire que l'idée, qui fait toute la puissance du tableau, lui était venue grâce à moi, au sérieux inexpressif avec lequel je posais.

Ce que le tableau ne représente pas, évidemment, c'est que dans Shakespeare Ophélie chante, comme insensible à ce qui lui arrive, des fragments de vieilles chansons, et elle est comparée à une sirène, *mermaid-like.* Comme dans le poème de Heine qu'Alastair t'a récité, c'est sa propre détresse qui rend la sirène fascinante, c'est sa capacité d'abandon. Et à jamais elle disparaît, elle retourne au profond de l'eau.

Les séances étaient bien trop longues, je n'en pouvais plus de tremper dans ce marécage qui refroidissait inexorablement. Un jour, plusieurs lampes s'éteignirent. Millais n'y prêtait pas attention. Je n'ai rien dit. Je considérais comme de mon devoir de ne pas troubler sa concentration. Le lendemain, je suis tombée malade. Je suis restée dix jours au lit, avec la fièvre. La malédiction d'Ophélie ne m'a pas laissée en paix. La pneumonie que j'avais contractée dans la baignoire détruisit définitivement ma santé. J'essayais de me soigner avec du laudanum. Au bout de quelques mois, je ne pouvais plus m'en passer.

Je ne posais plus que pour toi, Gabriel. Je t'aimais. Je n'en parlais pas, peut-être parce qu'on m'avait appris que ce n'est pas à une jeune fille de se déclarer, peut-être parce que ma fierté trouvait la situation par trop banale, je me méfiais de cet amour qui me faisait élire, comme par hasard, un jeune artiste, passionné, entier, exigeant. J'aimais et quelqu'un en moi se refusait à l'abandon qu'exige l'amour. Quelqu'un en moi me traitait de petite sotte. Je m'efforçais de le faire taire.

C'est toi qui as fait le premier pas. Tu l'as fait comme il fallait, avec timidité, mais avec des mots. Bon, c'était un peu prévisible, je te regardais venir, avec un mélange d'ironie et d'attendrissement. Derrière ton chevalet, tu t'es interrompu quelques secondes, ton regard sur moi s'est légèrement modifié. Tu t'es levé et tu t'es approché, comme tu le faisais parfois, pour rectifier la position.

— Excusez-moi, Béatrice… peut-être qu'en baissant légèrement la tête, sans cesser de me regarder…

Tes doigts effleurent mes joues, comme pour donner à ma tête l'inflexion convenable, mais tu les retires sans l'avoir fait.

— La position était parfaite, en réalité, Béatrice. Je n'avais aucune intention de la rectifier. Je me rends compte maintenant que ce que je désirais, c'est toucher votre peau…

Je continuais à te fixer sans rien dire, impitoyable, tu poursuivrais sans être aidé. Il est vrai que je ne savais pas non plus très bien quel parti prendre, je n'avais aucune envie de jouer un étonnement que je ne ressentais pas, et encore moins d'entonner l'air de l'effarouchée. Je voulais savoir ce qui allait se passer, en toi et en moi, car je sentais que la scène n'était pas seulement l'expression d'une réalité qui la précédait, elle la créait à mesure.

— J'ai passé des heures à vous peindre, Béatrice, à vous regarder…

Tu es debout, face à moi, dans ta blouse tachée, comme un enfant qui récite son compliment, et tu ne sais pas trop quoi faire de tes mains. Tu prends le parti finalement de les poser l'une dans l'autre, humblement, devant tes cuisses. Une lumière aimablement solennelle pénètre à point dans l'atelier, l'après-midi s'apprête à basculer dans le soir, c'est l'heure parfaite.

— Mais j'ai besoin de vous toucher.

Je prends tes poignets et j'écarte doucement tes deux mains, j'ouvre tes paumes vers moi :

— Touchez-moi…

Je conduis ta main droite, docile, abandonnée, jusqu'à mon cou. Et tandis que tes doigts, comme à l'aveugle, parcourent en tremblant ma nuque, s'attardent sur les fins cheveux qui s'y lovent, remontent vers mes tempes et mes paupières, j'explore tes hanches et tes reins.

Tu te penches, approches tes lèvres des miennes, je goûte ce frémissement continu qui atteste de ton abandon. Mes mains encadrent ton visage à présent, comme pour l'attirer vers moi, en même temps je le retiens quelques secondes au bord du baiser, pour tenter de goûter cet instant imperceptible qui sépare deux époques, deux vies, celle où nous sommes des étrangers et celle où nous sommes intimes, je voudrais étendre sa durée, prendre le temps de le contempler à distance tout en le vivant, mesurant avec un peu de mélancolie que jamais plus nous ne nous embrasserons comme deux inconnus.

Ton visage se rapproche du mien et m'enveloppe, je suis dans ton visage, je désire reposer en lui.

Le baiser que nous échangeons est tout empli des sensations recueillies par nos mains, et dans le simple contact de nos lèvres se raniment et s'unissent la forme de nos épaules, le grain de notre peau, de nos cheveux ; ton souffle qui se glisse en moi éveille, dans les profondeurs de mon corps, un nouveau corps qui est le tien.

Je n'ai pas voulu faire l'amour, ce jour-là. Je suppose que tu as dû considérer que c'était la réaction classique de la jeune femme qui n'entend pas laisser supposer qu'elle est facile, et prête à coucher tout de suite. Tu avais toutes les raisons de le penser. Et je ne prétends pas que mon refus était complètement étranger à ce conditionnement. On nous a appris que ce qu'il y avait entre nos jambes était le saint des saints, notre bien le plus précieux, le réceptacle de notre honneur. Et les hommes, du coup, désirent en recevoir l'offrande et la primeur, comme le don absolu, l'ultime abandon, qui est aussi leur consécration. Tout cela est une vieille fiction…

Et justement, si les filles se refusent, c'est aussi parce qu'elles sentent le caractère artificiel, monstrueusement exagéré de l'enjeu. Elles voudraient qu'il soit question d'autre chose. De sexe, oui, et je te désirais. De sexe parmi d'autres choses. Mais j'éprouvais confusément, comme beaucoup de filles je pense, qu'il y avait là un malentendu. La vieille transaction autour de l'ultime faveur, du don précieux de l'entrejambe n'était qu'une manière de se débarrasser du sexe en se convainquant de l'avoir vécu. On s'acquittait commodément de tout ce qu'on se convainquait de devoir au sexe.

Bien entendu, le refus des filles aboutit à l'inverse : c'était faire monter les enchères, rendre encore plus forte la valeur de ce lieu bizarrement sacralisé. Les jeunes filles, tu l'as remarqué, rient lorsque l'atmosphère est à la séduction, lorsque du sexe est dans l'air. On a coutume de considérer que c'est l'expression nerveuse d'une gêne. Mais pas toujours. Elles sentent le comique de la situation. En réalité, l'action qui se déroule autour du si précieux objet, avec ses fausses sorties, ses portes qui claquent, ses déclarations à double sens, est celle d'un vaudeville. Tout repose sur un quiproquo.

Arrive la scène décisive, le morceau de bravoure : la lamentation de l'amoureux. La femme qui atermoie est une « cruelle ». Pourquoi se refuse-t-elle ? Éprouve-t-elle du plaisir à jouer comme une chatte avec ce pauvre oiseau sanglant qu'est son amour ? Et rien n'y fait, ni les déclarations enflammées, à genoux devant la déesse, ni les airs de mandoline sous le balcon, ni les lettres désespérées. L'amoureux est prêt à tous les excès, disparaître dans la nuit ou se jeter dans un fleuve. C'est ridicule. Plus les enchères montent, plus leur objet paraît, à celle qui le détient, grotesquement idéalisé. Elle a encore moins envie de céder, ce qui serait accepter que toute cette fiction comique corresponde à une quelconque réalité. Et puis, de guerre lasse, elle le fait parfois, pour ne plus en entendre parler en ces termes. Souvent, son intuition se vérifie : ayant enfin pu accéder à l'objet sacré, assouvir sa soif dévorante, l'amoureux éperdu s'aperçoit que tout cela, finalement, n'était pas grand-chose.

Mais toi, mon amour, je t'accorde que tu n'as pas joué le vaudeville. Et je t'en ai su gré. Parfois j'arrêtais doucement tes élans, tu ne protestais pas ni ne me faisais des tableaux tragiques de ta souffrance. Je ne pouvais pas me passer de tes baisers, de tes caresses, et je m'en voulais, j'avais l'impression de jouer avec ton désir. Le paradoxe était que, puisque justement tu ne jouais pas le vaudeville, je n'avais pas de raison de ne pas faire l'amour avec toi. Sans doute avais-je envie, comme pour notre premier baiser, de retenir ce moment, de le faire durer dans la tension soutenue du désir, qui éveillait toutes les parties de nos corps, comme si nous risquions de les oublier dans l'accomplissement de l'acte amoureux.

Mais il y avait autre chose. Le peintre qui couche avec son modèle, quelle banalité... Toute l'attirance que j'éprouvais envers toi, celle que tu manifestais envers moi était gâtée par ce cliché. Le soupçon corrompait mon désir, et je ne parvenais pas à recevoir le tien ingénument : comment se raconter en toute innocence qu'on est attiré par une personne singulière, choisie, et qu'elle est attirée en vertu du même principe d'élection, quand on se conforme si bien à un modèle de comportement ? Au-delà de la magie du moment, l'avenir m'apparaissait tout tracé : je serais ta maîtresse quelques mois, quelques années, et puis tu en aurais d'autres, des modèles évidemment, et moi, par dépit, par vanité, je céderais aux avances d'un de tes amis peintres, puis d'un autre. Tes infidélités ne t'empêcheraient pas d'être jaloux, et nos querelles incessantes useraient notre relation.

J'ai pourtant fini par faire l'amour avec toi, parce que je le désirais, et parce que je ne voulais pas être assignée au rôle de la prude jeune fille qui se refuse, encore un modèle de comportement répertorié. J'avais parfois l'impression atterrante de n'avoir à ma disposition que des schémas déjà constitués.

Je voulais que tu m'épouses. Tu lanternais, promettais, remettais. Tu trouvais ça trop bourgeois. Nous étions des artistes, et tu renâclais à l'idée de tomber dans les conventions. Je te faisais remarquer que chaque milieu avait ses conventions. Nous suivions les conventions de ceux qui se veulent non conventionnels. Nous faisions les peintres comme les autres peintres. Épouser son modèle, dans ce milieu, c'était presque une provocation.

Pendant plus d'un an, nous nous sommes enfermés à Chatham Place, nous ne voyions plus grand monde, nous nous nourrissions de nous-mêmes, oui, c'était la même idée que celle qui nous a conduits à Saint-Genest. Mais cela n'a pas tenu. L'espèce d'ascèse que tu t'étais imposée, parvenir par l'art à manifester la présence de la beauté, s'est progressivement épuisée devant le besoin d'un regard extérieur.

Au fil des années, j'ai augmenté les doses de laudanum. L'opium m'aidait aussi à oublier ma déception, tes infidélités. D'autres modèles te séduisaient, d'autres genres de beauté, d'autres manières d'être. Chacune de ces femmes avait une façon différente d'incarner le féminin, tu le redécouvrais chaque fois, toujours neuf et toujours autre. Je ne savais pas ce que tu entendais par « amour » lorsque tu avais employé ce mot pour nous, tu y tenais encore, tu t'y accrochais, mais tu pouvais en aimer d'autres. N'était-ce pas une très vieille fiction à laquelle, l'un et l'autre, nous n'avions pas le courage de renoncer ?

Depuis ma découverte de la poésie de Tennyson enveloppant une motte de beurre, j'écrivais de la poésie. Et je ne me contentais pas du statut de modèle. Dès que j'ai commencé à poser, je me suis mise à crayonner des esquisses sur des carnets, puis ce fut l'aquarelle, le fusain, le pastel, et même les huiles. Je n'avais pas comme toi et tes amis fréquenté la Royal Academy. Tu me guidais, tu me disais que j'étais douée, j'étais à la fois ton modèle et ton élève. De sorte que j'ai pu accrocher quelques-unes de mes œuvres à la grande exposition que tes amis et toi avez organisée à Russell Square. Un critique d'art respecté achetait systématiquement mes œuvres. Mais je ne trouvais pas dans l'art l'apaisement auquel tout mon être aspirait.

Nous nous sommes mariés, discrètement, sans personne à part deux témoins recrutés pour la circonstance. J'étais ta femme, mais c'était trop tard. Je savais que je serais toujours Ophélie, je serais toujours *the lady of Shalott*. Le laudanum, tous les jours, me prenait dans ses bras, me berçait, me chantonnait les comptines de mon enfance, il m'emmenait au bord de rayonnantes rivières me remplir les mains de brassées de fleurs, durant d'infinies journées où l'on rêve que l'amour existe, et qu'il est une présence absolue, dans laquelle on se fond entièrement.

Nous sommes partis pour un long voyage de noces, qui a duré deux ans, pour tenter de restaurer ce qui semblait brisé, on ne savait pas quoi, on ne savait pas comment, et aussi, disais-tu, pour ma santé : les bienfaits du climat français, de la Méditerranée, pourraient peut-être réparer les dégâts qu'avait subis mon organisme. C'était notre version du Grand Tour, nous nous conformions à la tradition de la bonne société anglaise.

J'ai tenté, avec succès parfois, de m'émerveiller de Paris, d'Avignon, de Nice, de Menton. Nous sommes restés près de trois mois à Bordighera. La petite station balnéaire regorgeait d'Anglais. Le livre de Giovanni Ruffini, *Il dottor Antonio*, avait paru en Angleterre quelques années auparavant, et il avait mis Bordighera à la mode en Grande-Bretagne. Puis Gênes, Florence, Rome. J'admirais, mais j'étais fatiguée. J'aimais, le soir, dans la pénombre de l'hôtel, me remémorer le soleil du jour, la masse étrange du Panthéon, les gamins vendant des fleurs devant Santa Maria Novella, l'Annonciation de Léonard aux Offices, cette douce, paisible, offrande de la souffrance, et je la recevais à mon tour, comme la toute jeune fille l'avait reçue de l'archange. Et le laudanum, à nouveau, me prenait dans ses bras.

À Paris, nous nous sommes gorgés de spectacles, Comédie-Française, Opéra-Comique. Au Français, nous avons assisté à la première des *Effrontés*, d'Émile Augier, avec la jolie Mlle Riquer dans le rôle de la vicomtesse d'Isigny[26]. Nous avons vu *Robert le Diable* de Meyerbeer, *Le Comte Ory* de Rossini, et *La Juive* d'Halévy. Nous nous sommes encanaillés sur le Boulevard du Crime, juste avant qu'on n'y démolisse les théâtres. Nous avons eu la chance d'assister au dernier spectacle de Rigolboche, aux Délassements-Comiques : une sorte de petit garçon manqué coiffé d'une salade frisée de cheveux roux sous un gibus défoncé, un pantalon court rayé, et dans une tornade de mouvements vertigineux, elle osait des poses qui défiaient la décence.

Le soir, sur le Boulevard du Crime, se pressait une foule mélangée de noceurs, de gamins, d'ouvriers, de petits-bourgeois, installés aux tables qui envahissaient toute la chaussée, se bousculant entre les barrières qui donnaient accès aux salles, et c'était un vacarme de cris, d'appels, où se mêlaient la cloche des marchandes de coco, les braillements des vendeurs ambulants de toutes sortes : « Orgeat, orgeat ! Demandez le programme ! Fleurissez vos dames ! Oublies, demandez l'oublie ! »

Aux Funambules, nous avons vu une pantomime, *Les Quatre Intrigants*[27]. Je n'avais rien vu d'aussi bizarre. Le public semblait hésiter à prendre au sérieux les scènes horrifiques et saugrenues qui se succédaient : fallait-il rire ou trembler ? Il y avait, comme dans un bon vieux mélodrame, des bénédictions de poignards, des cœurs transpercés, des nourrissons pendus à des crochets dans une armoire, des substitutions d'enfant, une pendaison, mais aussi des distributions de gifles, une perruque agrémentant une omelette, le roi d'Espagne qui passe son temps à sangloter et les marmots qui sortent de leur armoire, devenus de grands beaux enfants. Le tout sur une musique d'Hervé dont le rythme tenait de l'épilepsie. Cela ne ressemblait à rien de connu, et cette médiocre pantomime est l'un des spectacles qui m'ont laissé le meilleur souvenir, dans son allégresse délirante.

Nous avons même poussé jusqu'au fond de la plaine de Passy, à l'hippodrome. C'était en réalité un amphithéâtre en bois. Tout un peuple mêlé, vieux bourgeois cravatés jusqu'aux dents, à la mode Louis-Philippe, avec leurs femmes en bonnets à ruches, blousiers, joyeuses grisettes en grappes de trois ou quatre, gandins à badine, se pressait sur les gradins, se marchait sur les pieds, se querellait et surtout riait. Le spectacle comportait une parade de chimpanzés montés sur des poneys, puis des écuyères, debout sur leurs chevaux, se mettant en équilibre sur un pied. Jambes nues, elles portaient un justaucorps d'écailles dorées et un diadème en forme de rayons de soleil. Les bourgeois les scrutaient, jumelles collées aux yeux.

Et puis il y eut les Helquin, une troupe d'acrobates anglais. Ils renouvelaient les vieux trucs des antipodistes : un break, ou plutôt ce genre de voiture qu'on appelle un squelette, car il n'avait ni sièges ni carrosserie, attelé à deux chevaux et conduit par un postillon vêtu de rouge, tournait autour de la piste. Il y avait quatre Helquin à bord du squelette, vêtus de maillots collants bleu vif. L'un des acrobates était couché sur le dos, la tête du côté du postillon. Derrière lui, un partenaire tenait une échelle. L'homme couché faisait tourner l'un de ses frères au bout de ses jambes, le projetait sur l'échelle, où l'autre continuait à exécuter des figures. Puis c'était le tour d'un gamin, ou d'un adolescent, merveilleusement beau, avec des boucles dorées qui lui descendaient sur les épaules. Le numéro devenait presque irréel, il se dressait à l'envers, les mains accrochées aux pieds de son frère, puis d'une seule main, et finissait par exécuter un saut périlleux pour se retrouver à son tour sur l'échelle, à laquelle grimpait le troisième frère, tandis que l'homme couché l'assurait des bras. Le tour d'honneur, avec les trois frères sur l'échelle dans des positions acrobatiques, a suscité un ouragan d'applaudissements.

Un dimanche, nous avons assisté à *Tannhäuser*, dans une version française spécialement rédigée pour cette production. Les deux premières représentations avaient fait scandale et nous espérions que l'agressivité germanophobe des Français se serait calmée. L'ouverture fut écoutée en silence, et fut même discrètement applaudie. Mais rapidement ce furent les sifflets, les cris, qui couvraient la musique, les injures à l'adresse de Wagner, qui prudemment, après les deux séances de hourvari des représentations précédentes, s'était abstenu de venir.

Le Jockey Club, dont on nous a expliqué qu'il représentait le gratin de l'aristocratie française, était venu en masse. De jeunes gentilshommes levaient le poing vers les chanteurs en leur promettant une raclée, lançaient des projectiles sur la scène, c'était un chaos, un champ de bataille. On nous a montré le prince de Sagan, officier de cavalerie, parangon d'élégance, habit, monocle, rose à la boutonnière, descendant des plus vieilles familles de France, les Talleyrand-Périgord, les Montmorency, aussi anciens que les Capétiens, agiter silencieusement sa cravache en direction du ténor allemand, Niemann, qui il est vrai chantait faux.

Nous sommes partis à la fin du deuxième acte. Mais nous avions entendu sans trouble l'ouverture, l'hymne à Vénus et le chœur des pèlerins, et ces airs m'avaient plongée dans une rêverie profonde. Peu de temps après la représentation, je suis tombée sur l'opuscule d'un poète français, qui traduisait exactement ce que je ressentais en me remémorant les profondes nappes harmoniques de Wagner. Attends, j'ai la brochure où figure ce texte. Voilà, écoute :

> Où donc le maître a-t-il puisé ce chant furieux de la chair, cette connaissance absolue de la partie diabolique de l'homme ? Dès les premières mesures, les nerfs vibrent à l'unisson de la mélodie ; toute chair qui se souvient se met à trembler. Tout cerveau bien conformé porte en lui deux infinis, le ciel et l'enfer, et dans toute image de l'un de ces infinis il reconnaît subitement la moitié de lui-même. Aux titillations sataniques d'un vague amour succèdent bientôt des entraînements, des éblouissements, des cris de victoire, des gémissements de gratitude, et puis des hurlements de férocité, des reproches de victimes et des hosannas impies de sacrificateurs, comme si la barbarie devait toujours prendre sa place dans le drame de l'amour, et la jouissance charnelle conduire, par une logique satanique inéluctable, aux délices du crime. Quand le thème religieux, faisant invasion à travers le mal déchaîné, vient peu à peu rétablir l'ordre et reprendre l'ascendant, quand il se dresse de nouveau avec toute sa solide beauté, au-dessus de ce chaos de voluptés agonisantes, toute l'âme éprouve comme un rafraîchissement, une béatitude de rédemption[28].

Oui, Charles, cette brochure était dans la bibliothèque, qui n'est pas seulement garnie d'auteurs latins, de traités d'alchimie ou de sciences hermétiques. Dans les rayons du bas, à droite de la porte du salon de musique, elle est bourrée de livrets d'opéra, de pièces de théâtre, de souvenirs, de brochures et de prospectus. Nos prédécesseurs avaient dû mener grande vie à la capitale. Je m'en suis gavée, avec un peu de culpabilité, j'y ai rêvé pendant des heures, reconstruisant un monde que je n'ai jamais connu. Cela m'a donné envie d'inventer cette histoire. Qu'ai-je fait de ma vie, à part de la fiction, du rêve et du sommeil ? Mais crois-moi, mon amour, notre histoire de peintres londoniens, que tu trouves si noire, ne pourrait sans doute pas tourner autrement, suivant la loi des amours d'artistes, et suivant ma nature même, qui « aspire à la douleur », comme la seule ivresse qui lui soit encore accessible.

De retour à Chatham Place, les images du voyage s'étaient installées en moi comme une germination de rêves, comme la possibilité d'une autre vie, s'il n'avait pas été trop tard. Ma santé n'y avait rien gagné, contrairement à ce que nous espérions. Quelques mois ont passé. Un soir, tu es rentré tard à Chatham Place. Tu étais censé donner une conférence au Working Men's College. D'autres ont insinué, d'un air de qui détient les vraies informations, que tu étais avec une femme, que je l'ai compris et que je me suis tuée. La vérité est sans doute que tu étais vraiment à ta conférence, mais que ma jalousie devenue maladive me torturait en me faisant soupçonner dans chaque absence une infidélité.

En entrant, tu m'as trouvée inconsciente sur le sofa de l'atelier. Les médecins appelés n'ont rien pu faire. Plus de pouls, plus de respiration. Le coroner a conclu à une absorption excessive de laudanum. Tu ne sauras jamais si c'était une absorption accidentelle ou volontaire. Et c'est ainsi que je suis morte, mon amour. Nous ne comprenions pas l'amour de la même façon. J'ai été enterrée à Highgate, avec ta poésie, dont un texte que tu as rédigé quelques jours après ma mort.

What of her glass without her ? The blank grey
There where the pool is blind of the moon's face.
Her dress without her ? The tossed empty space
Of cloud-rack whence the moon has passed away.
Her paths without her ? Day's appointed sway
Usurped by desolate night. Her pillowed place
Without her ? Tears, ah me ! for love's good grace,
And cold forgetfulness of night or day[29].

C'est beau. Rossetti exprime parfaitement ce qu'est un monde déserté, privé de toute présence dès lors que la présence aimée, fondatrice de toute présence, a disparu. Tu as compris à quel point l'absence est incompréhensible, et que le passage de l'être au néant est trop inconcevable pour nous toucher vraiment. Nous restons, face au néant qui vient de s'ouvrir, sans pensées, sans rien, tétanisés.

Tu avais longuement contemplé mon visage, après ma mort, sans pouvoir t'en détacher. Tu ne voyais rien, tu ne contemplais rien, ta tête demeurait vide, mais l'impossibilité de ce que tu expérimentais te retenait là, comme hébété. C'était moi, le visage est la personne même, et cependant il n'y avait plus rien. Alors, tu pleurais. Pourtant tu sentais bien aussi, mon amour, que ce composé de tissus, peau, muscles, os, vaisseaux, n'était pas moi. Rien de moi ne demeurait dans cette matière. Mais où étais-je ? Et où avais-je été, durant toute ma vie ? Avais-je été ce visage que tu adorais, et qui n'avait plus aucun sens ? L'impossibilité de ma mort ouvrait devant toi l'impossibilité de mon existence.

Et ce sont les objets, dans leur humilité, leur apparente insignifiance, qui retiennent en eux, comme un reste de chaleur, un peu de la présence, qui la rendent sensible, et l'on pleure sur un verre, un peigne, un miroir, parce que l'être aimé y apparaît encore, indirectement, comme par une métaphore, et en même temps ce minuscule objet semble tout à coup perdu dans l'étendue infinie de l'absence. Alors la présence apparaît dans l'absence, alors on verse des larmes, des larmes ininterrompues sur cette inépuisable contradiction.

Oui, mon amour, ton monde est déserté, chaque objet est un témoin de cette désertion, qu'est ton monde sans elle, mais sur qui pleures-tu, mon amour, sinon sur toi-même, et sur ce que tu as perdu ? Tu jouis de ta propre sensibilité, tu dis que tu m'aimes, mais parce que je te manque. L'avare Achéron, qui ne rend jamais rien, t'a fait les poches. Mais moi, que suis-je sans le monde ? Et si m'aimer c'était pleurer sur ma privation du monde ? Moi, on me dépouille de tout chaque jour et chaque nuit, on me laisse nue dans la nuit, même ma nudité me sera enlevée, même le fait que j'aie jamais pu, un jour, exister. Et si m'aimer c'était pleurer sur le chemin qui m'a conduite, jour après jour, jusqu'à la nef de Charon ?

Mais c'est vrai, tu ne voulais pas que je sois morte, tu pensais que le laudanum pouvait donner l'apparence de la mort, tu as harcelé le médecin pour obtenir l'assurance absolue que je ne vivais plus, il a été formel… Tes larmes ne pouvaient pas cesser…

Mais qui sait… Je me souviens bien de ce que tu m'as raconté du cours de Baillarguer : « Elle tomba dans le coma. Un médecin appelé ne perçut ni respiration ni pouls et conclut au décès. La malheureuse femme fut inhumée trois jours après. Dans la nuit qui suivit ses obsèques, le fossoyeur ouvrit le cercueil, dans l'intention de s'emparer des bijoux qu'on avait laissés sur le supposé cadavre. Or, à peine eut-il porté la main sur la défunte, qu'à sa grande épouvante, celle-ci ouvre les yeux. »

J'ai peut-être continué à vivre, à dormir dans le sein miséricordieux du laudanum, à rêver, peut-être, *dévorée de noires songeries*[30], que j'étais, à bord de mon cercueil rempli de poésie, à jamais *the lady of Shalott*, descendant la rivière des mondes souterrains à bord de mon embarcation de chêne.

Et tu as peint le tableau. Souviens-toi, Charles, tu m'as confié, durant nos jeux de la Belle endormie, à quel point tu avais été fasciné par ce grand portrait. Tu m'as raconté et re-raconté, durant mon sommeil de fiction, où tu l'avais vu. C'était en 1878. Tu étais encore un jeune médecin, mais tes travaux sur le traitement des aliénés, dans les asiles européens et américains, t'avaient attiré un peu de notoriété. Tu y évoquais longuement Bedlam. Tu avais été invité par une aristocrate anglaise, Mrs Cowper-Temple, qui présidait toutes sortes de sociétés de bienfaisance, en bonne aristocrate anglaise, à donner une conférence lors d'une grande réception de charité. Son mari était resté à Londres.

La veille, l'hôtesse t'avait accueilli dans le grand manoir, qui dominait Babbacombe, à côté de Torquay, et avait déployé pour toi les fastes du manoir. Elle possédait une pléthorique collection de tableaux, avec cette particularité qu'elle acquérait bon nombre d'œuvres contemporaines et recevait de jeunes artistes. Tu étais tombé en arrêt devant le tableau. C'était un Rossetti, le portrait de sa femme après sa mort, Elizabeth Siddal. Le peintre était un ami de la baronne.

Ce tableau, c'est celui que tu as commencé à peindre après ma mort. Mais tu as mis des années avant d'en achever une version, et tu en as multiplié les versions, dans toutes sortes de techniques, obéissant à tes pulsions obsessionnelles. Le tableau a été retouché, repris, indéfiniment, à la manière de Frenhofer s'acharnant à peindre la Belle Noiseuse dans *Le Chef-d'œuvre inconnu* de Balzac. Tu pensais que la peinture était l'art de la présence, et, à t'acharner sur mon portrait, tu as fini par douter. Ce qui est là est irreprésentable. On ne peut qu'en indiquer la trace, le point de fuite.

Au début, il s'agissait de mon portrait. Mais au fil des années et des reprises, tu l'as modifié en intégrant des traits d'autres femmes que tu as aimées, d'autres modèles qui ont été aussi tes maîtresses, et tu as ainsi représenté la vérité de ton amour, un palimpseste d'images féminines, dont je n'ai été qu'une strate, la plus visible peut-être, celle qui t'a le plus profondément bouleversé.

La tête renversée, la bouche entr'ouverte, la main droite reposant dans la paume de la main gauche, j'ai l'air de me préparer à recevoir l'eucharistie, le don de vie. Pourtant, ce qui est déposé entre mes mains ouvertes, par une colombe rouge, c'est la fleur de pavot, le laudanum, l'instrument de ma mort. Est-ce une sorte d'Annonciation que tu as voulu représenter ? J'accepte le don de la douleur, j'accepte le don de la mort, pour une autre vie, pour la vraie vie ? La *Vita Nuova* est illustrée par les deux silhouettes de Dante et de l'Amour qui tient un cœur en flammes à l'arrière-plan.

Tu t'es souvenu, Charles, d'un sonnet de Dante. Tu l'avais trouvé dans la grande édition vénitienne illustrée des œuvres, en quatre volumes, qui figurait dans la bibliothèque de Saint-Genest, avec l'Arioste, Boccace, Pétrarque et l'Arétin. Tu l'as appris par cœur et tu me le récitais pendant les séances de la Belle endormie.

A ciascun'alma presa e gentil core
nel cui cospetto ven lo dir presente,
in ciò che mi rescrivan suo parvente,
salute in lor segnor, cioè Amore.

Già eran quasi che atterzate l'ore
del tempo che onne stella n'è lucente,
quando m'apparve Amor subitamente,
cui essenza membrar mi dà orrore.

Allegro mi sembrava Amor tenendo
meo core in mano, e ne le braccia avea
madonna involta in un drappo dormendo.

Poi la svegliava, e d'esto core ardendo
lei paventosa umilmente pascea :
appresso gir lo ne vedea piangendo[31].

C'est une extase que tu as représentée. L'extase, mélange de souffrance et de joie, de qui réalise en un éclair, le temps qu'une colombe lui dépose une fleur entre les mains, que le cœur doit brûler et que tout doit être perdu pour être.

Mais l'œuvre est manquée. Elle ne pouvait qu'être manquée. Trop de solennité, trop de symboles. Le symbole permet d'oublier ce qu'il représente. Et l'extase ne peut être abordée de front. Il y faudrait de la distraction, de l'ironie, du grotesque. Quelque chose comme les clowns.

ALASTAIR 14

Toute ma vie était inscrite dans la lumière où baignait le visage de Thalia.

J'ai revu Paris, la foule des boulevards, l'éclat des théâtres qui redoublaient leurs illuminations dans les flaques où tout un monde somptueux déployait ses illusions, les grands cafés remplis d'élégants à monocle et de femmes, de femmes comme il n'y en a ni à Londres ni à New York, si légères, si flexibles, avec leurs décolletés bouillonnants, leurs sourires ironiques et rêveurs, leurs coiffures à la chien, au ras des grands yeux barbouillés de fard, remplis d'une mordante gaieté.

Je me suis souvenu de la petite prostituée qui attendait le client au coin de la rue Lepic, enchâssée dans le seuil d'un immeuble comme une sainte naïve dans sa niche. Je l'avais à peine remarquée, c'est sa voix qui m'a fait prendre conscience de sa présence, sa petite voix enfantine et traînante, son ruisselet de voix charriant de la candeur et de la roublardise, de la lassitude et de la vulgarité.

Je me suis souvenu qu'elle tentait d'attirer le chaland par une astuce, qui jouait sur ce qu'il y avait en elle d'un peu puéril, elle n'ignorait pas qu'il y a des amateurs. Sa voix psalmodiait, sur un ton monotone, comme un chant d'oiseau toujours repris aux mêmes intervalles, la litanie des gamines qui vendaient ces gaufres qu'on appelait des oublies : « Marchande d'oubli, marchande d'oubli, v'là l'plaisir, v'là l'plaisir, à en mourir, messieurs, à en mourir… »

Je me suis souvenu de sa blondeur, de son visage de gamine un peu chiffonné, de son sourire fixe et mort tandis qu'elle déroulait son antienne. Et j'ai pensé que, peut-être, la petite marchande d'oublies de la foire m'avait mis sur la voie du souvenir, avant même que je ne découvre Thalia dans cette lumière de jadis. Je me suis souvenu qu'en abordant la petite prostituée, je pressentais que je me souviendrais de ce moment, au cœur de sa voix se tenait l'oubli, et la mémoire du futur.

J'ai revu sa chambre au dernier étage de l'hôtel, la cuvette et le broc, la cheminée où grelottait un feu étique. Au-dessus du lit, un brin de buis s'accrochait derrière un crucifix, et voisinait avec un chromo qui représentait des vaches paissant au bord d'une mare ombragée par un grand arbre, près d'une petite ferme d'allure hollandaise. Tous les rêves de la grisette étaient là, toutes les mièvreries, la chaumière et un cœur, le dieu tendre et nu des femmes de mauvaise vie, le vieux désir de douceur qui ne sera jamais, jamais réalisé.

Son avenir était tout tracé. Se flétrir, vieillir, voir se racornir ses rêves en toc, finir à l'hôpital, avec les folles et les pauvresses. Son passé aussi, d'une banalité à pleurer. Orpheline, ou chassée de sa campagne par la misère, ou abandonnée par une fille-mère. Elle avait dû gamine chanter dans les cours d'immeubles ou sur les places pour attendrir le bourgeois. Elle avait sans doute été marchande d'images, ou marchande d'oublies, serveuse dans un caboulot, bonne à tout faire, lutinée par le patron, chassée par la patronne, et puis la rue, bien sûr, et l'absinthe ou l'eau-de-vie les soirs trop difficiles.

Je m'en voulais de m'attendrir comme une lorette sur cette vie qui ressemblait à un chromo. Mais cette fille, dont je ne connaissais pas même le nom, et qui se donnait au premier venu, je voyais en elle, sous la couche de misère, d'habitudes sordides, de vulgarité, la petite marchande d'oublies, avec son innocence intacte, son enfance fraîche encore jusque dans la déchéance. J'ai senti la nécessité, le devoir impérieux de préserver la petite marchande d'oublies, avant qu'elle ne se fonde à jamais dans l'absinthe et la crasse.

Lorsqu'elle s'est étendue sur le lit de fer, qu'elle a fermé les yeux et relevé ses jupons, découvrant deux maigres cuisses langées de bas blancs, j'ai senti la pitié, que je tentais de retenir, arriver d'un coup et me dévaster. Tout en la travaillant, j'entendais son souffle léger, un fil de la Vierge tremblant au vent. C'était à moi de l'arracher à son destin. Elle ne pouvait pas continuer ainsi. Il lui fallait la rédemption et la paix. Il lui fallait se débarbouiller du temps.

J'espérais que dans le moment suprême, les grands yeux innocents de la petite marchande d'oublies reparaîtraient. J'ai fait tout ce qu'il fallait. J'ai refermé mes mains autour de son cou fragile. Mais lorsque je me suis relevé, elle avait un autre visage, enlaidi, grossier. Les yeux grands ouverts, le visage rouge et gonflé, la bouche béante. Avec ses jupons en désordre, dans ce décor sordide, elle incarnait la laideur et la crasse. Elle n'était plus qu'une chose immonde qui me faisait honte. Elle m'avait trompé, elle m'avait entraîné dans sa déchéance, elle m'avait sali, alors même que je voulais lui rendre l'innocence.

Charles disait que l'ombre, à ce moment de son récit, s'était arrêtée longtemps. Les secondes passaient, on n'entendait plus que le bruit des roues du train sur les traverses, le souffle de la vapeur, et, mêlé à lui, le souffle rauque qui semblait celui d'un corps en proie au travail de forces profondes. De sous le noir manteau qui lui donnait l'allure d'un traître de mélodrame, et comme si sur une scène du Boulevard du Crime il jouait dans *L'Auberge des Adrets*, il a extrait quelque chose qui d'un coup a brillé sous la faible lampe à pétrole du compartiment, comme un éclair furtif. C'était un couteau, un vrai surin d'apache, long, effilé, le manche noir recourbé.

Le couteau est pur, a dit la voix de l'ombre. Il retranche, il sépare. C'est un fil de lumière qui pénètre loin dans les régions obscures, dans les replis cachés. Il brille comme une larme, celle qui perle à l'œil des jeunes filles que travaille un chagrin sans cause, la vision lucide de l'abandon. C'est l'éclat d'un instant de lucidité. Vous avez remarqué, docteur, comme le mot « larme » ressemble à « lame » ? Vous avez remarqué comme certains chagrins vous donnent l'impression physique qu'on vous enfonce une lame au cœur des entrailles ? Qu'on vous sépare de vous-même ?

La petite marchande d'oubli, je pleurais pendant que la lame la purifiait, la vidait de ces sacs à chagrin, la délivrait de ses peaux souillées, de ses mièvreries et de sa bêtise, la rendait à elle-même, enfin tragique, horriblement belle.

That's the way to do it.

La lame a ensuite recueilli son visage. C'est une opération délicate, il faut l'ôter sans l'abîmer. Dessous, il ne reste qu'une masse de sang noir et deux gros yeux vides comme ceux du lapin écorché. Le visage séparé est plus beau, il est plus libre. Il avait recueilli l'innocence de la petite marchande d'oubli, qu'elle avait oublié et que je perpétue.

Il me va bien. Car il m'arrive à présent de le poser sur le mien, bien ajusté, et de devenir la petite marchande d'oubli, pour moi-même, pour le miroir qui recueille sans se troubler le visage de Punch transformé en marchande d'oubli, ou pour les nuits où je pars, dans la ville, donner l'oubli, l'oubli bienfaisant. Pour les nuits semblables à cette nuit même, où le visage blanc de la lune semble reposer dans un sommeil éternel, parcouru de songes indéchiffrables, et durant lesquelles Punch enfin redevient lui-même.

Car Punch, docteur, qui fut la vérité d'Alastair, n'est lui-même qu'une incarnation transitoire, imparfaite, grossière. Punch aspire depuis quelques années à devenir la petite marchande d'oubli. Oh, je ne vous cache pas que c'est difficile. Ce sont des moments. Des moments d'exaltation, et comme, oui, comme d'inspiration poétique, où le poète devient un autre et écrit son chef-d'œuvre. Il faut le moment, il faut la lune, il faut le visage.

Mais quel cœur alors dans le vieux corps difforme de Punch, quel amour et quelle miséricorde. Mais quelle douleur aussi, docteur, dans cette joie, quelle soif inapaisée. La petite marchande d'oubli palpite tout entière de son désir de perfection, de son zèle pour extraire l'absolu du secret des pauvres vies où il brûle encore un peu, avant de s'éteindre définitivement. C'est dans le cœur des petites filles, et parfois des pauvres filles qu'on le trouve un peu vivant, un peu rougeoyant sous les cendres, sous les déchets de l'existence qui ne l'ont pas étouffé. Et il est plus bouleversant lorsqu'il s'est maintenu malgré les années, l'amertume, les déconvenues et les saletés. Alors, docteur, lorsque la petite marchande d'oubli vient dans la nuit le ranimer, le faire brûler une dernière fois, avant le noir absolu, c'est comme une rédemption, tout à coup, entre mes mains miséricordieuses, c'est un sacrifice d'amour.

Ce n'est pas toujours compris, bien sûr. Et je comprends qu'on ne comprenne pas. C'est une ascèse. Il faut s'abandonner, il faut accepter de renoncer à tout ce superflu dont on a cru que c'était la vie. On a peur, on a atrocement peur. La petite négresse, tenez, lorsqu'elle a découvert la marchande d'oubli, elle qui tremblait déjà comme une ramille dans le vent d'hiver, elle a ouvert une bouche, une bouche noire, plus noire que le plus noir recoin de mon petit palais parisien.

Mais il faut, à vous aussi, docteur, que je présente la petite marchande d'oubli, la vérité de Punch qui est la vérité d'Alastair qui n'est aucune vérité.

That's the way to do it.

Ce qui s'est passé ensuite, a dit Charles, tenait du spectacle de foire, ou de la pièce représentée dans l'un de ces théâtres du Boulevard du Crime, où l'on fait peur aux jeunes filles et aux petits enfants. Je n'y croyais pas en le voyant, ça ne pouvait pas être réel.

La puanteur que dégageait la masse qui écrasait de son poids la banquette participait de cet effacement du réel, comme les vapeurs d'une substance qui nourrirait des cauchemars. Par sa fabuleuse pestilence, qui ne me rappelait rien que j'aie déjà flairé, il forçait mes intimes retranchements, il s'emparait de moi, me conduisait dans des contrées ignorées, creusées de mares iridescentes où se décomposaient les corps démesurés de bêtes antédiluviennes, aux ciels noircis par des essaims de mouches et d'insectes de toutes espèces, que paraissaient engendrer inépuisablement des sierras de viscères, de déchets et d'excréments.

Il a farfouillé dans une poche et en a extrait quelque chose d'informe, qui avait l'air d'une bourse ou d'une blague à tabac en cuir fauve. Il l'a déplié et se l'est appliqué sur le visage, en l'ajustant soigneusement de ses énormes mains, comme un clown qui se prépare à entrer en piste. Il me semble que deux petits crochets en fil de fer servaient à l'accrocher derrière les oreilles. Il ne s'est même pas tourné vers moi. Il regardait devant lui, il s'est raclé la gorge.

Et la voix a imité, dans d'atroces tonalités qui ne cessaient de déraper du suraigu dans d'aigres grincements, l'appel des marchandes d'oublies :

« Marchande d'oubli, demandez l'oubli, v'là l'oubli, ça fait plaisir, mesdames, ça fait mourir… »

THALIA 15

Peu de temps après la visite de Silas, des événements étranges ont commencé à troubler l'atmosphère de Saint-Genest. La petite ville s'était toujours nourrie de fictions, faute de trouver d'aliment suffisamment riche dans la réalité. Le secret qu'était censée receler chaque maison, les histoires de famille que l'on supposait bien enfouies dans les cœurs enveloppés de toile, de dentelles, de laine, de velours et de faille qu'arboraient sur le mail les couples assortis d'enfants bien élevés, attisaient la gourmandise, suscitaient des recettes complexes, dont on discutait à l'infini les ingrédients et les épices. Et puis il y avait, régulièrement, les accès de rumeurs, sur d'hypothétiques bohémiens capturant des enfants, ou sur les trois familles juives de la ville, leurs manigances, leurs rituels inquiétants, leurs monceaux d'or cachés.

En réalité, il ne se passait jamais rien. De temps à autre, une petite bonne enceinte se pendait. Des valets de ferme ivres se battaient au marché. Mais c'était rare. Une rumeur s'éteignait, une autre la remplaçait, puis l'ancienne reparaissait, avec des couleurs nouvelles.

Les choses avaient commencé à devenir plus sérieuses avec les disparitions et l'apparition du vagabond. C'était au début du printemps.

Saint-Genest occupait le fond d'une large vallée qui séparait deux régions très différentes. À l'est s'étendait la Gâtine, une plaine de pâturages et de landes à moutons. À l'ouest, une vaste forêt, la forêt de Gayère, recouvrait presque entièrement un bas plateau coupé de combes profondes et parsemé d'étangs. Le baron Ferroud y donnait, une fois par an, une chasse à courre. Le château des comtes de Mormart, qui occupait le centre d'une clairière, avait été brûlé à la Révolution, il n'en restait que des ruines, envahies par les ronces et les arbres. On l'appelait le château de la Belle au bois dormant, et les gens en avaient peur.

Pour le reste, la forêt n'était guère fréquentée que par des chasseurs, des braconniers et des fagoteurs. Le soir, en vidant des chopines à l'Auberge des chasseurs, les braconniers rivalisaient d'anecdotes à faire dresser les cheveux sur la tête, apparitions, ombres fuyantes, cerf avec une croix de feu entre les bois, échos de voix sans corps, silhouettes encapuchonnées penchées autour d'un feu, qui disparaissaient dès qu'on s'approchait, tandis que le feu, réduit à quelques braises fumantes, finissait de consumer des ossements bizarres. C'était une surenchère, des serments d'ivrognes, des rigolades. Mais revenait régulièrement l'histoire de la chasse gayère. Oui, le nom de la forêt est celui d'une vieille légende qui lui est attachée.

Régulièrement, quelqu'un jurait avoir vu, le soir, en s'étant attardé dans la forêt à relever des collets, la Gayère, la Chasse sauvage. Certains l'appelaient la Chasse maligne. Les descriptions variaient, mais c'était toujours à peu près la même chose : suspendue dans les airs, juste en dessous des frondaisons, passait à grands cris, sonneries de cor et tumulte, une troupe de cavaliers. En tête se tenait un grand escogriffe en tenue de chasseur d'autrefois, casque, justaucorps de cuir, bottes à chaudrons, brandissant un arc gigantesque. Il était suivi d'une troupe de fantômes livides, parfois de squelettes, et les montures variaient : chevaux aux yeux rouges, ou leurs carcasses pourrissantes, porcs géants, molosses. Les yeux du maître de la chasse répandaient des feux dans le noir. Le tout disparaissait en un instant.

Un soir, le baron Ferroud donnait un dîner, auquel nous étions conviés. Nous avions accepté en renâclant. Il nous paraissait imprudent de nous couper de la bonne société de Saint-Genest. Outre Ferroud et son épouse, fille d'un gros propriétaire terrien anobli sous Louis XV, il y avait toutes les personnalités locales, le docteur Bouvier, Royer-Delafont, le préfet, le vieux père Leveudre, curé de la paroisse, monseigneur de Dreux-Brézé, l'imposant évêque du chef-lieu, héritier d'une grande famille de marquis, bel homme blond distingué au regard bleu, ultramontain, ennemi de la république et promoteur de la renaissance du chant grégorien. Le prélat inspirait au pauvre père Leveudre une terreur sacrée, et corrigeait avec indulgence le baron Ferroud sur ses dérives occultistes. Et puis le maire, le gros Archambaud, propriétaire de la scierie, M. et Mme Giraud des Écherolles, des nobles du cru qui avaient leur château et pouvaient exciper d'une célébrité dans la famille, Alexandrine, persécutée sous la Terreur et dont les souvenirs avaient eu l'honneur d'être admirés par Lamartine, et enfin Watier, le nouveau percepteur.

Il arrivait de Picardie, et c'était un grand amateur de chasse. D'ailleurs, lorsque Ferroud ne nous accablait pas avec ses histoires de spiritisme, la conversation portait invariablement soit sur les prix et les revenus fonciers, soit sur la chasse. Tout fier d'une si impressionnante tradition locale, Ferroud lui a raconté la Gayère.

— Ah, mais nous avons la même chose en Picardie. Seulement on ne l'appelle pas la Gayère. Chez nous, c'est la Mesnie Helquin.

La Mesnie Helquin. Ferroud lui a fait épeler le mot.

Charles et moi nous sommes regardés. Il avait blêmi.

Watier expliquait que la « mesnie » c'était la maison, au sens de la famille, et *Helquin*, un vieux mot allemand qui désignait le diable, le roi du tumulte. C'est de là que venait « Arlequin ».

Nous sommes rentrés en silence. Ce n'est que lorsque nous nous sommes allongés, côte à côte, dans le noir, que j'ai trouvé le courage de parler.

— J'ai toujours cru que nous portions un nom très britannique. C'est un nom picard. Nous venons de France. Et nous y sommes revenus, comme pour obéir à une attraction ancestrale. Nous sommes des Arlequins. Une famille de diables, ou de diablotins. Nous traversons les espaces en y répandant le tumulte, sous nos chapiteaux.

— J'ai été impressionné comme toi, sur le moment. Mais c'est presque trop de coïncidences. Et qu'est-ce que ça change, au fond ?

— Coïncidences, Charles ? Il a fallu que nous nous installions dans cette banale petite ville pour que tout se mette en place, pour que des chemins éloignés se rejoignent, ici, à Saint-Genest. J'ai l'impression que tout va s'y jouer.

— Tout ?

— Je ne suis pas tranquille depuis la visite de Silas.

Pour ne rien arranger, depuis un an ou deux, des événements inquiétants s'étaient produits dans les villes minières qui occupaient les collines, une centaine de kilomètres au nord-est de Saint-Genest. Les feuilles locales s'en faisaient de temps à autre les échos. Des mineurs, qui se réclamaient de l'anarchie, avaient semé le désordre dans les houillères. La gendarmerie avait dû intervenir, et les ouvriers avaient fui dans les campagnes. Ils commettaient toutes sortes de forfaits la nuit, dynamitaient les églises, renversaient les calvaires, assassinaient des prêtres et puis disparaissaient dans les forêts. Depuis la région minière, leurs incursions paraissaient se rapprocher de Saint-Genest. Ils s'étaient regroupés en une société secrète qu'on appelait la Bande noire. Était-ce parce qu'ils étaient mineurs, parce qu'ils se barbouillaient le visage de noir ou parce qu'ils agissaient la nuit ? En tout cas, c'était le nom idéal pour faire frissonner, le soir, devant le feu, un verre de cognac à la main. La guillotine, disait le baron Ferroud, ne marchait pas assez, pour faire tenir tranquilles ces gueux, oubliant qu'il vilipendait d'ordinaire cette bonne guillotine pour avoir décapité une bonne partie de la noblesse. Les gendarmes de Saint-Genest avaient battu la forêt, par acquit de conscience et pour rassurer le bourgeois, sans résultat, bien sûr.

Mais quinze jours plus tard, les choses étaient devenues plus sérieuses. Il y avait, dans un faubourg de la ville, une chaumière occupée par une vieille femme et sa petite-fille qui vivaient en vendant des fagots et des herbes. Un jour, la gamine, qui avait fagoté toute la matinée, n'était pas rentrée pour le repas, ni de toute l'après-midi. La vieille était allée le lendemain à la mairie. Des paires de gendarmes avaient effectué des incursions à cheval autour de Saint-Genest, et surtout bien sûr dans la forêt, cela avait duré trois ou quatre semaines, et puis on s'était lassé. La petite n'avait jamais reparu, aucun corps n'avait été trouvé. Deux mois avaient passé, et c'est une bergère de treize ans qui avait disparu, en pleine Gâtine. Là encore, on ne l'avait jamais revue. Un peu plus tard, ce fut une fille de cuisine de dix-sept ans, qui travaillait chez le baron Ferroud. Elle avait quitté le service à sept heures, comme d'habitude, et n'était jamais rentrée à la ferme de ses parents. Le chemin qu'elle prenait longeait la forêt de Gayère sur une demi-lieue.

Certains commençaient à parler d'un loup. Mais un loup aurait laissé des restes humains. Pas s'il avait emporté sa proie au fond de la forêt, rétorquaient certains, durant les conversations qui allaient bon train au marché ou devant le porche de l'église. Ce n'étaient pas des lieux où nous nous attardions beaucoup, mais Mme Quinet se faisait un plaisir d'en donner la substance à ses clients, pendant que nous attendions notre tour. Ceux qui avaient lu *La Bête du Gévaudan*, d'Élie Berthet, et ils étaient nombreux – Berthet était l'auteur le plus pratiqué au cabinet de lecture de Mme Louvier, avec Dumas, Richebourg et *Les Habits noirs* de Paul Féval –, soutenaient que la fameuse bête n'était sans doute qu'un fou sanguinaire, doté d'une force herculéenne, comme dans le roman.

Ces histoires ne nous intéressaient pas beaucoup, en réalité. Elles étaient faites pour régaler le désir d'événement et le secret besoin de sang des bourgeois de Saint-Genest. Nous n'en parlions pas, Charles et moi. Cependant, un soir, dans le noir de la chambre, tandis que nous reposions côte à côte, Lancelot et Guenièvre unis par la fiction, qui tantôt naissait en apparence spontanément, certains soirs, tantôt ne venait pas, nous laissant glisser insensiblement vers le sommeil et sa gésine d'histoires, sa voix s'est élevée pour raconter l'histoire du vagabond.

Dans l'après-midi, a dit la voix de Charles, il était allé voir le père Guérin, le serrurier, pour faire changer toutes les serrures de la maison, y compris celle de la grille. Je le savais bien, mais ce que Charles ne m'avait pas dit, c'étaient les propos qu'avait tenus le père Guérin. Il avait du travail, beaucoup de gens ajoutaient des serrures ou les faisaient renforcer, nécessairement, par les temps qui couraient. Et le vagabond n'avait rien arrangé.

La voix de Charles a dit que le père Guérin avait dit qu'il s'étonnait que Charles ne sache pas l'histoire, la moitié de Saint-Genest ne parlait plus que de cela depuis trois jours. « Il est vrai, avait ajouté le vieux, qu'on ne vous voit pas souvent en ville. » Et Charles a dit que le père Guérin avait rapporté l'histoire qui lui avait été racontée par son neveu, Georges Vaudret, un bon bourgeois de Saint-Genest, fils de paysans qui s'était enrichi dans le maquignonnage, braconnier dans sa jeunesse, et qui avait l'habitude, en saison, d'aller chasser dans la Gayère, que personne ne connaissait mieux que lui.

Comme d'habitude dans ces longues narrations nocturnes, la voix de Charles entrait dans des détails dont je me demandais s'ils venaient de celui qui lui avait raconté l'histoire, avec tous les enjolivements qu'on pouvait soupçonner, ou si lui-même, avec sa tête romanesque, son goût de la fiction, ne projetait pas dans l'obscurité de notre chambre une construction fantastique, un palais baroque avec ses tourelles, ses rocailles, ses escaliers labyrinthiques, bâti à partir d'une cabane.

Et moi-même, disait Thalia, qui désormais ressasse ces lambeaux d'une vie qui n'a cessé de s'inventer, en m'accrochant à ce que m'a laissé ma mémoire, je tente de m'orienter dans les décombres de nos vieux édifices, j'erre dans les salles en ruine, dans les corridors où s'amasse la poussière des temps, j'écarte des rideaux pourrissants masquant des fenêtres où j'espère encore voir son ombre déambulant dans les jardins ensauvagés.

À la tombée du jour, c'était un lundi, Georges finissait de palisser des poiriers contre un mur de son jardin. Il tournait le dos à la grille, mais il a entendu des pas sur le chemin qui passait devant chez lui. C'était une belle maison de pierre blanche, coiffée d'un immense toit de petites tuiles plates, dans le faubourg Saint-Gilbert, signe visible de sa réussite. Il l'avait achetée à l'encan à la mort du dernier propriétaire, un vieux bourgeois sans famille, sous l'Empire, vingt ans auparavant. Les pas se sont arrêtés. Quelqu'un se tenait devant la grille du jardin.

Il distinguait mal la silhouette, qui tournait le dos au soleil couchant. En s'approchant, il vit un homme âgé, grand et maigre, voûté, le visage cannelé de rides profondes, la peau tannée, qui le fixait de deux grands bleus au regard, disait Georges, comme perdu. Mais ce qui l'a déconcerté, avait-il raconté à son oncle, c'était la tenue de l'étranger. Ses cheveux blancs descendaient sur ses épaules, à la mode du début du siècle, en dépit d'une calvitie qui avait gagné tout le devant du crâne. Il portait une chemise à grand col relevé, un gilet brodé sous une veste courte de droguet vert à longues basques, des culottes et des bas blancs, des guêtres. On ne s'habillait plus guère comme ça, sinon les vieilles gens qui avaient gardé le costume en vogue sous la monarchie d'Orléans. On hésitait entre le gros paysan et le bourgeois. Un fusil pendait derrière son épaule droite. Georges aimait les armes, et possédait une bonne vingtaine de fusils. Au double canon oblong, à la forme de la crosse, il se dit que c'était une vieille pétoire, qui devait avoir au moins soixante ans. Une courroie qui traversait la poitrine du vieil homme retenait une gibecière sur sa hanche gauche. Georges n'avait jamais vu ce genre de modèle, qui venait peut-être de l'armée. Les quatre poches extérieures fermaient par des lacets de cuir. Elles devaient servir à ranger des amorces et des poires à poudre, à une époque où les armes fonctionnaient de cette manière.

Sans cesser de le regarder, l'homme poussa la grille, fit deux pas et dit, d'une voix profonde :

— Qui êtes-vous ? Que faites-vous chez moi ?

— Je pourrais, à meilleur droit, vous poser la même question. Je suis le propriétaire de ces lieux et je vous prie d'en déguerpir tout à l'heure, sinon…

— Sinon ?

Georges vit le geste de la main droite de l'inconnu, qui glissa de la courroie vers la crosse. Georges était réputé pour avoir la tête chaude, c'était un petit homme carré, épais, doté d'énormes mains. On l'avait vu corriger des insolents dans les auberges. Il avança d'un pas.

Derrière lui, la porte de la maison s'ouvrit et il entendit la voix de sa femme.

— Tu as fini ? Tu ne rentres pas ? Ah, excusez-moi, monsieur, je ne vous avais pas vu. Je vous laisse.

Victorine avait, dès l'âge de sept ans, gardé les vaches dans les fermes, rétribuée en soupe et dormant sur une paillasse dans l'écurie. Puis elle avait gagné sa vie comme lavandière. Devenue riche propriétaire, elle avait gardé la même simplicité, et une hospitalité légendaire, qui dépassait de loin celle que les vieilles mœurs imposaient dans les campagnes. Tous les mendiants du pays étaient sûrs de trouver chez elle du pain et un verre de vin. Elle retenait à déjeuner les visiteurs de son mari, qu'ils fussent des clients, de gros marchands ou de simples solliciteurs.

— Mais ne restez pas dehors, le serein tombe, vous allez attraper du mal. Venez finir votre conversation devant un bon feu. N'est-ce pas, Georges ?

Comme hypnotisé par la voix de Victorine, l'inconnu se laissa tranquillement introduire dans la maison. Il eut un moment d'arrêt en franchissant le seuil. Il paraissait complètement égaré. Il murmura, comme pour lui-même :

— Je n'y comprends rien…

— Je vous soulage de vos affaires. Mon dieu que c'est lourd ce fusil. Asseyez-vous près du feu, monsieur, j'ai un cognac qui va vous réchauffer, et vous nous direz ce qui ne va pas.

Après un moment de silence, l'inconnu, sans cesser de regarder le feu, dit :

— Tout a changé, je ne reconnais plus rien. La maison est transformée. Où est mon père ?

— Votre père, monsieur ?

— Il devrait être là.

Georges et Victorine se regardaient. C'était un pauvre fou, un simple d'esprit, un bredin, comme on disait dans le pays. Il paraissait épuisé, la chaleur du feu et du cognac l'avait calmé et plongé dans une espèce d'hébétude. Il bredouillait à voix basse des plaintes, des interrogations, des histoires incompréhensibles.

— Je suis parti ce matin avant le jour… Père buvait son café dans la cuisine, comme d'habitude… Ah non, c'est à devenir fou… Ce sont ces ruines qui m'ont ensorcelé, pour sûr… Des étrangers chez moi… Et les meubles… Ce n'est tout de même pas une farce… Et si c'était une farce ?

Il a fini par s'endormir. Georges en a profité pour envoyer son fils aîné chercher les gendarmes. L'inconnu s'est laissé embarquer en se contentant de maugréer.

Les gendarmes ne badinaient pas avec les vagabonds, à qui on attribuait toutes sortes de méfaits, réels ou imaginaires. Et la Bande noire ne les portait pas à l'indulgence. Ferroud, qui se présentait régulièrement à la députation, parmi les légitimistes, réclamait la relégation aux colonies. Mais le pauvre bredin s'en tirerait sans doute avec quelques jours de prison.

Le maire respectait Georges, et le craignait, car il avait de l'influence. Peu après l'arrestation du bredin, ils avaient vidé ensemble quelques bouteilles de sancerre, et Archambaud avait raconté ce que les gendarmes lui avaient rapporté des propos du vieux fou.

Il n'avait aucun papier sur lui, mais il disait s'appeler Joseph Dubreuil et résider à l'adresse de Georges. Georges avait sursauté :

— Dubreuil… C'était le nom du vieux qui est mort dans cette maison, il y a plus de vingt ans. Tu t'en souviens ?

— Bien sûr que je m'en souviens. Je l'ai connu avant toi, n'oublie pas que je vais sur mes soixante-cinq ans.

— C'est une coïncidence. Des Dubreuil, il y en a plein le département. D'ailleurs, rien n'assure que ce bredin dit vrai.

— Juste. Seulement je me suis souvenu d'une histoire qui s'est passée il y a bien longtemps, peut-être quarante-cinq ans, tout le monde l'a oubliée, à part quelques vieux. J'étais tout jeune, dix-huit ou dix-neuf ans. Le père Dubreuil, celui qui habitait ta maison, n'était guère aimé. C'était un vieil avare, malgracieux, qui terrorisait sa femme. Il avait été maquignon, comme moi, mais il avait fait de mauvaises affaires et ça lui avait aigri le caractère. Sa femme et lui avaient un fils unique. Tu devines comment il s'appelait ?

— Joseph…

— Eh oui, Joseph. La famille vivotait de ce qui restait de la fortune d'autrefois. Le Joseph était un chasseur enragé, il en manquait la messe du dimanche, il passait sa vie dans la Gayère. Et puis voilà que le fils Auduc, tu sais, ceux qui ont bien trois cents arpents de bonnes terres, tire le mauvais numéro. Bon pour cinq ans. Joseph avait besoin d'argent. Le fils Auduc lui achète pour une jolie somme son remplacement. Joseph a fait cinq ans d'Algérie. Sa mère en parlait parfois, à la sortie de la messe, c'était confus pour moi à l'époque, mais ça me faisait rêver, la prise d'Alger, Abdelkader, l'extermination des El Ouffia, Bône…

Quand il est revenu, il était encore plus sauvage qu'avant, inabordable, il ne parlait à personne. Les vieilles racontaient qu'il avait été ensorcelé dans ces pays de mécréants. Et à nouveau, il passait ses jours dans la Gayère. Et parfois ses nuits, ce qui faisait encore plus jaser en ville, personne ne passait jamais de nuit dans la forêt. Il se disait qu'il avait des rendez-vous avec le diable, qu'il allait au sabbat, enfin, tu sais, toutes ces imaginations de bonnes femmes. Alors évidemment, quand il n'est pas rentré un matin, personne ne s'en est étonné. Mais le lendemain non plus, ni le surlendemain. Et depuis, on ne l'a jamais revu. Ça fait plus de quarante-cinq ans. Sa mère en est morte, et le vieux Dubreuil est resté tout seul dans la maison.

— Mais alors tu penses que…

— Je pense que notre bredin pourrait bien être Joseph Dubreuil, oui. Joseph qui a perdu la tête, et qui revient chez lui, un demi-siècle après, sans se rendre compte que tant de temps a passé. Va savoir ce qu'il a fait pendant toutes ces années, il a dû vagabonder à travers le pays, mendier, se louer, qu'est-ce que j'en sais… On a bien essayé de le lui faire dire, mais rien à faire. Pour lui, il s'est passé une journée. Il est entré dans la forêt à l'aube, et il en est sorti au crépuscule, pour aller directement chez lui. Enfin, chez toi. Il n'en démord pas. On lui a expliqué qu'il n'avait visiblement pas trente ans, l'âge qu'il avait lorsqu'il s'est volatilisé, mais plutôt dans les soixante-quinze, il est convaincu qu'on cherche à le tromper. Ce qui est bizarre, d'ailleurs, c'est qu'il porte encore ces habits d'un autre âge, je ne sais pas comment il a fait pour les conserver si longtemps, sans en changer.

— C'est que ça ne m'arrange pas trop, cette histoire, si elle est vraie.

— J'ai bien pensé. Il pourrait faire valoir des droits sur la maison. Même si la vente est parfaitement légale, cela provoquerait des complications. Mais ne t'inquiète pas. C'est un fou. Personne ne le croira. On va le placer à l'asile et on n'en entendra plus parler.

Et la voix de Charles me disait dans l'obscurité que le père Guérin lui avait dit que Georges lui avait dit que le maire lui avait dit ce que le fou lui avait dit de sa journée dans la forêt. Car c'était, peut-être, le plus étonnant de l'affaire.

Joseph prétendait être parti chasser le matin de Noël. Peu lui importaient les fêtes carillonnées, il ne se passait pas un jour sans qu'il y aille, pour une heure ou pour toute la journée. Il avait raté un lièvre qui avait déboulé devant ses pieds, et s'était enfoncé plus profondément dans la forêt. Le maire lui avait fait remarquer que quelque chose n'allait pas, car vers les six heures, lorsqu'il était sorti de la forêt, il faisait encore jour, alors que si c'était bien le jour de Noël, il aurait dû faire nuit. Mais Joseph n'écoutait pas, il était tout à son histoire, et comme fasciné par elle.

La matinée passait et il était toujours bredouille. Il voulait s'arrêter dans un lieu qu'il connaissait, pour se reposer et manger un morceau. C'était une petite clairière, qui se creusait au centre en un bassin dans lequel se déversait une eau pure, où il avait l'habitude de se désaltérer. Mais lorsqu'il a débouché dans la clairière, il a vu un énorme cerf qui buvait à la fontaine. C'était un dix-huit cors, un grand vieil cerf, comme on dit. Le trophée serait magnifique. Il a épaulé. Le cerf a relevé la tête, s'est retourné, et l'a regardé droit dans les yeux. Joseph a hésité un instant, et raté son tir inratable. Le dix-huit cors a disparu dans le sous-bois.

La piste n'était pas difficile à suivre, et il l'a retrouvé rapidement. L'animal paraissait l'attendre, la tête tournée vers lui. À peine a-t-il eu le temps de l'ajuster qu'il filait à nouveau. La traque a continué ainsi, les heures passaient, les ombres s'allongeaient, le cerf l'entraînait de plus en plus loin dans la forêt, dans des zones que lui-même ne connaissait pas, malgré sa pratique assidue de la Gayère, et dans lesquelles, entre de très vieux arbres mangés par les lichens et le gui, recouverts de longues pendaisons de lierre, croissaient d'épais buissons de ronces. Il avait du mal à progresser, mais le cerf ne cherchait pas à le semer.

D'un coup, la futaie s'est éclaircie, et Joseph s'est trouvé devant le château de Mormart. Le cerf a disparu au coin des ruines.

Il expliquait qu'il était rarement allé au château de Mormart, c'était bien loin pour une journée de chasse, pas loin de quatre lieues de Saint-Genest. Il le retrouvait tel qu'il l'avait toujours vu, les pans de mur noircis par l'incendie, les toitures effondrées. Les grandes baies, dont les vitres avaient éclaté, étaient cernées d'une auréole plus ténébreuse encore que le reste de la bâtisse, comme si les pièces, disait-il, avaient été bondées d'une masse de substance noire débordant par toutes les issues, et dans cette heure incertaine, où la brume commençait à monter des étangs, où l'infinie répétition des branches et des troncs égarait la réalité, il a vu, comme une sorte d'évidence, dans les longs bras tortueux des plantes, qui jaillissaient des anfractuosités des murs, des fenêtres, des toits crevés et des escaliers effondrés, les flammes figées d'un incendie refroidi. Il avait complètement oublié le cerf.

Il y avait quelqu'un…

Joseph se trouvait à couvert, à une cinquantaine de mètres du château, et il voyait distinctement, à sa droite, à gauche de l'escalier principal, installée perpendiculairement aux murs du château, une potence de deux mètres de haut faite d'un madrier grossièrement équarri posé à l'horizontale sur deux branches fourchues. Un sanglier d'une taille énorme y pendait, attaché par les pattes de derrière. À côté de lui, la carcasse écorchée d'un daguet, d'un rouge sombre, dégouttait de sang, au-dessus du paquet irisé de ses viscères.

Quelqu'un est sorti par une petite porte basse en bois, étrangement épargnée, qui s'ouvrait du même côté de l'escalier principal, et devait donner directement sur des cuisines. Le maire et les gendarmes avaient eu du mal à croire, à partir de là, à l'histoire de Joseph, s'il s'agissait bien de Joseph. Après tout, c'était un pauvre fou.

Il assurait avoir vu une espèce de géant, peut-être un mètre quatre-vingt-dix de haut, s'avancer vers la potence. Son corps massif était couvert d'une espèce d'habit d'Arlequin, une houppelande informe faite de bouts rapiécés, roses, bruns, jaunes, noirs. On ne voyait pas son visage, il portait un masque, couleur peau, avec deux trous pour les yeux, un pour la bouche.

Le père Guérin avait confié à Charles que lorsque Georges, son neveu, en était venu à cette partie de l'histoire, telle que le maire la lui avait rapportée, il avait senti chez lui une tension, une nervosité qui ne le quittaient pas autrefois, dans sa jeunesse, mais qui semblaient avoir disparu avec son accession au statut de bourgeois de Saint-Genest. Il lui semblait tout à coup revoir le Georges d'autrefois, maigre, fiévreux, avec les accès de violence qu'il avait du mal à maîtriser. Et le père Guérin avait ajouté qu'il avait compris pourquoi. Georges était un brave homme, il faisait du bien dans le pays, discrètement. Il aidait notamment une famille de paysans qui avaient du mal à nourrir leurs huit enfants. Il était le parrain de la cadette. C'était la fille de cuisine qui avait disparu.

Tout, disait Joseph, prenait la couleur du cauchemar. Il avait l'impression de se trouver dans le livre de magie que son père avait acheté à un colporteur, *Le Dragon vert.* Tout le monde à la campagne avait un livre de recettes magiques, au moins le *Petit Albert.* Enfant il avait passé des heures à en regarder les gravures, qui représentaient des démons, des magiciens, des damnés torturés par des créatures mi-humaines mi-animales. Ce qu'il voyait ne pouvait que se passer dans un monde d'où tout espoir était banni, un monde de grimaces, de contorsions, de souffrances sans fin. Les brumes rampantes s'insinuaient partout, s'enroulaient autour des objets comme pour chercher à y pénétrer, y insuffler une vie inconnue, et elles charriaient d'étranges parfums, semblables à ceux qui se dégageaient de l'eau qu'on laissait croupir dans un seau.

Joseph se voulait un chasseur endurci, accoutumé au sang et à la mort. Pourtant, ce qu'il a vu a fait courir un frisson le long de son dos. Mais c'était peut-être le froid qui commençait à monter…

Le géant s'est dépouillé de sa houppelande. Il était nu. C'était un corps massif, musculeux, avec des épaules et des bras noueux, anormalement développés. La blancheur de sa peau contrastait de manière obscène avec les poils noirs qui poussaient en touffes irrégulières sur tout le corps, comme si elle s'offrait à toutes les laideurs, toutes les profanations, toutes les saletés qui voudraient venir s'y installer.

Il a posé une bassine sous la bête noire, et y a pris un grand couteau de chasse. Là, disait Charles que lui avait dit le père Guérin que lui avait dit Georges que lui avait dit le maire, le soi-disant Joseph avait hésité un instant, invoquant le respect humain, s'excusant de ce qu'il serait amené à décrire, mais il fallait bien dire la vérité, telle qu'elle était, etc.

Le géant avait sa nature dressée, et elle avait des dimensions anormales, c'était un membre d'animal plutôt que d'humain. Avec le couteau de chasse, il a transpercé le cuir de la bête noire, à la hauteur du sexe. Un frémissement a parcouru tout le corps de la proie, et les pattes avant d'où coulaient des filets de sang ont été prises de mouvements chaotiques. Le sanglier n'était pas mort. Puis l'homme, mais Joseph expliquait qu'il se demandait si c'était bien un homme, et pas plutôt un démon en habit d'Arlequin, a ouvert l'animal du haut en bas. Les entrailles sont tombées d'un coup dans la bassine, dans un flot d'eau et de sang. Et là…

Joseph, paraît-il, hésitait encore, mais a fini par dire que la semence de l'homme avait jailli de son membre, au moment précis où, vidée de ses intestins, la bête noire avait offert aux regards une vaste plaie rouge en forme de fuseau. Jaillissant par impulsions, le liquide séminal pénétrait dans cette caverne de chair.

Et puis, toujours nu, l'homme avait procédé à l'écorchage du sanglier, avec une vitesse et une dextérité étonnantes. Il s'était recouvert de la dépouille fumante. Avec son masque couleur chair, qui dissimulait les traits de son visage, et cette peau hirsute, noire et sanglante, il semblait sortir d'un de ces vieux contes avec lesquels les grand-mères mettent en garde les enfants contre les dangers de la forêt. Et puis, d'un coup, il a disparu par la petite porte, et Joseph disait qu'il s'était demandé si tout ce qu'il venait de voir avait bien eu lieu, mais la chair écarlate de la bête suspendue à la potence répandait encore une fumée qui allait se perdre dans les brouillards montants, se refermant à présent peu à peu comme s'il fallait tirer le rideau sur la scène, le numéro terminé.

Depuis combien de temps était-il dans la forêt ? La nuit aurait dû tomber, mais la lumière paraissait comme suspendue, le soleil invisible projetait des ombres fixes, qui ne s'allongeaient pas. Et la nuit ne s'était toujours pas décidée à tomber durant les heures qu'avait pris sa marche de retour. Il comprenait maintenant. Il était entré jeune dans la Gayère, et il voyait bien, il sentait bien qu'il était vieux. C'est toute sa vie qu'il avait passée dans la forêt, et non pas une journée.

Et des larmes s'étaient mises à couler, avait dit le père Guérin, à grosses gouttes dévalant les joues ridées du vieillard.

L'histoire s'arrêtait là. La voix de Charles s'est tue, et je me suis lentement endormie sur l'image d'une petite sphère brillante, gonflée de tout le chagrin d'une vie qui n'avait pas eu lieu, et dans laquelle, en regardant bien, comme dans un œil qui aurait conservé les images d'un temps lointain, on aurait pu voir un cerf couronné d'immenses bois, et un géant nu, masqué, ouvrant le corps tremblant d'un énorme sanglier, comme dans quelqu'une de ces cérémonies où les anciens Grecs honoraient des déités de la terre et des bois.

Dès le lendemain matin, qui était un samedi, chez Mme Quinet, où j'allais acheter le laudanum qui calmait mes angoisses, j'ai appris des nouvelles du présumé Joseph Dubreuil. Les gendarmes le tenaient pour un vagabond qui avait plus ou moins perdu la tête, mais ce qu'il avait vu dans la forêt, même s'il en avait sans doute donné une version déformée par sa folie, avait éveillé leur attention. Celui qui était responsable de la disparition des enfants occupait peut-être les ruines du château de Mormart. Une battue avait été décidée, pour le lundi à l'aube.

Le dimanche matin, j'ai été faire un peu de figuration à la messe. C'était le prix à payer pour ne pas trop passer pour des gens louches. Devant l'église, il y avait les habituels petits groupes, mais l'un d'eux était plus agité que d'habitude. Au centre se tenait Victorine Vaudret, la femme de Georges. Je ne lui avais jamais parlé, mais on me l'avait déjà désignée comme la brave femme par excellence – il n'y en avait plus, paraît-il, depuis la fin de l'Ancien Régime. Le baron Ferroud s'est détaché du cercle pour me saluer et m'a expliqué la cause de l'agitation. Georges était parti avant l'aube, avec deux fusils, pour la Gayère. Il ne pouvait pas prétendre aller chasser, la saison était terminée, mais il avait refusé de dire à Victorine ce qu'il allait faire. Il ne braconnait jamais. Elle avait bien compris qu'il voulait devancer les gendarmes au château de Mormart. La veille, il s'était montré taciturne, désagréable, agitant machinalement les braises du foyer avec le tisonnier, buvant plus de cognac que d'habitude. Il grommelait des lambeaux de phrases : « ils vont le déclarer fou » ; « il finira tranquillement à Sainte-Catherine ». Sainte-Catherine était le principal asile du département.

Par la suite, nous avons appris que Georges n'était rentré qu'à la nuit close. Il a refusé de répondre aux questions de sa femme, et n'a plus jamais parlé de son expédition.

L'histoire de Dubreuil nous a décidés à quitter Saint-Genest au plus vite. Il était clair pour nous qu'Alastair avait retrouvé notre trace et installé son quartier général dans la Gayère, qui semblait faite pour lui, dont la légende l'attendait, comme un dieu exilé revient au lieu de sa naissance. Certains événements mystérieux semblaient trouver explication dans sa présence.

Celui qui disait s'appeler Joseph Dubreuil a été interné, en effet, à Sainte-Catherine. Il y a probablement fini ses jours. Georges Vaudret, qui avait une réputation de joyeux compagnon, toujours prêt à rire et à partager une bouteille, cessa brutalement de se montrer en ville. Durant ses rares sorties, il paraissait fermé, en proie à des idées sombres, et oubliait de saluer ses connaissances. Son épouse se plaignait, à qui voulait l'entendre, de ce qu'il s'était mis à boire, et passait ses journées devant l'âtre, sans rien dire, à siroter un alcool fort. On le comparait, dans les conversations, au père Frégontat, un ancien combattant de la guerre de Crimée. Ç'avait été un garçon joyeux ; lorsqu'il était rentré, en 1856, avec une jambe en moins, il avait trente ans et en paraissait cinquante. Jamais il n'avait parlé de sa campagne, et il s'était réfugié, pour le restant de ses jours, dans une noire mélancolie.

Dès le lundi matin, les gendarmes sont allés, en nombre, aux ruines de Mormart. Ils y ont trouvé des cendres dans la grande cheminée de la cuisine, des amas de guenilles, des peaux de toutes sortes d'animaux, en tas, ou étendus sur des ficelles, des ossements de toutes tailles, que les pandores ont eu du mal à démêler, et dont ils ont rapporté quelques éléments pour les faire expertiser, et surtout, sur toutes les surfaces planes, tables, cheminée, huches à moitié ruinées, des bocaux remplis d'un liquide brunâtre dans lequel baignaient des organes que, là encore, les gendarmes ont été bien en peine d'identifier. Ils n'en ont rapporté que quelques-uns, qui paraît-il sont aussitôt partis pour l'hôpital de la préfecture. On n'en a plus guère entendu parler par la suite. Quelques semaines plus tard, nous quittions Saint-Genest.

ALASTAIR 15

Aux Folies-Bergère, disait la voix de l'Arlequin, dont la puissance couvrait le fracas des bissels sur les rails et les trémulations de la tôle des wagons, j'ai assisté à un spectacle inimaginable en Angleterre. Un numéro qui suivait le nôtre et terminait la soirée, en bouquet final. Pour des raisons bien précises, que je vous dirai, il n'y avait aucun intérêt à assister au spectacle depuis les coulisses. Aussi je me changeais, me démaquillais, m'habillais en bourgeois, et passais dans la salle pour en profiter pleinement. Quand était-ce ? Les Folies-Bergère avaient ouvert depuis peu, nous étions rentrés de notre tournée en Amérique, ça devait être en 1872 ou en 1873, peu avant ma blessure.

Mais d'abord, un mot sur notre numéro. Nous avons remporté un énorme succès avec notre *Salomé*. Ça vaut le coup que je vous décrive cette pantomime, tous les écrivains de l'époque en ont parlé. Le sujet faisait fureur, il y avait des Salomé partout, Henri Regnault avait eu un succès retentissant en 1870 avec son tableau au salon de Paris, où Salomé, une espèce de Gitane ou d'Égyptienne dépoitraillée, assise, en babouches, regarde le public en souriant, avec le plateau et le couteau qui va servir à décapiter Jean-Baptiste.

La scène était divisée en deux parties. Côté jardin, le trône d'Hérode, ridiculement surélevé, orné de fausses peaux de lion. Contre lui, un autre trône, tout petit, presque au ras du sol.

Côté cour, une loge grillagée, représentant la prison. Dans la prison vide, une potence, un chevalet de torture, des chaînes pendant aux murs, des tonneaux. Entre palais et prison, une sorte de vestibule séparé du palais par un rideau rouge. Au fond du vestibule, un fauteuil où se trouvait entassée une masse informe de vêtements.

Hérode, tétrarque de Galilée, entrait en scène, joué par Silas. C'était un vieillard flageolant, au visage blanc comme un œuf, nanti d'oreilles cramoisies. Une couronne trop grande chancelait sur sa tête et il se prenait les pieds dans une traîne interminable, qui essuyait les planches deux mètres derrière lui. Son entrée déchaînait les rires. Il entreprenait l'escalade de son trône. Silas imitait à merveille la maladresse, les chutes rattrapées *in extremis*, les glissades, tout en essayant de ne pas perdre sa couronne, et les pénibles efforts d'un Hérode égrotant étaient en réalité le produit d'un petit chef-d'œuvre d'acrobatie athlétique. Le public hurlait d'allégresse.

Hérodiade entrait alors en scène, jouée par Thalia. Elle avait quinze ans à cette époque. Pour transformer la jeune fille gracieuse en reine orientale sur le retour, on l'avait affublée d'une perruque rousse hirsute au sommet de laquelle vacillait une petite couronne, on lui avait peinturluré le visage de gris, fardé les yeux et la bouche en vert. Hérodiade entreprenait d'aider son mari à gravir son trône, le rattrapait, le rajustait, le hissait, le posait, l'essuyait, puis en trois bonds rejoignait son tout petit trône où un dernier saut l'installait précisément. Ce passage brusque de l'agitation la plus désordonnée à l'immobilité était saisissant. La scène déclenchait immanquablement de longs applaudissements. Après quoi, Hérodiade extrayait de son giron une sorte de chiffon orange qu'elle déroulait interminablement, ce qui la faisait dégonfler à vue d'œil. Elle exhibait une chaussette immense, qu'elle entreprenait de tricoter. Hérode dodelinait de la tête, puis émettait un ronflement spectaculaire qui ravissait le public.

Entrait alors un garde, joué par Uriah, vêtu d'un simple pagne et d'un casque fantastique, hérissé de cornes, de crêtes et de plumes. Un grand coutelas battait sa cuisse. Il traînait derrière lui un Jean-Baptiste aux mains entravées par une corde. Rupert campait un Baptiste extraordinaire, une sorte de sac de poils. De longs cheveux en broussaille tombaient sur ses épaules et son front, des sourcils monstrueux poussaient en aigrettes de chaque côté de son crâne, une barbe de patriarche battait son ventre. On apercevait à peine, perdu dans cette toison, un gros nez rouge et des pommettes enflammées d'ivrogne. Ce système pileux s'amalgamait à ses vêtements, mosaïque de morceaux de peaux de bête qui lui descendait jusqu'aux genoux. Pour que cet homme des bois apparaisse bien comme le Précurseur, sa tête était surmontée d'une sorte de demi-lune de carton doré, faisant office d'auréole. Le garde le présentait à Hérode, qui ronflait de plus belle. Hérodiade tirait le tétrarque par la robe. Hérode se réveillait, faisait signe qu'on emmène le prophète, et replongeait aussitôt dans un sommeil sonore. Le garde enfermait Jean-Baptiste dans la prison.

L'originalité de la pantomime tenait aussi à ce que l'action se poursuivait en même temps sur les deux parties séparées de la scène. Le garde entreprenait de rafraîchir le roi avec une immense palme, qu'Hérode, dans son sommeil, tentait d'écarter en grommelant. Vivement intéressée par le Baptiste, Hérodiade en profitait pour subtiliser à la ceinture du garde l'énorme clé de la prison, sortait sur la pointe des pieds, traversait le vestibule avec son tas de chiffons au fond, entrait dans la cellule, et entreprenait de séduire le prisonnier. C'était une liberté un peu audacieuse prise avec le texte sacré. Mais le Baptiste, comme Jacob, se refusait aux assauts de cette nouvelle femme de Putiphar, et c'était alors une poursuite épique, dans laquelle Rupert déployait tous ses talents. Les mains toujours entravées par la corde, il bondissait sur les barils, effectuait des cabrioles sur le chevalet de torture, se pendait à la potence et effectuait un saut en arrière qui l'envoyait à califourchon sur la branche horizontale de celle-ci. Hérodiade le poursuivait sans relâche, avec des mines, des baisers dans le vide et des renversements de tête. Thalia s'était refusée tout net aux gestes obscènes qu'avait prévus notre mère, en dépit de ses objurgations.

Bredouille, Hérodiade regagnait la salle du trône, prenait la palme des mains du garde et en giflait Hérode, qui se réveillait en sursaut. Désignant la prison, elle faisait avec l'index le signe de l'égorgement. Hérode refusait. Aussitôt, Hérodiade se précipitait dans le vestibule, et secouait le tas de hardes. Les hardes se mettaient à bouger, se développaient, prenaient forme, et Salomé, la légendaire princesse orientale, apparaissait alors aux yeux des spectateurs. C'est moi qui la jouais. Je portais de faux seins, un faux cul qui me donnait l'air d'une dondon nourrie aux loukoums. J'étais bardée d'un entassement de jupons vaporeux, de voiles, de rubans, et à peine Salomé s'était-elle dressée qu'elle se prenait les pieds dans ses voiles et s'effondrait lamentablement. Soupçonneuse, Hérodiade fouillait sous le fauteuil et exhibait au public une bouteille de gros rouge.

Enfin, à force de louvoiements, la princesse charnue parvenait devant Hérode, et c'était alors le morceau de bravoure. Salomé était partout à la fois, on la croyait à un bout de la salle qu'elle était déjà à l'autre, on la croyait au sol, le torse entre ses jambes écartées, la chevelure étalée devant elle qu'elle s'était déjà projetée dans les airs au prix d'un bond prodigieux. C'était une danse de Saint-Guy, un déchaînement de possédée agitée par un démon. Je n'oubliais pas de secouer la croupe, de prendre mes énormes faux seins dans la coupe de mes grosses pognes pour les présenter au roi, de relever mes jupes pour faire valoir la musculature de mes considérables cuisseaux.

Sur son trône, le roi, immobile, les yeux fixés sur la danseuse, actionnait mine de rien une petite poire dissimulée dans les plis de sa robe et reliée à une poche cachée dans son dos, invisible au public. Au bout de quelques minutes, un léger filet de fumée noire paraissait s'échapper de son crâne, qui devenait plus abondante à mesure que la danse se faisait plus suggestive. Les spectateurs n'en pouvaient plus, se tordaient, ou bien restaient paralysés sur leur siège par la stupeur. Ils n'avaient jamais vu ça.

Enfin la danse s'achevait. Le roi ordonnait à son garde de récompenser la danseuse. On lui proposait successivement un collier de sequins dorés, un diadème, des plumes d'autruche, une bouteille de rouge, un cervelas, un poulet plumé, mais chaque fois elle secouait frénétiquement sa masse de faux cheveux piquetés de fleurs en taffetas et d'oiseaux en peluche. Le vieil Hérode écartait les bras, ne sachant plus quoi lui proposer.

Salomé regardait sa mère, qui lui faisait le signe de l'égorgement avec le pouce, et, fixant le roi, elle désignait la prison du Baptiste, et passait à son tour son pouce sur sa gorge. Hérode avait beau tergiverser, rien à faire. Alors le garde tirait le Précurseur de sa cellule, le mettait à genoux devant un billot, levait son couperet. Personne ne pouvait s'apercevoir que le paquet de poils d'où émergeait un gros nez cramoisi était une fausse tête. Et la tête tombait, dans un flot de sang factice jaillissant par le cou.

That's the way to do it.

La tête de Rupert était invisible dans le sac de peaux qui lui servait de vêtements, de même que les deux trous minuscules qui lui permettaient de voir. Tandis que le Baptiste décapité se levait péniblement et quittait la scène en titubant, comme un canard dont on vient de trancher la gorge, le garde présentait la tête à Salomé. Celle-ci s'efforçait de prendre la posture méditative qui convenait à la situation, mais la tête coupée lui crachait au visage un jet de sang. La pantomime s'arrêtait là.

Elle a attiré la foule aux Folies-Bergère, pendant les deux semaines de sa représentation. Des écrivains, Zola, Huysmans, Goncourt, publiaient des articles enthousiastes. Et nous avons fait école. On nous imitait. Le Pierrot de Deburau était devenu sombre et macabre. Quelques années après notre passage aux

Folies-Bergère, Huysmans et Hennique publièrent *Pierrot sceptique*, où Pierrot viole le mannequin de cire d'un tailleur, là même où était disposé le cercueil de son épouse morte[32]. Et tenez, j'ai toujours sur moi un livre de poésie consacré à Pierrot. Il est sorti il y a cinq ans, j'étais encore à Paris. Je le relis parfois, le soir, avec délectation. Vous allez m'en dire des nouvelles, docteur.

L'ange déchu pestilentiel avait fouillé au fond d'une énorme poche aménagée sur le côté de sa pelisse d'Arlequin, et en avait extrait un livre à couverture bistre, sur la couverture duquel Charles avait reconnu le fameux bêcheur, l'enseigne d'Alphonse Lemerre :

Voilà, c'est *Pierrot lunaire*, d'Albert Giraud. Ce sont des rondels :

En sa robe de lune blanche
Pierrot rit son rire sanglant.
Son geste ivre devient troublant :
Il cuve le vin du dimanche.

Sur le sol traînaille sa manche ;
Il plante un clou dans le mur blanc :
En sa robe de lune blanche
Pierrot rit son rire sanglant.

Il frétille comme une tanche,
Se passe au col un nœud coulant,
Repousse l'escabeau branlant,
Tire la langue, et se déhanche,
En sa robe de lune blanche.

Hein ? C'est quelque chose ! Ah, ce n'est pas du Lamartine, avec ses barques, ses soupirs et ses vapeurs ! Et tenez, celui-ci :

Dans le chef poli de Cassandre,
Dont les cris percent le tympan,
Pierrot enfonce le trépan,
D'un air hypocritement tendre.

Le maryland qu'il vient de prendre,
Sa main sournoise le répand
Dans le chef poli de Cassandre
Dont les cris percent le tympan.

Il fixe un bout de palissandre
Au crâne, et le blanc sacripant,
À très rouges lèvres pompant,
Fume – en chassant du doigt la cendre –
Dans le chef poli de Cassandre[33] *!*

Voilà ce que j'appelle de la poésie, docteur. Mais bref, où en étais-je ? Oui, notre spectacle aux Folies-Bergère.

Notre pantomime avait troublé les habitués des lieux, mais éveillé peut-être en eux des désirs inconnus, des aspirations à des choses troubles et cruelles qu'ils n'osaient pas envisager. Dans le promenoir qui entourait la scène, dans le jardin d'hiver, les messieurs, allumés par le spectacle, serraient de plus près encore que d'ordinaire les femmes lourdement fardées et parfumées, le derrière louvoyant dans la robe serrée qui n'en omettait aucune courbe. On s'arrêtait aux bars qui ponctuaient la promenade, où les grands miroirs accueillaient complaisamment les visages que commençaient à lasser la nuit et le poids du fard, comme si c'était à ce seul complice intime que les femmes pouvaient confier un court instant une face moins triomphante. Pourtant, cette touche de fatigue devenait sur elles comme un artifice de plus, un signe d'abandon conscient, le défaut dans la cuirasse de céruse, de carthame et de taffetas qui équivalait aux légères marques de l'usure chérie par les dandys, et signalait le travail de l'esprit.

Je ne sais pas si vous avez jamais fréquenté les Folies-Bergère, docteur… Non, n'est-ce pas ? Tel que je vous ai décrit ce lieu, vous avez compris qu'il tenait à la fois de la salle de spectacle et de la maison à gros numéro, du lupanar, quoi. C'était tout un petit trafic galant qui se dissimulait à peine, on discutait des prix de la passe, les mains masculines, s'accordant une avance, glissaient le long des cuisses, et dans l'encombrement de corps tentant malaisément de circuler, on ne distinguait plus l'innocent bourgeois cherchant l'issue du viveur qu'enivrait le mélange de chairs et de parfums.

Car c'était, presque tous les soirs, une cohue à étouffer. Je parvenais cependant sans trop de mal, avec ma carrure, à fendre la masse en écrasant des pieds. La décoration aussi tenait du claque de luxe, avec force marbres, stucs et dorures, et surtout d'immenses miroirs partout, qui démultipliaient les statues d'esclaves orientaux en pagne brandissant des becs de gaz.

Le jardin d'hiver, tout neuf, et lui aussi encombré de spectateurs, qui peinaient à se glisser entre chaises et tables, surmonté par une galerie, s'ornait, sous un ciel à rayures où pendouillaient des glands, de lustres tentaculaires qui ressemblaient à des méduses dérivant dans l'air épais, et de cloisons guillochées dans le genre moresque, éclaboussées d'or et d'incarnat. Une grande fontaine, supportée par trois néréides en plâtre, projetait vers le plafond des feuilles en lames de sabre, en panache, en touffes, répondant aux plumes jaillissant des chapeaux des femmes. Autour, le promenoir abondait en comptoirs tenus par des filles très jeunes, offrant aux regards des chalands des décolletés où la marchandise fraîche, blanche et rose comme un beau morceau de veau, présentée comme sur un étal par le corset qui la faisait saillir, reposait dans un bouillonné de linge blanc.

Agglutinés au bar, hypnotisés, les messieurs en huit-reflets, le monocle rempli de chair, commandaient machinalement bouteille de champagne sur bouteille de champagne. De jeunes ouvreuses, tout aussi décolletées que les serveuses, vous proposaient des programmes, enluminés de réclames pour des liqueurs, des bretelles, des gants, des chiromanciennes ou des machines à coudre. On annonçait des acrobates, des magiciens, des galops, des hercules, des dompteurs de cochons, et nous.

Pour les clowns, nous avions succédé aux Pinaud, une troupe également anglaise, et ce n'était pas une mince affaire, les trois frères Pinaud étaient des fous furieux. L'un se battait contre un taureau (un des trois frères) armé d'un parapluie, mais au moment où il croyait triompher, le troisième Pinaud mettait le feu à son chapeau. Lequel explosait. Il levait les bras au ciel, en signe de désespoir, et il en tombait des chapeaux et des casquettes par dizaines. Il les essayait, mais rien n'était à sa taille. Tout cela avec des grimaces terrorisantes, des mouvements brusques, violents. Lorsque l'un d'eux entreprenait de jouer d'une espèce de mandoline oblongue, l'autre lui tirait dessus avec un canon musical et l'écrasait sous un déluge de notes, figurées par des images en plâtre, qui explosaient sur lui. Ils travaillaient avec toutes sortes d'animaux, qui apparaissaient comme dans un cauchemar d'ivrogne, des cochons, des oies, des ânes, des chiens, et en les manipulant ils en tiraient, par je ne sais quel truc, des phrases musicales.

Mais le plus important, aux Folies, ce qu'on a du mal à imaginer, mon bon monsieur, c'était l'air. Ou plutôt le manque d'air. On déambulait dans une vapeur épaisse qui évoquait celle au sein de laquelle circulent les ombres des dormeurs dans les séjours infernaux. Et je me suis dit souvent par la suite que, durant de longues années, ma petite Thalia, avec son innocence, durant son long sommeil, avait arpenté l'Érèbe, croisant, dans ce premier niveau des Enfers, les âmes des pauvres morts dépourvus de sépulture, et des autres dormeurs, chacun replié sur ses songes ou ses souvenirs, et que si elle en sortait un jour, sa pureté, aussi étrangère à notre monde que l'éclat de la lune qui nous éclaire de ses rayons incompréhensibles, deviendrait plus aveuglante encore après cette fréquentation du royaume de Perséphone.

Cette vapeur mêlait les émanations des londrès ou des puros et les exhalaisons des sueurs, fraîchement dégagées par tous les pores de corpulents messieurs qui trempaient leur chemise de désir et de chaleur, par les goussets ombragés de poils des demi-mondaines échauffées par les alcools, ou bien issues des longues macérations de pieds dans le cuir des souliers et de cuisses dans le coton des jupons, compliquées par les effluves d'opopanax, d'ayapana, de chypre et de gaz d'éclairage. C'était l'arôme des Folies, aussi complexe, aussi délectable pour l'amateur que celui d'un grand bourgogne.

Ah, croyez-moi, Punch était à la fête, cela valait pour lui toutes les foires et tous les cirques, le chapiteau se déployait au creux de ses narines, c'était une explosion ininterrompue de numéros acrobatiques et de clowneries funambulesques du remugle. Punch circulait, allait, revenait, inspirait ces fragrances d'intimités olfactivement mises à nu, et il sirotait, à petites goulées enivrantes, sa haine, globale, de la foule et, précise, de chaque individualité qui la composait, il rêvait, jusqu'à la jouissance, aux tortures qui tireraient de ces chairs de plus profondes exhalaisons, des sudations d'angoisse et de souffrance qui lui livreraient toute l'essence de ses victimes, à jamais épuisée dans une ultime liquéfaction.

Et dans le fracas de l'orchestre qui préludait avant l'ultime numéro, alors qu'il pilotait sa grande armature d'os et de muscles à travers la houle de peuple, et que les plumes des chapeaux de femmes lui chatouillaient le nez, il parvenait à entendre, formulées presque dans le creux de l'oreille, les invites murmurées, avec leurs interchangeables libellés, par les petites danseuses qui faisaient la retape pour grossir leurs maigres cachets, ou par les semi-professionnelles, revêtues de leurs peintures de guerre, la bouche flamboyante, les joues allumées, l'œil, à la fois hardi et abandonné, noyé dans les flots violets du fard.

Tout cela, voyez-vous, m'excitait et me dégoûtait à la fois.

Tout le monde n'est pas la petite marchande d'oublies. Elle, c'était une exception. Le commerce de l'amour a toujours dégoûté Punch. Et je ne parle pas seulement de l'amour qu'on dit vénal. Car quel amour n'est pas vénal ? Pour les amours bourgeoises, c'est l'évidence même. Leur aboutissement, c'est le mariage, le sacrement, l'union de deux âmes, etc. Il s'agit pour madame d'acquérir un foyer, d'être entretenue et protégée. Il s'agit pour monsieur de trouver une maîtresse de maison, tenant son ménage, et une mère donnant des enfants qui reprendront le commerce, les propriétés, la fabrique. Je ne vois pas là de différence foncière, si j'ose dire, avec la prostitution.

Bien sûr il y a les amours qui ne visent pas nécessairement au mariage, qui se contentent de l'amour pour lui-même. Mais de quoi s'agit-il, je vous prie ? Le jeune homme courtise la jeune fille, il lui glisse des mots tendres, tout en retenue. Il a parfois des hardiesses dont il s'excuse aussitôt, un petit baiser volé sur la joue, une main qui s'égare sur la taille. Il lui écrit des poèmes, remplis de fleurs, d'étoiles et de soupirs, il s'agenouille à ses pieds, il met sa main sur son cœur et prononce des serments terribles.

Elle demeure dans la retenue, pudique et réservée. Parfois même, elle se gendarme, repousse l'impudent : Je ne suis pas le genre de femme que vous croyez. Mais chacun de ses regards, et certaines de ses inflexions de tête, de ses gestes, une main qui s'abandonne, des soupirs qui lui échappent apparaissent comme des permissions de continuer, arrachées, en dépit de sa prudence, à la vérité du cœur. Bref, elle valorise la marchandise, tout en faisant en sorte que les enchères ne cessent pas. Si elle le fait lanterner trop longtemps, il la traite de cruelle, de panthère déchirant son cœur à belles dents, parle de suicide, et parfois le commet. Ah, les souffrances du jeune Werther, nous a-t-on assez cassé la tête avec ça ! Quel manque de tenue, quel ridicule… Au fond, les amoureux sont ridicules, et les enfants ont bien raison de les moquer, ils sentent d'instinct la guignolade sous les grands sentiments.

Enfin, la plupart du temps, le dénouement est heureux, il est d'ailleurs sans surprise, le pénis est introduit dans le vagin. Quel grand moment ! Quelle ivresse ! Qui a jamais évolué dans ces divins séjours ? L'amour n'a jamais existé avant eux. Eux deux, n'est-ce pas, sont hors du monde banal des hommes. Eux deux, ce n'est pas pareil. Il y a peut-être mille couples dans le monde qui en ce moment même déroulent cette vieille pantomime. Et c'est encore du commerce. Du commerce de désir, si vous voulez, et aussi du commerce d'image de soi, chacun fabrique le papier-monnaie d'images et d'attitudes avec lequel il va s'offrir de l'amour-propre. Ce n'est peut-être pas toujours aussi caricatural que l'esquisse que j'en ai faite, j'en conviens, mais au fond, cela ne change pas grand-chose. Tenez, prenez le grand mot, le mot suprême, celui qui, une fois prononcé, comme l'aveu d'une vérité profonde, est censé tout changer : « Je t'aime ! »

« Je t'aime »... Vous l'avez prononcé, n'est-ce pas, cher docteur ? Comme tout jeune homme bien élevé, bien éduqué. Ça sort rarement d'une bouche ouvrière ou paysanne. La convention veut que la formule soit la pureté même, elle jaillit malgré celui qui l'articule, il ne la contrôle pas, elle se dit en lui, il n'est que le réceptacle de son amour.

Vous y croyez, à ça ? Allons donc... Du commerce, encore. La vérité, en l'occurrence, c'est que « je t'aime » est une monnaie d'échange. Vous faites tapis, comme au poker, ce jeu de cartes que j'ai pratiqué aux États-Unis. Vous mettez tout sur la table, pour remporter la mise. Vous dites « je t'aime » en espérant recevoir la même formule, ou au pire pour voir le jeu de l'adversaire.

Quant à l'acte lui-même, qui est l'aboutissement de toutes ces simagrées : encore et toujours du commerce. Je veux ci, et tu auras ça, je donne ci, à condition que, mais je garde ça. Du négoce d'excrétions, du trafic de jus. C'est répugnant, physiquement et moralement. Quand je pense que vous avez pratiqué ces tripotages de marchand levantin avec ma sœur, pardonnez-moi, docteur, mais il me vient des envies de massacre.

Mais rassurez-vous. Je suis ici pour vous instruire. Sachez-le, même si vous ne pouvez pas le comprendre, comme la grande majorité des gens, il n'y a que deux véritables façons d'aimer : celle qui n'attend rien, et se contente de vivre dans l'adoration ; celle qui prend sans demander. Punch a pratiqué les deux, vous le savez. Elles sont pures. Pas de tripotages, pas de marchandages.

Comment ? Vous avez dit quelque chose ?

Oui, bien sûr. Je devais m'y attendre. Mes « victimes », comme vous dites, n'ont rien demandé. C'est bien ça que vous avez balbutié ? L'objection habituelle, pas la moindre originalité, pas un milligramme de pénétration. Le point de vue bourgeois, même si vous vous piquez de ne pas en suivre les mœurs, je le sais. Il y a deux réponses à ce pauvre argument. La première : Et alors ? Vous croyez vraiment que l'amour est une histoire douce où l'on se déverse l'un sur l'autre, tour à tour, des potées de vers idylliques ? Relisez la mythologie grecque, docteur. L'amour est une force que rien n'arrête, qui a sa justification en elle-même. Elle désire son objet, elle le prend, c'est tout. Le reste est de la morale pour chaisières.

Deuxième réponse : Qu'en savez-vous ? Aucune femme n'a jamais été aimée par un homme comme j'ai aimé la négrillonne ou la petite marchande d'oublies, et d'autres encore dont je ne vous parlerai pas, d'un amour pur, intransigeant, et cet amour vous rend d'une lucidité dont est privé le commun des mortels. J'ai vu, docteur, je vous l'affirme, qu'au-delà de la peur, au-delà de la souffrance, elles touchaient à des régions de l'esprit que leur misérable vie ne leur aurait jamais permis d'atteindre, et leur sacrifice les transfigurait. Et moi, je les continue, je les perpétue, je suis le saint Paul de ces Christs, je porte leur sacrifice en moi et sur moi. Le monde ignorera toujours qui est véritablement Punch, qui est la petite marchande d'oublies.

Piètre saint Paul toutefois, car, je l'avoue, le sacrifice n'est jamais parfait, loin de là, il s'encombre toujours de détails dégoûtants, dont on ne peut se passer, il laisse un goût d'écœurement, et c'est bien pour cela qu'il faut toujours le recommencer, pour viser cette perfection qui hélas n'est pas de ce monde.

Mais c'est assez. L'antre de perdition des Folies-Bergère abondait en pauvres filles qui ne connaîtraient jamais la rédemption. Le numéro qui terminait la soirée, et dont je voulais vous parler, si vous ne l'avez jamais vu – non ? tant mieux –, était une revue de cancan. Un vague prétexte dramaturgique, dans lequel un grand pistolet efflanqué dansait un chahut avec l'une ou l'autre de ces dames, précédait le finale que tout le monde attendait. C'était déjà suffisamment canaille, ça tenait de la crise épileptique, et les jupons volaient.

Mais le morceau de roi arrivait, les cinq filles côte à côte commençaient à se démener en rythme sur un quadrille de Métra, dirigé par Métra *himself*, qui, dans la fosse, tous les frisottis de sa grosse tête de cannibale dressés comme une chevelure de Méduse, tâchait de remuer à coups de baguette une bande de vieux mercenaires de la musique coquine. Là, on voyait bien que l'attention se faisait plus soutenue, les monocles brillaient d'un éclat plus intense, la sueur vernissait plus généreusement les visages des messieurs, les doigts lissaient plus nerveusement les moustaches.

Les filles lançaient les jambes très haut, faisant mousser dans cette agitation frénétique une écume abondante de dentelles blanches, dont on se demandait si des gouttes tièdes n'arroseraient pas l'orchestre et les premiers rangs du parterre. La première chose qui frappait était le contraste entre le déchaînement des corps et la tenue des têtes. Les filles, un petit chapeau à plume rouge posé sur le chignon, qui tenait par un ruban noué sous le menton, conservaient pendant tout le chahut un visage souriant, dépourvu de tout signe de trouble et de fatigue, blanchi par les lys du Cachemire et rosi par le schnouda[34]. C'étaient de jolies têtes, mais des têtes de rôdeuses de barrière, à l'une, aux grands yeux charbonneux, il manquait une dent sur deux, et son sourire laissait penser qu'elle avait laissé le reste dans le corps de sa dernière victime, une autre arborait un angélique minois d'enfant, joufflu comme un putto, mais sans doute gonflé par les absinthes et les rhums, une autre encore, qui tenait le rôle de la belle rousse, montrait un visage jonché de taches de son, coupé en deux, d'une oreille à l'autre, par un sourire sans lèvres.

Le principe de la danse consistait en gros à monter la jambe le plus haut possible, à la verticale, tandis que, des deux mains, la danseuse relevait ses jupes, montrant les trois jupons blancs bardés de volants, de festons, de guipures, et la chair du haut de la cuisse, au-dessus du bas noir maintenu par la jarretière de dentelle rose. Autrement dit, la danseuse comblait cet éternel désir masculin : *voir sous les jupes.* Que peut-il bien y avoir sous les jupes des femmes ? Le spectacle permettait l'accomplissement de ce désir inavouable, sans en avoir l'air, comme l'effet induit par la performance chorégraphique, et c'est elle qu'on était censé applaudir. Mais il s'agissait en réalité d'un rituel presque sacré : la révélation, enfin, de l'essence du féminin. Et plus encore, j'en suis certain. Pourquoi les hommes sont-ils obnubilés par ce qu'il y a sous les jupes des filles, alors qu'ils savent parfaitement ce qu'ils y verront ? Parce qu'ils ont besoin de ce cérémonial éternel de la révélation du dessous, qui est l'équivalent de la révélation de l'être sous les apparences. Les Folies-Bergère, c'est leur église, et le cancan, c'est leur messe, la jupe se lève sur l'incarnation du principe divin. C'est pourquoi il faut beaucoup de voiles, force jupons, jarretières, culottes, pour que l'adepte sente que le Dieu ne s'atteint pas si facilement.

Les filles portaient des culottes fendues. Et par intermittence, entre les mouvements de la jambe et le reflux des jupons, l'incarnation se manifestait, sous la forme d'une petite hostie fendue couleur chair, auréolée d'un halo de poils. Normalement, c'était interdit. Mais les autorités fermaient les yeux.

Seulement c'est une illusion. Un piège décevant. Pour qu'il y ait dessous, il faut qu'il y ait dessus. C'est l'idée de départ du cancan : des femmes habillées révèlent leurs dessous, sans se déshabiller. Et le petit fragment de sexe aperçu l'est au milieu d'une abondance de linges qui le masquent et le révèlent tour à tour. Mais tout cela se perd dans l'ambiance de gaieté obligatoire, dans la ritualisation du geste, dans l'exhibition permanente du dessous qui finit par devenir, lui aussi, un dessus. Le dessous disparaît, rien n'est à voir, et ce n'est pas ce pauvre petit bout de chair velu qui peut sérieusement jouer le rôle de l'être en soi.

C'est toujours la même chose, docteur. Les gens n'ont pas le courage de leur désir. Ils sont, par paresse, par lâcheté, des pharisiens. Incapables de viser l'esprit, ils se rabattent sur la lettre. Ils se convainquent, en ayant accompli toutes les étapes du rituel, qu'ils ont ce qu'ils voulaient, mais cela ne sert qu'à leur masquer leur échec.

Oui, cela a l'air stupide, mais je le répète, il n'est pas de dessous sans dessus. Et le vrai dessus est lui aussi de l'ordre de l'esprit, c'est ce qu'ils ne comprennent pas. Il faut la pudeur, il faut le refus, et il faut forcer la pudeur et le refus pour voir le dessous, le vrai dessous, en même temps que le dessus. Ce que Punch veut, c'est la femme telle qu'elle est en ville, en public, bourgeoisement respectable, et lorsqu'il la force, qu'il soulève la dentelle et le jupon, Punch savoure sa conscience d'être révélée malgré elle comme un absolu. Cela, c'est l'esprit.

That's the way to do it.

Qu'est-ce qu'ils venaient chercher là, tous ces hommes ? Oh, c'est tellement simple : ils voulaient surprendre le secret des femmes. Oui, ce mystère dissimulé sous des épaisseurs superposées de jupons et de pantalons de dentelle. Et, bien sûr, c'est une illusion. Ceux qui se croient intelligents, ceux qui se targuent de démystifier le sexe, comme, vous savez, ce professeur teuton, là…

— Schopenhauer ?

— C'est ça… Je ne l'ai pas lu, mais qu'est-ce qu'on m'a bassiné avec lui, avec son pessimisme… Des bourgeois à cigare qui veulent poser à celui à qui on ne la fait pas… L'amour comme une ruse de la nature, ou je ne sais quoi… Eh bien si c'est ça, il n'a rien compris. Oui, les spectateurs du chahut se trompent, mais ils se trompent de secret. Car il y en a, ce que ne comprennent pas les démystificateurs.

… Le secret de l'être. Jamais on ne l'atteindra, bien sûr, jamais on n'aura la grande révélation, mais il faut mimer cette révélation, comme par une cérémonie religieuse. En observant ces hommes scruter les dessous des danseuses, j'avais l'impression parfois d'assister à un rituel aztèque ou babylonien. Car les hommes, sans jamais se le dire ni en avoir vraiment conscience, pensent qu'ils sont dans le temps, dans le monde, c'est leur apanage, cependant obscurément ils craignent de s'y perdre, et ils imaginent que les femmes détiennent le secret de l'être, celui qui n'est pas à l'horizon de leurs conquêtes, mais bien avant, avant le temps, avant tout. Punch a un tout autre désir, peut-être pas complètement différent, mais conscient et maîtrisé, autant qu'on peut maîtriser ces choses.

Voyez-vous, Punch a eu tout enfant la révélation de sa vocation, sans la comprendre encore bien clairement, mais son esprit avait été fécondé, sa vérité intime s'entr'ouvrait. Quel âge avait-il ? Dix ans peut-être. Lors de nos déambulations dans les rues de Manchester, avec mes frères, nous nous arrêtions souvent devant l'échoppe minuscule, contrefaite comme un bossu, d'un marchand d'estampes. Nous nous régalions des caricatures drolatiques de Hogarth, des paysages de Chatelain ou de Major, des cruautés hérissées de lances et de potences de Callot.

Un jour, je me suis arrêté sur une gravure qui semblait une page découpée dans un ouvrage. Un carton décrivait la scène comme étant la *Punition et exécution de Mary Stuart, hérétique, papiste, ayant comploté la mort de sa majesté la reine Elizabeth.* J'ai appris plus tard qu'en réalité l'image avait été détournée de son sens, car le marchand l'avait prélevée dans un ouvrage de propagande catholique du XVIe siècle montrant les horreurs perpétrées par les protestants, le *Théâtre des cruautés des hérétiques de notre temps.* Comme vous pensez, je me le suis procuré. C'est un florilège d'atrocités, représentées avec une froide précision. On hésite à tourner chaque page, et puis le supplice oblige l'œil à la fixer, à y adhérer, il le retient, son horreur est inépuisable. Une fois qu'on a pu s'en arracher, on se sent intimement sali. L'image a révélé une forme d'absolu qu'on ignorait, un absolu noir.

Le détournement du sens de la gravure représentant la décapitation de Mary Stuart en renforçait pour Punch le pouvoir. Ce n'était plus une injustice, mais une punition légitime. Rien ne restait à la condamnée. On la voit de trois quarts dos, sur une estrade, agenouillée sur un coussin, la tête bandée reposant sur un billot couvert d'un drap. Le bourreau, brandissant la hache à deux mains, s'apprête à frapper. Autour, ce ne sont que soldats, hallebarde au poing. Étrangement, dans un coin de la gravure, on voit le bourreau tenant la tête par les cheveux et la montrant au peuple.

Ce que je voyais, fasciné, dans la devanture du marchand d'estampes, c'était la scène capitale. J'étais foudroyé par la révélation, comme Paul sur le chemin de Damas. La suppliciée était absolument démunie, livrée tout entière à la lame, aux regards, aux jugements, aux désirs. Rien en elle ne pouvait y échapper, c'était le monde qui la prenait et l'anéantissait. Elle devenait comme l'objet absolu. Ce fut mon premier émoi sexuel.

THALIA 16

En écoutant le récit d'Alastair, qui prenait la forme d'une sorte de confession, ou d'autobiographie spirituelle, si l'on peut employer ce genre de terme à son sujet, j'étais, disait Charles, agité par toutes sortes de sentiments, peur, répulsion, fascination, mais cette dernière révélation m'a plus troublé que toutes les autres. Parce que je m'y suis reconnu. L'histoire d'Alastair a fait ressurgir à ma mémoire un souvenir enfoui.

Comme lui, à peu près au même âge, j'avais ressenti le même trouble devant une image semblable, une estampe également. Mon père l'avait achetée chez Goupil, tout le monde la voulait, c'était une gravure reproduisant le célèbre tableau de Delaroche, *Le Supplice de Jane Grey*, qui paraît-il avait fait pleurer au salon de 1834. La suppliciée, de face, agenouillée dans la paille, les yeux bandés, face au billot, était si jolie, si gracile, si pâle dans sa robe blanche, parmi les personnages vêtus d'étoffes sombres, qu'elle irradiait au centre de l'image comme la pureté même promise au sacrifice, et par là plus pure encore, et pourtant profanée. Pureté et profanation se liaient inextricablement dans mon esprit, ne cessaient de s'annuler et de se recréer l'une l'autre dans un clignotement hypnotique.

Dans mon compartiment, à côté de lui qui à présent se taisait, je me suis dit, avec terreur, que j'étais Alastair. Qu'il était venu pour me révéler à moi-même. Et que, comme lui, je ne pourrais aimer que par la transformation en objet de l'être aimé, sacrifice, sommeil, exhibition, souffrance.

Lorsque j'étais étudiant, je lisais beaucoup de poésie, des volumes que j'achetais un peu au hasard au gré de mes flâneries ou des conseils qu'on me donnait. Poussé par des poètes qui semblaient lui donner beaucoup d'importance, j'avais acquis un volume qui s'intitulait, avec un peu de forfanterie, *Les Fleurs du Mal*. Pas une nouveauté, ça avait bien quinze ans. Ça m'amusait à l'avance, je m'attendais à du romantisme frénétique, avec des vampires, des goules, de la sorcellerie. Il y avait de ça, par moments, mais j'ai gardé un souvenir prégnant de certains textes, surtout un, qui m'a comme tétanisé, tant il me révélait à moi-même. Attends, je dois l'avoir dans la petite bibliothèque.

Charles a allumé la lampe à pétrole, sur le chevet de son côté du lit. La lumière tremblante a réveillé toute la faune d'ombre de la chambre, comme sur cette gravure illustrant un roman de cape et d'épée, que j'avais lu jadis, où la torche du brigand calabrais éveillait dans une grotte l'essaim des chauves-souris et des serpents. Il a fouillé dans la bibliothèque de la chambre, puis est revenu s'asseoir à mes côtés, en compulsant un petit livre.

— Voilà, c'est celui-ci. Écoute.

Et sa voix, lentement, a détaché des vers épais, visqueux, malsains, qui vous collaient à la peau et à l'esprit sans s'en détacher, instillant un venin d'autant plus pénétrant qu'il était mêlé de compassion.

Au milieu des flacons, des étoffes lamées
Et des meubles voluptueux,
Des marbres, des tableaux, des robes parfumées
Qui traînent à plis somptueux,

Dans une chambre tiède où, comme en une serre,
L'air est dangereux et fatal,
Où des bouquets mourants dans leurs cercueils de verre
Exhalent leur soupir final,

Un cadavre sans tête épanche, comme un fleuve,
Sur l'oreiller désaltéré
Un sang rouge et vivant, dont la toile s'abreuve
Avec l'avidité d'un pré.

Semblable aux visions pâles qu'enfante l'ombre
Et qui nous enchaînent les yeux,
La tête, avec l'amas de sa crinière sombre
Et de ses bijoux précieux,

Sur la table de nuit, comme une renoncule,
Repose ; et, vide de pensers,
Un regard vague et blanc comme le crépuscule
S'échappe des yeux révulsés.

Sur le lit, le tronc nu sans scrupules étale
Dans le plus complet abandon
La secrète splendeur et la beauté fatale
Dont la nature lui fit don ;

Un bas rosâtre, orné de coins d'or, à la jambe,
Comme un souvenir est resté ;
La jarretière, ainsi qu'un œil secret qui flambe,
Darde un regard diamanté.

Le singulier aspect de cette solitude
Et d'un grand portrait langoureux,
Aux yeux provocateurs comme son attitude,
Révèle un amour ténébreux,

Une coupable joie et des fêtes étranges
Pleines de baisers infernaux,
Dont se réjouissait l'essaim des mauvais anges
Nageant dans les plis des rideaux ;

Et cependant, à voir la maigreur élégante
De l'épaule au contour heurté,
La hanche un peu pointue et la taille fringante
Ainsi qu'un reptile irrité,

Elle est bien jeune encor ! – Son âme exaspérée
Et ses sens par l'ennui mordus
S'étaient-ils entr'ouverts à la meute altérée
Des désirs errants et perdus ?

L'homme vindicatif que tu n'as pu, vivante,
Malgré tant d'amour, assouvir,
Combla-t-il sur ta chair inerte et complaisante
L'immensité de son désir ?

Réponds, cadavre impur ! et par tes tresses roides
Te soulevant d'un bras fiévreux,
Dis-moi, tête effrayante, a-t-il sur tes dents froides
Collé les suprêmes adieux ?

– Loin du monde railleur, loin de la foule impure,
Loin des magistrats curieux,
Dors en paix, dors en paix, étrange créature,
Dans ton tombeau mystérieux ;

Ton époux court le monde, et ta forme immortelle
Veille près de lui quand il dort ;
Autant que toi sans doute il te sera fidèle,
Et constant jusques à la mort[35].

Rien qu'à le relire, tu vois, j'en ai des frissons tout au long des vertèbres. Lorsque j'ai lu ce poème, il a réveillé le souvenir de Jane Grey, que j'avais enfoui dans ma mémoire en espérant l'oublier. L'image est plus forte, en général, et le poète suggérait que, comme moi, il avait été fasciné par une image, car si le titre était « Une martyre », le sous-titre du texte indiquait : « Dessin d'un maître inconnu » ; mais le poème avait ceci de redoutable qu'il me décrivait avec précision mon désir et, pire encore, lui donnait de la noblesse, comme s'il y avait là une sorte d'idéal. Et je n'ai jamais oublié certaines formules, certains détails, apparemment secondaires, mais qui s'imprégnaient de toute la perversité de la scène. Tout participait à l'horreur de ce qui était décrit, il fallait des meubles, des parfums, des vêtements, dans lesquels se concentrait une horreur difficile à envisager de face, comme dans le deuil. Pourquoi suis-je toujours aussi troublé par des énoncés tels que « comme une renoncule », image absurde, injustifiable, mais mystérieusement juste ; ou encore « la jarretière, ainsi qu'un œil secret qui flambe », ou « l'essaim des mauvais anges nageant dans les plis des rideaux ». Il me semble que le poème décrit une réalité qui nous est la plupart du temps dérobée, mais qui nous entoure. Et ces formules se sont enkystées dans mon esprit. Le poème, de temps à autre, se rappelait à moi, comme un vieux rêve, et il me dit, comme Jane Grey, que je suis fait de la même substance que ton frère.

Charles a éteint la lampe à pétrole. Il est resté longtemps silencieux pendant que dans le noir, à ses côtés, je réfléchissais à ce que j'allais lui dire, car je sentais bien qu'il y avait, dans ce qu'il venait d'avouer, une véritable lucidité, mais limitée, gauchie. Charles pensait contre lui-même, sa vie intérieure était un incessant combat avec l'ange, c'est-à-dire avec cette partie de lui qui incarnait l'idéal et ne cessait de traquer toutes ses faiblesses, ses lâchetés, ses insuffisances. Dans ce compartiment de train, il avait rencontré le mauvais ange.

J'ai commencé d'une voix hésitante, guère assurée de mes arguments, mais finissant par me convaincre moi-même.

C'est toi-même, Charles, qui déclares que chaque homme est tous les hommes, sans le savoir, mais qu'il n'active dans son existence qu'une infime part d'humanité. Ce désir qui te fait horreur en toi, il est en chacun, mais la plupart du temps profondément enfoui. Je sais ce que tu penses : que c'est un désir masculin, et tu hais en toi tout ce que tu estimes purement masculin, comme une détermination qui fausse la pureté du désir. Mais il me semble que tu te trompes là-dessus. Comme on a dressé les femmes à la passivité, à être de jolis objets, elles activent évidemment chez l'homme des formes de désir déterminées par cela. Mais moi aussi, figure-toi, j'ai un souvenir assez semblable au tien.

Je te l'ai dit, notre mère, après son veuvage, était tombée dans la religion. Mais c'était par poussées, comme des crises de malaria. Dans ces périodes, elle mettait du buis sur le crucifix de sa roulotte, sortait son vieux paroissien rempli d'images pieuses, fréquentait plus assidûment les églises et racontait des histoires édifiantes. J'étais encore gamine et, comme les gamines assoiffées d'idéal, toute prête à adhérer à une croyance empreinte de surnaturel. Si en outre cette croyance reposait entièrement sur un beau jeune homme à barbe blonde, doux, charitable et finissant en victime, c'était parfait, j'étais amoureuse du Christ, et ma mère avait beau jeu de m'emmener à la messe, de me raconter ses histoires d'enfer et de paradis. Puis cela lui passait, son missel disparaissait mystérieusement, et, quand je me hasardais à lui parler du Sauveur, elle affectait un air de mépris, ou paraissait ne pas entendre.

Cependant, lors de l'un de ses accès de mysticisme, elle m'avait demandé d'aller chercher sa bible dans sa chambre. La pièce se chargeait à chaque crise de nouveaux crucifix et de nouvelles madones. En m'approchant de la commode où elle rangeait ses ouvrages pieux, je vis qu'elle avait épinglé au mur une nouvelle image. C'était une banale crucifixion. Pourtant, elle m'a figée sur place. Pour la première fois, la charge obscène de cette représentation indéfiniment multipliée m'apparaissait, et me bouleversait. Je regardais l'image avec un sentiment de culpabilité, comme un bedeau reluquant des photographies cochonnes.

L'homme était nu, piqué à un appareillage de bois comme un insecte. Ses bras grands ouverts, fixés par les clous, l'offraient aux regards, et sa chair livide accentuait cette impression d'un être livré tout entier. Et ce pauvre corps, à la merci des regards, des insultes, des coups, lacéré par les verges et déchiré par les épines, ce pauvre corps qui atteignait par là à l'absolue nudité, je m'apercevais avec consternation que je l'aimais, que j'aurais voulu moi aussi le pénétrer de pointes, y ouvrir des plaies nouvelles et des sources de sang, pour que son incarnation soit plus parfaite, pour qu'il soit plus totalement livré. Et en ce moment même, en te décrivant cette expérience oubliée, je m'aperçois à quel point le christianisme a compris la nature humaine, en ouvrant le chemin de l'esprit au cœur de la chair même, humiliée et souffrante.

Petite, j'adorais aller à la messe. Tu vois qu'il m'en reste des traces, même si je ne crois plus. Le décorum catholique, la solennité de la cérémonie, tout cela m'impressionnait. Je ne manquais jamais les répons ni les chants. Et chaque fois, j'étais fascinée et un peu déçue par le coup de la transsubstantiation. Quoi, ce vieux curé arrive à transformer un petit bout de pain en corps de Dieu ? C'est ça qui était fort ! Beaucoup plus fort que tous les prestidigitateurs qui encombraient les cirques. En même temps, il fallait y croire. Pourquoi est-ce que le corps du Christ n'apparaissait pas à la place du bout de pain ? Mais je crois que le changement du vin en sang me faisait encore plus d'effet. J'avais fini par connaître par cœur mon missel, et parfois je me répétais, toute seule, dans ma chambre, exactement comme je le fais à présent, en m'apercevant que ces mots ne m'ont pas quittée, les paroles magiques de la consécration, d'autant plus magiques qu'elles étaient en latin et que je ne saisissais pas tout, même si c'était à peu près compréhensible :

Hic est enim calix sanguinis mei, novi et æterni testamenti : mysterium fidei : qui pro vobis et pro multis effundetur in remissionem peccatorum[36].

Le calice rempli de sang. Les assistants entendaient ça tranquillement, sans frémir. Et l'alliance est scellée dans le sang. Et surtout cette promesse effrayante (je m'étais fait traduire *effundetur*) : ce sang sera encore versé, versé *pour vous.* Oui, je t'entends rire doucement, Charles, mais je ne voulais pas du tout qu'on saigne à cause de moi, je ne comprenais pas pourquoi. Je n'osais pas poser de questions à ma mère. Alors, une fois, je m'en suis ouverte à Alastair. Je me souviens parfaitement de ce qu'il m'a dit à ce moment.

Les hommes n'ont pas cessé de verser le sang, disait Alastair. Et ils ont fini par verser le sang de Dieu. Et depuis, ils continuent, les poignards, les épées, les haches ouvrent sans cesse des plaies sanglantes dans la chair humaine. Cela ne s'arrêtera jamais. Dieu a voulu cela, Thalia. Il a voulu être livré, exposé, saigné à blanc. Ce qui a changé depuis ce moment, c'est que chaque goutte de sang versée est désormais son sang. Le voleur qui poignarde un bourgeois pour le dépouiller poignarde Dieu. Mais vois-tu, petite sœur, ce qui est incroyable dans ce que dit la messe, c'est que ce sang est versé pour nous. Nous tous : pour les innocents comme pour l'assassin qui a versé ce sang qui le sauve. Le sang est versé à notre profit, pour nous. C'est déjà très fort. Je ne sais pas si je comprends vraiment, si je t'explique bien. Et cela va plus loin, il me semble. Le sang versé *pour nous,* cela veut aussi dire qu'il l'est fait à notre place, pour nous libérer de ce désir, et retourner la perdition en salut.

De toute façon, ce qui me paraît incroyable, Thalia, c'est qu'il existe un lien profond entre le Mal et le Bien. Verser le sang est une condition du salut.

Le Christ obsédait Alastair à l'adolescence. Un jour, je lui ai dit, un peu par provocation, que Jésus ne pouvait pas être Dieu. Maintes fois j'avais eu envie de le dire à Gertrude, mais je n'osais pas, je savais que la gifle aurait immédiatement suivi. Il me déplaisait qu'elle vénère bêtement une figure que je considérais comme mienne. Bref, j'étais jalouse.

— Ah oui, Thalia ? Jésus n'est pas Dieu ? Mais tu n'hésites pas à blasphémer, petite sœur ! Tu es bien la sœur d'Alastair ! Et qu'est-ce qui te fait penser ça ?

— S'il était Dieu, il ne douterait pas. Il connaîtrait parfaitement sa mission, il l'aurait décidée, et d'une certaine façon, dans l'éternité, il l'aurait déjà vécue. Mais dans les Évangiles, je me souviens bien qu'au jardin de Gethsémani, il dit : « Mon père, si c'est possible, que cette coupe s'éloigne de moi. » Il recule devant le supplice. Quel dieu demanderait à être épargné par lui-même ? Et sur la croix, il s'écrie : « Mon Dieu, mon Dieu, pourquoi m'as-tu abandonné ? » C'est un blasphème, et un cri de désespoir. Aucun dieu, certain de sa résurrection, ne dirait cela.

— C'est dans les Évangiles, n'est-ce pas ?

— Eh bien oui, c'est ce que je te dis.

— Les Évangiles, ce sont des livres de propagande. Ils ont été écrits pour convaincre les païens que Jésus était le fils de Dieu.

— Oui, je suis au courant !

— Et tu crois qu'un livre de propagande laisserait passer une bourde pareille, qui anéantit tous ses efforts ?

— Ils n'ont peut-être pas réfléchi…

— Thalia, vraiment…

— Explique, alors, puisque tu sais tout… Je ne sais pas pourquoi tu es clown, tu devrais te faire curé…

— Bah, c'est un peu la même chose…

— Qu'est-ce que tu racontes, Alastair ?

— Comme les curés, du moins si les curés faisaient bien leur travail, les clowns défont les habitudes et la bienséance, ils démolissent les hommes, ils opèrent des sacrifices. Jésus était une espèce de clown, c'est le roi du spectacle, il fait des tours, et à la fin il se ridiculise, il fait rire. Cette posture, la crucifixion, c'est grotesque, c'était d'ailleurs le but des Romains : un supplice infamant, ignominieux, qui ridiculise celui qui agonise. C'est comme ça qu'on passe à une autre dimension. Il faut se ridiculiser. Comment un dieu qui se fait homme pourrait-il ne pas se ridiculiser ? Réfléchis-y une seconde. Ce que je reproche aux curés, au fond, c'est leur sérieux. Ils devraient souligner le côté comique de toute leur histoire. Et érotique, du coup. L'érotique peut se nourrir de grotesque.

— Je ne suis pas sûre que tout ce que tu racontes soit dans les Évangiles. Mais explique-moi, Alastair.

— Si Dieu s'est fait homme, et s'est sacrifié, il fallait bien que le sacrifice soit total. Donc la souffrance seule ne suffisait pas. Il fallait aussi la honte, l'angoisse et le désespoir, qui sont le lot des humains. Voilà ce que veulent dire les Évangiles en mentionnant l'angoisse au jardin de Gethsémani, et le désespoir, le sentiment d'abandon sur la croix. L'abandon… Est-ce qu'il y a un sentiment plus profondément humain que le sentiment d'abandon ?

— C'est drôle, a dit la voix de Charles dans l'obscurité.

— C'est drôle ?

— Dans le train, ton frère aussi a parlé du Christ, à un moment.

— Pour dire quoi ?

— Que le Sauveur, au fond de l'abandon et de la souffrance, atteignait un point de jouissance extrême, dans le fait d'être métamorphosé en objet. On l'a évidemment occulté, disait-il, mais le Christ était en érection sur la croix, comme on raconte que le sont les pendus. Et au moment de sa mort, il a éjaculé, oui, saint Jean et sainte Anne ont reçu le foutre divin en pleine face, et il a fécondé la terre afin qu'elle engendre ses successeurs. Et par conséquent, a-t-il ajouté, le curé devrait, au moment de la communion, déposer un peu de crème sur la langue des fidèles, en plus de l'hostie : « Voici mon foutre, versé pour vous et pour la multitude. » Et il riait, imaginait les tortillements des vieilles prudes, des punaises de sacristie en avalant la semence du Christ.

— La différence entre Alastair et toi, entre Alastair et moi, c'est qu'il est prisonnier de ses obsessions. Il leur obéit. Seulement, ce qu'il ne t'a pas dit, c'est que, d'autres fois, il changeait d'avis sur le Christ, justement à cause du sacrifice.

— Comment cela ?

— Il se livrait à ses vaticinations religieuses de préférence pendant les crises de mysticisme de Gertrude. Enfin, de notre mère. Cela la prenait surtout lorsque nous ne trouvions pas d'engagement. Sinon, le cirque lui tenait lieu de religion. Bref, un soir, pendant l'un des accès de religion de Gertrude, plissant les yeux comme qui s'apprête à faire une bonne blague, Alastair m'a prise à part. Nos frères étaient allés à la taverne, Gertrude devait concocter un de ces brouets d'Arlequin dont elle avait le secret, faits de bas morceaux de mouton, de vieilles fèves et de légumes de récupération. Nous nous sommes assis sur les marches d'une roulotte, il a bourré une pipe à l'interminable tuyau d'un tabac de Virginie qu'il affectionnait. Avec beaucoup de douceur, sans même me regarder, et tout en lançant dans l'air du soir de longues colonnes de fumée, qui allaient se perdant dans la brume, il m'a demandé si je priais tous les soirs, si j'avais toujours ma petite collection d'images pieuses. Et là, tranquillement, il m'a déclaré qu'il lui arrivait de se demander s'il n'y avait pas une erreur dans la religion. Peut-être le christianisme s'était-il fondé sur une erreur initiale.

Là, ménageant ses effets, mais tu connais le côté théâtral de sa conversation, pour l'avoir subie pendant des heures, il laissait passer un moment, pétunant toujours en silence. Moi, j'étais interdite, je ne comprenais pas.

— Si on y réfléchit bien, a-t-il repris, quelque chose ne va pas…

Alastair m'a expliqué que pour lui, le Christ n'avait pas accompli un sacrifice complet. Il s'était fait homme, et comme homme, sur la croix, il avait connu la souffrance physique, l'humiliation, l'angoisse, le désespoir.

— Cela paraît assez complet, comme sacrifice, non ? C'est déjà un exploit d'avoir fondé une religion avec un supplicié. Et pourtant… Pourtant, il manque l'essentiel. La honte, la réprobation, le mépris des hommes. Car sa condamnation était purement politique, il n'était pas un brigand ou un criminel. Il eût fallu qu'il sacrifie aussi le respect et la vénération qu'on avait envers lui. De sorte qu'il aurait fallu un Messie crucifié, en effet, mais pour d'excellentes raisons, admises par tous, un voleur, un traître, un petit malfrat prêt à dénoncer ses complices…

Vois-tu, ma petite Thalia, pardonne-moi si j'apporte le trouble dans tes croyances, mais tu ne peux pas en rester à la pure crédulité de Gertrude, tu vaux mieux que ça. Tu es intelligente. Je pense que tu peux comprendre l'hypothèse que j'essaie de t'expliquer : il y aurait une erreur des évangélistes, une confusion. Ils ont pris le Nazaréen pour le Messie, alors qu'ils en avaient un autre sous la main, bien évident, mais aussi bien ignoble : le « mauvais larron », un brigand, et qui sait un assassin, un violeur. La croix était un supplice réservé aux esclaves révoltés ou à la lie de l'humanité. On se serait donc trompé de crucifié. Le Nazaréen a usurpé la place du véritable sauveur, qui reste caché aux hommes, ignoré. J'aime bien cette idée : le sauveur secret, qui ne se révélera qu'à la fin des temps.

Ç'aurait pu aussi être Judas. Il est presque parfait : traître, méprisable, vénal, il a connu aussi l'angoisse et le désespoir[37]. Il lui manque peut-être un peu de souffrance physique. Le mauvais larron est très fort. Il faut se représenter la scène.

Les trois condamnés sont en croix, depuis un moment déjà, des heures peut-être. Ils sont nus, contrairement aux représentations pudiques de la crucifixion, aux images pieuses que tu collectionnes. Ils tirent sur leurs bras, poussent sur leurs jambes pour pouvoir respirer, car le poids mort de leur corps les étouffe progressivement, et chaque poussée, dans laquelle ils cherchent l'air, réveille les blessures des mains et des pieds cloués, la chair à vif autour du fer. Ils se torturent eux-mêmes pour vivre encore un peu, et pourtant ils savent que cela finira bientôt.

La crucifixion n'est pas cette scène propre et picturale représentée par les peintres chrétiens, avec de la peinture dorée, des nimbes, des séraphins ailés. Non, c'est répugnant. Les sphincters des crucifiés se relâchent. L'urine et la merde coulent le long de leurs jambes, attirant, en fait de séraphins, les mouches qui volent autour d'eux en nuage noir, comme des fragments de matière infernale. Les bourreaux affectent de se boucher le nez en ricanant. Les condamnés se fatiguent, luttent de moins en moins contre l'asphyxie qui les gagne. Bientôt, un légionnaire, pour abréger le supplice, leur brisera les jambes à coups de barre de fer. Ah, il n'y avait pas de *retentum*, dans l'Antiquité. Il fallait tout endurer, jusqu'à la fin.

Je me souviens, Charles, disait Thalia, d'avoir à ce moment, en écoutant, fascinée, le récit d'Alastair, eu l'impression qu'un autre monde s'ouvrait devant moi, bien différent de celui, en deux dimensions, des images, des livres, des abécédaires, je découvrais la profondeur, en laquelle, progressivement, se déployaient des ombres. Et par la suite, même l'espace de la piste s'est mis devant moi à s'ouvrir comme le bouton d'une fleur multicolore, accroissant ma peur et ma jouissance.

Étrange forme de miséricorde, me diras-tu, Thalia, a continué Alastair. Ce n'était sans doute pas de la miséricorde. On estime que le spectacle a assez duré, on finirait par s'ennuyer, à force. La douleur est atroce, et les suppliciés ne peuvent plus s'appuyer sur leurs jambes pour respirer, ils étouffent plus vite.

Mais ce moment n'est pas encore arrivé. L'angoisse des suppliciés est à son comble, ils souffrent affreusement, depuis des heures, et devant eux, il y a encore de la souffrance, plus intense encore, et puis l'anéantissement dans la mort. Les deux autres condamnés, dans leur désespoir, ne trouvent que la haine. Ils insultent le Christ, se moquent de lui.

Cependant, le soleil a commencé à baisser sur le Golgotha. Les ombres à présent s'allongent. Celle du Christ s'étend à l'est, vers sa droite, touche le corps de l'un des criminels, puis finit par le recouvrir complètement. C'est ce que des théologiens ont réussi à trouver pour expliquer la conversion de celui qu'ils appellent « le bon larron ». Enveloppé dans cette ombre divine, il voit clair tout à coup et se repent. Ils ont même trouvé le moyen de le baptiser, pour en faire, *in extremis*, un bon chrétien. Difficile de réaliser un baptême dans une position aussi incommode. Mais ils ont trouvé une solution. Lorsque la lance d'un légionnaire perce le côté du Christ, il en jaillit de l'eau, qui asperge le bon larron. Répugnant, mais il est baptisé.

Mais l'autre, le mauvais larron, ne désarme pas. Dans son agonie, il demande au Christ de se sauver, et de le sauver. De faire un miracle pour lui, comme le Christ n'a cessé d'en faire, ressuscitant Lazare, ou l'enfant de la veuve de Naïm. Pourquoi pas ? Que le Christ se sauve lui-même, c'est impossible, il faut que le sacrifice s'accomplisse et qu'il ressuscite. Mais quelle meilleure preuve de sa divinité que de sauver ces deux larrons, comme il a évité la mort à la femme adultère ? Ce thaumaturge de foire, comme il en courait à l'époque dans tous les coins de la Palestine, en est bien incapable. Seul le mauvais larron le pourrait. Mais il doit mourir dans l'opprobre, après avoir laissé ce dernier signe, en forme d'énigme, de sa divinité. Lui a tout sacrifié, plus encore que le Nazaréen : il a eu la souffrance, l'angoisse, l'abandon, et aussi l'opprobre et la malédiction. Il a tellement souffert qu'à un moment, je pense, il est allé au-delà de l'animalité et de l'humanité, le désir est né en lui de la souffrance universelle. C'est la tentation du Démon, le Démon dont la souffrance atroce fait naître le Mal absolu. Mais il franchit cette dernière épreuve. C'est lui, le Sauveur.

Qu'en penses-tu, Thalia ? Ce serait amusant que la plus grande religion du monde soit fondée sur une erreur de personne, non ?

Alastair était d'une redoutable intelligence. Mais il s'en servait bizarrement. Il aimait les paradoxes, il s'amusait à démolir les croyances des autres, à ruiner leurs illusions, à transformer le bien en mal et le mal en bien. Que le mauvais larron soit le vrai messie, il n'y croyait pas vraiment, mais il ne cessait d'émettre des hypothèses, pour trouver la bonne, celle qui le justifierait d'être qui il était. De sorte que la réalité n'existait pas pour lui, elle était un entrelacs d'hypothèses.

— C'est bien ce qui me fait peur, a chuchoté Charles, comme s'il avait désormais peur de sa propre voix et de ce qui pouvait s'y loger, et qu'il fallait qu'il devînt un fantôme, sans consistance, pour ne plus se laisser posséder par des esprits étrangers. Là aussi, je fais comme lui, j'accumule les fictions. Tu sais, je me demande parfois si tu ne m'as pas choisi à cause de ces points communs avec ton frère.

— C'est possible, mais aussi parce que tu en as fait autre chose. D'abord tu n'as pas sa violence. À présent, avec le recul, il me semble que sa violence était liée, en partie, à son sentiment d'irréalité. Il cherchait à le compenser en mesurant sa puissance sur la chair vivante. Et puis, mon amour, nous faisons de nos histoires un usage inverse. Est-ce que, par elles, nous ne cherchons pas la vérité ?

Mais je sentais que si Charles était avec moi, dans l'obscurité protectrice de la chambre, au sein de laquelle, sans les voir, nous devinions les formes familières des meubles odorants, imprégnés de nos rêves, où nos deux esprits, sans place assignée dans l'espace, se mêlaient, il était aussi dans ce wagon, fasciné par l'ombre énorme et puante de la marchande d'oublies, par les voix multiples qui résonnaient encore en lui, par ce funèbre guignol où grinçait régulièrement, comme dans un rite initiatique, la formule sacramentelle : *That's the way to do it.*

ALASTAIR 16

La vengeance, voyez-vous docteur, avait dit l'ombre, je l'ai pratiquée parfois, je l'ai rêvée surtout, et j'ai fini par en comprendre l'inanité. Car se venger, c'est vouloir faire souffrir celui qui vous a pris quelque chose, ou qui vous a fait du mal. Et j'ai longtemps rêvé la vengeance que j'exercerais sur vous, docteur. Pour qu'il y ait vengeance, vous en tomberez d'accord avec moi, il faut que la cible ait conscience qu'elle est frappée, qu'elle sache pourquoi et par qui. Tuer la cible d'une balle dans la tête, d'un coup de poignard dans le dos n'est pas une vengeance, votre cible vous échappe, elle disparaît sans avoir pris conscience de la raison pour laquelle elle mourait.

Maintenant, docteur, supposons que vous teniez entre vos mains, à merci, votre cible, l'objet haï, celui qui vous a volé votre raison de vivre. Vous prenez le temps de lui expliquer sa fin. Ou vous le travaillez un peu à la main, voire au couteau. Celui que vous voyez, docteur, m'a servi dans ce genre de pratique. Si l'objet haï s'obstine, malgré la douleur que vous lui infligez, s'il est content de vous avoir fait du mal, s'il se trouve de bonnes raisons, s'il vous provoque, vous avez toutes les raisons qui justifient votre action. Et en même temps, votre vengeance n'a plus de sens. C'est ce que j'appelle le paradoxe de la vengeance, docteur. Car ce que vous vouliez, c'était infléchir sa conscience, la mettre sous votre main en l'obligeant à supplier, à regretter.

Mais vous ne faites que le corroborer dans son être. Il vous domine. Torturez-le, tuez-le, vous resterez avec votre insatisfaction et votre amertume.

Maintenant supposons qu'en effet, vous infléchissez la conscience de l'objet haï. Il demande pardon. Il demande grâce. Il est tout à vous. Vous avez ce que vous cherchiez, votre vengeance sera complète. Mais vous comprenez que celui qui est sous votre main n'est plus celui dont vous cherchiez à vous venger. Votre vengeance, en s'accomplissant, perd toute signification.

Voilà pourquoi ce n'est pas pour cela que je suis ici, docteur. Oh, il me reste quelque illusion, quelque volonté d'infléchir votre conscience en vous racontant d'où vient Thalia, qui elle est vraiment, et qui l'aime plus que vous. On peut appeler ça vengeance. Mais en réalité je suis dans ce wagon de chemin de fer pour vous demander quelque chose.

Je suis la petite marchande d'oublies, je vous vends la friandise des souvenirs, et vous allez me payer avec du réel, du réel sonnant et trébuchant. Et peut-être, après, parviendrez-vous à trouver l'oubli, la fraîche fontaine de l'oubli, où l'on se plonge avec délices et dont on ressort comme innocent. Parfois, voyez-vous, docteur, je regrette ma condition d'amnésique. Ça n'a pas été facile de se retrouver dans la peau de Punch, que j'ai quittée, heureusement, pour la peau, c'est bien le cas de le dire, de la petite marchande d'oublies.

That's the way to do it.

Je ne savais plus, me disait Charles, si j'étais toujours dans la réalité, ou si ce train m'avait emporté dans des régions inconnues, où les lois ordinaires des choses n'avaient plus cours. Je ne reconnaissais pas le paysage, délavé par l'eau, où tous les contours se brouillaient, où les formes paraissaient fondre et s'écouler. Le convoi traversait des étendues uniformément inondées jusqu'où pouvait porter la vue, toujours à la même vitesse, en ligne droite. Je finissais par me demander où nous allions. Et je ne m'accoutumais pas à la pestilence de l'ange pourrissant, tête baissée sous sa capuche, à son masque d'un rose malade où j'apercevais des taches verdâtres, à sa redingote d'Arlequin où il me semblait voir grouiller la vermine. Je serais volontiers descendu au premier arrêt, mais il n'y avait pas d'arrêt, aucune station depuis, en apparence, des heures, comme si le temps s'étirait indéfiniment. Et je ne supportais plus ces voix, ces raclements, ces grincements, cet anglais de clown qui apparaissait et disparaissait, qui se mêlaient aux discours heurtés du train, avec sa syntaxe obsédante, ses chuintements, ses expirations et ses gutturales. Mais j'étais comme paralysé par ses mots, contraint à l'écouter, jusqu'au bout.

Quand j'ai retrouvé la mémoire, par hasard, en revoyant le visage de ma sœur, avaient dit les voix de l'ange pourrissant, la seule chose au monde qui m'ait donné une idée de la beauté parfaite et pure, de la beauté enclose sur elle-même, étrangère au monde, tout n'était pas clair, vous pouvez l'imaginer, vous qui êtes un spécialiste des choses de l'esprit. Il me semble que je suis revenu à plusieurs reprises voir le spectacle de mes frères, jour après jour. Je serais incapable de dire combien de fois au juste. Je ne fais plus la différence entre chacune de ces contemplations du visage de Thalia. J'ai l'impression, avec le recul des années, comment dire, d'avoir été pris dans une sorte de boucle temporelle, d'éternel recommencement. J'étais comme satellisé par un astre inconnu, dans les tréfonds de l'espace. Ou peut-être était-ce chaque fois le même moment, toujours recommencé. Peut-être, que direz-vous de cette hypothèse, peut-être y suis-je encore, et tout ce que je crois vivre, comme ce moment dans ce train, n'est qu'une illusion engendrée par mon cerveau qui a besoin de croire qu'il n'est pas prisonnier de cette boucle.

Mais alors, a repris la voix, en une sorte de ricanement, cela voudrait dire que pendant que je crois parler dans ce train, en réalité je suis en train de suivre la petite négresse, de l'emmener dans ma petite Cythère, au fond de la cour, de la dépouiller, et puis tout recommence.

Enfin… Toujours est-il qu'un jour, quand je suis allé à la foire, les Helquin n'y étaient plus. Et personne n'était capable de me dire où ils étaient passés. Ah, croyez-moi, docteur, je me suis démené pour leur mettre la main dessus. J'ai fait tous les environs de Paris, tous les emplacements possibles, nib. Comme si c'étaient des fantômes, prêts à disparaître et à réapparaître à volonté. Là-dessus, le bougnat père, qui se liquéfiait du cervelet à force de siroter de la gnôle, a trouvé le moyen de mettre le feu à son étage. Il s'y est carbonisé. Le fils a décidé de vendre les ruines et m'a demandé de partir. J'ai pris un grand sac de toile, j'y ai entassé mes souvenirs, mes collections, mes bocaux, le peu de choses à quoi je tenais, quelques vêtements, j'ai noué le sac à un bon bâton ferré que j'ai pris sur l'épaule, et me voilà sur le trimard. Adieu Paris.

J'ai fait comme les autres, j'ai vécu de petites besognes. J'ai donné la main aux moissons, aux vendanges, j'ai aidé à ferrer les chevaux, un peu partout dans le pays, mais pas trace de mes frères, et j'avais peu de chances de les trouver comme ça.

Un soir, je dormais dans la paille de la grange, épuisé par ma journée, avec un autre valet de ferme, un brave garçon, un jeunot, qui inspirait confiance. J'avais soin, toujours, de placer mon baluchon près de ma tête, et je gardais un couteau à portée de main. Quelque chose m'a réveillé au milieu de la nuit. Plus de baluchon, plus de compagnon. Il faisait nuit noire. Je me suis affolé. Il était parti avec tout ce que j'étais.

J'ai fait l'écurie, la cour, lentement, car je n'y voyais pas grand-chose. En entrant dans l'étable, j'ai vu son dos penché sur quelque chose, éclairé à contre-jour par une bougie qu'il avait posée sur le sol. Mon baluchon était grand ouvert, il en avait sorti des objets. Il espérait sans doute tout autre chose. Lorsqu'il s'est retourné, il avait les yeux écarquillés, comme égarés.

L'ange pourrissant, a dit Charles, s'est mis à ce moment à manier sa pelisse d'Arlequin, et, pour l'unique fois du voyage, il a tourné vers moi son masque de cauchemar, en me désignant une espèce de losange brunâtre, vers le bas.

Si je me souviens bien, c'est lui, docteur. Je l'aimais bien, tout de même. Mais ce genre d'histoire voulait dire, chaque fois, disparaître, le plus loin possible. Et puis chaque fois qu'on retrouvait une petite bergère dépecée, vous pensez bien que c'était la faute de la marchande d'oublies. Ce n'était pas toujours sa faute, croyez-moi, docteur. On ne se figure pas ce qu'il y a de fous dans les campagnes françaises. Je n'en étais qu'un de plus. Et progressivement, à force de travailler, de boire, j'oubliais ma mission, même si le visage de ma sœur ne me quittait jamais.

C'est à ce moment, avec le matériel que j'avais dans mon baluchon, et celui que j'ajoutais au gré des rencontres, que j'ai commencé à coudre ma houppelande. Vous comprenez, docteur, ma vieille peau ne convenait plus à ce que j'étais devenu. Si je voulais vraiment devenir la petite marchande d'oublies, je devais en changer, me couvrir de mes trophées, de tout ce que j'avais aimé, de tout ce que j'étais devenu. Car je les suis devenu, elles m'accompagnent partout désormais, elles font partie de moi.

That's the way to do it.

— Ah, n'ai-je pas pu m'empêcher de dire à Charles, tu te souviens de toutes ses paroles dans le détail ? Tu es sûr de ce qu'il a dit ?

— Thalia, tu sais bien que j'invente tout.

— Et tu sais bien que c'est ma hantise. D'être incorporée par toi dans un interminable roman que je prendrais pour la réalité. Car tu es un inépuisable inventeur d'histoires, et cela a fini par déteindre sur moi.

— Écoute, je te promets que j'essaie de rester au plus près de ce qu'Alastair m'a dit dans ce train fantôme, qui ressemblait lui-même à une attraction de foire pour faire peur aux chalands. Dans ma courte carrière de médecin aliéniste, j'avais pris le pli d'écouter les interminables histoires de gens affectés de personnalités multiples, avec leurs vies différentes. Ton frère est un cas de personnalité multiple, mais chacune vivant avec une intensité que je n'ai jamais rencontrée. Ses paroles pénétraient en moi avec une puissance bizarre, comme si j'étais pris de léthargie, elles s'y sont inscrites. C'était une sorte de venin, qui aurait eu la puissance de me faire devenir lui, pas Alastair, pas Punch, mais sa personnalité qu'il appelait la marchande d'oublies. Et j'avais besoin de mobiliser toute ma force mentale pour ne pas y succomber. Ici, dans le noir, c'est comme si je me retrouvais dans la pénombre du compartiment, et qu'à nouveau j'entendais ses paroles. Alors je ne peux pas te garantir qu'il a dit cela mot à mot, mais je me souviens de bien des formules, elles sont dans mon corps, telles des blessures secrètes, que je rouvre pour raconter. Ce que je peux te garantir, c'est l'esprit.

Et Charles a repris le discours d'Alastair, qui semblait parler par sa voix, comme s'il n'était qu'un médium possédé par un spectre, il prenait par moments ce qu'il décrivait comme la voix d'Alastair, une sorte de chaîne rouillée qu'on tirerait sur un quai hors de l'eau, couverte d'algues puantes et de crustacés.

J'allais ainsi, de province en province en province, jusqu'à ce qu'un jour, après une rude journée à faucher les foins sous le soleil de juillet, je décide d'aller me donner un peu de bon temps à la petite ville voisine. Se donner du bon temps, cela voulait dire, comme tous les autres valets de ferme, boire jusqu'à se mettre brindezingue, et se battre. On arrivait déjà bien entamés, les patrons ne plaignaient pas la piquette coupée d'eau pendant les gros travaux.

C'était jour de foire. Il était déjà huit heures, le soir tombait. Après quatre ou cinq verres d'aramon, je commençais à ne plus trop savoir quand et où j'étais. Et là, docteur, en déambulant au hasard dans la foire, j'arrive devant une petite baraque de toile, devant laquelle un gros bonhomme au nez en pied de marmite fait la retape pour son spectacle de phénomènes. Il y a un groupe d'une trentaine de personnes, et machinalement je le rejoins.

Je n'écoutais pas le boniment, car les échos me parvenaient d'une petite marchande d'oublies : « Oublies, oublies, qui désire les oublies ? V'là le plaisir, mesdames, v'là le plaisir, messieurs ! » La petite marchande d'oublies venait du fond des temps pour me rappeler à l'ordre, je ne comprenais qu'une chose : j'étais à la foire, et j'allais revoir Thalia. Ou peut-être, car le sens de la réalité n'a jamais été mon fort, docteur, peut-être était-ce un simple nouveau cycle dans mon éternel recommencement. Mais, en pénétrant dans la baraque, ce n'est pas ma sœur que j'ai vue. C'étaient les bateleurs habituels, comme j'en avais croisé sans cesse dans ma carrière de clowns. Mes frères et moi les méprisions un peu.

Il y avait de la viande saoule dans le public, des gens qui criaient, lançaient des plaisanteries salaces, provoquaient les artistes. C'est le lot du métier, mon cher docteur, mais j'ai toujours eu un peu de mal à supporter une certaine dose de grossièreté. Il faut aussi respecter les artistes. Quand on en est venu aux puces dressées, c'était insupportable. C'était tout en dextérité, des manipulations délicates, mais deux gros butors, qui puaient le vin, bousculaient le public pour arriver au premier rang et prétendaient que tout ça, c'était du chiqué, ils voulaient toucher. Je n'en pouvais plus.

— Vous pouvez laisser l'artiste travailler tranquillement ? On aimerait en profiter. Calmez-vous, s'il vous plaît.

C'étaient deux paysans, comme moi qui en étais devenu un, avec leur blouse, qu'on appelait la biaude, leurs larges chapeaux, leurs sabots. Massifs, râblés. Ils ont vu à qui ils avaient affaire, mais comme ils étaient saouls et à deux, ça ne les a pas arrêtés.

— C'est quoi dont c'te taillelard, ce veau coquard ? Tu te prends pour un forturab, mais tu pourrais bien broster le bau, alors un conseil, fais pas le Jacques, et laisse-nous bien tranquilles si tu veux pas d'aubertas. Epipu.

Ça faisait deux mois que je travaillais dans ce coin, en plein centre du pays, et j'avais fini par comprendre leur patois et le pratiquer. Je leur ai répondu sur le même ton.

— Eh ben je vais vous dire mon esme. Vous êtes rian que deux coqueberts, deux apesarts doilles de vin, et je vous conseille de fermer vot'gueule, si vous voulez point ramasser vos dents dans la poussière.

J'attendais le premier coup. Celui qui avait parlé a lancé son poing en un large cercle, à la paysanne. Moins de cinq secondes plus tard, ils étaient à terre, ensanglantés. Le dresseur de puces m'a remercié d'un hochement de tête et le spectacle a continué, tandis qu'on traînait dehors les deux butors.

That's the way to do it.

Comme j'allais partir, le bonimenteur m'a rejoint et m'a pris par le bras :

— Dites, je vous remercie pour tout à l'heure. On n'a pas l'habitude de battre nos clients, même les plus bruyants, mais là, je dois dire, ça m'a payé pour pas mal de sales moments supportés en silence. Quand on veut leur demander de faire silence, ça les excite encore plus. Mais c'est le métier.

— Je sais. J'ai été artiste, jadis. Je n'ai pas pu m'en empêcher. Et ça m'a fait plaisir.

— Artiste ?

— N'en parlons plus.

— En tout cas, vous êtes un sacré costaud. Rien qu'à vous voir… Il nous manque ce genre de numéro qui marche toujours. Ça vous dirait de faire l'hercule, l'invincible lutteur ?

Ah, je n'ai pas eu à réfléchir longtemps, docteur. Retrouver les planches… même dans une troupe minable… ça me manquait, croyez-moi. Et j'ai tout de suite compris qu'en me déplaçant dans le pays, dans les foires, je finirais par retrouver la trace du cirque Helquin.

— Bon, ça ne paie pas, a continué le bonimenteur, vous le savez sans doute, on n'est guère riche, mais on mange à sa faim et on boit à sa soif…

— Tope là !

— On dit « fort comme un Turc ». Et les meilleurs lutteurs sont des Turcs. On va faire de vous un Turc : « Mustapha, l'homme le plus fort du monde. » Et l'avantage, c'est que les hommes auront envie de démontrer qu'un Français peut bien battre un Turc ! Je vois ça d'ici : vous vous rasez le crâne, en laissant juste une longue queue-de-cheval au sommet, vous vous laissez pousser des moustaches tombantes, on vous met un pantalon court bouffant et un petit gilet brodé, on vous huile le torse pour faire ressortir les muscles, et voilà Mustapha l'invincible.

Ma foi, Mustapha, pourquoi pas. La troupe de forains que j'ai rejointe se composait de cinq personnes, qui assuraient à peu près quarante minutes de spectacle. Le patron s'appelait Anatole. C'était un gros homme nanti d'énormes favoris qui lui tombaient jusque sur le revers de la redingote, à la Jules Ferry, et d'un gibus élimé qu'il portait incliné sur le côté. Son ventre avantageux, enveloppé d'un gilet de nankin jaune à rayures grises, était barré d'une énorme chaîne de montre. C'était l'homme à tout faire. Il bonimentait le chaland, d'une voix de basse tonitruante, et lançait des blagues qu'il pêchait dans de vieux numéros du *Charivari*. Je me souviens d'une, très bête, qui faisait rire : ce sont deux messieurs qui discutent des étrennes qu'ils vont offrir : « Et pour ma belle-mère, des marrons glacés, dit l'un. — Ah ? Elle les aime ? — Je ne sais pas, mais c'est si lourd à digérer ! » Une fois récité le boniment et présentés les artistes, Anatole installait sur la rotondité de son abdomen celle d'un tambour, tenant à son cou par une lanière de cuir, et y allait de ses roulements, pour souligner les moments importants du numéro.

À part lui, il y avait le « professeur » Jester, « savant zoologiste », « ancien dresseur d'éléphants », « qui s'était produit sur les plus grandes scènes d'Amérique, à Chicago, à New York, à Boston ». Jester s'appelait Dufour et était né à Maubeuge. C'était le dresseur de puces. Il disposait sur une table un petit décor de cirque, et racontait tout ce qu'il faisait faire à ses artistes, de véritables petites saynètes, dans lesquelles, entravées par de microscopiques fils de cuivre, elles traînaient des carrosses en papier, s'élançaient dans le vide comme des acrobates, ou tapaient dans un ballon. Les spectateurs pouvaient un par un s'approcher et contempler le spectacle avec une loupe. Après quoi le professeur Jester nourrissait ses artistes sur son bras, avant de les ranger dans de petites boîtes en verre. Il m'expliquait ses trucs. Pour le ballon, il saisissait la puce avec des pincettes, et l'approchait du tout petit ballon, qu'il avait enduit d'un répulsif. La puce voulait sauter, mais la détente de ses pattes projetait le ballon.

On admirait aussi Chang Li, l'homme-torse de Pékin, qui, sans bras ni jambes, accomplissait diverses prouesses de dextérité, boire un verre de vin, allumer une pipe, se jucher sur une petite chaise, et Mademoiselle Sharmila, la dresseuse de serpents de l'Hindoustan, Fernande de son vrai nom, une ancienne sous-maîtresse marseillaise tombée dans la panade, et qui passait sa vie à regretter sa gloire d'antan, dans une maison à numéro de la rue Lanternerie, sur le Vieux-Port, pour clientèle huppée, on y refusait les matafs et les pioupious en goguette. Elle racontait les clients, décrivait la splendeur des décors à l'orientale, la beauté des filles. Mais c'était une brave femme. J'adorais ses deux boas, l'un d'un vert éclatant, l'autre noir, couvert de taches beiges. Elle me laissait les caresser et parfois les nourrir. On leur donnait des lapins, qu'ils avalaient tout crus. La plupart des gens ont une horreur, une peur panique des serpents. Moi, c'est l'inverse. Les serpents n'ont pas de membres. Pas de bras pour saisir et travailler, pas de jambes pour parcourir de longues routes, ils sont là, lovés dans la terre ou parmi les branches. C'est de tout leur corps qu'ils épousent la nature, ils ondulent, ils s'enroulent sur eux-mêmes, dans une espèce d'autosuffisance, pas d'intermédiaire, c'est tout leur corps qui saisit la proie et l'absorbe entière. J'y voyais une espèce de survivance de l'être primordial. Mais bref. Vous ne vous souciez pas de ma philosophie, docteur. Vous attendez ma demande. Cependant, avant qu'elle arrive, il faut que je vous explique comment j'en suis venu là.

Le plus gros succès revenait à Monsieur Hippolyte, l'homme caoutchouc. C'était un grand flandrin décharné, capable d'étirer la peau de ses paupières, de ses joues et de sa bouche jusqu'à d'effrayantes déformations qui faisaient mal à regarder, de passer ses jambes derrière sa nuque et de prendre des positions dans lesquelles ses membres formaient d'inextricables nœuds dont on se demandait bien comment il parviendrait à les démêler. En dehors de la scène, il n'ouvrait jamais la bouche, et sa seule préoccupation était de dévorer tout ce qu'il pouvait trouver à se mettre sous la dent. Ça ne le faisait pas grossir d'un gramme.

On allait de foire en foire, à travers tout le centre du pays, entre la Loire et les premières montagnes du Massif central. On croisait des collègues, qui n'étaient pas plus brillants que nous, il s'en faut. Des vieux qui tenaient à peine debout devaient gratter le violon qu'il pleuve ou qu'il vente. Les gamins pleuraient avant d'entrer en scène, pour faire leurs petites acrobaties, parce qu'ils n'avaient pas mangé à leur faim, ou parce qu'on les giflait s'ils rechignaient. Tous ces gens qui devaient fournir de la joie au bon peuple donnaient envie de pleurer devant leur misère.

Anatole n'avait jamais entendu parler des Helquin, mais je questionnais tous les artistes que nous rencontrions, je reprenais énergie, j'étais sûr d'y arriver. Mon numéro consistait à soulever des barres de fonte, des poids, à choisir un spectateur bien en chair et à le lever, mains sous ses aisselles, jusqu'à ce que ses cuisses soient à la hauteur de ma tête. Pour cette première partie du numéro, je terminais par la barrique. J'annonçais qu'elle contenait un quintal d'eau et que je la monterais sur mon épaule. Il y avait toujours un costaud dans le public pour prétendre que la barrique était pleine de plumes. C'est ce que j'attendais. Je l'invitais à monter sur scène pour soulever la barrique. Les meilleurs parvenaient à la lever jusqu'à la poitrine, en ahanant, la face cramoisie. Je n'avais plus qu'à la saisir, la placer sur mon épaule, et faire un tour triomphal sur la scène. Les paysans adoraient ça. Après quoi, je proposais la lutte. Anatole roulait férocement du tambour et annonçait : « Un louis d'or à qui fera toucher le sol aux épaules de Mustapha l'invincible Turc ! » Il ne risquait pas grand-chose. Tout ce qu'il me demandait, c'est de faire un peu durer, pour le plaisir du public. Je faisais semblant d'être en difficulté, mais ça se terminait toujours de la même façon.

Et fatalement, un jour, je suis tombé sur un jongleur qui avait vu les Helquin quelques jours auparavant. S'il se souvenait bien, ils devaient se produire à Saint-Genest, un bled perdu, le dimanche. Ça me laissait deux jours. « Mustapha » a pris une pause, au grand dépit d'Anatole, et surtout de Mademoiselle Sharmila, avec qui j'avais une petite affaire, je dois dire qu'elle avait de beaux restes.

THALIA 17

La maison de Saint-Genest est bien loin à présent. A-t-elle seulement existé ? Ses escaliers solennels, ses boiseries grinçantes, ses longs couloirs poussiéreux, ses portes fermées sur des pièces jamais fréquentées, cette prétendue chambre secrète enfermant les restes de l'enfant, ses jouets et ses robes, la salle de musique et la bibliothèque, la cuisine où monologuait Désirée, la chambre dans laquelle nous nourrissions côte à côte nos chimères, peut-être les avions-nous inventés aussi, fantômes désincarnés, réduits au souffle et à la parole, cherchant leur corps et leur lieu dans d'interminables histoires.

Mais j'ai tellement rêvé de la maison, je l'ai tellement parcourue de nuit en nuit, cherchant je ne sais plus quoi, découvrant de nouvelles pièces dont je ne me souvenais pas, qu'elle a fini par prendre dans mon esprit cette intensité de présence qu'ont les choses et les êtres dans nos songes nocturnes, où nous fréquentons les morts avec une tendresse déchirante, qui me fait penser aujourd'hui que la vraie vie, qui ne cesse de nous échapper dans la veille, est dans le rêve.

Et la voix de Charles s'est tue, qui si longtemps m'avait tenue sous le charme. Les histoires me restent, mais sa tonalité s'efface elle aussi, emportée dans le passé, d'où me reviennent encore parfois cette gravité et cette lenteur qui m'émouvaient, qui me donnaient, je m'en souviens, un frisson charnel presque aussi intense que ses gestes et ses baisers.

Combien de nos histoires se sont englouties dans l'oubli ? Nous voulions l'amour sous toutes ses formes, dans toutes ses incarnations, sans cesse insatisfaits, sans cesse poursuivant un absolu qui se dérobait.

Mais je me souviens encore, avec un luxe de détails et de couleurs, d'une de ces histoires, qui s'est nouée dans ce restaurant de la capitale où nous avions l'habitude de nous voir discrètement. Ces jours-là, pour tromper mon impatience, je passais la matinée à dévaliser les grands magasins, et je ne manquais guère d'arriver au restaurant sans un nouveau chapeau, un corset à la dernière mode ou des bas de soie. Vers treize heures, nous nous retrouvions chez Bougainville, dans le salon particulier qui nous était réservé chaque semaine.

Parfois, j'en ai la nostalgie. Je revois la cheminée du cabinet de Bougainville, de marbre rose, la grosse pendule avec sa Diane alanguie sur sa biche agenouillée, le sofa de velours amarante où des dizaines de mains d'homme, furetant vers la jarretière, ont retroussé des dizaines de jupons, les fresques avec leurs éternelles nymphes ou leurs sylphides à peine voilées, se retenant, au bord de l'eau, à une branche de saule, tandis que, tapi dans les buissons, l'éternel satyre au mufle camard les épie, le lustre faussement vénitien débordant de pendeloques, la table ronde où seraient servis le bouquet de langoustines, le homard à la nage, la poularde demi-deuil et l'inévitable champagne, tout ce décor vulgaire, faussement gai, qui pourtant avait fini par se pénétrer d'un charme qui ne lui venait pas seulement de celui qui toujours imprégnait nos rencontres, mais de ce que, je crois, il était si étranger à ce que nous étions, à ce que nous recherchions, que tout ce qu'il avait de bien connu, de trivial, finissait par se teinter d'étrangeté. Enveloppés de cette pacotille, nous ne prêtions même pas attention à ce qu'on nous servait, tout entiers pris par notre conversation, par la fiction qui était devenue l'indispensable nourriture de notre amour.

Les serveurs solennels, avec leurs rouflaquettes interminables, savaient qu'il n'était plus question d'entrer dans le petit salon une fois servis le café et les liqueurs, et l'après-midi était déjà bien avancée lorsque nous nous installions sur le sofa pour les déguster. Une tache blanchâtre, mal nettoyée, près de l'accoudoir, me dégoûtait et me fascinait. Bien des déjeuners se sont déroulés ainsi, sans que nous nous touchions, sauf lorsqu'il m'offrait le bras pour m'aider à me lever. Et bien d'autres ont suivi où nous nous sommes contentés de nous caresser les cheveux, les joues, ou de nous embrasser. Ces baisers aussi me reviennent, presque chacun d'eux, avec les gestes légèrement différents, les paroles et les respirations dont les rythmes varient à peine, mais un peu. J'aurais voulu qu'ils durent toujours, et d'une certaine façon c'est le cas, chacun de ces baisers poursuit son déroulement en moi.

Il y avait d'abord le contact des lèvres, presque un effleurement, l'échange des souffles et puis cette infinie douceur des langues qui se mêlent et semblent porter avec elles tout le corps, fondu dans ce seul sentiment du don de soi à la bouche de l'autre. J'aimais dans le baiser cette sorte de chasteté qu'il conservait, en un sens il n'était qu'une parole, articulée par nos langues, l'expression d'un sentiment qui ne parvient plus à trouver les mots, et cette parole était en même temps un acte sexuel. Et c'est cela, je crois, que je demandais aussi à nos longs échanges durant les repas, qu'ils soient des baisers, des paroles et des accouplements.

Ce jour-là, chez Bougainville, Armand, car dans cette histoire tu es Armand, mon amour, paraissait plus grave que d'habitude, et ton premier baiser, enfin son premier baiser, avait pris une saveur, une densité particulière, moins appuyé que d'habitude, moins long, il avait la légèreté d'un vol effleurant fugitivement mes lèvres, et j'y avais retrouvé, avec une émotion plus intense encore que celle que suscitait chaque fois le contact de sa bouche, celui qu'il m'avait donné jadis, la toute première fois, et qui avait tout changé. Et puis, au lieu de me prendre dans ses bras, il m'avait regardée en face, et dit, d'une voix sérieuse, qu'il devait me parler. Et ce qu'il m'a dit ce jour-là, dans ce décor bon marché, m'a plongée dans un trouble dont je ne me suis jamais remise.

Durant des mois, nous nous étions vus clandestinement, tantôt chez Bougainville, tantôt dans des hôtels, forcément médiocres, pour la discrétion, et qui me dégoûtaient un peu, avec leurs papiers peints qui avaient été vus par des dizaines d'amants, la cuvette et le broc, le chromo au-dessus du lit, représentant inévitablement une ferme hollandaise.

Toi, tu es le fils aîné d'une grande famille de vieille aristocratie angevine, les Montigné, avec son château et ses terres du côté de Durtal, son hôtel faubourg Saint-Honoré. Et moi… Qui suis-je, dans cette histoire ? Judy, Judy Warwick, mais c'est un nom de guerre, qui fait chic. Ce n'est pas ainsi qu'on m'appelait, à Manchester. Une Anglaise, à la réputation de beauté rousse, il en faut, comme il faut la belle Juive.

Mais à part cela, question réputation, la situation n'est guère brillante. Issue d'une famille d'acrobates et de clowns, avec un frère qu'on avait dû enfermer à l'asile de fous, Judy est restée sur le continent à la faveur d'une tournée de la troupe composée pour l'essentiel de ses frères. Toute jeune, elle avait gagné sa vie en donnant des spectacles de ventriloque dans les cirques et les théâtres. Certains disaient même qu'elle avait quelque temps dansé le cancan au bal Mabille et aux Folies-Bergère, et bien entendu monnayé ses charmes dans les coulisses. Le fait est qu'elle avait été assez belle et assez habile pour ruiner deux ou trois gros bourgeois, dont la fortune lui avait permis d'acquérir un petit hôtel à Saint-Germain-des-Prés et un peu de réputation, du moins cette fiction de réputation que donnent un hôtel, des domestiques, un attelage et un jour de réception, fréquenté principalement par quelques peintres faméliques et quelques bourgeoises cancanières.

Judy avait utilisé, pour monter son salon, les relations d'une vieille amie anglaise, Ruth, une des nombreuses filles de l'earl de Scarborough. Jadis grande arpenteuse des villes d'Europe, celle-ci avait tiré quelque notoriété de ses livres de voyage en Italie ou en Espagne, et de ses recueils de poésie. Ruth, à trente-cinq ans, n'était pas mariée. C'était une femme charmante, spirituelle, dénuée de la moindre méchanceté, mais d'une décourageante laideur. Ses efforts de coiffure, d'élégance vestimentaire, de maquillage, pour lesquels Judy éprouvait une véritable admiration, ne parvenaient pas à masquer l'évidence : une peau affreuse, marquée de cicatrices par la vérole, un nez busqué tombant sur une absence de lèvres, des dents mal plantées, un corps en vrac, informe et lourd.

Le salon était aussi fréquenté par un médecin, il en faut un, un antique membre de l'Académie des inscriptions et belles-lettres, spécialiste de l'épigraphie phénicienne et à peu près gâteux ; une princesse roumaine désavouée par sa famille, comme toutes les princesses roumaines, un peintre barbu, chevelu et endetté jusqu'au cou, qui tapait parfois Judy, un jeune pianiste en vogue, enragé de Saint-Saëns, et Nathan Cohen, un agent de change qui fréquentait les salons les plus huppés et condescendait à venir chez elle ; Judy supposait qu'il en pinçait pour une fidèle de son salon, qui avait été jolie mais était un peu tapée, Hermine de Cléry. Un nom de guerre, comme le sien. C'était une grande horizontale, mais Nathan préférait ne pas le savoir. Le clou de son salon était le marquis Léon de Fargues, un élégant quinquagénaire, mince, toujours sanglé dans un habit gris perle et des pantalons collants blancs, attiré chez Judy par Nathan Cohen, qui lui avait vanté le pianiste.

— Je ne sais pas où tu veux aller avec cette histoire, a murmuré Charles, mais on pourrait s'amuser un peu avec ce salon. Il te faut un écrivain. Tout salon a son écrivain.

— Je ne sais pas si Judy Warwick peut s'offrir ce luxe. Tu vois Zola ou Barbey d'Aurevilly chez elle ?

— Mais non, c'est un salon un peu marginal, il faut des jeunes. Tu as des peintres faméliques, il te faut des poètes tout aussi faméliques, qui débutent.

— Mais je n'y connais rien, à la poésie française.

— Tu sais, quand j'avais vingt-cinq ans, être médecin ne me suffisait pas. Je me piquais de poésie, comme tout le monde, sans rien y connaître. Je noircissais des bouts de papier avec des lignes inégales.

— J'en étais sûre, Charles. Tu es un écrivain.

— J'en suis bien incapable. J'ai tout brûlé, ça ne valait pas un clou. Quoi qu'il en soit, pendant deux ou trois ans, introduit par un ami, j'ai figuré occasionnellement dans le salon d'une belle jeune femme brune, complètement excentrique, qui pratiquait assidûment le piano et le vin blanc. J'achetais tous les opuscules de poésie dont on parlait. Je les ai encore. Mais ma vie poétique a été un feu de paille. J'ai fini par trouver ça faux, la psychiatrie est devenue ma poésie. Tu as vu ces volumes dans la bibliothèque de la chambre ? C'est de la poésie mort-née, on les a oubliés au bout de trois ans, tous ces rimeurs, regarde, Léon Valade, Émile Blémont, Albert Mérat, *Les Villes de marbre*, mon Dieu ! Qui pourrait lire encore ça ? Robert Caze, *Les Poèmes de la chair*. Écoute ça :

Les Amours, te voyant si suave, ont été
Se blottir paresseux dans les plis de ta mante
Et baiser tes cheveux parfumés de la menthe
Qui pousse dans les bois, au retour de l'été[38].

« Si suave » ! « Les Amours » ! Ils écrivaient ça sans rire. Ah oui, Richepin, ça peut peut-être encore tenir :

Dors, mon fieux, dors,
Bercé, berçant.

Fait froid dehors,
Ça glace l'sang.
Mais gna d'chez soi
Qu'pour ceux qu'a d'quoi[39].

Je ne connaissais même pas la poésie d'avant-guerre, j'avais lu Hugo, comme tout le monde, Vigny et Lamartine, je n'y connaissais rien, j'avalais ce qu'on me donnait. Mais il y en a deux ou trois, qui lisaient leurs textes dans le salon, et qui m'ont frappé.

L'un était un vieux jeune homme basané, presque nègre, surmonté d'une plantation crépue, noire comme la nuit. Il disait ses textes avec un accent languedocien qu'il s'efforçait de réfréner. On ne savait pas de quelle école il était, certains disaient parnassien, d'autres « zutiste », pour faire rire. Ses poèmes étrangement prosaïques ne ressemblaient pas trop à ce qui se publiait. Il en avait lu un qui ne se trouvait pas dans son premier recueil, mais il m'avait frappé, j'ai acheté la deuxième édition où il figure. Ah, voilà. Écoute :

« Joujou, pipi, caca, dodo. »
« Do, ré, mi, fa, sol, la, si, do. »
Le moutard gueule, et sa sœur tape
Sur un vieux clavecin de Pape.
Le père se rase au carreau
Avant de se rendre au bureau.
La mère émiette une panade
Qui mijote, gluante et fade,
Dans les cendres. Le fils aîné
Cire, avec un air étonné,
Les souliers de toute la troupe,
Car, ce soir même, après la soupe,
Ils iront autour de Musard
Et ne rentrerons pas trop tard ;

Afin que demain l'on s'éveille
Pour une existence pareille.
« Do, ré, mi, fa, sol, la, si, do. »
« Joujou, pipi, caca, dodo[40]*. »*

— Ça n'est pas du Tennyson ou du Gray, les Français ont une drôle d'idée de la poésie, mais va pour ton poète excentrique, ça convient très bien dans le salon de Judy. Je le vois d'ici lire ça devant le membre de l'Académie des inscriptions et belles-lettres, qui n'y comprend goutte.

— Dans le genre, il y a eu presque pire. Un inconnu, qui n'avait publié que dans quelques revues confidentielles, introduit par le poète basané, qui le connaissait, avait bredouillé quelques vers inédits, paralysé par la timidité. Il n'avait pas l'aspect classique du poète, généralement chevelu, barbu et débraillé. C'était un tout jeune homme, glabre, dont le visage plein rosissait facilement. Il portait un costume noir très strict et un col blanc. On aurait dit un pasteur calviniste. Il s'est installé gauchement près du piano et a dit trois ou quatre poèmes qui ont laissé l'assistance interdite. On n'avait jamais entendu une chose pareille dans le salon de Judy, où nous le faisons figurer aussi. « C'est vulgaire, et écrit avec un mépris total de la versification, l'auteur est un pauvre type, un clown triste voué à l'oubli », a confié de son côté l'académicien à Ruth. Moi, je lui ai manifesté mon admiration, et il m'a laissé une copie signée d'un des poèmes qu'il avait lus.

C'est d'un' maladie d' cœur
Qu'est mort', m'a dit l' docteur,
Tir-lan-laire
Ma pauv' mère ;
Et que j'irai là-bas,
Fair' dodo z'avec elle.
J'entends mon cœur qui bat,

C'est maman qui m'appelle !
On rit d' moi dans les rues,
De mes min's incongrues
La-i-tou
D'enfant saoul ;
Ah ! Dieu ! C'est qu'à chaqu' pas
J'étouff', moi, je chancelle !
J'entends mon cœur qui bat,
C'est maman qui m'appelle !
Aussi j' vais par les champs
Sangloter aux couchants,
La-ri-rette !
C'est bien bête.
Mais le soleil, j' sais pas,
M' semble un cœur qui ruisselle !
J'entends mon cœur qui bat,
C'est maman qui m'appelle !
Ah ! si la p'tit' Gen'viève
Voulait d' mon cœur qui s' crève.
Pi-lou-i
Ah, oui !
J' suis jaune et triste, hélas !
Elle est ros', gaie et belle
J'entends mon cœur qui bat,
C'est maman qui m'appelle !
Non, tout l' monde est méchant,
Hors le cœur des couchants,
Tir-lan-laire !
Et ma mère,
Et j' veux aller là-bas
Fair' dodo z'avec elle...
Mon cœur bat, bat, bat, bat...
Dis, Maman, tu m'appelles[41] ?

— C'est un bon choix, Charles. Et lorsqu'il a lu ce poème dans son salon, Judy était la seule à en être bouleversée, elle a bien caché son émotion, pour ne pas paraître ridicule aux railleurs et aux connaisseurs. Elle y retrouvait, sous la forme poétique, un peu de l'esprit clownesque qu'elle cherchait à oublier. Elle s'est aperçue, en l'écoutant, que les clowns avaient compris quelque chose à l'expression de la douleur. Elle ne pouvait pas être mélodieuse, contrôlée, jolie, parce qu'alors la valeur de l'expression compensait l'expression, le poète faisait le malin avec sa douleur. Mais il fallait pourtant bien lui donner forme. La seule parole de douleur qui pût approcher d'une sorte de vérité devait être entre la forme et l'informe, ridicule, ironique, ratée, alors la douleur était là, c'était bien cette pauvre chose sans valeur dont on ne savait que faire.

Le jeune poète aux allures de pasteur avait fait parler un idiot, un enfant pas très malin, atteint d'une déformation un peu monstrueuse, l'hypertrophie cardiaque. La vertu des monstres et des crétins, c'était qu'ils ne contrôlaient rien, ils étaient laids, difformes, comme l'est la douleur, et leur douleur repoussait. C'était avec cela qu'il fallait vivre. La laideur désespérante de la souffrance. Judy n'avait plus jamais entendu parler du jeune poète, mais elle lui en voulait presque d'avoir réveillé tout ce qu'elle s'était employée à enfouir, de l'avoir contrainte à un abandon d'émotions qu'elle s'employait d'habitude à réprimer. Elle redoutait l'hypertrophie du cœur.

— Oui, c'est un bon choix, mais ce sont des poètes d'occasion, des bizarres. Il faudrait que tu me fournisses un poète installé, pas trop connu, qui fasse sérieux dans un salon.

— Oh, je n'ai que ça dans ma bibliothèque. Tiens, comme poète habitué, quasiment officiel de ton salon, je te propose Léon Dierx. Quadragénaire, sérieux, impeccable rimeur. J'ai *Les Lèvres closes.* Écoute ça :

La nuit glisse à pas lents sous les feuillages lourds ;
Sur les nappes d'eau morte aux reflets métalliques
Ce soir traîne là-bas sa robe de velours ;
Et du riche encensoir des fleurs mélancoliques,
Vers les massifs baignés d'une fine vapeur,
Montent de chauds parfums dans l'air pris de torpeur.
Avec l'obsession rythmique de la houle,
Tout chargés de vertige, ils passent, emportés
Dans le morne soupir qui les berce et les roule.
Les gazons bleus sont pleins de féeriques clartés ;
Sur la forêt au loin pèse un sommeil étrange[42].

— Ça fera l'affaire. Mais mon Dieu que c'est une drôle de chose, la poésie française. Si roide, si métallique, et ailleurs, parfois, si extravagante…

Fargues s'asseyait toujours à côté de Ruth, dont il aimait, disait-il, la conversation, le brio intellectuel, l'esprit totalement dénué des petites mesquineries, des cruautés gratuites qui l'accompagnent souvent. Avec la discrétion de la vraie bonté, qui ne cherche pas à se faire voir, elle s'inquiétait du confort des uns et des autres, cherchait à mettre à l'aise les timides et félicitait les artistes. Fargues faisait invariablement l'éloge de sa bonté, qui contrevenait à l'idée reçue de la méchanceté venimeuse des laides. On s'amusait gentiment de cette étrange association d'un laideron anglais et d'un bel homme de vieille noblesse française, complices comme s'ils se connaissaient depuis toujours.

Ce petit cercle, qui affectait de dédaigner les mondanités, sous une surface lisse et pure, qui reflétait sereinement le ciel de l'amour désintéressé de l'art, était traversé de courants de discours et d'histoires, qui en constituaient, pour les membres, le principal intérêt. Des alliances se nouaient et se défaisaient, des hypothèses romanesques s'échafaudaient lentement sur chacun de ses membres, même ceux dont la vie était la plus terne en apparence. Le cercle était un ouvroir à fictions, plusieurs romans-feuilletons s'y entremêlaient. Et Judy soupçonnait que la plupart de ses habitués, même ceux qui désapprouvaient hautement les bavardages et les cancans, goûtaient secrètement le plaisir d'être des personnages de fictions qui élargissaient leur vie.

Ruth elle-même, qui paraissait devoir être exclue de la fabrique de fiction, lui avait fourni matière. En effet, un mercredi, le marquis de Fargues n'avait pas paru. Ni le mercredi suivant, ni les autres. Ruth déclarait n'être au courant de rien, et paraissait inchangée, souriante et indulgente, malgré la disparition de son ami. Nathan a fini, discrètement, en venant rendre visite à Judy une après-midi, par lui expliquer la cause de la désertion de Fargues.

Ce bel homme, qui collectionnait les conquêtes féminines, était tombé amoureux de Ruth. Ils avaient eu une liaison, discrète. Fargues se confiait à Nathan, lui avait avoué qu'il était pris, il ne pouvait plus se passer de Ruth, il avait réfléchi à une demande en mariage. Pourtant, au fil des jours, le marquis s'assombrissait. L'idylle ne paraissait pas si simple. Il avait d'abord refusé d'en parler, et puis, un soir, chez Nathan, après un certain nombre de whiskys, il s'était épanché. Ruth le promenait. Elle était imprévisible. Tantôt elle paraissait amoureuse, s'abandonnait, tantôt elle le faisait lanterner, manquait les rendez-vous, ou se refusait à lui, toujours à sa manière, souriante et douce. Et puis elle s'excusait, le consolait, manifestait une tendresse émouvante. C'était à n'y rien comprendre, Ruth n'était pas du genre, *a priori*, à manipuler quelqu'un pour l'asservir. Elle paraissait souffrir autant que lui de ses propres atermoiements.

« Mais c'est à n'y rien comprendre, s'était exclamée Judy ! C'est donc la femme laide qui fait tourner en bourrique un homme qui a tout pour lui, la noblesse, la fortune, la beauté, l'élégance ! J'adore Ruth, mais là… Qu'est-ce qu'elle veut ? »

Ni Fargues ni Nathan ne paraissaient capables de répondre à cette question, et l'affaire en resta là, pour un temps.

Toute cette belle société n'effacerait jamais la tache des pistes de cirque, mais on faisait semblant. Judy avait gravi les échelons : fille, cocotte, demi-mondaine. Elle avait même un prétendant. Il en fallait un. Et quel prétendant : Camille de Sainte-Foy, arrière-petit-fils d'un sabreur de l'Empire qui avait commencé comme aubergiste dans le Rouergue et avait gagné sur les champs de bataille d'Autriche et d'Espagne le grade de général et le titre de baron. Après quoi, le sabreur s'était acheté un château dans sa province natale et n'en était plus sorti, non plus que ses descendants.

Le jeune Camille, à vingt et un ans, était monté à Paris sous prétexte de faire son droit, et avait accumulé tellement de dettes en six mois qu'on l'avait placé sous tutelle. Cela avait limité ses dépenses, mais pas ses débordements. Il semblait s'employer systématiquement à être un objet de scandale, et de honte pour sa famille. On l'avait maintes fois ramassé ivre mort dans le ruisseau au petit matin. Sa fréquentation intensive des plus basses prostituées, pour lesquelles il paraissait éprouver une dilection particulière, l'avait poivré jusqu'à l'os. Il ne s'en cachait même pas, en tirait vanité. Il s'était présenté un mercredi, chez Judy, avec une superbe couronne de Vénus sur le front : « Vous voyez, chers amis, la déesse de l'amour m'a couronné de ce diadème. Quel honneur, n'est-ce pas ? » Il ne manquait pas d'humour, mais rares étaient ceux qui le recevaient, tant sa réputation était désastreuse. Judy n'avait pas fait la fine bouche. Un baron, même d'Empire, ça donnait un peu de décorum. Et puis ses parents étaient morts, la mère six mois après le père, et il avait retrouvé la liberté de se ruiner.

C'est le médecin qui l'avait introduit. Dès qu'il avait été présenté à Judy, Sainte-Foy avait connu son chemin de Damas. Foudroyé, jeté à bas de son destrier de cynisme et de provocation, il s'était dès lors consacré à faire la cour à Judy, laquelle le faisait lanterner. Il avait beau être baron, et riche, il était par trop compromettant.

Un soir, Nathan, l'agent de change, était venu avec un de ses amis, qui fréquentait des cercles infiniment plus huppés que celui de Judy : Armand, comte de Montigné, riche héritier, infiniment plus que Sainte-Foy, noble à seize quartiers au moins, avec un ancêtre aux croisades, capitaine de cavalerie, comme il se doit, dans les dragons, évidemment. Trente-deux ans, toujours pas marié. Six ans de moins que Judy.

Tout de suite, sa beauté l'a saisie. Elle n'avait jamais vu cela chez un homme, rien qui, comme son visage, répondît si exactement à un désir, ou plutôt à un rêve dont elle ignorait jusqu'alors l'existence. Elle se formulait en même temps une évidence qu'elle n'avait pourtant jamais envisagée : elle n'avait jamais aimé. D'ailleurs elle n'y pensait même pas. L'amour était comme une sorte de mythe, de lointaine divinité. Et tout à coup il prenait figure, comme si le dieu se manifestait parmi les humains.

Son visage n'était pas celui des gens de sa classe, dont elle connaissait pour l'essentiel deux modèles : le fin-de-race, dont les ancêtres égorgeaient les Turcs en Palestine ou jouaient de la masse d'armes à Taillebourg, énervé, vanné, l'œil globuleux, le menton fuyant, le nez aquilin ombrageant deux lèvres humides et gonflées, qui semble mobiliser toute sa force pour lever sa coupe de Dom Pérignon, autour du pied de laquelle s'enlacent cinq doigts aussi fluides et translucides que des alevins ; ou bien le joli blond, torse bombé, taille étranglée comme par un corset, toujours souriant, souvent spirituel, faisant l'élevage d'un œil frétillant sous la paroi de verre du monocle, la moustache fine, soignée comme un cheval de race, les cheveux séparés par la raie en deux territoires indépendants mais identiques, luisants de pommade, sévère ordonnance à laquelle échappait, comme l'attestation d'une irréductible fantaisie, la petite boucle de l'accroche-cœur, en réalité savamment travaillée et calamistrée.

Le visage d'Armand, en revanche, brandi par un cou épais et des épaules musculeuses, était large, osseux, sous une touffe épaisse de cheveux noirs. Tout saillait en lui, arcades, pommettes, menton, soulignant les creux des joues et des orbites. Les paupières lourdes, un peu tombantes, lui donnaient une allure de sensualité réfléchie. Une fine barbe noire s'insinuait partout, soulignant le caractère sauvage de cette face qui évoquait certaines têtes de Barbares de la sculpture romaine, ou les traits tumultueux d'un condottiere du Cinquecento. Mais dès qu'il prenait la parole, cette sauvagerie contrastait avec la douceur de sa voix, profonde et un peu voilée, précautionneuse et un peu égarée, une voix de somnambule, comme s'il parlait du fond d'un rêve. Une tendresse se dégageait de ses gestes et de ses regards, d'autant plus touchante qu'elle restait dissimulée sous la rudesse de son apparence et sa discrétion, car il ne faisait pas d'esprit et sa politesse n'avait rien de démonstratif.

Judy, après une carrière fructueuse de demi-mondaine, ne se faisait plus d'illusions. Malgré la fascination qu'exerçait sur elle Montigné, malgré le désir qu'elle avait de baiser ses lèvres chaque fois qu'elle le rencontrait, elle voyait trop clairement le fonctionnement de ceux ou de celles qui parlaient d'amour, prétendaient aimer, racontaient leurs passions. C'était à la fois transparent, prévisible et accablant.

Parmi les habitués de ses mercredis figurait Madeleine de Villemain, la veuve d'un riche patron de presse, mort trois ans auparavant. Elle avait été, toute jeune, mariée à un capitaine de zouaves, tué en Algérie, et qui l'avait laissée veuve une première fois, à vingt-deux ans. On la surnommait « la double veuve ». Elle était intarissable sur ses amours, tout le monde en connaissait par cœur le moindre épisode, mais elle ne pouvait pas s'empêcher de raconter encore et encore son histoire, comme si l'imposer au public lui donnait sens et justification.

C'était une femme d'une effrayante maigreur, comme consumée par l'ardeur de ses inlassables récits, qui couvrait ses os de robes de chez Worth, et d'innombrables bijoux, bracelets, pendentifs, bagues, boucles d'oreilles, qui ne faisaient qu'accentuer la dureté minérale de son physique. Au sommet était vissée une petite tête de sydonie, sans vie apparente, et l'on s'en trouvait surpris, presque effrayé, lorsque s'y ouvrait une large fente garnie de dents, et que s'allumaient tout à coup deux gros yeux qui cherchaient l'interlocuteur. On tentait de fuir ces regards pour échapper à l'éternelle histoire.

Lorsqu'elle ne parlait pas de ses amours, elle entonnait, parfois, des refrains proudhoniens. Elle se voulait sociale, pour le progrès et l'égalité. Elle était immensément riche et n'avait pas vu un paysan ou un ouvrier de sa vie, mais elle allait dans les ventes de bienfaisance, pour donner ses vieux colifichets. Cela devait lui suffire pour être en paix avec sa conscience, et se trouver généreuse.

À trente ans, après son premier veuvage, elle était tombée amoureuse d'Alphonse de Villemain, de douze ans son aîné, doté d'une épouse et de trois enfants. Il l'avait prise pour maîtresse, quasiment pour seconde épouse, ils avaient leurs habitudes, elle l'attendait tous les lundis dans son appartement du boulevard des Italiens, non loin des locaux du journal. Bien entendu, il lui promettait la séparation, jurait régulièrement que, cette fois, il allait parler à sa femme, et trouvait toujours une raison de remettre. La chanson est tellement connue qu'on se sentait chaque fois accablé de la voir la reprendre. Et ça avait duré vingt-cinq ans. Au lieu d'en avoir honte, elle y insistait, comme si elle donnait un prix exorbitant : vingt-cinq ans ! Vingt-cinq ans d'ajournements, d'espoirs déçus et d'après-midi hebdomadaires. Elle mettait ça sur le compte de l'amour : le grand amour supporte tout pour l'être aimé, l'indifférence, le mensonge, l'infidélité, tout. On la laissait dire.

Au début, lorsqu'elle entonnait son grand air, Judy avait eu envie de la rembarrer, de lui laisser entendre que l'amour envers un manipulateur égoïste ne pouvait pas être de l'amour, ça relevait de l'illusion, de l'escroquerie, ce n'était pas la personne réelle d'Alphonse de Villemain qu'elle aimait, elle projetait sur ce support son désir d'amour. « Ne serait-ce pas plutôt votre besoin d'amour que vous aimez en lui, ma chère Madeleine ? » Cette phrase, cent fois répétée, Judy n'avait jamais réussi à la laisser franchir ses lèvres. Elle se vengeait de sa lâcheté en formulant à l'usage de ses habitués ce qu'ils appelaient ses « paradoxes sur l'amour », qui les faisaient se récrier ou qu'ils applaudissaient au contraire, convaincus qu'ils fréquentaient un salon non conformiste, où se disaient « de vraies choses » : « l'amour a été inventé pour idéaliser le désir sexuel » ; « on ne tomberait pas amoureux si on n'avait jamais entendu parler d'amour » ; « l'amour est une injonction culturelle, ce n'est pas un besoin, c'est un luxe, qu'on arbore comme un bijou » ; « on aime comme dans un miroir, comme le reflet du besoin d'être aimé », « on nous fatigue avec le grand amour, alors qu'aucun ne résiste à dix ans de vie commune », etc.

Au bout d'un quart de siècle, Villemain était devenu veuf à son tour. Passé l'année de veuvage, il avait encore lanterné, prétextant ses enfants, qui prendraient mal ce remariage, mais après une nouvelle année de lutte, Madeleine avait fini par le traîner à l'église. Elle triomphait : elle était enfin Mme Alphonse de Villemain. Mais, disait-elle, l'époux était toujours aussi désagréable, fuyant, grincheux, en réalité il lui en voulait de lui avoir imposé ce mariage, de lui avoir mis la main au collet, alors qu'il avait passé une partie de sa vie à tenter de l'éviter.

C'est alors qu'avait eu lieu le miracle, la catastrophe miraculeuse, selon les propres termes de Madeleine, qu'elle déversait sur les têtes accablées des habitués du mercredi. À la suite d'une attaque, Villemain était devenu complètement gâteux, et à moitié impotent, incapable de quitter son fauteuil. Le gâtisme l'avait radouci, il était pris d'accès de tendresse, de pulsions de mots doux, inconnus à son répertoire pendant vingt-sept ans. Elle éprouvait pourtant le besoin de préciser qu'il ne la reconnaissait pas toujours. C'était l'amour parfait : enfin, il était à elle, tout à elle, elle pouvait l'aimer tout son saoul, le laver, le bichonner, l'habiller, pas question de laisser cela aux bonnes, et lorsqu'elle tournait sa maigre tête, plantée au bout d'un interminable cou caparaçonné d'un collier de perles à plusieurs rangs, pour prendre à témoin l'assistance de la pure authenticité de son amour, on voyait, avec la saisissante présence des hallucinations, la mante religieuse s'apprêtant à aspirer la pulpe de son partenaire.

Avec toute son indulgence, Ruth avait un peu de mal à supporter Madeleine, et ses triomphes carnivores. Elles en avaient parlé avec Judy, une après-midi, autour d'un thé, et presque insensiblement celle-ci avait amené son amie à se confier. Jamais elle n'avait vu cette femme bien élevée et réservée exprimer d'autre émotion que celles qu'il est de bon ton de manifester après l'audition d'un morceau de musique particulièrement émouvant. Pourtant, cette après-midi-là, à plusieurs reprises, elle s'était discrètement tamponné les yeux avec son mouchoir. L'histoire avec Fargues ne passait pas, elle ne passerait jamais, disait-elle.

— Mais qu'est-ce qu'il t'a fait ?

— Ah, ce qu'il m'a fait… Il m'a fait qu'il m'aime.

— Mais…

— Je ne sais pas si quelqu'un peut comprendre. Toi seule, Judy, le pourrais.

— Dis-moi.

— Te dire… Je ne sais pas comment faire… J'ai honte de moi, et puis non… Tu vois bien à quoi je ressemble…

— À quoi ressembles-tu, Ruth ?

— Allez, pas la peine de prendre de précautions, il est difficile d'être aussi laide. Je le sais depuis que je suis toute petite, on me l'a assez dit. J'en ai pris mon parti… Tu es ma meilleure amie, fais-moi la faveur de m'éviter les précautions et les mensonges pieux. Et j'étais en paix avec ma laideur, jusqu'à ce que Léon réveille tout cela.

— Mais justement, tu lui plais telle que tu es…

— Non, Judy. Ce n'est pas aussi simple. Je ne cesse de penser à ce qu'il est, et à ce que je lui donne. Il m'aime sans doute, oui, je veux le croire, mais qu'est-ce que cela signifie ? Soit il aime mon physique, et dans ce cas c'est une névrose, un peu comme les gens qui ne peuvent pas s'empêcher de manger des choses dégoûtantes…

— Ruth !

— Soit il ne l'aime pas, et il fait en sorte de l'oublier, parce qu'il aime tout ce que je suis, sauf mon corps et mon visage. Je me sens, en permanence, en porte-à-faux, mal à l'aise. Dois-je lui être reconnaissante ? Oui, sans aucun doute, je lui sais gré, infiniment, de m'aimer malgré tout. Mais est-ce qu'on peut fonder une relation équilibrée sur la gratitude ? Est-ce que je peux l'aimer en toute liberté d'esprit en me sentant redevable ? Quoi qu'il arrive, je serai en position d'infériorité. Je me dis toujours, j'ai peut-être tort, mais je ne pourrai jamais me défaire de ce soupçon, qu'il y a tout au fond de lui, même s'il ne veut pas le voir, car c'est un esprit généreux, de la compassion. Je ne veux pas être un objet de compassion.

— Tu raisonnes au pire. Moi, je suis convaincue que ce qu'il voit en toi, je veux dire dans ton aspect, ton visage, c'est ton esprit. Ton corps a la beauté de ton esprit.

— Tu es adorable. Mes seins informes, mes cuisses, mon ventre de notaire, il y voit mon esprit ? Allons… Mes dents trop longues humilient mon esprit en lui donnant le visage de la bêtise. Je serai toujours en position d'infériorité avec lui, je me sentirai coupable de ce que je lui donne. Dans une société policée, j'ai la conversation, ou la discrétion, pour éviter l'humiliation. Mais comment éviter l'humiliation dans l'amour ? Tiens, je peux aller jusqu'à ce genre de confidence : j'étais vierge, à plus de trente ans, avant ma rencontre avec Léon. La première fois que nous avons fait l'amour, j'ai refusé de me déshabiller. La deuxième fois, il a ôté mes vêtements, malgré mes réticences. Je me suis laissé faire, parce qu'on ne peut pas éternellement faire l'amour en se dissimulant. Mais je me sentais horriblement mal de lui révéler ce corps qui semble avoir été fabriqué de morceaux mal raboutés, par une divinité facétieuse. J'aurais pu être heureuse de ce qu'enfin je tenais dans mes bras un homme, mais non, Judy, on pense toujours que mon esprit me permet d'effacer mon corps, alors qu'en réalité, il en est prisonnier, il ne parvient pas à s'en libérer. Il n'y a pas eu de troisième fois. Je ne peux pas vivre ça.

Le mouchoir n'avait pas suffi. Ruth avait pleuré, pleuré sans fin, dans les bras de Judy éperdue, qui ne savait que caresser ses cheveux, baiser ce visage à jamais humilié, dont le fard ne comblait pas les cicatrices de la petite vérole. Et puis il n'avait plus jamais été question de cela, Ruth avait repris, dans les soirées du petit cercle, sa figure souriante et accueillante. Les romans qui se construisaient dans son salon, celui de Ruth, celui de Madeleine, la foucade passionnelle de Camille, et d'autres encore, corroboraient l'athéisme amoureux de Judy.

Montigné ne manquait aucun de ses mercredis. Elle faisait comme d'habitude la conversation, et, tandis qu'elle s'avançait entre les convives pour présenter le pianiste ou le violoniste, le poète qui allait dire ses vers, personne ne voyait qu'en réalité, embarrassée de l'invisible défroque de vieux rêves pesants, quand tout le monde la voyait s'avancer dans sa robe rose en soie presque impalpable, elle trébuchait sur des parquets mangés par les vers et l'humidité ; au lieu de glisser ses escarpins sur son grand tapis persan, elle traversait de vastes pièces tendues d'étoffes imprimées et de toiles d'araignée déployant les dais de leurs dentelles poussiéreuses. Le pianiste entamait la sonate en *la* mineur de Vinteuil, et il lui paraissait jouer bien loin, dans des étages perdus de la demeure, d'où les notes lui parvenaient très assourdies ; des poupées désarticulées gisaient sur les fauteuils, et tout au fond, dans une immense chambre peuplée par les squelettes croulants de meubles venus de temps oubliés, l'attendait, comme s'il se trouvait à des distances infranchissables, dans une lumière de profondeurs sous-marines, où les lustres, les candélabres et les consoles ouvragées semblaient d'étranges créatures aquatiques, un lit à baldaquin dont les rideaux clos, qui masquaient entièrement le couchage, avaient été rouges. La voix de soprano, entamant la sonate par de longues notes plaintives, ressemblait au vieil écho d'une douleur morte, se perpétuant entre les murs.

Cette maison à l'abandon était la sienne, elle était meublée de ses vieux rêves d'enfance qu'elle avait laissés derrière elle et quasiment oubliés, et elle savait ce qui reposait dans le grand lit, là-bas, vers lequel elle n'osait plus s'avancer, dont elle n'aurait jamais le courage d'écarter le dais : la dépouille desséchée de la petite fille qu'elle avait été, celle qui croyait à l'amour. Et voyant rouler des larmes sur ses joues, les invités, comme certains le lui confiaient avant de passer à table, admiraient son exquise sensibilité à la musique, dont les derniers échos s'étaient éteints, en même temps que disparaissait la vieille maison.

Ses défenses, qu'elle croyait inexpugnables, s'étaient affaiblies, mais elle n'aurait pas succombé pour autant si Armand lui avait fait la cour, elle savait trop comment tout cela se terminerait, même si elle avait affreusement envie de le vivre malgré tout. Elle n'accordait aucun crédit aux beaux discours, elle les haïssait même, pour en avoir tant entendu qui humiliaient le discours même. Mais, avec une sorte de génie, Armand a trouvé l'unique moyen de la faire capituler.

Le lendemain de la soirée où l'on avait interprété Vinteuil, un coursier lui a apporté un petit bleu. Armand demandait la permission de passer en fin d'après-midi, pour récupérer ses gants qu'il avait oubliés. La bonne, en effet, avait apporté le matin même cette paire de gants dont Judy ignorait le propriétaire. Le laquais a ouvert la porte à dix-sept heures et s'est effacé. Judy attendait Armand sur la première marche de l'escalier du hall, avec les gants. Il les a pris en bredouillant une excuse, a posé ses lèvres sur celles de Judy, et disparu.

Depuis cet instant, elle a vécu avec ce baiser. Elle voyait ses yeux, tout près des siens, et les associait avec la profonde douceur que le souvenir vivant du contact de ses lèvres ne cessait d'instiller en elle, comme s'ils en étaient l'inépuisable source. Elle savourait cette douceur comme un opiomane inhale sa drogue, il lui en fallait encore, elle avait besoin d'un autre baiser de lui et cela lui semblait impossible. Et lorsque à nouveau elle l'a goûtée, elle a senti s'installer en elle une paix qu'elle n'avait jamais connue.

La rencontre avec Armand n'avait pas seulement entamé ses défenses, elle avait modifié ses perceptions, et comme vidé son cœur de toutes sortes de préoccupations accessoires pour la laisser disponible, vacante, prête à accueillir les sentiments contre lesquels, naguère, elle se défendait.

Un de ses mercredis, elle avait invité un petit ensemble à cordes de dix musiciens, spécialisé dans la musique baroque. Ils avaient joué du Bach, notamment le concerto pour deux violons, que personne ne semblait connaître, en tout cas pas Judy, qui l'entendait pour la première fois. Après un *vivace* d'une sorte d'allègre mélancolie, ils avaient entamé le *largo.*

Dès les premières mesures, et avec une intensité croissante tandis que le morceau se développait, revenant avec insistance sur les mêmes motifs, une émotion sans cause, sans contenu précis, l'avait pénétrée jusqu'au plus profond. Elle s'était sentie emportée dans un espace qui lui paraissait inconnu, et qui était celui de son âme. Au tout début, le motif répété par l'un des violons lui décrivait le temps, le déroulement inéluctable et répétitif de l'existence. Et cette seule image, représentant une réalité monotone et vide, la musique la rendait poignante, elle avait ce pouvoir de révéler que ce que Judy avait toujours cru ordinaire et indigne d'attention était en fait la chair même de son être, palpitante et nue.

Mais la voix du second violon s'élevait alors, timidement d'abord, essayant d'échapper à cet inflexible recommencement.

Elle était à la fois si faible, si désarmée, cette voix, et pourtant obstinée, revenant sans cesse à sa tentative de prendre son envol, de se libérer, et retombant toujours. Parfois une pause marquait un instant de lassitude, d'épuisement de l'âme à bout de forces, mais qui très vite reprenait, dans son désir éperdu d'aller plus haut. Et ces tentatives devenaient elles-mêmes répétitives, l'âme désespérait de ses capacités.

Et puis Judy sentait que, progressivement, le rôle du rythme inflexible du temps, de la monotonie de l'existence se modifiait ; il n'était plus seulement ce qui retenait l'âme dans son désir, il l'accueillait aussi dans sa profonde lassitude, elle se fondait en lui avec une sorte de soulagement, et dans leur opposition se révélait une identité, c'étaient les mêmes, elles se confondaient, l'une ou l'autre parfois se dégageant, se précisant, avant de retourner à l'union. Il y avait dans cette musique une intelligence lumineuse, mais impossible à formuler, de ce qu'était la vie de l'âme, confrontée au temps, comme à une nécessité qui l'empêchait d'accéder à l'absolu, mais qu'elle devait accepter, avec laquelle elle pouvait composer. Cette double postulation était bouleversante. Bach dégageait tout le pathétique de l'existence humaine, mais un pathétique retenu, sans éclat, comme le fond même de la vie. Judy ne s'était pas aperçue que ses joues ruisselaient de larmes, jusqu'à ce que le *largo* s'achève, et c'est machinalement qu'elle passa un mouchoir sur son visage.

Chez Bougainville, ce jour-là, Armand a fait à Judy un aveu. Elle savait que cela viendrait un jour, elle l'attendait, avec fatalisme. Sa famille lui avait trouvé une fiancée. Noble évidemment, riche, jeune. Pour les autres qualificatifs, elle avait dû le mettre à la question pour qu'il avoue que oui, elle était, selon toute apparence, loin d'être insensible à ses charmes. Bref, la fiancée paraissait amoureuse de lui, ce qui était, pour un mariage arrangé, à peu près inespéré. Armand l'avait rencontrée dans plusieurs soirées, ils avaient dansé. Le nom qu'il avait prononcé, Adrienne de Mercœur, Judy le connaissait, elle avait croisé une fois cette jeune fille, dans une vente de charité, elle était extraordinairement belle, pleine d'élégance et de distinction, et respirait l'intelligence. Le parti idéal, même si Armand affectait l'indifférence. Invraisemblable : qui resterait indifférent face à Adrienne de Mercœur ? La délicatesse, pensait Judy, l'y obligeait, il fallait bien qu'il me présente cet inéluctable mariage comme une obligation. Mais enfin, tout de même, il aurait pu ménager un peu plus de vraisemblance, même dans la délicatesse.

Armand, au-dessus des coupes de champagne vides, dans ce décor classique des amours clandestines, au milieu de cette situation classique de l'aveu du jeune homme qui va se ranger, a prononcé des phrases auxquelles Judy ne s'attendait pas.

Armand ne voulait pas de ce mariage.

Il y eut un silence. Judy avait l'habitude de se battre avec le prévisible, et l'imprévisible lui paraissait toujours réductible à quelque chose de bien connu. Mais en l'espèce, elle ne voyait pas.

— Qu'est-ce que tu dis, mon chéri ?

— Je n'épouserai pas Adrienne de Mercœur. Je ne peux pas être plus clair.

— Mais enfin… C'est incroyable…

— C'est bizarre, je pensais que cette annonce te ferait plaisir…

— C'est-à-dire… Oui… Tu m'annonces deux choses à la fois, le projet de mariage avec un parti idéal, et ton refus, je ne sais plus où j'en suis… J'ai du mal à mettre de l'ordre dans mes émotions, là, tout de suite.

Le visage d'Armand, incliné vers elle, affichait un demi-sourire de kouros, entre la sérénité inaltérable des dieux et une douceur presque impersonnelle qui contrastait avec ses traits violents, comme si la présence seule de Judy donnait à la tendresse qui était en lui la force nécessaire pour le transfigurer. Ses yeux noirs attiraient le peu de lumière subsistant dans le cabinet du restaurant, des mèches de cheveux bouclés tombaient sur son front comme pour attester qu'il ne contrôlait pas tout, et ce défaut le rendait plus touchant, comme la grâce qui n'est jamais si prégnante que lorsque subsiste en elle une ombre de maladresse ; ils n'étaient pas chez Bougainville mais dans un bois d'Arcadie ou de Phtiotide, les nymphes et les satyres des fresques, si maladroitement représentés qu'ils soient, corroboraient l'illusion, et Judy sentait en Armand la persistante violence divine, celle des éléments, du feu, de l'eau, sous l'imperturbable sourire.

— Ce que je ne comprends pas, c'est pourquoi ? Tu ne pourrais pas rêver mieux.

— Tu as du mal à y croire, oui. C'est pourtant ainsi. Car, justement, je peux rêver mieux.

— Il y a un autre parti ?

— Oui. Il y a un autre parti.

— Qui ? Ça ne pourrait pas être mieux que la petite Mercœur.

— Une liste de qualités ne fait pas l'amour. Je veux me marier avec qui j'aime.

— Oh… Je vois… Tu as trop lu de romans, Armand. La vie n'est pas une bergerade. « Qui j'aime » ! Cela n'a pas de sens. Adrienne de Mercœur est plus aimable que quiconque, et tu l'aimeras autant que celle que tu crois aimer.

— C'est toi que je veux épouser, car c'est toi que j'aime.

Judy en est restée coite. Elle était bouleversée, mais elle ne voulait pas soulever le dais poussiéreux dans la grande chambre abandonnée, elle ne voulait pas ranimer le corps épuisé de la petite fille de jadis, elle reposait en paix entre ses draps, à quoi bon la faire souffrir avec d'absurdes rêves ?

— Veux-tu m'épouser, Judy ?

Ils étaient côte à côte sur la banquette de velours, la main d'Armand s'était posée sur celle de Judy, dans un geste ridicule et touchant de tourtereau.

Judy a baisé légèrement les lèvres d'Armand, s'est reculée. Elle s'est efforcée d'édifier un sourire.

— C'est adorable de ta part, mon amour. Merci de me l'avoir dit. Mais ne fais pas l'enfant, ne me propose pas des choses impossibles.

— Je suis très sérieux, ça fait des semaines que j'y réfléchis. Mlle de Mercœur a toutes les qualités, mais c'est toi que j'aime.

— Moi aussi, je t'aime, mais enfin nous ne sommes pas dans un roman-feuilleton pour midinettes, où les filles perdues deviennent grandes-duchesses, comme dans *Les Mystères de Paris.* Tu vas donc te couper de toute ta famille, qui te reniera ? Je devrai assumer le chagrin de tes parents, de tes sœurs, de ton frère ? Je dois devenir celle qui a réussi à détourner un brillant fils de famille plein d'avenir ? Et tes amis, tous les gens que tu fréquentes, tu sais bien qu'ils te tourneront le dos… Tu deviendras un paria… Et si nous avons des enfants, comment feront-ils quand quelqu'un de bien intentionné leur dira la vérité sur leur mère ? Et lorsque l'âge viendra, que le désir s'éteindra, et la passion, est-ce que tu ne remâcheras pas tes regrets ? Non, je ne veux pas de cela.

— Écoute, Judy, j'admire ta générosité. Je t'en remercie. Je ne sais pas qui d'autre que toi, dans ta situation, aurait répondu cela à ma proposition. Eh bien, vois-tu, c'est justement pour cela que je t'aime, et tu ne fais que renforcer ma décision. C'est si j'épousais Adrienne que je finirais ma vie dans les regrets. Quant aux amis qui s'éloigneraient à cause de mon choix, ils ne feraient que montrer qu'ils n'étaient pas des amis. Et que m'importent les attelages exhibés aux Champs-Élysées, les soirées chez la duchesse de Guermantes, les conversations au Jockey ? Est-ce que c'est la vie ? Tu penses que c'est là le bonheur ? Si tu veux me rendre heureux, épouse-moi, je t'en supplie. Nous serons heureux ensemble. D'ailleurs nous n'avons aucun besoin de rester à Paris, de mener cette vie sociale assommante. Écoute, j'ai hérité de ma tante Hauteval une vieille maison bourgeoise à Saint-Genest, dans une province perdue. Nous n'avons besoin de rien d'autre que de nous faire oublier.

— Tu sais bien que c'est impossible… Pardonne-moi…

— Quoi ? Tu ne peux pas t'arracher à cette vie, renoncer à la ville, à ton salon ?

— Je ne sais plus…

Ce n'était plus *Les Mystères de Paris*, c'était *La Traviata*, chacun rivalisant de grands sentiments. Elle les y voyait, en costume, interprétant les grands airs, et pourtant elle était bouleversée. Pour ne rien arranger, Armand portait le même prénom que le héros de *La Dame aux camélias.* Encore heureux qu'elle ne se prénommât pas Marguerite, comme la putain sublime de Dumas. Elle n'avait pas la moindre envie d'endosser le rôle de la putain sublime. Non, décidément, tout était comédie, tout était épisode romanesque, la littérature avait épuisé les sentiments et les situations, la vie ne pouvait plus que les parodier, c'était la vie qui n'était pas vraie et qui était risible, jusque dans le deuil, et pourtant quelque chose en Judy, quelque chose de fragile et de profond, résistait, elle le sentait, à cette ironie, pauvre résistance désarmée.

— Je te montrerai que c'est possible. Et même que c'est nécessairement ce qui arrivera.

— Mais puisque je te dis que je refuse… Tu ne peux tout de même pas m'y obliger !

— Tu m'aimes ?

— Écoute, Armand…

— Est-ce que tu m'aimes ?

— Mon chéri, ce n'est pas une bonne question. Tu me plais, c'est sûr. L'amour, c'est pour les romans.

— Je sais que tu mens.

— Prétentieux…

— Oh, non, je le sais, c'est tout. J'ai compris les raisons pour lesquelles tu refuses ce mariage. Mais bientôt tu n'en auras plus.

Cette après-midi-là, chez Bougainville, elle n'avait pas pu en apprendre plus. Cinq jours plus tard, pour la première fois depuis près d'un an, il n'avait pas paru à son mercredi. L'atmosphère était bizarre, un peu pesante. La vieille baronne de Cauville, à laquelle une armature de fausses dents surdimensionnée donnait des airs de brochet, avait passé la soirée à scruter Judy avec ses bésicles dans tous les coins du salon, comme si elle la traquait au fond d'un étang. Le poète parnassien de service, d'habitude grave et compassé, arborait un sourire de fine ironie particulièrement agaçant. On s'était quitté froidement après le dîner. Madeleine de Villemain était partie la dernière, et, sur le seuil, après avoir rajusté son chapeau, elle avait pris le bras de Judy :

— Pas mal joué. Mais ça ne va pas être facile.

Et elle avait disparu dans la nuit du boulevard, laissant Judy interdite sur le seuil.

Les choses s'étaient vite éclaircies, les bruits qui circulaient dans Paris avaient pris consistance. Partout où il allait, dans sa salle d'armes, au Jockey Club, dans le salon de la duchesse de Guermantes, au restaurant Foyot, Armand, crânement, affrontant les sourires ironiques, les silences gênés, les regards désapprobateurs, racontait à l'envi qu'il avait opposé un ferme refus à ses parents pour le mariage avec Mlle de Mercœur. Il avait l'intention d'épouser Judy Warwick, qui lui avait accordé sa main. Nathan, qui était un peu son confident, avait raconté à Judy ce qu'Armand lui avait dit des circonstances difficiles de l'aveu à ses parents.

Cela avait eu lieu dans l'hôtel particulier qu'ils s'étaient fait construire, rue de Lille, pour passer l'hiver dans la capitale, avant de retourner dans leur château perdu au fond des forêts du Maine, peuplées de chouans et de féroces catholiques. Après le dîner, ils s'étaient comme d'habitude retirés dans le petit salon jaune, où trônait un portrait de Louis XVI en habit rouge. La bonne, importée des campagnes du Maine, et que Mme de Montigné avait décrété s'appeler Jeanne, sans doute parce qu'elle se nommait Philomène, avait allumé un bon feu. Armand et son père, comme d'habitude, avaient dégusté le cognac et les cigares. Madame affectait de broder.

Armand avait confié à Nathan que sa belle-mère, Marguerite de Montigné, née Pranchard, avec qui il s'était réconcilié, était devenue pieuse et prude avec l'âge, c'est-à-dire à l'approche de la cinquantaine. On ne la voyait que corsetée, couverte d'une austère robe noire couronnée par un col blanc qui cachait son cou jusqu'au menton, et dès qu'elle sortait, elle se voilait ; sa tenue la rapprochait plus d'une carmélite que d'une comtesse parisienne. Lorsque Armand leur a appris l'existence de Judy, et ses intentions, une fois la suffocation passée, tandis que le père restait comme tétanisé dans son fauteuil, la belle-mère a sifflé, de sa voix suraiguë :

— Fi ! quelqu'un qui vend son corps ! Vous n'êtes pas dégoûté, Armand ! Quel déshonneur !

— Quelqu'un qui vend son corps ? Mais ma chère Marguerite, les catins et les prudes sont exactement les mêmes, ce sont les deux faces de la même médaille.

— Plaît-il ?

— Elles se réduisent à leur corps. Il faut le cacher, pour montrer qu'on est vertueuse, ou le révéler, pour montrer qu'on ne l'est pas. Dans les deux cas, cette femme couverte de voiles ou décolletée accepte de se réduire à son sexe, et à ses accessoires sexuels. *Tota mulier in utero.* Le sexe est une marchandise : disponible pour la décolletée, déjà vendue pour la voilée. Et on appelle ça honneur ! Où est l'honneur là-dedans ? Relisez les Évangiles, chère Marguerite, c'est l'esprit qui compte. C'est dans l'esprit que réside la vertu. Et si la beauté de Judy a compté évidemment dans ma décision, elle ne serait rien sans son esprit.

« Ma belle-mère, avait raconté Armand à Nathan en riant, a décidé que le plus approprié était de tomber en pâmoison. Jeanne a aussitôt apporté les sels salvateurs. Mon père s'est dressé, a levé le bras droit vers la porte, vivante reproduction d'un général invitant ses troupes à monter à l'assaut pour chasser l'ennemi. »

Ainsi, Armand désarmait Judy. Le mal était fait de toute façon, il lui enlevait tout argument pour refuser le mariage. En outre, sa stratégie était à double effet : non seulement elle visait à détruire les scrupules de Judy, mais en détruisant sa fragile position sociale, elle faisait de ce mariage un recours.

Car les conséquences du scandale n'avaient pas tardé à se manifester. Des amies ne répondaient plus. Les mercredis étaient désertés, on n'y voyait plus guère que le vieux médecin, qui se voulait libre-penseur, le poète, le peintre chevelu, forcément dépourvus de préjugés, Madeleine de Villemain, visiblement retenue par la curiosité et le plaisir de distiller des perfidies, Ruth, évidemment, et l'inamovible Sainte-Foy, heureux d'être débarrassé de la présence d'Armand, et qui nourrissait malgré tout, éternel prétendant, une chétive espérance. On en faisait des gorges chaudes à Paris, et on racontait qu'il allait se consoler dans les maisons à numéro les moins bien famées.

Armand ne reparaissait pas, n'envoyait pas de lettre ou de petit bleu. Cela faisait partie de la stratégie, se disait Judy, maintenir la pression, rendre les choses irrémédiables avant toute discussion.

— Mon amour, en tant qu'Armand, j'ajouterais bien un épisode pour parfaire la tension. Un épisode d'ailleurs presque inévitable, à Paris, étant donné la situation.

— À quoi penses-tu, Charles ?

— Judy apprend, par Dierx, son poète parnassien, qu'une altercation a éclaté au foyer de l'Opéra-Comique. Le jeune vicomte de Torsiac a, assez fort pour être entendu autour de lui, plaisanté sur les catins qui réussissaient à détourner les fils de famille. Armand n'était pas loin, et l'a giflé. Le poète parnassien était l'un de ses témoins, la rencontre devait avoir lieu le surlendemain, au bois de Vincennes.

— Cela ajoute au côté héroïque et chevaleresque de ton personnage.

— Je ne me suis jamais battu, Thalia. Un médecin a rarement l'occasion de le faire. En 70, j'étais interne. J'ai été mobilisé, pour les hôpitaux de l'arrière. Je voyais arriver ceux qui avaient vu le feu. On ne songeait pas encore aux traumatismes psychiques créés par l'affrontement à la mort, les blessures, la tuerie. C'est venu juste après la guerre.

Or le courage, pour moi, c'est la pierre d'achoppement de l'être. La personne la plus intelligente, la plus sensible, la plus généreuse, pourvue de toutes les qualités, si elle tremble et se dérobe devant le danger, elle n'est plus rien, toute sa construction psychique s'effondre. Elle est nue, elle a capitulé devant le réel. Et le premier imbécile venu qui affronte ce face à quoi elle a reculé s'avère supérieur à elle. L'être qui a le courage de se confronter à son anéantissement est forcément supérieur à l'être qui cherche à se conserver. Tu sais, les gens de ma génération ont tous lu Hegel. Ils n'ont pas tout compris, mais la dialectique du maître et de l'esclave nous a marqués.

— Eh bien ? Où veux-tu en venir, Charles ?

— En assumant le rôle d'Armand, j'essaie de me mettre dans les conditions mentales de celui qui affronte volontairement la douleur et la mort. En serais-je capable ? Être face à quelqu'un qui veut ta mort et va tout faire pour cela… Bon, je ne le saurai sans doute jamais.

— Mais Armand n'en était pas à son premier duel, et fréquentait assidûment les salles d'armes, tout comme Torsiac, d'ailleurs, qui cherchait toujours une affaire. Le résultat du duel s'est répandu dans la matinée. L'arme choisie par Torsiac, en sa qualité d'offensé, était l'épée. Les témoins avaient obtenu que ce fût un duel au premier sang. Au bout d'une minute, la lame de Montigné a traversé le gras du bras gauche de Torsiac. Charpie, pansement, poignée de main entre hommes d'honneur, tout allait bien.

Les commentaires marchaient bon train dans les salons et dans les restaurants, à la Maison dorée, chez Bougainville, chez

Maxim's, au café Riche, chez Tortoni ou chez Lapérouse. Se battre pour une demi-mondaine dépassait l'entendement, à en croire la plupart des commentateurs, et déshonorait Montigné. C'était le résultat inévitable de cette folie d'épouser Judy Warwick. D'un autre côté, c'était peut-être ce qu'il cherchait : brûler ses vaisseaux, rendre impossible tout retour en arrière. Mais quelques vieilles dames, qui étaient nées au siècle précédent, de vieux messieurs à qui l'on prêtait force bonnes fortunes dans les temps jadis faisaient entendre une autre musique : comme si la Warwick était la première demi-mondaine à épouser un fils de famille ! Comme si la fortune et la noblesse ne finissaient pas par effacer toutes les taches ! Ils étaient d'un temps moins moralisant que le nôtre.

Mais un nouvel événement, encore plus intéressant, allait démoder ces spéculations. Plusieurs témoins pouvaient attester de la véracité de ce qu'ils avaient vu. Deux jours après le duel, un mardi, vers quatre heures de l'après-midi, on avait vu sortir d'un de ces salons du Café anglais, réputés pour accueillir des viveurs et des cocottes, Judy Warwick et le jeune Sainte-Foy, visiblement éméchés, rouges, Sainte-Foy la cravate et le col de travers, Warwick le chignon en désordre et le rouge à lèvres étalé sur les joues. Ils riaient fort en traversant la salle du rez-de-chaussée, entre les tables où les derniers clients du déjeuner les regardaient les yeux écarquillés.

Le lendemain, la soirée de Judy était à nouveau garnie, sans doute par curiosité. Son décolleté arborait un extraordinaire collier d'or, façon tresse, piqué de diamants. Comme on l'en félicitait, elle se mit à rire, en disant que pour cette babiole de chez Chaumet, Sainte-Foy avait bien dû dépenser la valeur d'une ferme dans le Rouergue. Mais qui se souciait de vingt cochons et quinze vaches ? Camille avait trouvé le moyen de changer le fumier en or !

Une semaine plus tard, Judy Warwick et Camille de Sainte-Foy annonçaient officiellement leurs fiançailles. Leur mariage précéda de deux mois celui d'Armand de Montigné et Adrienne de Mercœur.

— Et ?

— Et c'est tout.

— C'est une histoire morale…

— En un sens, oui.

— Mais je ne comprends pas pourquoi, Thalia, tu refuses un fils de famille pour en épouser un autre.

— Parce que celui que j'ai refusé, je l'aimais.

— Là, j'avoue que…

— Écoute, cela me semble pourtant clair. Si j'épousais Armand, je détruisais sa vie. Je le déshonorais. Sans parler des duels, qui se produiraient régulièrement. Lui dire non, tout simplement, ne servait à rien, il continuait. Sainte-Foy était le seul moyen de le faire renoncer. Et lui n'avait ni famille ni rang social à défendre. J'ai découragé Armand parce que je l'aimais.

— L'amour sacrificiel ? Mais ta Villemain aussi prétendait se sacrifier.

— Par désir de possession. Mais posséder quelqu'un est le vieux fantasme amoureux qui aboutit inéluctablement à une impasse.

— Tu n'avais pas de désir de possession ?

— Bien sûr que si. Et je ne cessais de lutter contre moi-même. Je me répétais mes vieilles formules, « comment prétendre aimer un être qu'on ne connaît pas ? », comme une théorie éprouvée à laquelle je ne parvenais plus à adhérer, tout en m'en voulant, « ce que j'aime, c'est un aspect, une configuration, comme on préfère le vert au rouge, et cela ne concerne en rien Armand ». J'avais honte de l'aimer. D'autant plus que la dernière chose à faire, lorsqu'on a réussi à construire une façade de respectabilité, c'est de s'amouracher d'un fils de famille, qui plus est de six ans plus jeune. Je me trouvais toutes les raisons possibles pour renoncer à la possession.

Je ne pouvais que garder cet amour pour moi, faute de me ridiculiser, et bien consciente que rien n'était possible entre nous. Je pensais que ce serait simple : continuer comme si de rien n'était, prendre sur moi, ne laisser aucune voie possible au désir. Je savais que je souffrirais, j'y étais prête ; mais ce à quoi je ne m'attendais pas, car je ne connaissais l'amour que par les romans, c'est le bouleversement qu'il opère dans ce que nous nous sommes habitués à considérer comme l'ordre normal des choses. Je ne souffrais pas seulement de ne pas pouvoir vivre cet amour autrement que clandestinement, j'étais torturée par la révélation d'une autre dimension, d'un inatteignable idéal qui ouvrait en moi une insupportable sensation de manque, qui me vidait de moi-même et me laissait dépourvue de tout.

Et puis, progressivement, durant nos rendez-vous chez Bougainville, où nous parlions beaucoup, cette sensation de manque s'est trouvée recouverte par autre chose. Je me suis aperçue que je ne l'aimais pas seulement parce qu'il me plaisait. Il m'intéressait. Ce que je découvrais de lui m'émouvait, je m'intéressais à sa vie, à son histoire, à ses désirs, à ses rêves. Il n'était pas qu'un de ces fils de famille dont l'argent pouvait satisfaire tous les caprices. Il avait perdu sa mère à six ans. Il me décrivait les souvenirs qu'il avait d'elle.

— Ce sont ceux que je t'ai racontés, mon amour, la mort de ma mère.

— Oui, mon amour. Son visage lorsqu'elle se penchait sur lui, la lumière qui infusait ses cheveux clairs, ses yeux très bleus par lesquels tout l'amour de sa mère se déversait en lui, comme une source fraîche à laquelle il se serait désaltéré. Mais l'image restait floue, et surtout la voix, sa voix, me disait-il, douce et grave et lente, qui, se souvenait-il, détachait précautionneusement chaque syllabe comme un objet fragile, dont il recevait chaque phrase comme une sorte de poème mystérieux qu'il ne comprenait pas, et qui pourtant lui ouvrait toute la profondeur du monde, sa voix, il éprouvait, année après année, plus de difficultés à l'entendre, et lorsqu'elle disparaîtrait, il se disait que la mort de sa mère serait achevée.

— Tu te souviens de tout, mon amour. Il n'a jamais compris cette mort, il se demandait, il se demande encore, où elle était passée, comme si un prestidigitateur l'avait escamotée et qu'elle allait reparaître un jour. Sa mort ne faisait pas partie des choses possibles. Il refusait le réel. Mais il a appris depuis que le réel est précisément ce qui n'est pas possible. Depuis, il vit l'existence comme une condamnation à l'abandon.

— Cela attendrissait profondément Judy. Petite, il m'arrivait de rêver à une maman tendre, qui me prendrait dans ses bras pour me consoler, m'embrasserait le soir dans mon lit. Mais à présent, de l'autre côté du sommeil, j'en suis à me demander si notre étrange mère, notre Gertrude, n'a pas été une chance pour moi. Elle m'a obligée à chercher ailleurs ce qu'elle ne me donnait pas. Elle m'a durcie. Grâce à elle, j'ai compris que l'amour était une hypothèse, que certains prenaient pour une certitude, comme Dieu, l'immortalité de l'âme et l'enfer. Je ne sais pas si j'aurais supporté l'amour inflexible d'une mère, avec son côté gluant. Le regard d'Alastair me pesait parfois, mais il restait à distance, comme s'il avait observé une planète lointaine.

Marguerite de Pranchard, qui avait épousé le père d'Armand, trois ans après son veuvage, le détestait. Il avait fui sa famille à l'internat, puis à l'école militaire. En 1870, il était lieutenant. J'avais vu la cicatrice qui barrait son ventre, sous le nombril. Le coup de lance d'un uhlan prussien, à la bataille de Mars-la-Tour, une des rares victoires françaises de la guerre. Sa convalescence avait été l'occasion d'une réconciliation avec sa famille. C'était un être complexe, à la fois violent et délicat. Un passionné de poésie. Il dénichait d'improbables volumes publiés par des inconnus, et il m'en lisait parfois, chez Bougainville, d'une voix qui me donnait des frissons, comme la tienne lorsque tu me lis de la poésie. Tu te souviens de ce livre à couverture jaune, que tu avais pris par hasard dans une librairie de la rue de la Bourse ?

— Oui, je l'ai là, quelque part, dans la petite bibliothèque.

— Il m'en lisait des poèmes étranges, cacophoniques et vibrants à la fois, rocailleux et mélancoliques, à son image.

— Attends… Tu te souviens de celui-ci ? Un rondel… « rondel pour après », après le temps, après la vie :

Il fait noir, enfant, voleur d'étincelles !
Il n'est plus de nuits, il n'est plus de jours ;
Dors… en attendant venir toutes celles
Qui disaient : Jamais ! Qui disaient : Toujours !

Entends-tu leurs pas ?… Ils ne sont pas lourds :
Oh ! les pieds légers ! – l'Amour a des ailes…
Il fait noir, enfant, voleur d'étincelles !

Entends-tu leurs voix ?… Les caveaux sont sourds.
Dors : Il pèse peu, ton faix d'immortelles :
Ils ne viendront pas, tes amis les ours,
Jeter leur pavé sur tes demoiselles…
Il fait noir, enfant, voleur d'étincelles[43] *!*

— Oui, celui-là, et je pleurais… Sans tout comprendre… Et puis, Armand était le seul homme que j'aie rencontré qui s'intéressait à moi. Il voulait que je lui raconte l'Angleterre, le cirque, les tournées, la ventriloquie. Il me demandait, chez Bougainville, de faire parler les sylvains des fresques, la statuette de Cérès, dans sa niche, avec sa corne d'abondance, et surtout d'imiter Alastair. Il se passionnait pour Alastair et voulait savoir comment j'avais vécu cet amour inconditionnel de mon frère. Il cherchait à démêler les sentiments que j'avais pu éprouver en devenant une fille vénale. Pas par jalousie rétrospective, mais pour savoir dans quelle mesure je pouvais en souffrir.

L'aimer, Charles, c'était vouloir qu'il soit heureux. Je savais qu'il ne le serait pas en vivant avec moi, en se coupant de son monde, de sa famille. J'ai décidé de lui forcer la main en épousant Camille, qui après tout n'était pas un mauvais parti.

Je ne te dis pas que la décision a été facile. Ah, je l'ai remuée longtemps, j'en ai versé, bien des nuits, des larmes qui me brûlaient les joues. Je n'y parvenais pas. Je passais d'un parti à un autre. Je suppliais je ne sais qui, cette puissance qu'on ne peut pas s'empêcher d'invoquer dans le désespoir, ce dieu mort qu'on voudrait ressusciter pour l'occasion, que ce calice s'éloigne de moi. Et puis je me suis décidée à le boire.

— C'est la putain généreuse, elle fait un peu penser à Fleur-de-Marie dans *Les Mystères de Paris.*

— Si tu veux. Mais c'est une Fleur-de-Marie mûre, qui contrairement au personnage de Sue ne croyait pas à l'amour. Elle l'a découvert pour aussitôt le perdre. Et après sa décision, alors qu'elle en espérait un apaisement, cela a été pire. Il y a des deuils qui vous ravagent, qui détruisent votre vie. L'amour perdu, c'est encore autre chose, mais qui, d'une manière différente du deuil, vous atteint au plus profond. L'amour perdu vous livre tout entier au sentiment d'abandon. *Lama sabactani,* « pourquoi m'as-tu abandonné » ? Ah, celui dont ce furent les dernières paroles a plus que tous les autres compris la condition humaine, Charles.

— Ça ne fonctionne pas, ton histoire, mon amour. Quel étrange idéal…

— Tout sacrifier pour que celui qu'on aime soit heureux ?

— Mais c'est Judy qui a décidé pour lui quel serait le bonheur. Qu'en sait-elle ? Je me méfie des idéalistes et des sacrificiels. Ils sont capables de tout détruire pour se conformer à leur idéal. Elle a peut-être fait deux malheureux, Armand et elle. Ils auraient pu vivre retirés du monde, comme nous l'avons fait à Saint-Genest.

— Et le soir, dans l'obscurité, ils se seraient raconté d'interminables histoires d'amour.

ALASTAIR 17

Je suis allé voir mes frères, avait dit l'ombre à Charles, la veille de la représentation. Dans un champ, au bord d'une route bordée de l'autre côté par les dernières pauvres bicoques par lesquelles se finissait Saint-Genest, ils achevaient de monter leur chapiteau, qui n'était pas bien grand. Une petite troupe de moutards haillonneux, la morve au nez, les regardait faire.

Ah, docteur, si vous aviez vu la tête de mes frères, quand ils m'ont vu arriver… On aurait dit qu'un spectre surgissait. C'est Uriah qui m'a vu le premier, il a appelé Rupert et Silas. Je me tenais devant le trio, personne ne disait mot, les moutards, derrière moi, attendaient ce qui allait se passer. Mes frères me dévisageaient, j'ai vu dans leurs yeux la peur céder à la méfiance. Ils se sont rassurés quand ils ont compris que je ne leur demandais rien. Ils ont bien essayé de poser des questions, mais je leur ai fait comprendre que je n'avais rien à leur dire.

— Mais alors qu'est-ce que tu veux, Alastair ? a fait Rupert.

— Tu ne t'en doutes pas un peu ? Qu'avez-vous fait de Thalia ?

À nouveau, l'atmosphère s'est tendue. Ils ne m'ont pas invité à aller parler tranquillement dans une des roulottes, et nous restions là, face à face, sur l'herbe, devant la toile rouge du chapiteau qui étalait à terre ses vastes plis, comme une méduse géante échouée sur une plage.

— Je sais que vous l'avez exposée dans une baraque de foire, avec des phénomènes, la Femme cent kilos, le roi Bamboula. Je l'ai vue. Je ne comprends pas comment vous avez pu faire ça. La laisser tripoter par des imbéciles malpropres, lui faire subir des piqûres d'épingle, tous les jours. Vous n'avez pas honte ? Oui, je l'ai vue. C'est de la profanation. Où est-elle ? Dans quelle roulotte ? Je veux la voir.

Silas, le plus malin des trois, a pris la parole.

— Écoute, Alastair. Je ne dis pas que tu as tort…

Il reconnaissait qu'ils n'auraient peut-être pas dû, d'ailleurs ça n'avait pas duré longtemps, et ils voulaient arrêter, mais quelle différence pour elle entre dormir au fond d'une roulotte, ou dans une baraque de foire ? Ainsi, malgré la léthargie, elle continuait à être une artiste, à faire partie de la troupe. Mon attachement à Thalia ne devait pas me pousser à me méprendre sur leurs intentions. Nulle profanation là-dedans, bien au contraire. Si j'avais vu le spectacle, j'avais forcément constaté à quel point la beauté de Thalia était mise en valeur, c'était comme une déesse endormie, et ils veillaient bien à ce que nul ne lui manquât de respect.

Silas avait toujours été un beau parleur. Il m'aurait presque convaincu.

Les moutards qui nous entouraient, à bonne distance, ne comprenaient pas le numéro. Ils devaient se demander quand l'attraction allait vraiment commencer. Certains souriaient pourtant, voire pouffaient, par principe, parce que ce devait être drôle, même si ce n'était pas à leur portée. Je regrettais, avec un vieux reste de conscience professionnelle, que nous ne fussions pas plus divertissants. Mais ça pouvait le devenir.

Ça a fini par énerver Uriah, qui a tenté de les égailler, comme des moineaux, à grands gestes du bras et expectorations. Ils le fixaient de leurs yeux noirs écarquillés, comme si ça faisait partie du numéro. Mes frères ont fini par les chasser à coups de pierres, c'était une vieille tradition dans la famille.

— Où est-elle, Silas ? C'est tout ce qui m'intéresse. Pour le reste, je veux bien prendre tes salades pour la vérité, si ça te fait plaisir.

Je m'étais rapproché de lui. Il paraissait tout petit, mes épaules lui arrivaient à la hauteur du nez, mais je me méfiais, Silas était un vicieux, il avait vite fait de sortir une lame de nulle part.

— Vous l'avez vendue, c'est ça ? Allez, tu peux bien l'avouer, Silas, je sais que tu ne reculerais devant rien.

Le visage de Silas s'est crispé.

— Vendue ? Mais qu'est-ce que tu veux dire ?

— Une beauté endormie, ça attire le clille, pas ? Y en a qui seraient prêts à payer cher pour se taper la Belle au bois dormant… Et vous étiez un peu dans la panade…

Silas restait comme paralysé. Derrière lui, Rupert s'est mis à crier :

— Vendre Thalia ? Comme une pute ? Notre sœur ? Mais qu'est-ce que… Mais tu es fou… Jamais…

Il en bégayait d'indignation, ça paraissait sincère, mais j'avais affaire à des comédiens, ne l'oubliez pas.

— Si jamais je l'apprenais, je vous le promets, je vous écorcherais vifs, tous les trois, en commençant par vous peler le crâne, jusqu'à la plante des pieds, et je remplirais votre peau de foin, pour que vos mannequins me tiennent compagnie.

Il y eut un silence. Leurs yeux m'engluaient de haine et de terreur.

Vous comprenez, docteur, j'aurais préféré être aimé par mes frères, et les aimer, mais ça ne s'est pas passé comme ça. Sans parler de ma mère. Quand j'étais gamin, ils jalousaient ma beauté. Beaucoup de gens ne savent pas quoi faire de la beauté. Alors ils tapent, ils n'imaginent pas autre chose, ils tapent pour avoir un rapport avec elle, pour se sentir moins mal face à elle, et au bout du compte pour se l'approprier en l'anéantissant. Lorsque je suis devenu Punch, ils jalousaient ma force et mon agilité. Ils jalousaient aussi ma relation exclusive avec Thalia, ils ne comprenaient pas ce qui s'y jouait, ni pourquoi ils en étaient exclus. Et puis, dans les dernières années, la jalousie a fait place à la peur.

— Où est-elle alors ? Montrez-la-moi. Vous ne l'avez pas vendue à un rupin ?

À ce moment, quelqu'un d'autre est arrivé.

J'ai vu, derrière Rupert, la porte d'une des roulottes s'ouvrir, et j'ai espéré une fraction de seconde que ce fût Thalia sortie de son long sommeil. Mais, à contre-jour, j'ai distingué une silhouette ramassée, trapue, qui descendait lourdement le petit escalier de la roulotte. La créature est venue rejoindre le groupe de mes frères, à côté desquels elle paraissait minuscule, à la limite du nanisme. Elle portait une jupe et un caraco de Gitane, ce qui permettait de lui assigner un sexe féminin, avec le bout de chignon roussâtre qui couronnait de manière incongrue son crâne massif. Le reste demeurait assez indéterminé. La créature avait au coin des lèvres une bouffarde en écume dont elle exhalait régulièrement la fumée. Le corps était d'une masse, sans poitrine ni hanches visibles, bancroche, déformé par une bosse à l'épaule gauche, à laquelle répondait un ventre rond. Quant au visage, il ressemblait à ces astres représentés comme des têtes hilares sur les albums pour enfants : une face lunaire, plate, blafarde, coupée comme au couteau par une bouche fendue d'une oreille à l'autre, sans lèvres, deux yeux en boutonnières sous des sourcils hérissés, et au milieu de tout cela un petit nez délicatement modelé, fin, à la chair rosée presque translucide, un nez de marquise, égaré dans ce chaos de chair, et qui ne faisait qu'ajouter au malaise qu'engendrait ce visage.

— Bonsoir, monsieur Alastair. Je m'appelle Pulchérie.

On eût dit qu'elle avait des difficultés à parler, qu'elle malaxait les mots dans sa bouche avec du pain et du fromage. Parler lui était une tâche dont elle s'acquittait avec une espèce de violence, presque de haine, comme si elle exécrait ce que représentait la parole.

— Bonsoir. Vous m'excuserez, mais j'ai un problème de famille à régler avec mes frères. Si vous voulez bien nous laisser terminer…

— Je fais partie de la troupe.

— Mais pas de la famille. Allez, à plus tard, merci.

— Je sais que vous cherchez Thalia. Elle n'est plus ici.

— C'est de mes frères que je veux entendre ce genre d'information. Ils n'ont pas le courage de me parler, c'est ça ?

— Laisse-la parler, Alastair, a fait Rupert, elle t'expliquera les choses mieux que nous, elle est plus intelligente.

— C'est ça, plus intelligente. Ça n'est pas difficile. Si je comprends bien, c'est cette charmante jeune fille qui a pris la place de Thalia dans la troupe ? Ah, vous ne perdez pas au change, elle est plus belle, plus gracieuse encore, son joli minois doit vous attirer du monde. Mais c'est ma sœur que je veux, pas sa charmante remplaçante.

À ce moment le visage, ou plutôt le mufle de Pulchérie, avait expliqué l'ange pourrissant, sur sa banquette, toujours la tête penchée vers le sol, à tel point qu'on se demandait parfois si c'était lui qui parlait, le mufle de Pulchérie, sans cesser d'arborer ce sourire comme une plaie qui lui déchirait le visage, a manifesté une haine d'une intensité que Punch n'avait encore observée chez personne. Pourtant, Punch vous le garantit, il la connaissait bien cette haine, il l'avait vue affleurer au visage de gentils monstres, bien soumis en apparence, bien gentils, c'était leur haine des gens normaux, ceux qui avaient un corps complet, bien droit, des visages sans déformation, c'était la haine longtemps recuite par les avanies, les humiliations, les brutalités, c'était la haine impuissante de ces déchets d'humanité. Punch savait la sentir, et il la savourait, il la suçait avec délices, comme il savourait les peurs et les désarrois, parce que tout à coup l'esprit se dénude, ne fût-ce qu'un peu, et comme vous l'avez compris Punch est un idéaliste, il ne se nourrit que d'esprit. Mais la haine de Pulchérie ne fleurait pas l'impuissance, c'était une haine dominatrice. Qui sait si elle ne manipulait pas à sa guise les trois frères, ces imbéciles, en dépit de sa parole difficile, hachée, en laquelle elle progressait comme dans un amas de décombres.

— Je ne veux, pardon, je ne vaux pas, certes pas, votre sœur, monsieur Alastair, et pas être à votre goût, je regrette ça. Désolée. Comme vous savez, dans le cirque, il n'y a pas seulement des prix de beauté. Pas un prix de beauté, vous êtes un exemple très bon de ça, par vous-même, hein. Mais vous expliquer les choses, je le peux, si vous voulez m'écouter. Vos frères. Ils ont fini à s'inquiéter, à force que Thalia dormait sans pas s'arrêter. Ils avaient point l'intention de faire des sous avec elle, et de point la soigner. Pas de ça, Lisette. La Belle au bois dormant, c'était comme ça, en attendant. Ils ont vu un médecin, un grand manitou de toutes ces maladies de la tête. Ils avaient confiance, et il l'a mise à l'hôpital, à Paris.

— Et il l'a guérie ?

— Ça ne s'est pas passé comme prévu.

Et c'est là, cher docteur, que j'ai appris, de la bouche de Pulchérie, que vous aviez romantiquement enlevé la Belle au bois dormant, et disparu avec elle. C'est le hasard de leur rencontre avec Pulchérie qui les a remis sur la piste. Comme ils ne se sentaient pas vraiment immaculés dans cette affaire, ils ont sorti la carte maîtresse, votre adresse.

Punch vous avait longtemps cherché, et tout à coup, devant l'accomplissement de son désir, il ne savait plus quoi faire. Il a planté là ses frères subjugués par le petit monstre haineux et, au lieu d'aller droit au but, il a tourné autour de Saint-Genest, cette Jérusalem dans laquelle il se demandait s'il était assez pur pour entrer. Il a fini par trouver le refuge idéal, en pleine forêt, dans un château en ruine dont vous avez certainement entendu parler. Il est devenu une sorte de sylvain, une créature des bois, sacrifiant ses proies à la déesse inaccessible qu'il s'était donnée, en espérant que le sang des victimes rendrait plus aisé le chemin.

Punch vivait sur le pays, comme il pouvait, de la chasse, et de la cueillette, nous étions à la fin de l'été, il y avait des champignons et des framboises. Ça ne suffisait pas. Il fallait bien, parfois, par les nuits noires, et même si c'était une bien longue expédition, s'introduire dans Saint-Genest endormi, étrangler un chien trop scrupuleux, voler des fromages de chèvre et du lard salé. J'avais gardé la plus grande partie de mes gages de valet de ferme, mais je ne pouvais pas aller au marché, vous pensez bien, de peur de tomber sur vous.

Le château avait été dévoré par les flammes, et Punch passait de longues heures à en parcourir ce qui demeurait de pièces et de couloirs accessibles. Le feu avait collé aux murs des ombres immobiles, de toutes les formes, de longues draperies solennelles, des gerbes de flammes noires, des animaux fantastiques, des silhouettes humaines immobilisées dans la fuite, et c'était pour moi seul un théâtre ténébreux et plat, comme si le monde peuplé par ces créatures n'existait qu'en deux dimensions.

Il y avait quelque chose de mauvais dans ces ruines, et Punch se disait qu'à force d'y accumuler des substances malignes, elles s'étaient spontanément embrasées. Au premier étage, tout au bout d'un long corridor, il y avait une pièce qui avait été épargnée par le feu. Tout y était rouge, de toutes les nuances du rouge, incarnat, pourpre, sang de bœuf, écarlate, vermillon. De lourdes tentures masquaient toutes les ouvertures. On se demandait ce qui pouvait s'y dissimuler, quelle colonie d'insectes, quel essaim d'esprits bourdonnait à bas bruit dans l'épaisseur de leurs plis. Oui, Punch croyait entendre, dans la pièce rouge, des murmures, des chuchotis, un bas fredon, comme ceux que peuvent produire les vieilles maisons, mais Punch ne s'y laissait pas prendre, il sait, depuis longtemps, percevoir les vieilles plaintes fossiles, les douleurs ensevelies, qui continuent, sous les pierres, dans les fentes du bois, au fond des caves, à moduler leur éternelle douleur.

La pièce était presque vide, ce n'était pas une chambre, pas un salon, elle n'était meublée que de quelques vieux fauteuils tendus de velours grenat, semblables, avec leur panse épanouie et leurs pattes torses, à des batraciens guettant la proie patiemment. Au centre, sur une estrade basse, on avait disposé une table, recouverte d'un drap incarnat, et la pièce, avec ces rouges changeants, semblait brûler. L'idée, évidemment, ne pouvait que me venir : ce cœur embrasé du château, intact, c'est de là que venait l'incendie.

Je n'ai pas résolu l'énigme de la pièce rouge. Je savais, par des jeunes bergères avec qui il m'arrivait de converser, entre chien et loup, à l'orée de la forêt, que les châtelains n'avaient jamais eu bonne réputation, on les craignait, on leur attribuait toutes sortes de pratiques pas bien chrétiennes. J'étais chez moi, en quelque sorte.

Le reste du bâtiment était à peu près inhabitable. Je vivais dans les cuisines, à la base de la construction, que l'incendie n'avait pas touchées. J'y avais une paillasse. Et, c'est là que je voulais en venir, pardon pour ces détours, docteur, j'y dormais beaucoup, et je rêvais.

C'est drôle, a dit Charles, lorsqu'il a parlé de rêves, je me suis dit que c'était ce qu'il était, une machine à produire des cauchemars. Dans mes études, j'avais lu avec passion *Psyché. Histoire du développement de l'âme humaine*, le livre d'un médecin allemand, Carl Gustav Carus, qui a étudié ce qu'il appelait « l'inconscient », *Unbewusstsein*[44], alors que c'est à Hartmann que l'on attribue par ignorance l'invention de la notion[45]. Il l'a employée bien plus tard. J'avais la chance de lire l'allemand couramment, ce que ne faisaient pas mes collègues, stupidement, car c'était la langue de l'ennemi. Il disait, je m'en souviens, car ses formules étaient frappantes, « nous ne sommes vraiment conscients que de quelques idées, alors que nous en possédons des milliers, hors de la conscience » ; « la clé de la connaissance de la vie consciente réside dans la région de l'inconscience » ; « la plus grande partie de l'âme gît dans la nuit de l'inconscience ». Et cette nuit de l'inconscience, il l'analysait dans le rêve. Je me suis dit que j'avais à côté de moi, dans ce train fantôme, la nuit de l'inconscience elle-même, accédant à la surface, avec toute sa charge de noirceur, et parlant les multiples voix qui dialoguent secrètement dans les profondeurs de la psyché. Le Chaos engendra la nuit qui engendra Hypnos, le dieu du sommeil, et Thanatos, le dieu de la mort. Hypnos engendra Morphée, dieu des rêves, capable de prendre toute l'apparence d'un humain. Avais-je, à mes côtés, Morphée en personne, grimé en humain, dans une espèce de maladroit bricolage, Morphée engendrant sans relâche du rêve, alimenté par le marécage de l'inconscient, et se prenant lui-même ses ailes divines dans l'entrelacs infiniment compliqué de ses propres rêves ?

Endormi sur ma paillasse, je rêvais, disait Morphée, ou l'ombre, ou l'ange pourrissant, ou Polichinelle, ou Punch, ou Alastair Helquin, ou la marchande d'oublies, je rêvais que je dormais sur ma paillasse, dans les cuisines du château. Je rêvais qu'un son lointain m'éveillait, et je parcourais les ruines calcinées à sa recherche, sans jamais parvenir à en rejoindre la source, car elle semblait se déplacer sans cesse, des échos, des réverbérations m'égaraient. Le son ressemblait à un chant, mais à peine audible, lancinant, répétitif, comme les comptines que j'avais entendu bredouiller par ma grand-mère, la mère de mon père, dont je gardais ce seul souvenir. Je les avais toutes oubliées depuis bien des années, mais dans mon rêve elles me revenaient, et elles ne me quittent pas depuis, je peux encore vous les réciter :

Solomon Grundy,
Born on a Monday,
Christened on Tuesday,
Married on Wednesday,
Took ill on Thursday,

Grew worse on Friday,
Died on Saturday,
Buried on Sunday.
That was the end
Of Solomon Grundy.

Humpty Dumpty sat on a wall,
Humpty Dumpty had a great fall ;
Threescore men and threescore more,
Cannot place Humpty Dumpty as he was before.

Who killed Cock Robin ?
I, said the Sparrow,
with my bow and arrow,
I killed Cock Robin.
Who saw him die ?
I, said the Fly,
with my little teeny eye,
I saw him die.
Who caught his blood ?
I, said the Fish,
With my little dish
I caught his blood[46].

Elle répétait surtout celle-ci, en me disant qu'elle parlait de la chasse sauvage, de la chevauchée des morts, et je passais la nuit à me représenter, en frissonnant, ce que pouvait bien être cette chasse sauvage :

Arthur O'Bower has broken his band,
He comes roaring up the land.
King of Scots with all his power
Cannot turn Arthur of the Bower[47].

Or les comptines finissaient par rendormir l'Alastair dont je rêvais. Au lieu de l'angoisser, ce qui se produisait parfois jadis, une profonde paix s'installait en lui, il s'allongeait voluptueusement là même où il se trouvait, parmi des solives effondrées et des murs calcinés, il s'endormait, rêvant qu'il rêvait ; et celui dont il rêvait reprenait à sa place la recherche de l'origine de la voix. Dans ses déambulations, il croisait des ombres qui paraissaient sourdre des murs et puis s'y dissoudre. Leurs formes étaient incertaines, comme instables, sujettes à de légères mises au point, dans les formes de leurs vêtements, qui appartenaient à tous les siècles, dans leurs couleurs, et même dans les traits de leurs visages. Elles ignoraient le rêveur, et vaquaient à leurs occupations, semblables à des somnambules. Mais cette description des ombres était formulée par le rêveur, celui qui était rêvé par celui qui était rêvé par moi, et le seul mot de « somnambule », au moment où je rêvais qu'il rêvait qu'il le prononçait, suffisait, comme un mot magique, à le plonger dans une invincible torpeur. Il s'endormait, là où il se trouvait, et il rêvait.

Vous vous y perdez, docteur, et croyez-moi, je m'y perdais aussi. D'ailleurs j'ai eu du mal à m'y retrouver. Qui s'éveillait, lorsque je m'éveillais, quel rêveur dans cette chaîne infinie ? Et qui est avec vous, dans ce compartiment ? Est-ce la marchande d'oublies, la vraie, la rêveuse originelle, ou l'une de ses émanations oniriques ? Non, je ne plaisante pas, docteur, je suis hanté par cette pensée, depuis que j'ai passé des semaines à rêver dans ce château. Je ne suis pas sûr d'être qui je suis. Et que faisaient ces innombrables rêves, lâchés dans la nature, pendant que la marchande d'oublies les rêvait ? Pouvaient-ils modifier la réalité, intervenir dans le monde concret, ou n'étaient-ils que des fantasmes sans consistance ? Je m'inquiétais. La petite marchande d'oublies avait réussi à changer, elle n'était plus Punch ni Alastair, mais si Punch, ou Alastair, ou je ne sais qui, revivait dans ces créatures d'ombre ? Et si je vous touchais, là, docteur, le sentiriez-vous ? Si je tentais d'enfoncer mon surin dans votre chair, vous traverserait-il sans que vous le sentiez ?

Une chose me rassure, c'est un rêve que j'ai fait, enfin un rêve qui a été fait dans ce château, par un des rêveurs, j'espère que c'est l'originel, la petite marchande d'oublies, celle qui fut le frère de Thalia. Le rêveur se voyait endormi, dans sa cuisine profonde, qu'éclairait un vasistas haut placé, qui donnait sur la clairière au centre de laquelle se tenait le château. La lune se montrait dans le vasistas, comme un visage curieux, et sa lumière laiteuse tombait dans les profondeurs de la cuisine, éveillait de leur sommeil profond les vieux coutelas, les casseroles de cuivre, les boîtes à sel, les broches, caressait mes bocaux dont elle sculptait amoureusement le contenu. La lune était le visage de Thalia. Mais ce n'était plus moi qui contemplais Thalia endormie, pour la première fois, j'étais celui qui dormait et que contemplait la bienveillante face de la lune. Elle enveloppait Punch de sa lumière, docteur, elle le nourrissait de sa blancheur, comme la plus douce, la plus savoureuse des crèmes, et le dormeur savourait longuement cette manne qui le pénétrait au plus intime. Jamais, docteur, Punch n'avait connu une telle paix, un tel bien-être.

Je ne sais pas combien de temps ce rêve a duré, mais cela semblait une éternité. Et puis le rêveur dont je rêvais a ouvert la bouche, et il en est sorti un autre rêveur, qui à son tour a engendré de la même manière un nouveau rêveur, et je me disais que c'étaient tous les rêveurs que j'avais suscités depuis que j'étais dans ce château. Mais ils n'étaient plus les mêmes. La matière de leur corps était douce et ouateuse, d'un blanc laiteux, semblable à celui de la lune. Et tout en s'engendrant, ils montaient, avec légèreté, vers le vasistas à travers lequel ils se glissaient, puis continuaient leur ascension, dans un absolu silence, à travers la nuit douce et parfumée, vers l'orbe luminescent de la lune, qui les absorbait, l'un après l'autre, semblables à de blancs pierrots revenant à leur patrie. À mon réveil, docteur, je me sentais comme allégé, profondément reposé, et l'esprit apaisé, ce que je n'avais jamais connu auparavant.

Donc, mettons que je suis bien qui je suis, que je suis fait de chair consistante, d'os bien solides. Faisons comme si c'était le cas. La petite marchande d'oublies, qui, présumons-le, est avec vous dans ce train, ou Punch, si vous préférez, je ne peux parfois pas m'empêcher de revenir à ce nom qui m'a si longtemps collé, a renoncé à beaucoup de choses, notamment à la vengeance, comme je vous le disais. La marchande d'oublies, que vous avez si longtemps crainte, va disparaître de votre vie, docteur, vous n'entendrez plus parler d'elle. Elle ne veut plus récupérer Thalia. Cela vous étonne, mon cher docteur ? Elle a compris que le passé était mort, que ce qu'elle cherchait n'existait plus. Elle a trop peur d'être déçue, de voir mourir ses rêves et ses souvenirs. Mais avant de disparaître, docteur, la petite marchande d'oublies a une demande à vous faire, et vous ne la refuserez pas.

THALIA 18

Après l'aveu que m'a fait Charles de la demande d'Alastair, qu'il avait acceptée, j'ai voulu maintenir notre décision de quitter Saint-Genest, même si on pouvait supposer qu'il n'y avait plus de raisons impérieuses de le faire, c'était en tout cas l'avis de Charles, mais pas le mien. Il avait avoué avoir accepté la demande, et je lui pardonnais, mais plus rien ne pouvait être comme avant. Un regard avait pénétré notre intimité, nous n'étions plus seuls, les Helquin et tout leur lourd passé nous avaient rattrapés. J'aspirais à la grande ville, à devenir personne, échapper à l'enchantement qui nous avait retenus à Saint-Genest.

C'est moi qui ai fermé la grille toute branlante, mis le cadenas sur la chaîne. Les contrevents, dont la peinture verte s'écaillait, étaient tous clos. La vieille maison était rendue à l'ombre, à ses secrets et à ses fictions. J'ignorais si je pourrais vivre hors d'elle, exilée de ses odeurs et de ses bruits, je n'avais pratiquement connu qu'elle et sa profonde réserve de rêves. Comme la petite sirène d'Andersen, il fallait que je renonce aux abysses pour m'adapter à la réalité terrestre.

La carriole du père Legrand nous a conduits à la gare de Neuvéglise, pour reproduire dix jours plus tard, non sans ironie, le voyage que m'avait narré Charles. Le plus précieux de nos biens tenait dans deux grosses valises. Un coche affrété par Charles apporterait nos malles à Paris en trois jours. Nous nous sommes installés dans un compartiment de première, le même que celui que Charles avait partagé, pendant des heures interminablement étirées, avec cette créature qui avait été mon frère. La machine s'est ébranlée, comme un lourd ruminant, soufflant, grondant, secouant ses flancs tremblants, elle seule paraissait vivre, transportant nos deux corps posés sur les banquettes de velours rouge, silencieux comme des marionnettes. Pour la première fois depuis bien des mois, je ne savais plus quoi dire à Charles, je me demandais si je devais lui en vouloir.

Ce qu'Alastair lui avait demandé, c'était de pouvoir, à nouveau, me contempler dans mon sommeil.

Concrètement, cela signifiait, et j'avais obligé Charles, qui renâclait, à entrer dans les détails, tel un confesseur qui doit tirer du pénitent la configuration précise de son péché, qu'au cœur de la nuit, après nos conversations de l'ombre, Charles, après s'être assuré que je dormais profondément, au tout début de mon sommeil, enfilait silencieusement une robe de chambre, traversait comme un voleur les couloirs du rez-de-chaussée, sortait dans le jardin, ouvrait la grille, laissait entrer Alastair, qui devait attendre le moment dans l'ombre de l'un des marronniers de la petite place, le précédait dans les couloirs, ouvrait tout doucement la porte de la chambre, et y laissait seul Alastair, rencogné dans un coin de la chambre qu'atteignait mal la lueur de la petite lampe à pétrole posée sur le chevet, et dont je me demandais bien pourquoi il insistait depuis quelques jours pour la laisser allumée toute la nuit, prétextant des angoisses nocturnes qui ne me convainquaient qu'à moitié, mais la bonne réponse m'était fournie par lui, il fallait bien que mon frère me vît, afin de se repaître tout son saoul de mon visage, et de renouer avec cette enfance qui le hantait, quand pour moi, en deçà du long sommeil, elle tenait de la légende. Et c'était moins la décision abstraite prise par Charles qui me hantait que la multitude de détails qu'il avait accomplis, un à un, pour la réaliser, et dont chacun concrétisait sa soumission au désir d'Alastair, de même que dans le deuil ou la jalousie, des fragments en apparence insignifiants de réalité parviennent à concentrer dans leur substance toute l'intensité de la douleur.

Et, continuant à jouer le rôle du confesseur, que j'avais entendu tant de fois, lorsque j'étais petite et que ma mère, durant les périodes où elle avait ses attaques de foi, exigeait la communion le dimanche et par conséquent la confession au préalable, me demander « Combien de fois, ma fille ? », j'ai fait préciser à Charles si cela avait eu lieu une seule fois, ce qui m'aurait rassurée. Me revenait, en l'écoutant, le souvenir de cette nuit de sommeil envenimé où, me retournant dans les draps trop tièdes dans lesquels je me débattais, prise, comme un poisson capturé par un poulpe, dans la viscosité des mauvais rêves, il m'avait semblé apercevoir la silhouette démesurée d'Alastair, esquissée par la faible luminosité de la lampe de chevet de Charles, et à peine distincte des autres ombres dont le poids bondait la chambre, en me disant que je rêvais. Ainsi, sans doute, n'avais-je pas rêvé.

Charles avait fini, allant au bout de sa confession, dont il fallait lui arracher tous les détails, comme s'il avait cru par avance qu'une idée simple suffirait, ne mesurant pas tout ce à quoi cela l'engagerait dans le déroulement des explications, par reconnaître qu'Alastair l'avait fait chanter, il me jurait qu'il n'avait cédé que pour une unique fois, et puis mon frère en avait réclamé une autre dès le lendemain, et puis encore une autre le lendemain, il craignait que cela n'en finisse pas, mais après la troisième fois, il n'avait pas reparu.

— Trois fois ?

— Je te jure.

— Et comment pouvais-tu être sûr que je ne me réveillerais pas ?

Penaud, Charles a avoué qu'il ajoutait du laudanum dans mon verre d'eau du soir.

— Bravo. Et toi, tu te figurais qu'il ne reviendrait plus ? que cela lui suffirait ?

— Je ne sais pas. Je l'espérais. Je l'ai fait pour nous libérer de cette menace.

— Je ne sais plus qui il est, Charles ; l'être que tu m'as décrit, et qu'il a décrit pour toi, c'est-à-dire pour moi, n'a plus grand-chose à voir avec l'Alastair que j'ai connu, même s'il s'en réclame, même si, par certains traits, on peut encore le reconnaître. Cette histoire de rêve, ce renoncement à la vengeance, cette volonté de disparaître, je ne m'y fierais pas. Alastair a toujours aimé raconter des histoires, et s'en raconter à lui-même.

— Tout comme nous.

Charles avait raison. Il redoutait tout ce qui pouvait le faire ressembler à Alastair, mais il reconnaissait qu'il partageait avec lui ce goût des longues constructions romanesques, dans lesquelles l'auditeur, comme le visiteur d'une cathédrale, se perd dans l'amplitude et la complexité de l'édifice, sans prendre conscience vraiment, ou seulement en partie, des multiples effets de symétrie ou de rupture qui contribuent à donner une sensation d'écrasante beauté, écrasante comme l'est la beauté véritable, avec toute sa cruauté, mais c'étaient d'éphémères architectures de glace ou de paille, qui disparaissaient dès qu'elles étaient terminées, et cela contribuait à leur poignant enchantement. Charles m'avait inoculé cette fièvre, nos histoires étaient ratées, je me sentais comme un romancier qui, dégoûté de ses œuvres précédentes, cherche chaque fois celle qui lui donnera enfin satisfaction.

Et, de même que mon frère, ou du moins l'être que Charles avait rencontré dans ce même train, doutait, pour le principe, comme Descartes posait l'hypothèse du malin génie, d'être une créature réelle, et se demandait s'il n'était pas plutôt une créature rêvée, je me demandais, et la question m'avait déjà tourmentée, quelle était, parmi nos histoires, celle qui était réelle, le couple formé par un médecin en rupture de ban et une ancienne Belle endormie de foire, se retirant dans une maison occupée par un squelette de petite fille, n'étant pas, de loin, la plus vraisemblable de toutes celles dans lesquelles nous avions joué un rôle, et dans l'une desquelles peut-être se tenaient ceux qui nous racontaient.

Au bout d'une nouvelle longue période de silence, où j'écoutais, comme si elles venaient de mon propre corps, articulées par ma langue et mes lèvres, émises par mes cordes vocales et mon palais, les phrases interminables du convoi enchaînant ses histoires incompréhensibles à travers la plaine indifférente, j'ai senti, comme une opiomane que les chimères de sa drogue réclament, le besoin de nouvelles histoires. Elles étaient, à mes yeux, plus réelles que les vies des gens ordinaires, non celles des artistes et des clowns, mais celles des bourgeois et des paysans de Saint-Genest, par exemple, qui devaient bien être les mêmes à travers tout le pays. Ils se racontaient des histoires sur leur argent, sur leurs enfants, sur les vies des autres, sur la politique, sur leurs bonnes, sur leur couple, et le rituel ronronnement du curé dans sa chaire le dimanche ne les en tirait pas pour les rappeler à l'absolu, la religion était une vieille fiction comme une autre, qu'on rangeait dans le tiroir aux fictions.

Nous deux, au moins, nous tentions des histoires, espérant trouver celle qui correspondrait le mieux à ce qu'on appelle l'amour, justement pour redonner, à ce vieux plumage de chimère, traîné dans toutes les poussières et toutes les boues, empoissé de banalités et d'illusions, l'éclat de la vérité. Mais, par un réflexe semblable à l'intoxiqué qui, déchiré entre son désir et la prudence, voudrait que la permission de se droguer vienne de son partenaire, et aussi poussée par un démon qui m'incitait toujours à adopter le parti contraire de celui que j'aurais voulu prendre, comme pour m'assurer qu'une fois que j'aurais éliminé tout ce qui s'y opposait, il s'imposerait à moi sans restriction, je voulais que cela vienne de Charles, d'autant plus que je tenais à ce qu'il continue de se sentir redevable envers moi, après l'épisode d'Alastair.

— Qu'allons-nous faire, Charles ?

— Je ne sais pas, mon amour. Nous allons continuer.

— Continuer ?

— Continuer à vivre nos histoires. Elles étaient belles, mais aucune n'était vraiment la bonne. Nous avons toute la vie pour nous en raconter d'autres.

Poussée par mon démon intérieur, par une sorte de théologie négative qui place la divinité par-delà tout ce qu'on peut nier d'elle, je me suis lancée dans un long discours que je n'avais pas prémédité, et qui m'a prise dans son développement, emportée plus loin que ce que j'avais prévu. Il n'y avait pas de bonne histoire. Nous avions fait ce que fait le monde depuis le début, alimenter l'éternelle fiction. L'amour humain était une invention. Il y avait eu la pédérastie des Grecs et des Romains, qui n'était que du désir. Au Moyen Âge les femmes avaient inventé l'amour courtois, elles s'étaient servies de ces benêts de trouvères qui avaient cru de bonne foi avoir trouvé ça tout seuls.

Depuis, nous n'en étions jamais sortis. L'amour était une de ces fictions dont l'homme avait besoin pour vivre, comme les autres. Nos variations étaient simplement plus amusantes que les autres. Si le mot « amour » n'avait jamais été prononcé, s'il n'y avait eu ni chanson d'amour ni romans d'amour, personne ne s'en serait préoccupé. Les curés qui condamnaient la dangerosité des romans pour l'esprit des femmes, et dont se moquaient tant les esprits forts, les artistes, les philosophes, avaient profondément raison. Pourquoi alimenter des chimères ? Le couple était depuis toujours un arrangement social pour allier des familles et assurer la descendance. L'homme et la femme ne demandaient pas l'impossible, juste de cohabiter en paix. Mais dès qu'on avait commencé à parler de « mariage d'amour », on avait créé du malheur. Les révolutionnaires avaient inventé le divorce à une époque où le mariage commençait à être miné par l'idée d'amour, qui était une invention des femmes de la bourgeoisie. Ce sont elles qui le demandaient en majorité, et quand on l'avait supprimé, ce sont elles qui s'étaient mises à réclamer son rétablissement. Dès qu'on se mettait en tête qu'il fallait s'unir par amour, c'était fatal, on finissait par s'apercevoir de l'erreur. Personne ne pouvait aimer personne, du moins suivant l'exigence délirante, exorbitante qu'on appelait « amour ».

Dans le vieux monde que nous avions brisé en 1789, les aristocrates jouissaient, sans se préoccuper de cette absurdité, les paysans travaillaient en couple, faisaient des enfants. Les bourgeoises s'étaient mises à rêver d'amour. Oui, je le reconnaissais, l'amour était, pour l'essentiel, une création féminine. Pour détourner la brutalité du désir masculin, elles avaient canalisé son énergie vers l'idéalisation, l'absolu, et cette violence s'était retournée contre eux. Comme l'amour est impossible, ça donnait les histoires d'amour que nous connaissions : l'impossibilité, justement, le désespoir, les larmes, les suicides et tout l'assortiment des émotions prévisibles. Alastair avait raison : *Werther*, ce petit roman de rien, avait fait plus de mal à lui seul que les guerres de Napoléon. Ou alors on se mariait, avec quelqu'un qu'on prétendait aimer mais qu'on ne connaissait pas. Fatalement, en le connaissant, on s'apercevait qu'on ne pouvait pas l'aimer, pas dans tous ses aspects.

L'amour, en réalité, restait, pour l'essentiel, un phénomène social. On nous avait rebattu les oreilles d'histoires bouleversantes où un prince épouse une bergère, où une grande dame éprouve une passion irrésistible pour son palefrenier, où des vers de terre tombent amoureux d'étoiles, comme le dit l'accablant Hugo. Ce sont des romances pour midinettes. La réalité, c'est qu'on se rencontrait dans son milieu, qu'on tombait amoureux dans son milieu. Quelle bourgeoise tomberait amoureuse d'un paysan ? Ils ne sauraient pas même quoi se dire, ils ne se comprendraient pas, leurs mondes sont trop différents. Mais que vaut le grand amour, à cette aune ?

— Thalia, a dit Charles doucement, tu te laisses emporter par tes propres mots, tu déroules des théories qu'on a entendues presque aussi souvent qu'on a entendu parler d'amour. C'est justement à cause de tout cela que nous nous perdons dans des histoires sans fin. C'est dans les histoires qu'on peut espérer échapper à la fatalité, au déterminisme.

Mais si grand était mon désir d'histoire que je ne pouvais pas céder comme cela, semblable à celui qui, pour s'assurer qu'il est vraiment, authentiquement aimé, cherche en l'autre avec une obstination suicidaire toutes les raisons pour lesquelles il pourrait ne l'être pas. Pour moi, ai-je dit à Charles, les histoires n'échappaient nullement aux idées dominantes d'une époque et d'une société, elles se contentaient de les refléter. Quel roman, quelle poésie, à notre époque, était par exemple tout à fait exempt de misogynie ? Les auteurs les plus fins, les plus géniaux, prenaient pour l'« éternel féminin » des traits, des manières d'être déterminés par la condition faite aux femmes.

De ce point de vue, on pouvait se demander si aucun siècle, plus que le XIXe, nous avait rendu l'amour aussi difficile, en séparant radicalement les hommes et les femmes. Un être venu d'une lointaine planète y verrait deux espèces différentes, et on l'étonnerait beaucoup en lui apprenant que ce sont le mâle et la femelle. Ainsi, ces deux créatures si dissemblables parviennent à s'accoupler ? À la femelle, les atours colorés, les empilements de jupons et de robes, les bijoux, les ornements, les plumes chamarrées. Au mâle, l'habit noir et le chapeau noir. C'est plutôt l'inverse chez les oiseaux, d'ailleurs. La différence du plumage n'avait jamais été si éclatante, ni dans l'Antiquité, ni dans les derniers siècles, où les hommes arboraient aussi bien des tenues chamarrées.

À la femelle, la pudeur, la sensibilité, la délicatesse, la sentimentalité, les exquises sensations, la frivolité, la dentelle, l'enfantement, le foyer, l'intérieur, le rêve, le fard, l'intuition, l'évanouissement et la crainte de tacher sa robe. Au mâle, l'activité, la force, la violence, la logique, la science, l'aventure, l'honneur, l'extérieur. Nous n'avions rien à voir les uns avec les autres, nous ne vivions pas dans le même monde, nous n'avions pas les mêmes sujets d'intérêt, et je m'étonnais parfois que nous puissions échanger et parler. D'ailleurs, sitôt la convention du mariage accomplie, chacun retournait à son espèce, les hommes aux hommes et les femmes aux femmes, et aux enfants.

— Tu as raison, bien sûr. Cela me rappelle que m'avait frappé, dans *Les Destinées* de Vigny, que j'ai lu avec passion à seize ans, cette prophétie de Samson : « Les deux sexes mourront chacun de son côté. » Ce qui n'empêche que le poème est férocement misogyne. Depuis, j'en suis revenu. Et puis, peut-être cette différence de plumage est-elle essentielle au désir. Ce que désire l'homme, ce sont les signes de la féminité.

— Dans ce cas, une femme n'est que le support, plus ou moins décoratif, de ces signes. C'est cela, le désir.

— Tu es trop absolue.

— Tu m'as appris à l'être.

— Mais justement parce que je vise l'absolu, j'ai besoin d'étapes, d'arrangements. Quel mystique va directement à Dieu ? C'est précisément dans ce but que nous nous sommes installés à Saint-Genest. Parfois le désir a besoin d'intermédiaires.

— Mais toujours dans une configuration où la femme est un objet. La distribution des rôles fait que les hommes sont de vrais sujets, à part entière, beaucoup moins de choses leur sont interdites qu'aux femmes, surtout en matière de sexualité. Une femme respectable est mariée. Sa personne est conditionnée par son rôle. Elle rêve à l'amour comme à une possibilité de liberté, alors qu'elle ne fera que changer la forme de sa soumission. Et si elle échappe à ces rôles traditionnels, si elle se veut libre, ce ne peut être qu'une actrice, une artiste, c'est-à-dire une femme de peu. Sa liberté l'enferme dans des cadres préétablis. Je ne parle même pas des demi-mondaines. La femme n'est pas un sujet à part entière, une personne au plein sens du terme, les conditionnements pèsent sur sa personnalité. Elle n'est même pas un sujet juridique, elle n'a pas le droit de vote.

— Tu fais la militante féministe, à présent. Le droit de vote ! comme le réclame cet imbécile de Victor Hugo, toujours là où il faut être, toujours à brader dans toutes les foires ses élucubrations progressistes. Ah oui, nous progressons, il suffit de penser aux Grecs et aux Romains, ces arriérés. Le droit de vote aux femmes, c'est le triomphe assuré des partis religieux les plus rétrogrades, pas mal comme progressisme !

— Écoute, Charles, la politique, le vote, ça ne m'intéresse pas plus que ça. Les femmes sont bien obligées d'aimer leur servitude, pour se masquer leur humiliation, et elles en deviennent bêtes. Les misogynes trouvent que les femmes sont bêtes. Oui, elles le sont, parce qu'on les a rendues telles. Moi, ce qui m'intéresse, c'est comment on peut prétendre aimer un inférieur, quelqu'un qui n'est pas un sujet à part entière.

— Que faudrait-il ? Une table rase ? Un homme et une femme, sans époque, sans société, nus dans la forêt comme chez les bons sauvages, innocents comme des enfants, qui ignorent que le monde est historique ? C'est un peu ce dont nous avions rêvé au début…

— Et que tu t'es empressé de décréter impossible. Il n'y a pas de bons sauvages. Leurs règles sociales sont encore plus féroces que les nôtres.

— Tu sais bien que les histoires sont notre liberté, mon amour. Bien sûr, toutes se conforment en partie aux modèles sociaux, à l'histoire, elles ne lui échappent pas, mais certaines inventent d'autres modèles, tu l'as dit toi-même, elles ont inventé l'amour, et ce n'est pas pour autant qu'il est une fiction, c'est notre vie ordinaire qui est une fiction. Ou plus exactement, dans le bruit de fond de toutes les fictions dont se composent nos vies, elles font entendre le silence, le vide qui est notre liberté. Écoute. Pour aimer une femme, il faudrait qu'elle puisse être elle-même, en dehors de tous ces rôles bien définis, n'est-ce pas ? Imaginons une telle histoire.

J'avais ce que je voulais, disait Thalia, j'avais poussé Charles à inventer une autre histoire, et c'était comme si j'avais entendu le « il était une fois » des contes, cette formule magique qui suffit à vous installer dans le confort de celui qui écoute, qui reçoit sans bouger l'agitation des voyages et des passions, et par contraste devient la tranquillité même, la substance même de son corps en devient moelleuse, il s'est vidé de tout, il est devenu ce vide, ce souffle d'air qui manque aux personnages de l'histoire bondés d'eux-mêmes et à travers lesquels il goûte le plaisir d'être quelqu'un. Presque instinctivement, je me suis rencognée sur la banquette du compartiment, ramassée en moi-même, prête à recevoir ce qui allait venir. Charles s'est clos dans le silence, durant de longues minutes, et puis sa voix s'est élevée.

— Cela se passe un soir de carnaval, à Paris. Il est minuit passé. Les boules de neige lancées par les derniers noctambules en ribote, sur les boulevards désertés après la fête, se mêlent aux gros flocons qui tombent tout droit, paisiblement, indifférents aux cris et aux gestes, comme s'il ne s'agissait que d'inflexions fugaces de la sérénité du temps. Armand est gris. Il porte une étrange tenue, cape doublée de pourpre, masque de samouraï couvrant le bas du visage, et son tricorne penche sur son front.

— Tu reprends mon Armand ?

— Oui, mon amour. Je suis ton Armand. Un Armand plus jeune de cinq ou six ans.

— Plus jeune ? Mais tu inverses la logique. On verrait bien l'amoureux déçu devenir ce personnage de noceur désespéré que tu esquisses, noyant sa déception dans l'alcool ; un cynique fatigué, à la Musset.

— Tu verras. Ce n'est pas exactement comme ça que je vois les choses, mais tu as raison d'invoquer Musset. Armand, l'Armand de vingt-sept ans, m'emprunte une espèce de naïveté…

— Toi, naïf, Charles ? Aucun naïf ne peut se qualifier lui-même de naïf. C'est une contradiction.

— Tu as raison. Ce que je veux dire, c'est que je l'ai été, pendant longtemps, et je m'en rends compte à présent. J'avais cette espèce de candeur qui me faisait croire que la bonté, la générosité s'imposaient d'elles-mêmes. Que personne n'avait de raison de vous nuire si vous ne nuisiez à personne. L'expérience m'a montré mon erreur, mais j'ai vécu quelques expériences difficiles. Armand est comme moi. Et, comme moi, il avait cette candeur. Lorsque la vie sociale, année après année, a multiplié les exemples du ressentiment, de l'ingratitude, de l'envie, de la cruauté, il a fini par comprendre, difficilement, que sa bonté et sa générosité étaient des incitations à la méchanceté. Non seulement parce qu'il leur en fournissait des occasions faciles, mais surtout parce que beaucoup lui en voulaient de montrer une bonté qu'ils n'avaient pas eux-mêmes. Ils considéraient cela comme de l'ostentation, de l'hypocrisie, ou la donnaient pour de la bêtise, ils ne pouvaient pas, au fond de leur cœur, admettre ce qu'ils étaient, sinon ils en auraient été réduits, soit à se mépriser, soit à se changer, toutes choses infiniment difficiles pour le commun des mortels.

Armand était un hypersensible. Il ne supportait pas la souffrance des autres, qui le faisait souffrir. Il aurait voulu prendre toute leur souffrance pour les en soulager.

— Comme le Christ...

— Oui, comme le Christ.

— C'est un sentiment un peu bizarre. Et surtout une ambition démesurée.

— Mais je l'ai éprouvé, Thalia, durant ma jeunesse. C'est peut-être en partie ce qui m'a orienté vers la médecine. Et c'est pourquoi aussi, je crois, Armand a voulu trouver une espèce de système pour atténuer la souffrance de ceux qu'il connaissait. En réalité, Armand comprenait aussi que cette générosité apparente, cet abandon de soi, était encore une forme très élaborée de l'égoïsme. Prendre sur soi la souffrance pour ne pas souffrir de celle des autres, avec un sentiment d'impuissance qui la rendait encore plus insupportable. Prendre la souffrance sur soi pour mieux la supporter.

— Armand est un champion de la casuistique.

— Il a été élevé par les jésuites, évidemment.

— Imiter le Christ, c'est l'idéal chrétien, mais Armand le pousse un peu loin. Péché d'orgueil ?

— Oui. Mais Armand ne cesse de se remettre en cause. Ce qui est peut-être ce qui mène au péché d'orgueil. En prenant conscience, avec toute la difficulté que tu imagines, des conséquences de la bonté, il s'est mis, tout d'abord, à la haïr. Il a pris une décision, non moins compliquée. Il deviendrait comme les autres, pour leur éviter de tomber dans les travers que leur occasionnait sa bonté.

— Il voulait, par bonté, renoncer à sa bonté.

— Voilà. Il voulait trouver le moyen d'exercer sa bonté sans qu'on le remarque, ou de manière qu'on le néglige, qu'on le méprise, sans que sa bonté soit pour les autres une occasion de se montrer pires encore qu'ils n'étaient. Donc, tout jeune, il a fait comme les autres jeunes gens de son âge et de sa classe sociale…

— Vieille famille noble, avec de la fortune, donc, tel que j'avais décrit Armand ?

— Eh oui…

— En y repensant, je me dis que tout se passe comme si la complexité des sentiments n'était accessible qu'à partir d'un certain statut social. Les paysans et les ouvriers n'y ont pas droit.

— Cela a l'air terriblement élitiste et méprisant, mais ce n'est pas faux. L'oisiveté, le temps libre, les lectures, l'éducation favorisent cette complexité. Donc, je me lance dans le monde, je fais, à vingt ans, le blasé, le cynique, je parle des femmes avec la légèreté de celui qui est revenu de tout, je change de maîtresse tous les mois, je cherche des querelles et des duels, je dépense excessivement en équipages et en gilets à la mode, c'est-à-dire que je fais comme les autres pour me faire accepter, et en même temps je perds mes duels, je m'arrange pour me faire quitter par les maîtresses que convoitent mes amis, par perdre exprès au jeu avec ceux qui ont besoin d'argent, pour leur éviter l'ingratitude. J'avais rêvé de cela dans mon adolescence, vivre à la fois la vie de libertin et la sainteté.

— Et c'est aussi vraisemblable qu'un rêve d'adolescent.

— Attends… Vouloir le faire n'est pas invraisemblable… C'est y arriver qui le serait peut-être… Car Armand, au bout de quelques mois de cette vie, s'aperçoit qu'il est devenu comme les autres, leurs plaisirs, leurs perversions, leurs petitesses sont devenus siens. Plus encore, il prend conscience que leurs désirs sont en lui depuis toujours, et qu'il l'ignorait. Lorsque avec quelques amis choisis ils s'achètent les services d'une acrobate, une pauvre fille qui a du mal à manger tous les jours, s'asseyent confortablement dans des fauteuils Chesterfield, au sein de la garçonnière de l'un d'entre eux, tirent sur leurs londrès et lui font faire des tours, de manière à admirer sa nudité dans toutes les positions possibles, à prendre possession de son corps sous tous les angles, il s'aperçoit que cela comble des désirs secrets qui le hantaient dans son enfance, et qu'il s'était empressé d'oublier.

Et c'est lui, alors, à sa propre horreur, qui veut aller plus loin que ce qui était prévu au programme. Il pousse les autres à attacher l'acrobate, à peine sortie de l'adolescence, ils la fustigent, la lacèrent, Armand voudrait qu'elle ne soit plus qu'une chose, une plaie sanglante, étrangère à l'humanité, pour ne plus avoir conscience qu'il torture une jeune femme. Et à la fin, lorsqu'il y est presque parvenu, il jette sur son corps dénudé une liasse de billets, pour tenter de s'acquitter de ce qu'il lui a fait subir, et pour s'en tenir quitte.

Mais il ne parvient pas à s'en tenir quitte. Il voudrait rompre avec cet Armand qui s'est révélé à lui. Il ne sait plus quel parti choisir. Il y a la solution gnostique, aller jusqu'au bout du mal pour l'épuiser. Il n'en est pas capable. Ou renoncer. Mais désormais il se répugne, il s'est trop avancé, il se considère comme sali.

— Je comprends, Charles, pourquoi tu as évoqué Musset. Armand est une espèce de Lorenzaccio : il pensait rester pur, il a été contaminé, il est devenu un autre, et le motif pour lequel il a fait tout cela n'a plus aucune signification.

— Il se disait qu'il n'y avait plus qu'une solution pour s'en sortir : tomber amoureux. Il n'y croyait pas, tout comme ta Judy, mais pour des raisons différentes. Justement parce que, comme tu l'as dit, les femmes lui paraissaient une autre espèce, dont les mœurs, le langage, les désirs lui étaient complètement étrangers. Il les trouvait stupides ou intéressées. Quant aux hommes, il les méprisait aussi, et méprisait l'homme en lui, avec son désir de domination, sa grégarité, sa lâcheté. De sorte qu'après quelques années à boire, à se réveiller à midi dans des lieux inconnus, à dépenser sans compter, il s'est éloigné de ses compagnons de débauche. On l'a vu de plus en plus rarement dans les cafés à la mode ou dans les maisons spécialisées de luxe qu'il préférait, la Fleur blanche, rue des Moulins, avec sa chambre chinoise, le Chabanais avec sa baignoire à champagne, ses chambres moresque ou hindoue, ou chez Christine et son arsenal de chaînes, de fouets et de gibets.

Une après-midi de la fin de l'hiver, il était assis devant un bon feu, dans le fumoir de son petit hôtel de la rue d'Antin, prenant de profondes bouffées d'un tabac de Samsoun qui fleurait le girofle et la noix, tout en feuilletant distraitement un ouvrage qui portait le titre équivoque de *L'Académie des dames*, un vieil érotique, dans une belle édition vénitienne du XVIIIe siècle réalisée par Pierre Arretin[48]. Le frontispice représentait, classiquement, un gros abbé à rabat, le front orné de bois de cerf, chausses baissées, brandissant un dard de dimensions respectables en direction du postérieur charnu d'une femme nue qui lui tournait le dos, et se penchait complaisamment en s'appuyant sur un rocher orné d'une guirlande de fleurs.

— Ah, je l'ai vu, il est dans le rayon du haut de la bibliothèque, pour lequel il faut l'échelle. Celui-là, je ne l'ai pas lu, mais j'ai parcouru *L'Histoire de Dom Bougre, portier des Chartreux, Les Aphrodites, Felicia, Margot la ravaudeuse, Thémidore* et quelques autres du même genre. J'avoue que lorsque ce n'était pas désuet, ça pouvait être excitant.

— C'étaient des dialogues, effrontément présentés comme des « entretiens académiques », où une ingénue décrit son étonnement devant l'appareil du désir, et fait son apprentissage, apprend studieusement ses leçons de fornication. C'était évidemment cette naïveté qui donnait tout son piquant aux scènes décrites, et, usant d'un vieux procédé, l'auteur, qui n'était pas mentionné, parvenait ainsi, plus ou moins, à rafraîchir d'éternelles situations. De sorte que ce qu'Armand goûtait dans ces érotiques anciens, c'était la naïveté avec laquelle ils usaient de la naïveté avec rouerie. Et puis l'amour y était commode, les femmes complaisantes, jouant juste de ce grain de pudeur qui favorise l'excitation. Elles se prêtaient sans trop de difficultés à tous les gestes, adoptaient toutes les positions. Pas d'embarras, pas de longueurs, au fond, se disait-il par moments, les livres lestes pouvaient presque se substituer avantageusement à ces complications, à ces phrases menteuses, à ces gymnastiques sentimentales exigées pour atteindre le but, l'accouplement, souvent trop rapide, ou laborieux, au cours duquel chacun, de son côté, cherche sa jouissance.

Sur l'étroite fenêtre du fumoir, il voyait avec plaisir glisser les nappes de pluie qui vernissaient la vitre. Il imaginait qu'il naviguait au fond des abysses, comme dans *Vingt mille lieues sous les mers*, un des rares romans contemporains qu'il avait aimés, et que des monstres allaient apparaître au hublot. Puis la pluie se mua en neige, dont les flocons pressés, que le vent agitait, évoquaient des bancs de poissons dérivant au gré du courant. C'était le mardi gras, il était trois heures passées, la ville devait commencer à se remplir de masques, et, par dandysme, il s'est dit, en se levant, qu'il resterait tranquillement chez lui jusqu'au lendemain.

Mais son attention ne parvenait pas à être accrochée par les prévisibles obscénités de *L'Académie des dames.* Il se souvenait de sa souffrance, quand il était enfant, les soirs où ses parents recevaient et où il devait aller se coucher, entendant le bruit des conversations et des rires, le choc des verres et de la porcelaine, comme s'il s'agissait de l'écho d'une cérémonie réservée aux initiés, ou encore lorsque, dans leur gentilhommière de campagne, il avait appris qu'il y aurait bal le soir au village, et que, dans sa petite chambre du premier étage, dans la nuit d'été, lui parvenaient, malgré le kilomètre qui les séparait du bourg en contrebas, les flonflons des violons, plus mystérieux et attirants d'être assourdis par la distance. Le cœur palpitant de la vie était là-bas, derrière les murs, par-delà des haies et les prés, et il en était exclu. Ce soir-là, à cause de la neige légère peut-être, qui ressemblait aux prémices d'une fête, ces impressions d'enfance lui remontèrent à la gorge, jusqu'à lui faire venir les larmes aux yeux. D'un coup, ses prétentions à se mettre à l'écart de la vulgarité de ses contemporains, de la médiocrité de la vie sociale, amicale, amoureuse, volèrent en éclats. Il fallait qu'il y aille.

L'occasion était idéale pour lui permettre de se pardonner sa faiblesse. C'était carnaval. Il ne serait pas Armand, et les autres ne seraient pas eux-mêmes. L'idée le séduisait. Peut-être, miraculeusement, dans ces conditions, quelque chose se passerait-il, enfin. Mais, se disait-il, c'est carnaval, j'ai toujours méprisé le carnaval, il est trop tard pour un loueur de costumes, je n'ai même pas de loup. Comment faire ?

Après quelques réflexions, il finit par trouver la solution. La mode du japonisme battait son plein depuis un moment déjà, et les objets en provenance de Cipango l'avaient tout de suite séduit. Il avait beaucoup dépensé en kimonos, en laques, en estampes, en katanas et en masques. Parmi ceux-ci, il choisit un *mempo* de samouraï, noir, bien effrayant, bouche grande ouverte, qui ne couvrait que le bas du visage et le nez, laissant les yeux et le front découverts. Personne ne le reconnaîtrait. Mais le chapeau ? Il finit par dénicher, dans un tas de vieilleries qu'il gardait dans une malle, un tricorne rapporté de Venise, avec bien d'autres objets, par son arrière-grand-père, général des armées républicaines puis impériales, lors de la prise de la ville par Bonaparte. Nippo-vénitien, pourquoi pas ? Il ajouta, en travers de la ceinture, un splendide katana de la période Edo, au tranchant redoutable, dont le fourreau laqué, en bois de magnolia teint en noir, s'ornait de dragons dorés, et il se couvrit d'une grande cape de velours noir, au revers grenat. Dans le miroir, il se plut, se trouva étrange à souhait, il était un autre, c'était ce qu'il voulait, quand on est un autre on peut se comporter comme un autre.

Il gagna les boulevards tout neufs, l'avenue de l'Opéra n'était terminée que depuis trois ans. Il entreprit de la remonter. C'était déjà la cohue. On croisait des généraux d'Empire, des Méphistos, des burgraves, des Robins des bois, des Quentin Durward. Des filles s'étaient costumées en pages Renaissance, avec des chapeaux à plumes et des culottes courtes à crevés, afin de laisser voir leurs cuisses gainées de bas blancs. Les ouvriers descendus en bande des fortifications ouvraient de grands yeux sous leurs casquettes, sifflaient, lançaient des lazzis. Les petits groupes de goguettes, étudiants, artisans, musiciens, artistes, entourés de grappes de curieux, se laissaient admirer, costumés en clowns, en Espagnols, en pirates, en animaux des *Fables* de La Fontaine, en légumes. Certains d'entre eux soufflaient comme des tritons de fontaine baroque dans un nouvel instrument, le bigophone, une espèce de cornet en papier qui pouvait présenter toutes les formes, poisson, serpent, légume, canard… Un char de blanchisseuses peinait à descendre l'avenue, chargé de robustes déesses mythologiques, de Minerves à gros bras et de Vénus à forte poitrine. Place de l'Opéra, devant le café de la Paix, c'était une invraisemblable mêlée. Une bataille de boules de neige faisait rage, qui éclataient sur les costumes en y laissant des étoiles blanches. Des plaisants munis de plumes de paon ou de balais à crins en papier chatouillaient les passants.

Et pourtant, Armand ne parvenait pas à se laisser emporter par la fête. Peut-être parce qu'elle lui paraissait forcée. Sous les regards d'une majorité de badauds venus vérifier que le carnaval avait bien lieu, bourgeois et bourgeoises correctement vêtus, munis de parapluie et de gosses, observant d'un air sérieux l'événement traditionnel, les masques, les chars et les goguettes, se démenaient consciencieusement comme pour se convaincre de leur propre joie, et la cherchaient dans le regard des spectateurs. Ils jouaient la fête, ils jouaient la folie, mais Armand ne parvenait pas à y retrouver la spontanéité, la naïveté de l'immémorial cérémonial populaire, avec tout ce qu'il signifiait. C'était une survivance, il fallait absolument faire la fête, s'entendre faire la fête, se regarder faire la fête, et faire suffisamment de bruit pour ne pas percevoir le vide. Alors, pour s'étourdir, comme les autres, il acheta à un marchand ambulant, à qui par miracle il en restait, un sac de confettis, et se mêla au combat.

Il repéra un trio composé d'un muscadin, bicorne, énorme cravate et gourdin noueux, d'un Arlequin, lui aussi coiffé de son bicorne, et d'un Figaro, en Espagnol de l'autre siècle, bonnet, culottes courtes, guitare dans le dos. Ces trois-là bataillaient ferme et bombardaient tout le monde de neige, à qui mieux mieux. Il se mêla à eux, et les suivit lorsqu'ils s'engagèrent sur le boulevard des Capucines saturé d'une foule assaillant sauvagement un char où des mitrons et des cuisiniers affublés d'énormes toques se protégeaient de la mitraille en brandissant des poêles et des cuillers à sauce surdimensionnées.

Les munitions vinrent à manquer. Les trois se regroupèrent pour se concerter, toujours flanqués par Armand.

— Mais, au fait, n'étions-nous pas trois ?

— Nous voilà quatre !

— Comment cela s'est-il fait ?

— Mystère de la génération spontanée.

— Bienvenue parmi nous, cher indigène de l'empire du Soleil-Levant.

Armand se contenta de saluer d'un hochement de tête.

— Bon, à trois ou à quatre, ce n'est pas tout, qu'allons-nous faire à présent ?

— On pourrait aller à la matinée d'*Attendez-moi sous l'orme*, à l'Opéra-Comique…

— La musique de Vincent d'Indy ? C'est pour les dindons…

— Le bal de l'Opéra ? risqua Armand.

— Tiens, le Nippon à tricorne parle français…

— Il faut se bousculer pour entrer…

— Celui du théâtre des Variétés ?

— Ah, c'est Hervé qui dirige l'orchestre cette année…

— Hervé ? Le compositeur toqué, comme on l'a surnommé ?

— Le roi des loufoques…

— Qu'est-ce qu'on attend…

Ils gagnèrent le boulevard Montmartre, et les trois masques se rappelaient en riant leurs souvenirs de représentations d'Hervé, qui était passé de mode, mais dont on jouait encore les pièces, ici et là, quelques années auparavant.

— L'ami du gendarme Livarot, qui est tourneur de mâts de cocagne en chambre, c'est dans quelle opérette, déjà ?

— *Le Hussard persécuté.*

— C'est ça !

— Tu te souviens de la sérénade des cure-dents, dans *La Fine Fleur de l'Andalousie* ? Les violons jouaient avec ça ! J'ai cru m'étouffer de rire…

— Et le chameau qui traverse la scène, dans *Agamemnon*, sans la moindre raison !

— Pour ce qui est de la raison…

— Et le type, dans *La Belle Espagnole*, qui se rend rue Poliveau, à Madrid !

— Et le barbon amoureux qui pousse des soupirs dans un verre de lampe, pour qu'on les entende mieux !

— *Les Toréadors de Grenade* !

— Et le médecin, dans *Chilpéric*, qui donne une recette de tisane où il faut faire infuser de la fleur de navet dans une civière, et je ne sais plus quoi d'autre d'aussi délirant…

— On n'en finirait pas d'énumérer les perles, les répliques plus absurdes les unes que les autres… Celle-ci m'a marqué : « elle a cet embonpoint charmant qu'on cherche vainement chez les femmes maigres » !

— Je crois que le pire, c'est *Un drame en 1779*. Il y a des tirades interminables qui n'ont ni queue ni tête, où le jeune premier raconte sa vie, condamne des spéculateurs pleins d'astuce et de caravansérails…

— Pleins de caravansérails ?

— Textuellement, mon cher, ça ne s'oublie pas ! Ensuite on découvre que son père est trompé par ces faux-semblants de génuflexion et, après d'invraisemblables aventures, le héros traverse le mont Canigou à l'aide d'un faux nez…

— On raconte qu'Hervé a commencé comme organiste de la chapelle de Bicêtre, et qu'il a monté une opérette avec les fous…

— Ça ne m'étonne pas, tiens !

Mais le bal des Variétés était plein, impossible d'entrer. L'après-midi s'avançait. La neige avait de nouveau fait place à la pluie et, sur les boulevards, la foule commençait à s'égailler. Quelques masques dispersés s'évertuaient encore à souffler dans leurs cors ou leurs bigophones. Des Pierrots et des Polichinelles, des fées et des mamelouks trempés erraient au milieu de ce gâchis, solitaires, comme exilés de livres d'enfants et condamnés à errer dans la réalité. Armand se délectait de sa propre mélancolie. Il était décidé à errer jusqu'au bout avec ses compagnons masqués, pour siroter jusqu'à la lie la tristesse des fêtes finissantes.

— Ça ne vous a pas creusés, tout ça ? a dit le muscadin.

— Qu'est-ce qu'on pourrait bien manger ? a répliqué l'Arlequin.

— À mardi gras, qui n'a pas de viande tue son coq. Qui n'a pas de coq tue sa femme, a crié le Figaro.

— Eh bien, au lieu de tuer ma femme, je tuerais bien une poularde, a décrété le muscadin.

Le Café anglais était à deux pas. Ils allèrent y dîner, à grand tapage, avec trois filles levées sur le boulevard, des grisettes venues assister au carnaval. Ils étaient sept et avaient vidé huit bouteilles de Veuve Clicquot et neuf bouteilles de chambertin. Que faire à présent ? Ils avaient eu le carnaval, ils avaient eu l'ivresse, ils avaient posé aux débauchés, comme pour une estampe satirique, une bouteille dans une main et l'autre dans le décolleté d'une fille, mais les serveurs blasés du Café anglais avaient l'habitude.

— Si on allait manger une glace chez Tortoni ?

— Ce serait banal s'il ne faisait pas si froid...

— Va pour une glace, ça nous rafraîchira ! Et puis c'est juste en face, on ne se mouillera pas trop.

Cette fois, les boulevards étaient quasiment déserts. Chez Tortoni, il y avait déjà les habitués, Aurélien Scholl dans son coin, causant avec Albert Wolff, grand et mou, auquel le faciès aplati, composé pour l'essentiel d'une paire de grosses lèvres, donnait l'air d'un chimpanzé de cirque affublé d'un habit.

— Une vraie tête de ghetto, s'exclama le Figaro, assez fort pour être entendu à la cantonade. Il est aussi laid, si c'est possible, que cet autre youtre d'Arthur Meyer.

Il y avait aussi le grassouillet Charles Monselet, gastronome à tête de veau agrémentée de lunettes rondes, Maupassant, tout gonflé de sa gloire récente, petit, trapu, roulant les biceps sous sa chemise trop juste, le jeune Alphonse Allais, avec sa longue tête d'Anglais atteint de mélancolie chronique, abonné à tous les clubs loufoques, Hirsutes, Hydropathes ou fumistes, et qui commençait à se faire un nom en publiant des contes absurdes dans toutes sortes de petites revues. Celui-là, a précisé Charles, un ami me l'a désigné à mon dernier passage à Paris, après mon rendez-vous chez le notaire, penché sur un bock, à la terrasse d'un café du Quartier latin, comme un auteur désopilant et plein d'avenir. Il avait pourtant l'air d'une tristesse infinie.

— On s'ennuie, finit par proférer le muscadin.

— Tiens, vous êtes là, s'exclama en entrant un long personnage efflanqué, porteur d'un masque de chien au museau effilé sous ses cheveux calamistrés.

— Où serions-nous ?

— Tu nous as reconnus sous notre masque, Henri ?

— Pas du tout. Mais Arsène a vendu la mèche de vos déguisements…

— Celui-là… Il aurait mieux fait de nous accompagner…

— Mais pourquoi n'es-tu pas masqué, toi, Henri ?

— Celle-là, Georges, tu me l'as déjà sortie l'an dernier. Mais toi, Jules, reprit le chien en s'adressant à Armand, ça fait une heure que je te cherche partout sur les boulevards ! Qu'est-ce que tu peux bien faire avec ces mauvais sujets ?

— Ah, parce que tu connais notre samouraï ?

— Évidemment que je connais ce vieux Jules. Il faut être bien provinciaux comme vous pour ne pas le connaître.

— Il est vrai qu'Henri connaît tout Paris.

— Le connaître, soit, mais le reconnaître ?

— Qui d'autre a ces épaules de portefaix et ces sourcils de Méphisto ?

— Donc, Jules, fit l'Arlequin, vous êtes Jules ?

Armand avait envie de saisir l'occasion d'être un autre, et, pour ne pas être trahi par sa voix, à nouveau, il se contenta de saluer, parodiquement, par un grand mouvement de cape. Il se demandait quel était ce Jules qui lui ressemblait,

— *Mmh*, fit le Figaro, c'est vrai que cette carrure, pardon cher ami, sent son paysan parvenu.

Armand leva la main, mais Henri retint son geste.

— Ne fais pas attention, Jules. Il n'y a aucun déshonneur à avoir de la fortune et un nom qui ne vient pas des croisades. Notre Figaro est un provocateur, et peut-être, n'est-ce pas Hubert, y a-t-il là quelque jalousie, car si son blason est ancien, sa bourse est vide.

Le Figaro, comme pour répondre au salut d'Armand, ôta son bonnet et salua jusqu'à terre.

— Le décavé vous salue et vous prie d'accepter ses excuses.

Armand hocha à nouveau la tête en signe d'accord, et le chien l'entraîna à part.

— Écoute, Jules, j'ai une proposition à te transmettre. Ces trois cocos-là vont chercher n'importe quoi pour se désennuyer, jusqu'au matin. Ils sont gris. Ils vont chercher des querelles pour s'amuser. Tu sais que Figaro, alias le marquis Saint-Brice, vieille famille de Saintonge complètement ruinée, a déjà eu sept duels. J'ai été plusieurs fois son témoin. Laisse-les tomber. Donc, je t'explique. Je devais me rendre à une fête, mais j'ai traîné. Cela dit, il est à peine onze heures passées. Un ami à toi, Louis de Biron, m'a dit qu'il y avait un bal masqué, cette nuit, dans une demeure non loin de Paris. C'est un intime de la maîtresse de maison, une veuve richissime, paraît-il. Il doit déjà y être, mais onze heures, c'est encore tôt. C'est pour ça que je te cherchais, veinard, la maîtresse de maison, dont je n'ai jamais entendu parler, voulait paraît-il absolument t'avoir, et ne savait pas comment te trouver. Tu vois ta réputation, mon petit vieux ! Écoute, c'est à deux heures de fiacre, on peut y être à une heure du matin, la fête commencera à peine. Le thème, c'est la chasse et les animaux. Pour toi, tant pis, tu n'as pas été prévenu à temps. Alors ? C'est bon ? On y va ?

Après la pluie, un brouillard glacial enveloppait le boulevard des Italiens. On n'y voyait pas à trois pas. Henri le loup espérait que des fiacres en maraude sillonneraient le boulevard, pour ramasser les derniers masques. Mais comment se faire repérer ?

Ils virent bien, à plusieurs reprises, la tache jaune de la lanterne d'une voiture, diffusée par la brume comme un soleil froid, mais elle passait, fantomatique, et se fondait dans l'indistinction blanchâtre. Le loup poussait des hurlements à faire fuir toutes les bergères et leurs moutons, mais il ne parvenait pas à arrêter le moindre sapin. Ses appels, ouatés par le brouillard, ne portaient pas. Il ne semblait y avoir plus le moindre noctambule sur le boulevard. Armand ne voyait même plus Henri.

Tout à coup, il s'est trouvé nez à nez avec une gorgone. La bouche était grande ouverte, de même que les orbites, au fond desquelles on ne distinguait nul regard. Des entrelacs de serpents, peints en vert, dégoulinaient sur cette face sillonnée de profondes rides, comme crispée par l'horreur. Le masque se figea un instant. Ils avaient failli se cogner. Puis il contourna Armand et disparut.

Armand interpréta cette apparition comme un mauvais présage. Il allait ôter le masque, avouer qu'il n'était pas Jules, et rentrer chez lui. Juste à ce moment, un grand fiacre carrossé de noir, sorti de nulle part, s'arrêta devant lui, au ras du trottoir. Les deux chevaux noirs, parfaitement immobiles, la bouche écumante, les flancs vernissés d'humidité, dégageaient une lourde fumée de sueur et d'haleine, comme s'ils avaient couru sans cesse depuis l'aube, et donnaient presque l'illusion d'être l'intarissable source du brouillard. Sur le siège, la masse imposante du cocher, énorme, voûté, enveloppé d'un carrick noir et couvert d'un large chapeau, paraissait faire partie de l'appareil de la voiture. Il ne disait mot et ne faisait même pas mine de se tourner vers le client.

Le chien se matérialisa comme par miracle à côté d'Armand, grimpa sur le marchepied, marmonna à l'oreille du cocher, qui hocha la tête, et ils montèrent dans la voiture.

Les boulevards défilèrent, puis des rues qu'Armand, pourtant grand arpenteur de Paris, ne connaissait pas. Le cocher devait avoir son itinéraire. C'était une ville inconnue qui passait sous ses yeux, vide d'habitants, aux maisons biscornues, comme il en existait encore tant avant les travaux de Haussmann. Son compagnon, invisible dans la pénombre de la berline, restait silencieux. De temps à autre, un réverbère révélait son long museau de chien noir.

Le train que nous avions pris, disait Thalia, a freiné si brutalement, au moment d'entrer dans une petite gare, que nous avons été projetés sur les sièges en face. Je me suis retrouvée pratiquement assise sur les genoux d'un respectable bourgeois à binocles et chapeau melon. Seule la moitié du convoi avait accès au quai. Les voyageurs qui en avaient la possibilité étaient descendus, en quête d'explication. On colportait des rumeurs, quelqu'un aurait entendu quelqu'un qui tenait du chauffeur qu'une jeune fille se serait jetée sous les roues à l'entrée en gare.

Au bout de plus d'une heure nous avons redémarré, mais nous avons raté la correspondance. Nous étions encore à deux cents kilomètres de Paris, et il était midi passé. Nous nous trouvions dans une petite gare, desservant un petit bourg qui n'existait que par la correspondance. Pas de train pour Paris avant le lendemain, 11 h 15.

— Je me suis trouvé sur ce même quai, avec ton frère, il y a trois semaines, a remarqué Charles. C'est une impression étrange de tout recommencer… Il m'avait dit, un peu avant d'arriver à la correspondance, qu'il allait comme moi à Paris, où il avait « de vieilles affaires à régler ». Il me donnerait des nouvelles dès son retour de la capitale, dans cinq ou six jours. Il a ôté son masque de cauchemar, m'a regardé bien en face, et j'ai vu nettement, avant de descendre du train, son visage de Polichinelle, ses yeux térébrants, et dès que le train s'est arrêté sur le quai, d'un coup, comme par une opération magique, il a disparu dans le petit groupe de voyageurs qui descendaient. Je me demandais si je n'avais pas rêvé, mais j'avais encore en moi l'odeur méphitique et la voix multiple. Quoi qu'il en soit, je ne l'ai pas revu, ni dans le train, ni à l'arrivée à Paris.

La plupart des voyageurs allaient à Paris, disait Thalia, et à la sortie de la gare, ils ont pris d'assaut tous les fiacres qui accouraient pour charger du client. Au lieu de participer à la mêlée, nous sommes allés déjeuner tranquillement en ville. Repas médiocre, dans une auberge médiocre. Nous n'étions que modérément tentés de passer une journée et une nuit dans cette petite ville sinistre.

Notre hôte nous a proposé le coucher dans son hôtel miteux, « le meilleur de la ville », d'après lui. Les hôtels seraient vite bondés, avec tous ces voyageurs qui avaient manqué la correspondance. « Ville » était un grand mot. Pour nous en débarrasser, nous avons prétendu que nous cherchions à gagner Paris au plus tôt, éventuellement en voiture. Or, son beau-frère était cocher, il l'a envoyé chercher. C'était un gros homme rougeaud, rieur, sympathique. Charles lui a offert le cognac pour l'amadouer. Il ne fallait pas compter moins de quinze heures pour gagner la capitale, avec les changements de chevaux, et il ne tenait pas à faire le voyage. En revanche, il nous a suggéré une solution, qui nous convenait. Nous ferions étape le soir en Sologne, à cinq heures de là, dans un excellent relais qu'il connaissait. Le lendemain, départ à sept heures, nous serions vers neuf heures à Orléans, où nous prendrions le train de Paris de 9 h 45. Nous avons été séduits par l'idée d'une auberge de campagne, dans la forêt, qui nous rappellerait les voyages d'autrefois.

Nous roulions depuis longtemps déjà, et ne tarderions sans doute pas à atteindre le relais où nous devions passer la nuit. Les cahots du fiacre mettaient nos vertèbres à l'épreuve. Étrangement, les circonstances avaient fait que notre voyage réel rejoignait le voyage raconté. Et Charles, dès que nous nous sommes installés dans la voiture, a repris son récit, dans lequel les pavés de bois firent place aux pavés de pierre, et le fiacre, qui paraissait aller à une allure folle, tressautait et grondait comme un gros animal en colère. C'était à se demander, par ce temps humide, si on n'allait pas finir par verser.

Puis ce fut la campagne, tout à coup, dont on ne voyait à peu près rien. On entra dans une forêt. Des branches dépouillées surgissaient de la brume avant d'y être aussitôt englouties, comme emportées par un courant puissant, et les chocs réguliers sur la capote, produits par les ramures qui se délestaient de leur poids de pluie, suggéraient le travail d'une étrave fendant les vagues. Parfois, la brume se déchirait en longues bandes aux abords d'un étang aux contours incertains, dont l'eau jetait des éclats froids. Impossible de déterminer où on se trouvait exactement, et Armand ne voulait pas le savoir. D'ailleurs il n'avait toujours pas dessaoulé.

Le chien finit par élever la voix.

— D'où connais-tu notre hôtesse ? Louis ne m'a même pas dit son nom.

Armand grommela quelque chose d'incompréhensible, en se grattant la gorge.

— Quoi ?

— ...phone. 'tion de voix.

— Avec ce temps, pas étonnant. Bon, tu m'expliqueras après un bon rhum, ça ira mieux.

Et puis, sans transition, les roues du fiacre crissèrent sur du gravier, et ils furent devant la demeure. Elle se dressait au milieu d'une vaste clairière parsemée de marronniers et de cèdres. C'était une petite gentilhommière à la mode Louis XIII, un corps principal en brique rouge, à coins de pierre, où rampait une vigne vierge, et hautes fenêtres à croisillons, flanqué d'une seule tour carrée, massive, avec son toit d'ardoises. Un escalier de pierre à double révolution menait à une large porte. Toutes les fenêtres du bas étaient éclairées.

ALASTAIR 18

— L'Armand que tu décris te ressemble peut-être, Charles, mais je me demande s'il n'emprunte pas aussi à mon frère. Cette espèce de combat permanent entre l'innocence et la perversion…

— Oui, je l'avoue. Tout se passe comme si je ne parvenais pas à me désengluer de cette parole dans le compartiment, que désormais elle faisait partie de moi, comme si l'odeur atroce m'avait colonisé sur cette banquette. J'ai découvert avec lui que l'horreur ne repousse pas nécessairement. Elle attire au contraire, on ne peut plus s'en détourner, il y a quelque chose qui, au pire de l'atrocité, nous appartient. Et j'emprunte à son imaginaire.

Tiens, il y a une partie de son interminable récit qui me revient. Sans doute, de larges lambeaux n'ont pas pu m'en rester en mémoire, elle était incapable de digérer tout cela, à moins qu'inconsciemment je n'aie éliminé ce qui m'était le plus insupportable.

Il m'a raconté que, lorsqu'il était ouvrier agricole, il avait appris qu'un bal masqué se donnait dans un château voisin. Trois lieues, ce n'était pas une affaire. Il lui avait suffi de revêtir les quelques guenilles de clown qu'il avait conservées dans son baluchon, de louer un petit cabriolet de belle allure, même si la dépense représentait bien des journées de dure besogne.

Oh, disait la voix de Charles dans laquelle à nouveau parlaient les voix d'Alastair, c'était d'une facilité désarmante. Personne ne m'a demandé qui j'étais. J'ai pu boire et causer avec tous ces beaux messieurs et ces belles dames, que le déguisement incitait à se relâcher un peu. J'ai dansé, et je peux dire que je dansais avec plus de vivacité et de grâce que ces élégants jeunes gens. On s'étonnait, je le sentais bien, qu'un si grand corps recèle tant de souplesse et de vivacité.

L'hôtesse était veuve depuis bien longtemps. C'était une grande femme brune, d'une beauté bouleversante. Elle m'a accordé une valse, puis une polka, puis une mazurka. À la dernière danse, elle m'a glissé quelques mots à l'oreille. Il s'agissait de prendre congé, du moins en apparence, aux alentours de minuit, et puis de l'attendre dans un petit cabinet dont elle m'a indiqué l'emplacement, à l'écart des allées et venues des domestiques. J'y trouverais un divan confortable et de la lecture. Vers deux heures du matin, m'a-t-elle expliqué plus tard en riant, elle a manifesté des signes explicites de fatigue, et les derniers invités se sont retirés. Elle a donné congé aux domestiques et m'a rejoint dans le petit cabinet.

Cette élégante veuve s'est collée à moi, bouche, mains, bras et jambes, comme si elle avait voulu m'absorber, ou se fondre en moi. J'avais l'impression d'être Laocoon aux prises avec des serpents. Elle était d'une douceur invincible, sa chair était fondante et tiède, Punch la désirait violemment, docteur, et en même temps, comme toujours, il se haïssait de ce désir irrépressible, et elle, il la haïssait pour le désir qu'elle éprouvait, qui l'abaissait, la soumettait à la banalité des besoins corporels, sa beauté était à la fois sa grandeur et son ignominie. Que voulez-vous, docteur, il fallait bien que la petite marchande d'oublies s'occupe de mettre un peu d'ordre, un peu de sens dans tout cela. Et cela fait, la marchande d'oublies a quitté les lieux avant le point du jour, dans son costume de clown, sous la lune ironique, rendu le cabriolet, regagné sa ferme, où le coq n'allait pas tarder à donner de la voix, récupéré son baluchon dans la grange où elle dormait, et disparu dans la nature, sous la lune complice, sans même toucher ses gages.

That's the way to do it.

Les journaux se sont régalés avec cette affaire. Il est vrai que la petite marchande d'oublies avait laissé derrière elle un amusant jeu de piste. Les pandores ont passé beaucoup de temps à collecter les morceaux du corps dans les endroits les plus invraisemblables du château. Un article précisait qu'un jeune gendarme s'était trouvé mal. Il y a des gendarmes sensibles, à présent, paraît-il. La vraie réussite, à mon sens, c'étaient les entrailles dans le grand lustre du salon. Cela faisait comme une guirlande de fête, rose et gris. La tête, ils ne l'ont jamais trouvée. Ils auraient dû regarder au fond du petit puits, dans le potager. Elle doit y être encore. J'y pense parfois, à cette tête qui fut si jolie, et qui n'est plus qu'une pauvre chose, se délitant lentement, macérant dans on ne sait quelles songeries. La petite marchande d'oublies avait arraché la charmante veuve à l'humanité, à la médiocre humanité, pour en faire une chose, pour la restituer au mystère du monde.

L'ange pourrissant avait légèrement tourné vers Charles sa tête dissimulée par le capuchon. On entendait sa respiration, comme un remuement de chaînes rouillées au fond d'une cave, et la puanteur, dans sa puissance et sa diversité, dans ses rythmes et ses colorations, était comme une symphonie pestilentielle.

Et bien sûr, a repris la voix de l'ombre, elle aussi désormais compose le corps de la petite marchande d'oublies, ou le décompose, si vous préférez, docteur. Elle est là, dit-il en désignant sur sa pelisse un petit fragment de tissu d'un blanc jauni, à la hauteur du bas-ventre.

Je sais ce que vous pensez, docteur. Ce vieux Punch est un malade, un fou, bon à enfermer. Oh, je les connais, vos asiles. On y enferme ceux qui osent regarder la réalité en face. Et parfois, bien sûr, cette expérience les brise. Punch n'a pas été brisé. Il s'est métamorphosé. Jusqu'à l'adolescence, vers ses douze ans, Alastair avait peut-être plus d'énergie, plus de mordant que ses frères, il avait des questions et des inquiétudes qui leur étaient étrangères, mais il était relativement tranquille. Lorsque des choses obscures l'agitaient, il contemplait, la nuit, le visage de Thalia endormie, qui devait avoir, à cette époque, deux ou trois ans.

Puis arriva cette catastrophe, qui est celle de toutes les vies : le sexe. Alastair en fut comme arraché à lui-même. C'était comme une malédiction. On l'obligeait, au cœur de son intimité, à répondre à une exigence qui ne le concernait pas. Il n'avait rien demandé. Pourquoi, se disait-il, le jetait-on hors de l'enfance, pour l'obliger à des choses sales ? C'est cela, docteur, la véritable aliénation d'esprit, la folie sexuelle, qui vous fait désirer cette chose absurde, l'impossible assouvissement du désir mobilisé vers un autre. Et à douze ans je suis devenu fou, en effet, comme tous les autres, plus encore que les autres, car Punch, vous le savez, est en quête d'absolu. Et le sexe vous trompe en vous faisant miroiter un absolu, alors qu'il vous en détourne. Comment atteindre l'absolu par le sexe ? Ce pauvre fou d'Alastair ne savait pas comment s'y prendre, et plus il essayait, plus il échouait, plus il devenait enragé.

Au début, avec l'argent qu'il dérobait ici ou là, il est allé de temps à autre, dans les villes près desquelles les Helquin montaient leur chapiteau, visiter les maisons à gros numéro, avec les encouragements graveleux de Gertrude. Les professionnelles regardaient le plafond en attendant qu'il ait fini sa petite affaire. Ce n'était sûrement pas ça, le sexe. Il était toujours affamé, toujours tenaillé par le désir de quelque chose qu'il n'arrivait pas bien à identifier. Quel était l'objet de son désir ? Comment le posséder ? C'était un peu comme s'il voulait absorber le réel même, qui se dérobait sans cesse.

Les après-midi, il disparaissait après les répétitions. Il gagnait les bois, se déshabillait, parcourait nu les futaies solitaires, toujours à la recherche de ce qui serait l'objet du désir. Il se frottait contre l'écorce rugueuse des arbres, les enlaçait, les léchait. Il se fouettait avec des orties et des ronces, jusqu'à être couvert de zébrures rouges, déféquait et se tartinait le visage avec sa propre merde, jusqu'à se faire un masque brun et puant. Pour parachever le tout, il s'enfonçait une branche dans le cul. Et il allait ainsi, le phallus dressé, parmi les arbres indifférents, au hasard, ne sachant que faire de plus, pour sortir enfin de lui et trouver l'objet toujours fuyant, disparaissant dans l'incertitude des ombres et des feuillages toujours recommencés.

Dans ces déserts, il ne croisait jamais personne, mais peut-être des chasseurs ou des ramasseurs de champignons ont-ils aperçu, se glissant fugitivement entre les troncs, cette étrange créature des bois, ce sylvain excrémentiel. Le soir qui tombait, la fraîcheur sur sa peau nue l'excitaient, accroissant son désir et son désarroi. Il ne savait plus s'il était celui qui violerait sauvagement tout être humain ou tout animal qui tomberait entre ses mains, ou s'il se livrait, désarmé, à un désir sans visage, sans limites, qui prendrait possession de lui, le violerait dans la nuit. Redoutait-il ou désirait-il être vu ? Les deux à la fois sans doute. Son corps obscène était livré à la nuit, au-dehors. Était-ce lui-même qu'il désirait ? Était-il à lui-même cet objet impossible et toujours fuyant ?

Ah, docteur, je n'en finirais pas de détailler les folies répugnantes de mon adolescence. Punch s'écœurait lui-même, mais il ne pouvait pas s'en empêcher. Parfois, Gertrude et ses frères allaient faire des courses en ville, et ils laissaient à Punch la garde des roulottes, et de Thalia, que je collais dans un parc. Ma sœur n'était pas bien gênante, elle jouait avec ses poupées de chiffon et ne criait jamais. Pendant ce temps, Punch allait dans la roulotte de Gertrude, mettait ses jupons et étalait une épaisse couche de rouge sur ses lèvres. Non que Punch ait eu envie d'être une femme, ce n'est pas cela, il lui fallait s'approprier ce qui signifiait le sexe. Comment vous dire, docteur, ce n'est que bien tard, après coup, que Punch a réfléchi à tout ça, le sexe était une matière indifférenciée, Punch était en deçà de la division du masculin et du féminin.

Ah, et puis aussi, c'est une idée qui m'est venue là, en vous parlant, d'une certaine façon, il continuait à être un clown, il cherchait le ridicule et le grotesque. Je ne concevais pas le sexe, docteur, autrement que dans l'infamie et la profanation. Et je me demande si par là, obscurément, je ne retrouvais pas des idées très anciennes, archaïques, qui associaient le sexe et l'horreur. Bref. Dans cet accoutrement, Punch allait chercher Puck, le petit caniche blanc avec lequel, à l'époque, Uriah faisait quelques numéros. Il se tartinait le gland et l'anus avec du miel. Vous imaginez la suite. Et puis, bien sûr, il a tenté d'enculer Puck. Pour le coup, c'était un vrai cirque. Toutes ces pratiques, il n'en éprouvait pas beaucoup de plaisir. Tout ça, vous l'avez compris, était purement intellectuel. Il lui fallait, en quelque sorte, activer la fonction sexuelle, pour essayer de comprendre ce qu'elle avait à donner. Réaliser le sexe, par principe. Et Punch, comme il croit que font les damnés, devait toujours imaginer quelque chose de plus compliqué, de plus tordu, pour tenter d'atteindre ce qui se dérobait sans cesse devant lui.

That's the way to do it.

Un jour, Punch est allé plus loin. Plus loin que ce que sont capables d'imaginer la plupart des hommes.

Parfois, Punch souffrait tellement d'être rempli d'ordures qu'il se demandait s'il n'était pas un démon qui s'ignorait. Après tout, qu'est-ce qu'un démon, docteur ? Un être qui souffre à un tel point qu'il en arrive à échapper à l'humanité et même à l'animalité. Son seul désir devient d'instaurer la souffrance universelle.

Quel âge avait-il lorsqu'il a accompli cette chose ? Quatorze ou quinze ans. Oui, ça devait être en 1862. À cette époque, les Helquin se produisaient au Hengler's Grand Cirque, à Liverpool, qui était presque flambant neuf ; il avait ouvert, si je me souviens bien, l'année précédente, sur Cropper Street, après la fermeture du site de Dale Street. C'était un bâtiment splendide, et il était toujours bondé. Le père Hengler, qui avait commencé dans les numéros d'équitation, s'était produit à Windsor, et avait réussi à obtenir la protection de la reine et du prince Albert. C'était le principal concurrent des Pinder, qui s'étaient fait un nom dans les numéros équestres. Il avait fait construire un cirque en dur, un vrai château en pierre, avec un promenoir. Ah, ce n'était plus le vieux cirque en toile ou en bois avec ses sièges spartiates ! Il y avait, comme au théâtre, des loges confortables, avec de bons sièges rembourrés de coussins. C'était la première classe, et il fallait se délester de trois shillings. Le *vulgum pecus*, en bas, ne payait que six pence. C'était toujours bondé. Hengler avait réussi à recruter des vedettes de l'équitation, mais aussi des acrobates vertigineux, les Hanlon-Volta, Lavater Lee, l'homme fort qui jonglait avec des poids, le clown Willie Templeton, et aussi le fameux Boswell, que j'avais vu plus petit. En fin de spectacle, nous présentions notre fameux *Voyage de noces*, un de nos plus grands succès.

Dans les coulisses, Punch avait tout loisir d'admirer les numéros avant d'entrer en scène, mais rien, même Boswell, ne le fascinait autant que le numéro équestre de Rosina. C'était la petite dernière d'une famille d'écuyers de Liverpool, les Cocker. Son père était mort, il ne lui restait que sa mère, qu'une grave blessure à la jambe avait obligée à renoncer aux acrobaties à cheval. Rosina avait dix-sept ans, elle faisait vivre sa mère, et Hengler l'avait prise sous sa protection. Il faut dire, docteur, qu'elle en valait la peine. Rosina était d'une beauté qui fixait les regards, d'une beauté fragile, comme une image immatérielle, une combinaison instable de couleurs, avec ses yeux d'un bleu pâle, ses formes graciles, ses cheveux d'un blond si clair qu'ils en paraissaient blancs. Elle semblait ne pas tout à fait appartenir à ce monde.

Son numéro était à son image. Juchée sur un superbe cheval blanc qui trottait le long de la piste, elle imitait les petits automates à ressort, en donnant quelque chose de mécanique à ses mouvements. Vêtue en ballerine, avec des chaussons vermeils, un tutu de tulle, un justaucorps qui collait à sa poitrine à peine développée, un chignon enveloppé dans une résille d'or, elle tournait sur les pointes, les bras en cercle au-dessus de la tête, de plus en plus vite, puis ralentissait et s'immobilisait, sans changer la position, tandis que le cheval poursuivait ses tours de piste. Alors elle se dressait sur les mains, pieds vers la voûte, levait un bras, se rétablissait d'un bond, saluait mécaniquement plusieurs fois, et le rythme étrange de ses mouvements contrastait avec l'impulsion vivante du cheval. On lui passait un violon, et elle terminait le numéro en jouant des airs de danse dont elle exécutait en même temps les mouvements, notamment une gigue vertigineuse, pour les Irlandais de Liverpool, qui l'applaudissaient frénétiquement.

Le spectacle tel que l'avait ordonné Hengler dura ainsi cinq jours. Et durant les cinq nuits de ces cinq jours, docteur, Punch dormait à peine, pris, hanté par cette poupée mécanique à la beauté irréelle. Et Punch, dans ses visions nocturnes, cherchait à donner chair à cette poupée, à prendre possession de cet être d'un autre monde. Il se donnait un petit théâtre de sexe et d'horreur, il la voyait nue, exécuter pour lui seul, sur son cheval, des mouvements obscènes, toujours sur le mode de l'automate, ou bien il la faisait traîner sur la piste, attachée comme Brunehaut à la queue du hongre, jusqu'à ce que son corps de porcelaine ne soit plus qu'une plaie sanglante, et s'efface progressivement, ne laissant qu'une trace rouge en cercle, tout le long de la piste. Ou alors, il la faisait attacher nue et fouetter au centre de la piste, par trois clowns grimaçants, sous les regards lubriques et les hurlements obscènes du public.

Ah, Punch ne croyait pas si bien voir. Au sixième jour, au beau milieu de son numéro, elle cracha un jet de sang qui éclaboussa son justaucorps immaculé, et tomba du cheval, inconsciente, sur le sable de la piste. La mère nous apprit que depuis deux ans déjà, elle luttait contre la phtisie. La petite résista encore quatre jours, veillée jour et nuit par sa mère, dans une des pièces que Hengler réservait aux artistes dans son cirque. Le spectacle continuait, sans elle. Au matin du cinquième jour, Rosina cessa de respirer. Nous sommes allés à son chevet, tous les quatre. Gertrude gardait Thalia, qui devait avoir cinq ou six ans, à ce moment.

Le visage seul de la petite dépassait des draps, livide, les joues creusées, et ses cheveux dorés répandus sur l'oreiller, qui paraissaient l'ultime trace de vie en elle, lui faisaient l'auréole des martyres. La mère, assise sur une chaise de paille, ne détachait pas un instant son regard de sa fille, ne se détournait pas pour accueillir les visiteurs. Pas un trait ne bougeait sur son visage, et cette immobilité en soulignait la beauté, fatiguée par les chagrins. Elle avait été une épouse, une artiste, une mère, et il ne restait rien de tout cela, rien qu'un réceptacle à chagrin, face au vide de tout.

La petite fut veillée deux jours, et puis on l'enterra dans le cimetière de Saint-James, qui n'était qu'à sept ou huit cents mètres du cirque, à la manière dont on enterrait les pauvres. Il y avait des fosses pour ça. On y entassait, l'un sur l'autre, les cercueils, un peu de terre, et c'était tout. Rosina fut inhumée très tôt le matin, en présence de presque tous les artistes du cirque Hengler. On descendit son cercueil en bois blanc, après la prière expédiée par le pasteur de service. Le soleil se levait sur un beau jour, c'était la fin du printemps, les fleurs commençaient à s'ouvrir le long des allées du cimetière, et Punch y voyait une ironie cruelle, la nature se donnait une fête à elle-même, indifférente à la petite qui rejoignait la terre pour jamais. Il tenait la main de Thalia, qui lui demandait si Rosina irait bien au paradis, comme Gertrude le lui avait assuré.

— Bien sûr, ma chérie, et il y a un paradis spécial pour les artistes du cirque et des foires.

— Ça doit faire beaucoup de monde…

— Oui, mais il y a beaucoup de place.

— Est-ce qu'il y aura aussi Puck ? Et le beau cheval blanc de Rosina ?

— Bien sûr. Puck est un bon chien, il ira aussi au paradis des artistes.

— S'il y a les chiens et les chevaux, est-ce qu'il y aura aussi les puces et les mouches ?

— Ah non, et les moustiques non plus.

— Ça n'est pas injuste ?

— Les insectes n'ont pas d'âme.

— Ah bon… Et les escargots ? Et les serpents ?

Le soir venu, le spectacle a eu lieu comme d'habitude. Punch avait une chambre dans les dépendances du cirque avec ses frères. Gertrude dormait de son côté, avec Thalia. Rupert, Uriah et Silas ronflaient allègrement, mais Punch s'agitait et se retournait, possédé par l'image de la petite écuyère, par son visage mort, par son corps dissimulé par le linceul, en partance vers un autre monde.

Punch n'en pouvait plus, docteur. Il s'est levé, habillé, est sorti du théâtre. Il devait être deux heures du matin. La nuit tiède restait exempte du moindre bruit, personne ne passait dans Cropper Street. La lune était dans son plein, et blanchissait la ville. Punch a repris le chemin du matin, vers le cimetière. Il ne savait pas pourquoi il y retournait, ça n'était pas une intention claire, ça je peux vous l'assurer, docteur, il était comme magnétisé. En revanche, oui, sans doute quelqu'un en lui le savait-il.

Jusqu'au mur ouest du cimetière de Saint-James, il ne lui a fallu que dix minutes, et il n'a pas rencontré une âme, à part un fiacre qui remontait Upper Duke Street. Le cimetière n'existait que depuis un quart de siècle. La ville avait fait faire une construction monumentale, entourée de murs babyloniens, dominée par une plate-forme avec une espèce de temple grec, mais le lieu n'avait pas bonne réputation. On disait qu'on l'avait construit sur d'antiques sépultures païennes. Et on s'inquiétait surtout des conséquences sanitaires d'un cimetière en pleine ville. On craignait les épidémies.

Escalader les murs monumentaux de Saint-James n'était pas un gros problème pour un Helquin. Punch avait pris une corde avec un grappin, qui nous servait pour nos exercices. Vous allez me dire que ça prouvait bien ses intentions. Mais ce n'est pas si simple. Punch voulait s'introduire quelque part, n'importe où pensait-il, pourquoi pas dans une chambre à la fenêtre ouverte, où dormirait une jeune fille, juste pour la voir reposer paisiblement dans la pénombre, pour inhaler son souffle tranquille et pur, pour se rassasier de vie. Oui, cela aurait pu être, qui sait…

Le retour serait encore plus simple. Entre les ouvertures des catacombes disposées à espaces réguliers dans le mur est, de grandes rampes remontaient presque au sommet de la muraille.

Une fois ôté le peu de terre, ouvert le pauvre cercueil, la lune a dessiné en noir et blanc les formes masquées par le linceul. Punch a soulevé le corps, avec d'infinies précautions, comme pour ne pas l'éveiller, et l'a posé à côté de la fosse, sur un carré d'herbe miséricordieuse. Ça n'a pas été difficile, le corps ne pesait presque rien, comme si le linceul s'était modelé sur une absence. Et puis Punch est resté là, agenouillé au chevet de cette absence, ne sachant plus quoi faire ni pourquoi il était là. Ce que Punch savait, en revanche, docteur, c'est qu'il ressentait douloureusement la disparition de Rosina, son exil du monde des vivants, si rapide qu'un prestidigitateur semblait l'avoir escamotée. Peut-être allait-elle réapparaître, écartant le rideau rouge des coulisses, côté jardin ? Non, il fallait bien que quelque chose se passe, un être ne peut pas être renvoyé comme ça au néant…

Punch a déroulé le linceul comme on désemmaillote la

statue du dieu. La lune paraissait l'approuver. Comme elle était belle, allongée, dans une simple chemise, sur ce linge déplié, plus blanche que la lune même, comme reposée, en proie à de lointaines rêveries. Ah, docteur, Punch n'était que tendresse dans ce moment ; assis jambes croisées, il a posé la tête légère de Rosina sur ses cuisses, il a longuement caressé ses cheveux qui rafraîchissaient sa main comme une source pure.

En y repensant, voyez-vous, c'était comme une pietà à l'envers : Rosina figurait le Christ mort dans les bras du père douloureux. Je n'avais pas quinze ans, souvenez-vous, et j'avais déjà commencé à me transformer en Punch, en ce Polichinelle gibbeux qui avait besoin de beauté comme on a besoin d'alcool ; tout m'était encore neuf, tout m'atteignait et me pénétrait. Il fallait que je pleure sur ce que toute mon imagination avait fait subir de tortures et d'avanies à ce Christ féminin.

Après avoir balbutié des formules de consolation, des douceurs, des tendresses, mais il ne savait pas s'y prendre, il n'en avait jamais entendu lui-même, Punch a tout doucement posé ses lèvres sur les lèvres glacées de Rosina. Elle ne s'est pas éveillée, Punch était bien loin d'être le Prince charmant.

En tremblant, et ce n'était pas de froid, la nuit était idéalement douce, une nuit faite pour l'amour, Punch a déchiré la chemise de Rosina, révélant son corps presque enfantin encore, ses seins esquissés, sur son ventre fragile la bouleversante cicatrice du nombril, le duvet blond à la naissance des cuisses. Qui sait ce que c'est, docteur, que d'étreindre une jeune morte, de la serrer entre ses bras, de sentir ses chairs inertes bouger, réagir à la manière de la mort sous les baisers et tous les gestes de l'amour, ce que c'est que d'être dans un corps sans vie, de jouir, de projeter sa semence en lui ?

Punch a oublié ce qui s'est passé ensuite, comment il a rendu Rosina au domaine de la mort, comment il est rentré, il se souvient seulement des cauchemars qui ont achevé sa nuit, dans lesquels il ne cessait d'assister, encore et encore, à l'accouchement, par Rosina, d'un bébé mort qui avait le visage de Punch, au sein de son cercueil.

Vous voyez, docteur, Punch ne vous cache rien. Et sans doute êtes-vous en train de vous demander dans quelle catégorie de fous il faudrait le ranger. Car c'est une manie, aujourd'hui, de tout classer, de tout répertorier, de donner un nom à telle ou telle particularité.

— Vous avez raison, avait réussi à dire Charles. D'ailleurs, si je puis me permettre, je vois bien que vous souffrez. Vous m'avez raconté votre histoire, et je vois bien que ce que vous me demandez, c'est un conseil, un traitement pour vous soulager du lourd fardeau que vous portez depuis l'enfance. Moi, j'ai abandonné la médecine, mais je peux vous adresser à mon maître, le professeur Baillarguer, qui a obtenu d'excellents résultats dans des cas…

— Vous vous méprenez, docteur. Je ne vous demande rien de tel, Dieu merci. Punch ne souffre plus. Ou plutôt c'est l'humanité qui souffre en lui. Il n'y a pas de remède au fait d'être humain. Quant à vos hôpitaux psychiatriques, j'y ai suffisamment goûté à Bedlam.

— Et pourtant, si vous me permettez, pour ce que je peux en voir, vous souffrez de paresthésie, où le médecin allemand Krafft-Ebing regroupe les détournements anormaux de l'instinct. Il décrit le sadisme, dans lequel il range l'éventreur de Whitechapel, et la nécrophilie. Ce que vous me dites y correspond. Vous ne semblez pas présenter de symptômes d'autre paresthésie, comme le masochisme. Ses récits de cas pathologiques sont curieux. Vous connaissez l'histoire du capitaine Bertrand ? D'ailleurs c'est un cas classique de la psychiatrie française. Il déterrait des mortes, les éviscérait et jouissait en elles. Son livre grouille d'histoires passionnantes, classées selon les monomanies.

— Voilà. Les savants adorent piquer des papillons. Ils ne

comprennent pas ce dont ils parlent. J'ai essayé de vous le faire comprendre, les gens comme Punch vivent une exacerbation de ce qu'est l'homme. Votre Frak-Tebing, finalement, considère presque toutes les manifestations de la sexualité comme perverses, à part peut-être le missionnaire hebdomadaire, en chemise, pour faire des enfants. Il n'a pas tort : la sexualité est perverse en soi, et c'est la grande affaire de cette espèce perverse qu'on appelle l'homme. Punch est un clown, il est tous les hommes avec férocité, et donc il est toutes leurs « perversions », c'est-à-dire leur réalité, car chaque homme a en lui toutes les perversions.

Tu comprends, Thalia, me disait Charles, en l'entendant discourir ainsi, je ne pouvais que me retourner vers moi-même, qui prétends avoir en moi tous les hommes. Quelle fatuité ! Prétendre être tous les hommes, et en rester indemne. Être bourgeoisement tous les hommes, en somme ! Celui que j'avais à côté de moi, de quelque nom qu'on le désigne, était bondé d'une foule, qu'il peinait à contenir, il craquait de partout, la forme même de son corps traduisait cette pression qui l'avait déformé. J'ai continué la conversation avec lui, comme si de rien n'était, pour moi-même sans doute, en tentant de rationaliser ce que j'avais en face de moi. Cela me rassurait un peu, mais c'était aussi un réflexe de médecin : quel beau cas pour un aliéniste !

— Quand j'étais étudiant, à Berlin, ai-je dit à Alastair, j'ai lu aussi, en allemand, il n'y avait pas de traduction française, la *Philosophie de l'inconscient*, de Hartmann, qui venait de paraître. Cela vous aurait plu. C'est un peu un sous-produit de Schopenhauer, il évoque le caractère répugnant et humiliant de la sexualité, qui nous est masqué par toutes les simagrées qu'on appelle échange des âmes, idéal, passion élective, etc. Pour lui, si on est incapable de s'en empêcher, il vaudrait mieux se châtrer.

— Pas mal, votre Hartmann, plus fort que votre Krabefing ou je ne sais quoi, mais c'est un peu court. Encore un qui a reculé devant la question. Finalement, il y a deux sortes de marchands d'idées sur l'amour : ceux qui écoulent des stocks de sentimentalisme, et ceux qui, se croyant plus malins, refourguent du cynisme, du genre on ne nous la fait pas à nous. Dans les deux cas, c'est purement intellectuel.

— Pour vous, *Aux marches du palais*, c'est une chanson intellectuelle ?

L'ange pourrissant a poussé ce qui ressemblait à un ricanement, comme s'il se raclait la gorge.

— Vous ne trouvez pas ça évident ? Les fabricants de chansons d'amour ont de vieilles recettes, assez élaborées pour qu'on les croie sincères, et pour que le client se convainque d'éprouver quelque chose. Et puis il y a les raffinés, ceux qui passent du sentimentalisme au cynisme, ils se sont débarrassés du voile de l'illusion, hé hé, et ceux qui passent du cynisme au sentimentalisme, euh, ils ont été foudroyés par la vérité, bien entendu. Punch n'est pas de cette espèce, docteur, Punch déshabille les gens de leurs petites fictions. Il y en a qui écrivent des romans pour faire perdurer l'illusion. Alexandre Dumas, Eugène Sue, Paul Féval, Ponson du Terrail, et le père Hugo, que font-ils d'autre ? Vous voyez ma pelisse ? J'ai arraché des fragments de vérité, docteur. Cette rhapsodie, composée de fragments déchirés, recousus, c'est le grand roman de Punch, un roman de chair, docteur, un roman qui pue, comme la vie.

That's the way to do it.

THALIA 19

Armand et son compagnon entrèrent dans un grand hall. Devant eux, le vénérable escalier donnait accès aux étages. À gauche s'ouvrait la salle de bal, baignée d'une lumière changeante, que dispensaient deux monstrueux lustres à l'ancienne, chargés de bougies. Eux qui venaient pourtant de l'extérieur furent saisis par le froid qui régnait dans cette salle, contre lequel avait renoncé à lutter le feu qui frissonnait dans une cheminée monumentale bien trop grande pour lui.

Devant eux, à des distances qui semblaient tellement démesurées qu'elles remontaient le temps, une estrade couverte d'une étoffe grenat supportait un petit groupe de musiciens vêtus à la mode du siècle précédent, souliers à boucle, bas blancs, culotte à la française, gilet marron glacé, perruque à rouleaux. Ils portaient de simples loups. Il y avait un clavecin, un violoncelle, un violon, une flûte. Le son aigrelet qu'ils produisaient peinait à se répandre dans la vaste salle, comme si un vieillard podagre venu d'un passé révolu tentait difficilement de s'avancer dans ces espaces vides. Armand reconnut une sarabande, danse lente et solennelle qui devait être démodée depuis au moins quatre-vingts ans. D'ailleurs personne ne dansait, à part un couple solitaire, une Diane chasseresse, arc dans le dos, tunique à la grecque, le visage couvert de blanc de céruse, et un homme affublé d'une tête de cerf aux longs bois, déroulant des passes cérémonieuses. À l'opposé de l'orchestre, juste à leur droite, était disposé le buffet, derrière lequel deux valets à la française, eux aussi masqués d'un loup, assortis aux musiciens, attendaient le client. Des masques dérivaient dans ces espaces vides, une coupe de champagne à la main, d'autres attendaient on ne sait quoi, assis sur de vastes sofas de satin rose à fleurs pourvus de multiples pieds, semblables à des animaux chimériques. L'habit noir et les robes à tournure étaient bien de notre époque, mais en sortaient des têtes de chevreuil, de renard, de sanglier, d'oiseau ou de chien.

Armand et Henri restaient déconcertés. Personne ne faisait attention à eux, personne ne parlait, sinon bas, de bouche à oreille, et cette fête funèbre paraissait tout entière sortie de terre, à l'instar des cuisines de Riquet à la houppe. Henri partit naviguer dans ces étendues, en quête de son Louis de Biron. Quant à Armand, après trois ou quatre coupes de champagne, il décida d'explorer les aîtres, rejoignit le hall et entreprit de monter l'escalier, couvert comme d'une antique fourrure d'un tapis qui avait dû être épais, mais tellement usé qu'il laissait par endroits paraître le bois des marches. L'escalier ne se laissa pas gravir sans grincher ni croasser. Les boiseries des murs, mal éclairées par des torchères, laissaient apercevoir des personnages en grande tenue, frivoles et distingués, comme on en voit dans les portraits de Boucher et de Quentin de La Tour. Arrivé à l'étage, où se déployait, à sa droite et à sa gauche, un vaste corridor obscur, lui aussi couvert de panneaux de bois sculpté, il vit, tout au bout, à main gauche, à des distances qui paraissaient immenses, un petit groupe de trois personnes qui s'avançait vers lui.

— Ah, justement, le voici !

Parmi les trois personnes, il reconnut le loup qui l'avait conduit jusque-là, en compagnie d'un petit personnage, court et dodu, affublé d'un masque de lièvre, qui pouvait être Biron, et d'une vieille dame vêtue d'une robe noire à la Pompadour, large, ornée de faveurs et de dentelles noires. Sa tête, coiffée en boucles poudrées de blanc qui se terminaient par une tresse piquée d'épingles ornées de diamants scintillant dans la pénombre comme des lucioles, portait un simple loup noir.

— Vous voyez, la chasse a été bonne, baronne, nous vous l'avons débusqué, fit Henri.

Comme ils s'approchaient, Armand s'aperçut que celle qu'il avait prise pour une vieille dame était en réalité une femme d'une beauté peu commune, dans sa perfection comme dans son étrangeté. Le loup de velours n'en dissimulait presque rien. La plénitude de la chair du visage, à la carnation très blanche, comme on en faisait l'éloge chez Crébillon et chez Restif, gardait quelque chose d'enfantin, c'était comme une partie du corps, un prolongement du décolleté, des épaules, dont la splendeur blanche semblait à elle seule dissiper les ombres du corridor. Elle s'était mis du rouge sur les pommettes et trois mouches de taffetas noir, qui soulignaient la blancheur de sa peau, à la mode des marquises du siècle de Louis XV.

La volupté charnelle de ce visage était spiritualisée par le sourire à peine esquissé, comme l'effleurement sur le visage de la conscience de sa propre plénitude, et par le regard des yeux immenses et noirs, qui semblaient déborder du masque. Ce regard devenait de la chair, son velouté et son éclat étaient les mêmes que celui de tout le corps, ce qu'on en voyait et ce qu'on en devinait, et Armand, dans son bout de couloir, demeurait fasciné par ce qui s'avançait vers lui, comme du fond d'âges inconnus, de temps mythiques, il était dans l'antique Palestine, ou dans les vieux siècles de la Mésopotamie, il assistait à ce qu'il aurait pu appeler un mystère de l'incarnation, un esprit ayant pris corps, un corps tout entier devenu esprit.

Elle avait cette voix grave, douce et légèrement voilée qui semblait résonner depuis le passé. Une voix qu'il croyait avoir entendue, quelque part dans son enfance, et qu'il associait aux histoires du temps jadis que sa nourrice lui racontait, c'était pour lui la voix des fées.

— Je suis si heureuse de vous voir, Jules. Vraiment, vous me négligez, mon ami, il faut que je passe par Louis pour avoir de vos nouvelles. Vous aimez disparaître. Mais vous êtes là, je n'y songe même plus. Allons, emmenez-moi boire un verre de vin de Champagne.

Elle avait une manière de dire les *j* et les *s*, comme si elle dégustait le suc d'un fruit, qui le ravissait, déclenchait des frissons au creux de ses reins, rien que pour cela il avait envie de la faire parler.

Ils se retrouvèrent dans la salle de bal. En le regardant avec ses yeux de chair étincelante, elle lui tendait une coupe. Le vin doré pétillait. Henri et Louis avaient disparu, ou du moins ne s'en préoccupait-il pas. Le même couple dansait la même sarabande jouée par le même orchestre. Combien de coupes, combien de sarabandes ? Elle le servait avec son inaltérable sourire, il la voyait, cette coupe à la main, dont le scintillement répondait à celui de ses yeux, comme une statue allégorique. Il oubliait tout ce qui avait précédé ce moment et ces yeux.

Armand n'a jamais pu se souvenir de tous les détails de la soirée, mais il se revoit, avec une grande netteté, dans une pièce qui devait être le boudoir de son hôtesse. Quelle heure pouvait-il être ? Il n'en avait pas la moindre idée. Depuis qu'elle était apparue au fond du couloir, cinq minutes ou trois heures auraient aussi bien pu passer. Ils étaient enlacés sur un petit lit à la polonaise, noyé de coussins, et le baldaquin de velours cramoisi était presque entièrement déployé, les isolant dans ce minuscule espace confiné. Il avait vaguement en mémoire une pièce qu'éclairaient seules quelques lampes basses, ouatée de tapis d'Orient et de lourds rideaux obturant l'unique fenêtre, et surtout, qui avaient imprégné sa mémoire, de lourdes stagnations de parfums, où dominaient le musc, l'ambre et le patchouli, dans lesquelles on s'enfonçait lentement, comme dans des coussins moelleux.

Là, il s'était abandonné. Il lui semblait n'avoir jamais éprouvé à ce point ce qu'était l'*intimité*. Il comprenait tout ce qu'impliquait le mot : le retrait, l'éloignement du monde, l'espace clos, la réserve, et quelque chose de plus difficile à nommer, qui imprégnait tous les objets, et la qualité de la lumière, la nature des odeurs, l'air même, quelque chose qui tenait de la profondeur, de la densité, de la cohésion. Dans l'intimité, telle qu'il la découvrait, tous les éléments se répondaient et s'unissaient, rien ne pénétrait qui restât étranger à cette homogénéité. Le temps même paraissait s'être englué dans la densité du moment.

Son hôtesse avait tenu à ce qu'il gardât son masque. Elle trouvait excitant qu'il ne fût plus Jules, mais un inconnu couvert d'un masque japonais. Il ne savait même pas comment elle s'appelait, personne ne l'avait nommée devant lui. Elle l'avait déshabillé lentement, passant les lèvres à mesure sur les zones du corps qu'elle découvrait. Armand se demandait comment il était possible qu'elle ne découvrît pas la supercherie, deux corps masculins ne se ressemblent pas, par la texture de la chair, la musculature, la pilosité, la couleur et l'odeur de la peau. À moins qu'elle n'eût parfaitement compris qu'elle avait affaire à un inconnu, et voulût jouer ce jeu ; alors le fait de garder son masque prenait un autre sens : cela permettait à son hôtesse de laisser croire qu'elle était dupe, et de continuer le jeu. Ce moment d'intimité absolue avait lieu entre deux inconnus, qui jouaient à se tromper.

Lorsqu'elle l'eut caressé, baisé, léché, elle ôta sa robe noire. Armand redoutait les complications du déshabillage féminin, qui, s'il n'était pas mené avec un certain sens de la mise en scène, sombrait facilement dans le ridicule. Mais elle ne portait rien sous sa robe noire, ni chemise, ni corset, ni jupons. Rien sinon une paire de bas gris clair presque immatériels, faits de la matière de la fumée d'encens, ou de la brume légère qui se dégage d'une eau calme, et qui épousait exactement, méticuleusement, et on eût dit tendrement, sa jambe. Deux jarretières, faites d'une dentelle noire compliquée, presque entièrement constituée de vide, auquel, en le prenant dans l'entrelacs de leur étoffe, elles donnaient forme et réalité, retenaient les bas au-dessus du genou et, couvrant à peine une partie du corps, rendaient sensible, presque bouleversante, la nudité, comme si ces deux bas gris constituaient le réceptacle dans lequel la nudité trouvait à se nourrir et à s'épanouir. Comme chaque jarretière était ornée d'une pierre scintillante, je ne pus faire autrement – pardon, Armand ne put faire autrement que de convoquer ces vers qui, depuis des années, instillaient leur venin en lui :

La jarretière, ainsi qu'un œil secret qui flambe,
Darde un regard diamanté.

Il se sentit un peu déçu de la voir décrocher les jarretières et faire glisser les bas sur ses jambes, et il n'osa pas lui demander de les garder, pas seulement pour ne pas révéler sa voix, mais parce que si elle l'avait fait pour lui complaire, le dispositif, devenu artificiel, eût perdu tout son charme ; toutefois ces deux objets presque impalpables, proches de l'absence, qui se roulaient sur eux-mêmes comme des volutes de vapeur grise, le consolèrent un instant. Négligemment jetés sur un dossier de fauteuil, c'était comme la forme de son corps qui gisait là, dont la matière désirable, mais mystérieuse, hors d'atteinte, consentait à se relâcher, à s'abandonner à sa propre nudité.

Elle se lova contre lui, à la fois sur lui et à côté de lui, enroulant ses jambes et ses bras autour de lui, laissant s'écouler ses cheveux dénoués en un rideau qui enveloppait sa tête et ses épaules, et il jouait à se figurer qu'il ne pouvait plus faire la distinction entre leurs deux corps, comme deux cordages si bien enroulés l'un autour de l'autre qu'on ne parvient plus à les désolidariser. Sa chair, douce et légère, lui paraissait adhérer à chaque centimètre carré de la sienne, échanger sa chaleur et son odeur.

Lorsqu'elle prit sa verge entre ses doigts fins et l'introduisit en elle, le geste lui parut naturel, il parachevait, presque insensiblement, cette créature qu'ils avaient créée, qui était l'intimité même. Et cela suffisait presque. Il n'avait pas vraiment envie de bouger, de briser ce fragile moment de grâce par les habituelles allées et venues. Et il lui semblait qu'elle lui était reconnaissante de ménager un peu cette perfection. Peut-être auraient-ils pu jouir ainsi, immobiles l'un dans l'autre, mais le mouvement vint, naturellement, très lentement, comme pour retenir un peu de ce suspens enchanté. Il recueillait pieusement son souffle, comme un abandon d'elle-même, et dans ses inflexions profondes et son rythme, elle lui offrait sa jouissance.

Armand n'avait jamais beaucoup aimé la douceur dans l'amour, elle lui paraissait une trahison de l'urgence, de la violence du désir, une sorte de vieillesse prématurée. Mais ce soir-là il découvrait, dans la douceur, un puissant facteur d'excitation, elle découpait chaque geste avec précision, conférait à une partie du corps, un fragment de peau, une étrange intensité.

— Ah, Jules, dit-elle après un long silence où ils reposaient l'un contre l'autre, oints de sueur comme des lutteurs huilés, où ai-je la tête ? Je sais que tu aimes que je garde mes bas. Je vais les remettre pour toi.

Elle s'assit au bord du lit et glissa autour de ses jambes, avec une aisance féerique, ces substances impalpables, presque immatérielles, qui d'un geste redevenaient tout à coup sa propre chair. Et ce geste tenait à la fois de la magie et de la tâche quotidienne, de la matière sur laquelle on se penche pour la travailler. Ses cheveux abandonnés qui tombaient en rideau sur son visage et ses épaules évoquaient à la fois le travail de la servante et la manipulation de la magicienne.

L'opération terminée, au lieu de se lover sur le lit, elle se dressa, face à lui. Les braises du foyer la dessinaient en clair-obscur, la tatouaient d'ombre et de feu, et son corps s'épanouissait comme un bouquet dans le vase translucide de ses bas, ses cuisses et ses hanches amplifiaient leur courbure, la touffe luxuriante et noire de son pubis gagnait sur les cuisses et le ventre, comme s'ils étaient envahis par le sexe. Ses seins, lourds, couronnés de larges aréoles cuivrées, parachevaient l'impression de plénitude absolue, celle que produirait une divinité archaïque s'introduisant dans ce monde au creux de la nuit. Armand, à nouveau, se sentait bondé d'un désir qui semblait ne jamais pouvoir être apaisé. Elle s'agenouilla sur lui.

Normalement, il y a un « avant » et un « après », mais ces découpages n'étaient pas vraiment pertinents dans la façon qu'elle avait de faire l'amour. Ils restèrent longtemps enlacés, sans faire le moindre geste, attentifs aux éphémères frissons, au parcours d'une goutte de sueur, qui pouvait appartenir à l'un ou à l'autre, éveillait une partie du corps avant de la restituer à l'indistinction de l'ensemble. Le temps n'existait plus.

Autour d'eux, la lueur des veilleuses, une tabatière en argent damasquinée de rameaux d'or, un tanagra sculpté par l'ombre, représentant une petite danseuse faisant onduler ses voiles, dans leur diversité, n'étaient que les formes différentes d'une même substance, il le sentait mais n'aurait pas pu le formuler. Pour moi, Thalia, mon amour, qui ai déjà éprouvé plusieurs fois cette sensation lorsque nous restions enlacés sans rien dire, il me semble que cette substance, c'est la présence, dans son mystère. Le fait d'être là, commun à tous les êtres dans leur diversité, et qui, si on s'y arrête un instant, nous bouleverse.

Armand n'avait jamais fait l'amour de cette façon. Il ne comprenait pas comment il avait pu s'abandonner à ce point, avec une telle facilité, et surtout avec une telle jouissance, comme si elle et lui se connaissaient depuis des années. Il sentait qu'il ne serait plus le même, qu'un irrépressible besoin de renouveler de tels moments venait de s'installer en lui. À l'idée que, peut-être, ils ne se reverraient jamais, que plus jamais il ne vivrait une telle heure, il sentait un froid le gagner de l'intérieur, ses os étaient gelés et son sang glacé. Lui revenaient à la mémoire de vieilles histoires de succubes, qui la nuit se glissaient dans la couche des hommes pour se repaître de leur substance…

Mais non, se disait-il, le succube a un corps froid comme un serpent, c'est un être mort, alors qu'elle est la chaleur même, la générosité… Si je me perds dans ces arguties, c'est pour ne pas voir l'évidence, pour ne pas renoncer à mes certitudes passées. Je dois capituler. Les idéalistes prétendent que l'amour n'a rien à voir avec le déduit. Ça se passe entre les âmes, paraît-il. Les cyniques, de leur côté, estiment que l'amour est une ruse de l'instinct, et qu'il n'y a que des jobards ou des puceaux pour tomber amoureux de celle avec laquelle ils font l'amour pour la première fois. C'est un peu comme chez Pascal : les premiers sont le peuple dans sa naïveté ; les deuxièmes sont des demi-habiles. Le sage revient à l'opinion du peuple, mais pour une autre raison. Ni le peuple ni les demi-habiles n'ont compris tout ce qu'il y a d'esprit dans le corps. Ils ignorent à quel point, dans l'étreinte, l'odeur, la chair, les gestes, la manière d'être révèlent si deux êtres sont faits l'un pour l'autre.

Armand raisonnait, s'abandonnait voluptueusement à la rêverie comme pour trouver une assise à l'évidence qui l'avait saisi, et qui comme malgré lui, sans qu'il l'eût prémédité, se formula à ses lèvres :

— Je t'aime.

Cette phrase, il ne l'avait jamais prononcée, et il y avait une double raison à cela : l'Armand cynique, Lorenzaccio, n'y croyait plus, tandis que ce qui restait de l'Armand idéaliste, Lorenzo, lui donnait une trop haute valeur pour la galvauder. Et il se retrouvait là, dans cette chambre inconnue, avec cette femme inconnue, avec ces mots sortis de lui, et qui lui paraissaient incongrus, comme un gosse qui vient de casser un vase.

Elle eut un sourire sans ironie, où la malice ne dissimulait pas la bonté. Elle parlait comme celle qui veut consoler le gamin d'avoir cassé le vase.

— Jules… Tu m'aimes ? Ainsi, au bout d'un an que nous nous fréquentons, tu as découvert cela ?

Dans la voiture brinquebalante, nous nous sentions, disait Thalia, comme dans le compartiment de train où pérorait l'ombre, comme dans le vaste lit de nos nuits blanches à Saint-Genest, embarqués dans la nef qui traversait la mer illimitée des histoires. C'était à moi de donner la réplique à Charles, qui hésitait parfois, se reprenait, et, comme nous le faisions parfois dans le lit des histoires sans fin, ma main s'est refermée autour de la sienne, ce qui se racontait était notre histoire à tous les deux, nous étions tous deux responsables de ce qu'elle deviendrait. J'ai tenté, avec mon don de ventriloquie, de prendre une voix telle qu'il l'avait décrite, « grave, douce et légèrement voilée, qui semblait résonner depuis le passé ».

— Alors tu m'aimes ? Et c'est l'émotion qui te fait formuler cette déclaration avec cette voix étrange, que je n'ai jamais entendue ?

Charles faisait ce qu'il pouvait pour imiter la voix chuchotante et parfois au contraire râpeuse de celui qui a une extinction de voix. Son « je t'aime », il l'avait susurré, comme s'il n'osait pas.

— Je t'aime. Et j'ai perdu ma voix.

— C'est l'émotion sans doute. Non, pardonne-moi, je ne veux pas faire l'ironique. Merci, mon chéri. Mais je ne te reconnais pas, toi qui aimais hussarder, qui t'amusais en amour à user de vieilles métaphores épuisées, faire le siège, prendre d'assaut, emporter la redoute, tu te serais converti au sentiment ? Ce ne sont que des mots, bien sûr, une forme de pudeur, si courante chez les hommes, si naïve qu'elle parvient parfois à attendrir, tu n'es pas ainsi dans tes gestes, mais renoncer à sa fiction, pas facile… Jules n'est plus Jules… On me l'a changé…

J'aimais, disait Thalia, caresser l'idée qu'elle n'était peut-être pas dupe de l'imposture, et qu'elle préférait en jouer plutôt que de la dissiper. Et je me demandais comment Charles allait s'y prendre. J'avais un peu envie de le pousser dans ses retranchements. C'est d'ailleurs peut-être aussi ce qu'il cherchait.

— Voyons, que s'est-il passé, Jules… Tu as longtemps résisté à l'idée, et puis tu as dû te rendre à l'évidence… C'est presque un classique… Mais pourquoi me dis-tu « je t'aime » ?

— Comment cela ?

— Oui, tout le monde semble considérer que c'est le *modus operandi* obligatoire. Le rituel. Le moment de la déclaration. Mais à supposer que cette phrase ait du sens, je me demande ce qui pousse à la formuler. Est-ce la pression exercée par la révélation éblouissante de la vérité ? Eurêka ! Tout corps plongé dans un liquide, etc. Qui éprouve le besoin d'énoncer une vérité juste parce que c'est une vérité ? « Je t'aime », voilà, je le constate scientifiquement, je n'y peux rien. Mais alors, tu devrais t'écrier sans cesse : « deux fois sept font quatorze », « le carré de l'hypoténuse est égal à la somme des carrés des deux autres côtés », voilà des vérités qui méritent d'être dites, et qui me brûlaient la langue ! Quoi qu'il en soit, la phrase ne s'adresse à personne en particulier, ni toi ni moi, c'est un constat.

— Tu fais l'esprit fort…

— Ne faut-il pas la plus extrême rigueur dans une matière de cette importance ? Vois-tu, Jules, ou Édouard, qui que tu sois, après tout c'est la nuit des masques, donc celle de la vérité, il faut être cartésien en amour, voir ce qui reste de solide quand on a fait l'hypothèse de toutes les illusions, de toutes les tromperies. L'amour est ce qui reste quand on a éliminé tout ce qui y ressemble, mais n'en est pas. Tout le monde semble considérer que, puisqu'il s'agit d'amour, toutes les folies et tous les délires sont licites, surtout pas de raison. Ce qui est curieux, c'est que la révélation de la vérité tombe toujours pile au moment où la personne concernée est là. Je t'aime ! Heureusement que je ne m'en suis pas aperçue hier, où tu n'étais pas là…

— Tu te moques.

— Ah oui ?

— Il arrive que la révélation se manifeste dans la solitude : Bon sang ! mais je l'aime !

— C'est anecdotique par rapport à la grande scène de la déclaration, mais admettons. La vérité s'est manifestée. Pourquoi la reformuler ? Besoin d'enseigner ? de transmettre ?

— Écoute… Le peuple a tort, qui adhère aux bluettes sentimentales… Mais les demi-habiles comme toi ont tort aussi… Dans la déclaration, il s'agit de tenter d'instaurer un moment de grâce. Celui qui parle prend un risque, il se met à nu, il sera peut-être éconduit, voire ridiculisé, mais il aura été question d'amour. C'est une invite à, comment dire, changer le ton du discours, dans un registre plus grave, car on ignore ce qui va se passer, on vient de basculer d'une réalité dans une autre. C'est un don de soi.

— Tu es merveilleux, mon amour. Embrasse-moi, avec cette bouche qui vient de prononcer ces paroles. J'ai toujours su qu'il y avait un autre Jules sous mon Jules. D'ailleurs, tu as remarqué, l'éloquence t'a fait perdre ton extinction de voix, si j'ose dire. Tu as une nouvelle voix, que j'ignorais, plus grave, plus belle. Et je ne te le fais pas dire : basculer d'une réalité dans une autre. « Je t'aime » n'a rien à voir avec « il fait froid », tu me l'accorderas. Ce n'est pas un constat, c'est un acte. C'est amener l'autre sur ce terrain : « je t'aime » signifie en réalité « aime-moi ». Injonction absurde, d'ailleurs : on ne peut pas se mettre à aimer sur demande. Ce n'est pas de l'ordre du choix. On aime, ou pas. Du moins suivant la doxa sentimentale qui domine.

— Ma parole, tu n'es pas de notre siècle. Le romantisme n'a eu aucune prise sur toi. On croirait entendre un personnage des *Liaisons dangereuses*, ou de *Point de lendemain*, de Vivant Denon.

— Laissons tomber les références. Faisons table rase. Je veux simplement savoir si tu m'aimes vraiment, et ce que cela signifie. Pourquoi conférer ce caractère exceptionnel à ces trois mots ?

On peut aimer beaucoup de choses, une poularde demi-deuil (elle eut un petit rire : Je me demande bien pourquoi je choisis cet exemple !), un portrait de Van Dyck, un petit chien, sa grand-mère, mais dans le « je t'aime », il s'agit d'autre chose, on franchit une limite ontologique. « Aimer » n'a plus le même sens, c'est tout l'être qui est engagé, du moins il me semble.

— Eh bien, tu vois que tu as parfaitement compris ce que je t'ai dit. C'est un choix électif, la rencontre de deux êtres faits l'un pour l'autre.

— Oui oui, comme tu dis, je comprends parfaitement. Ça ne pourrait pas être un autre. Mais alors c'est un hasard extraordinaire, c'est même une impossibilité statistique que deux êtres faits l'un pour l'autre parviennent à se rencontrer. Dante rencontre Béatrice à Florence, au XIIIe siècle. Ça tombe bien. Il y aurait infiniment plus de chances pour que son âme sœur ait été japonaise, ou mexicaine, ou qu'elle ait vécu en Égypte sous les Ptolémées, ou dans des royaumes oubliés, au fond de la nuit des temps. S'il y a bien des âmes sœurs, alors, le plus probable, c'est qu'elles s'ignorent, et ne se rencontreront jamais.

— Ah mais rien ne dit que les « je t'aime » soient toujours pertinents. D'abord, dans la réalité, ils sont plus rares qu'en littérature. Mais je crois profondément que, si rares qu'ils puissent être, certains sont justes.

— Dont celui que tu viens de prononcer…

— Oui, il y a une forme de certitude, comme un accord parfait.

— Mais pourquoi diable quelqu'un aurait-il forcément une âme sœur ? Tout le monde n'est pas droitier, tout le monde n'est pas normal, il y a en tout des exceptions, des monstres, des êtres seuls de leur genre. Et puis est-ce qu'il n'y a pas des gens qui tombent amoureux plusieurs fois ? Laquelle doit-on considérer comme la bonne ?

— Tu as raison. Dans les « je t'aime », il y a beaucoup d'erreurs…

— Créées par la croyance à la valeur de ces mots, et à la réalité qu'ils sont censés désigner.

— Si tu veux. Et tu as raison : il y a des êtres qui ne rencontreront jamais l'amour, parce que, peut-être, cet amour est mort depuis des siècles, ou vit sur un autre continent. Mais cela se produit pourtant. Et tu en as donné toi-même la raison : je crois qu'on peut aimer, non pas de multiples fois, mais plusieurs fois dans sa vie…

— Dante aimerait une autre que Béatrice ?

— Peut-être l'aurait-il pu, sans le savoir.

— Bon. Faisons table rase. Tu m'aimes, Jules, mon bel inconnu, nous avons la chance, dans l'infini du temps et de l'espace, de nous rencontrer. Tu aimes mon corps, donc…

— Pas seulement ton corps…

— Oui oui bien sûr, mais tu l'aimes…

— Oui. J'adore ton corps.

Ils étaient toujours étroitement enlacés, et Armand éprouvait une impression étrange, dans le contraste entre cette union physique où les corps se rendaient à l'évidence, et cet échange de mots où ils redevenaient deux. La pièce était chaude encore, même si, depuis longtemps, le feu dans la petite cheminée avait disparu, et dans les cendres, seules quelques braises rougeoyaient par intermittence, comme si des yeux s'allumaient, ici et là, dans la matière consumée, et c'était bien ce qu'il ressentait confusément depuis le début, il y avait dans la pièce une attention orientée vers lui, les vieux meubles et les tentures, les bibelots lovés au creux de l'ombre étaient en éveil, et bizarrement, il se sentait redevable envers ces êtres si radicalement différents de la vérité de ses sentiments, il se serait senti mal à l'aise de trahir leur pureté étrangère à l'humanité.

— Mes yeux, tu les aimes…

— Oui.

— Pourquoi ?

— Ils sont immenses et noirs. On dirait qu'ils recueillent, qu'ils concentrent l'esprit de ta chair, que c'est elle qui me regarde par eux.

— Je ne te savais pas si éloquent, Jules chéri. Donc, tu m'aimes à cause de mes yeux.

— En partie.

— Et ma bouche, tu l'aimes ?

— Oui, elle est assez grande pour n'être pas mièvre, et assez petite pour n'être pas vulgaire. Elle n'est pas sinueuse comme ces bouches maniérées, elle garde quelque chose de brut dans ses lignes.

— Je ne suis pas certaine de comprendre…

— Il y a des corps qui ne sont que corps. Rien ne les anime. Ils sont là, amorphes, et ne peuvent susciter aucun désir. Il y a des corps qui sont trop esprit, et l'esprit, c'est la négation. Il y a des bouches dont la forme seule est un foyer qui consume tout le corps. La grâce d'un corps, c'est cet équilibre délicat entre sa dimension matérielle et sa dimension spirituelle. C'est une danse. Et c'est ce que tu incarnes.

— C'est beau, Jules, ce que tu dis. C'est émouvant. Je te remercie. Je ne suis pas sûre de mériter cet éloge, mais merci.

— Et puis il y a cette petite dent, légèrement décalée par rapport aux autres, qui donne comme la possibilité d'entrer dans ta perfection, c'est le petit défaut qui est le signe de la grâce, comme un abandon charmant.

— Et mes seins, tu les aimes ?

Dans le fiacre, disait Thalia, j'ai écarté le haut de ma robe de voyage, dégrafé les premiers boutons de ma robe. Puis mes doigts se sont refermés autour du poignet de Charles. J'ai guidé sa main, et l'ai posée là où la chair nue de la poitrine n'est plus comprimée par le corset. Nous étions seuls, protégés, invisibles, et pourtant j'ai senti mon cœur qui battait plus fort, peut-être parce que je n'étais pas dans ce fiacre mais dans ce boudoir rougeoyant, au cœur de ce château perdu, peut-être parce que ce fiacre promenait dans le monde, par les bois et par les champs, traversant les villages, cet amour à la fois enfoui et public.

Ce geste, dit Charles, me bouleversa, ce n'était pas seulement son corps qu'elle me donnait, c'était sa conscience de son corps. Elle m'abandonnait sa présence à elle-même.

— Oui. Ils sont lourds.

— C'est une raison pour les aimer ?

— J'aime les seins lourds, les larges aréoles, semblables à des boucliers de cuivre, parce que c'est féminin. J'aime dans une femme tout ce qui s'éloigne du modèle masculin, tout ce qui m'est étranger, comme on recherche dans une contrée lointaine ce qui nous dépayse. Je voudrais me perdre dans le féminin absolu. J'aime tes seins parce qu'ils sont tiens et en même temps ils ont une vie passive qui n'est pas la tienne, leur poids fait qu'ils ne sont jamais semblables, quand tu es allongée, assise, debout, penchée. Ils bougent. Et puis je les aime parce que leur poids les fait tomber.

Rien qu'en les décrivant, et plus encore peut-être qu'en les touchant, disait Charles, qui parlait à Thalia de la poitrine d'une femme fictive tout en caressant celle de la femme réelle, je sentais le désir monter, mes mots brisaient la fine pellicule d'irréalité que nous sécrétons autour de nous, comme pour nous en protéger instinctivement.

— Mais je t'ai dit pourtant que toutes les femmes redoutaient ce défaut, comme un signe de l'âge, de l'affaissement du corps. Ce qui tombe est ce qui déchoit.

— Justement. Le défaut est cette fissure par laquelle se glisse l'esprit. Le sein parfait est comme absent à lui-même. Le défaut mobilise ta conscience de toi, et c'est ton esprit que je désire dans ton corps, ne l'oublie pas. Mais même sans cela, le défaut symbolise aussi le travail de l'esprit sur la matière, qui la déforme et la fatigue. La beauté parfaite, c'est celle des statues grecques. Qui a jamais trouvé désirable une Héra ou une Hélène de marbre, se pavanant dans sa propre splendeur immarcescible, avec ses deux globes géométriques et mesurés, le visage fermé, le corps bouclé à double tour ? J'appelle ça des corps ennuyeux.

— À ce compte-là, mon chéri, la perfection, à ton goût, c'est le monstre : la femme la plus désirable n'a pas de jambes, ou en a quatre.

— Mais non, pas du tout. À partir d'un certain seuil, c'est la destruction qui prend le dessus, et les monstres qu'on exhibe dans les cirques ont l'air d'être le résultat lamentable de l'acharnement malin d'un esprit sur un corps.

— Mais tout ce que tu aimes en moi, d'autres femmes l'ont…

— Mais aucune ne réunit tout cela.

— Supposons que, à la suite d'une maladie, on doive m'ôter les seins. Tu m'aimerais encore ?

— L'ensemble survit à la disparition des détails. En réalité, si j'aime chaque détail de ton corps, ce n'est pas seulement pour ce qu'il est, mais parce qu'il t'appartient. Si tu avais des défauts physiques, mais ce n'est pas le cas…

— Tu es adorable, mais ce n'est pas vrai. Je ne suis pas parfaite. Regarde mes mains : elles n'ont pas les doigts fins, les veines y sont apparentes…

— Il y a deux manières d'aimer le corps de qui on aime. Parce qu'il correspond à ce qu'on désire, mais aussi parce qu'il lui appartient, quel qu'en soit l'aspect. C'est tout l'être de qui on aime qui rend désirable ce qu'on n'aurait peut-être pas désiré, et tes mains, je les aime parce qu'elles sont à toi, je les adore, je les baise. Tu sais, durant cette nuit, j'ai compris une chose qui ne m'était jamais venue à l'idée : le sexe, c'est le visage. C'est le visage, c'est le regard qui rend excitants les éléments du corps. Sans lui, ils n'ont aucun sens, aucune vie, ce sont des objets morts. C'est toi que je veux saisir dans tes seins, dans ton cul. Si je te prenais en levrette, je voudrais que tu te retournes, que tu me regardes, alors le désir décuplerait. Le visage est le sexe. C'est donc toi qui animes le désir en chaque détail de ton corps.

— Moi ? Mais qui est moi ? Qui est l'être à qui appartiennent les attributs physiques ? Dans quoi se tient-il ? Et si on supprime tous les détails ? Et le visage ? Un accident, ou la petite vérole, détruit mon visage…

— Tu restes toi-même, en deçà de tout ce qui te constitue.

— Tu te souviens de ces contes où une sorcière transforme une belle princesse en crapaud ? Si cela m'arrivait, serais-je encore moi-même, tout en n'ayant plus rien de ce qui est moi ? Et cette sorcière existe, elle s'appelle la vieillesse…

— Mais tu n'es pas une addition de détails. Et d'ailleurs, je pourrais te poser les mêmes questions à mon propos.

— Et je n'aurais pas de réponses plus satisfaisantes que les tiennes. Et puis les hommes détaillent plus que les femmes.

— Que veux-tu dire ?

— Qu'ils ont besoin de passer par un détail pour accéder à l'ensemble. La partie pour le tout. Alors que les femmes saisissent l'ensemble avant le détail.

— Oui, c'est possible. Mais pourquoi ?

— L'obsession masculine pour les détails ?… Va savoir… Ça vient peut-être du chasseur des temps anciens, qui devait se focaliser sur un détail de la proie. Peu importe. Quoi qu'il en soit, ça ne change pas le problème. Car ce tout qui me séduit, en toi, Jules, j'ignore quelle en est la nature.

— Mais peu importe. Elle existe, elle demeure. Même dans l'extrême vieillesse, tu es encore l'enfant de huit ans… Et puis on ne parle que du corps, là…

— Ah oui, c'est vrai, il y a tant de corps difformes, tant d'infirmes, tant de vieilles dames détruites par l'âge qui suscitent la passion à cause de la splendeur de leur âme ! Mais admettons. D'abord, il arrive que l'esprit change, comme le corps. Je peux perdre la raison. Ou, moins radicalement, devenir aigrie, ou maniaque, ou sombrer dans la mélancolie. Serais-je alors encore moi-même ? Celle que tu aimes ?

Si je comprends bien, si mon corps se modifie, mon visage, je suis encore moi. Mon embonpoint, mes mains, ma poitrine, je suis encore moi. Si mon intelligence et ma mémoire diminuent, je suis encore moi. Bref, je n'ai plus rien de ce qui me constitue, mais tu m'aimes encore ? Tiens, attends.

Elle s'est levée, nue, splendide dans la lumière cuivrée des lampes, et est allée fouiller dans une petite bibliothèque qui jouxtait la cheminée. Elle est en est revenue avec un petit livre relié de maroquin rouge, qu'elle tenait entre ses seins. Elle l'a feuilleté un instant.

— Ah ! Voilà. Je le relis toujours, d'ailleurs c'est le seul livre que je relis sans cesse. Écoute :

> Mais celui qui aime quelqu'un à cause de sa beauté, l'aime-t-il ? Non, car la petite vérole, qui tuera la beauté sans tuer la personne, fera qu'il ne l'aimera plus. Et si on m'aime pour mon jugement, pour ma mémoire, m'aime-t-on moi ? Non, car je puis perdre ces qualités sans me perdre moi. Où est donc ce moi s'il n'est ni dans le corps ni dans l'âme ? Et comment aimer le corps ou l'âme sinon pour ses qualités, qui ne sont point ce qui fait le moi puisqu'elles sont périssables ? Car aimerait-on la substance de l'âme d'une personne abstraitement et quelques qualités qui y fussent ? Cela ne se peut et serait injuste. On n'aime donc jamais personne mais seulement des qualités[49].

— Alors ? Qu'en dis-tu ?

— J'en dis que Pascal n'avait sans doute pas prévu d'être lu à voix haute par une femme nue à son amant. Ce n'est pas bien édifiant comme situation.

— La nudité ne messied pas à la mystique. La nudité peut être ascétique. Mais tu ne réponds pas. D'ailleurs, même si on ne changeait pas, on dit toujours « je t'aime » à quelqu'un qu'en réalité on ne connaît pas. Et puis, avec le temps, on découvre des aspects qu'on n'avait pas imaginés. Comment prétendre connaître quelqu'un ? Et dès lors comment prétendre l'aimer ?

— De ce que j'ai pu voir de toi, depuis que nous nous connaissons, j'ai l'intuition de ce que tu es.

— Mais si je dissimulais des aspects peu honorables de moi ?

— J'apprendrais à t'aimer. L'amour, s'il est véritable, n'exclut rien de ce qu'est l'autre.

— Mais, Jules chéri, à ce compte, on peut aimer n'importe qui ! Si on les connaît à fond, un maquignon brutal, une vieille fille rancie dans la jalousie, un despote cruel, n'importe qui est digne d'amour. Et sans aller jusque-là, il y a des milliers de femmes qui auraient pu te plaire, et que tu aurais pu apprendre à aimer. Non, je crois, vois-tu, que l'amour, avec ses scènes, sa déclaration, ses postures classiques, est une charmante fiction, un petit théâtre qu'on se joue à deux. J'aurais aimé que tu me convainques, j'aurais aimé me rendre à tes raisons, mais cela n'a pas été le cas.

Armand allait reprendre la parole, mais elle posa l'index sur ses lèvres. Il y avait, sur un guéridon, une bouteille contenant un liquide noir, et dont l'étiquette portait, en caractères hauts et fins, l'inscription *Palo cortado.* Un unique verre à long pied la flanquait. Elle y versa deux doigts de liqueur ambrée, qu'elle sirota, puis posa doucement ses lèvres sur les siennes, qu'elle entr'ouvrit de la langue. Il sentit couler en lui une humeur tiède et dense, lourdement chargée d'arômes, et il se crut un instant revenu aux temps de son enfance, lorsque son père l'avait emmené visiter la grande serre du Jardin des plantes, où dès l'entrée il avait été enveloppé d'effluves de terre, d'épices, de frangipane et de pourriture.

— Prends-en à ton tour, et rends-moi la pareille. Nous recommencerons, chéri, jusqu'à ce que nos âmes s'échangent, ou, à défaut, jusqu'à ce que nous soyons ivres, en tout cas plus que nous le sommes, ce qui après tout est un agréable succédané.

J'avais, disait Thalia, malgré moi, remporté la *disputatio*. Comme la créature à laquelle j'avais donné la parole, j'aurais aimé qu'il en fût autrement. Charles se taisait. Je me suis aperçue que je tenais encore sa main contre mon sein, comme pour préserver cet amour que nous venions de renvoyer à la fiction. Et puis la voix de Charles s'est à nouveau fait entendre.

J'ignore comment cette nuit s'est achevée. Quand Armand s'est réveillé, il était dans un fiacre. Il était encore complètement ivre, les vêtements défaits, d'ailleurs il ignorait qui l'avait habillé et déposé dans le sapin, sans doute quelque domestique qui avait l'habitude de renvoyer les invités chez eux après ces agapes. Au petit matin, la voiture l'a laissé devant chez lui. Et, abruti comme il l'était, il n'a pas eu la présence d'esprit de demander au cocher d'où ils venaient. Il n'avait plus aucun moyen de retrouver la piste de cette nuit perdue. Pendant des semaines, cette nuit lui fut une obsession, elle était, dans son esprit, à la fois omniprésente et comme claquemurée sur elle-même. Il n'en dormait plus.

Puis, un jour qu'il feuilletait *Le Gaulois*, il tomba sur un articulet décrivant une brillante soirée chez le jeune marquis Guillaume de Gontaut-Biron. Le nom de Biron surgit tout à coup du passé, c'est un Louis de Biron qu'il avait vu dans le château. Le surlendemain, il était introduit dans un petit hôtel du faubourg Saint-Germain. Le jeune homme qui le reçut parut interloqué de sa démarche. Louis de Biron ? Il réfléchit un instant. Il y en avait bien eu un, en effet, dans cette famille aux nombreuses ramifications. Si c'était bien celui dont on parlait, il s'agissait d'Armand-Louis de Gontaut, duc de Biron et de Lauzun, qu'on surnommait « le beau Lauzun ». Il devait être son arrière-grand-oncle. Malgré ses succès militaires durant la guerre d'indépendance des États-Unis, et plus tard contre les Vendéens, il n'avait pas excellente réputation. On le disait amant de Marie-Antoinette. Puis de la baronne de Sault, avant même la mort de son mari. Il avait finalement été guillotiné, alors qu'il s'était rallié à la Révolution.

— La baronne ?

— Mais oui, vous savez. Il passait d'ailleurs sa vie dans leur petit château, du côté de Mortefontaine.

Un matin de la fin septembre, au détour d'un bois de peupliers dont les feuilles commençaient à jaunir, par la fenêtre du fiacre qu'il avait loué, le souvenir de la nuit se matérialisa, plus de six mois après. C'était bien cette gentilhommière de brique, avec sa vigne vierge, son escalier à double révolution, sa tour. Mais les fenêtres étaient barrées par des planches de bois, les toitures s'effondraient, les ronces envahissaient l'escalier.

À l'auberge du village, distant d'à peine une demi-lieue, Armand a demandé depuis quand le château était fermé ; le cabaretier s'est étonné. Tout le monde savait, dans le pays, que plus personne n'y habitait depuis la Révolution.

— Il y avait bien une baronne, une jeune veuve…

— Oui, il y a eu une baronne, la baronne de Sault, qui avait perdu très jeune son mari ; ils n'avaient pas d'enfants. Maintenant ça doit appartenir à de lointains cousins, on ne sait pas qui c'est. Monsieur serait intéressé par le château ? Il y a des gens qui venaient, dans le temps, qui se renseignaient. Et puis on ne les revoyait plus. Depuis des années, plus personne. Alors comme ça, Monsieur ne connaît pas l'histoire ? L'anecdote est un peu connue. Mme de Sault a été emprisonnée pendant la Terreur. Et puis on l'a extraite de sa geôle pendant les massacres de septembre. Ah, mon pauvre monsieur, ce qu'ils lui ont fait… Une abomination… Ils l'ont mise en quartiers, ni plus ni moins qu'un animal de boucherie, ont brandi ses restes sur des piques, se sont partagé les morceaux, ont abandonné les entrailles aux chiens. Il y en a même un qui a eu l'idée de se faire des moustaches avec, on a peine à le dire, avec la toison de ses parties intimes. Et tout ça en triomphant, en rigolant. Et pas des gueux, pas des mort-la-faim, non, des artisans, des boutiquiers, bien chauffés par le Marat[50]. On a beau ne pas être pour les riches et les aristocrates, on est des êtres humains. Enfin, c'est bien vieux, tout ça. Ça fera bientôt un siècle.

Armand a payé sans dire mot, a regagné le fiacre. Par les fenêtres défilaient des fragments de paysage, des branchages déployant leurs gerbes de couleurs indifférentes, comme des végétations sous-marines envenimées. Des feuilles solitaires dérivaient. Les larmes ont jailli de ses yeux, sans qu'il les ait senties venir. Elles ont coulé sans interruption, tout le temps du voyage de retour, jusqu'à la rue d'Antin, comme un phénomène physiologique sur lequel il n'aurait aucune prise. Un domestique lui a préparé un bain brûlant, et ses larmes intarissables ont continué à se déverser, se confondant avec la vapeur, la sueur, les éclaboussures du bain. Plusieurs jours après, à des moments imprévisibles, elles jaillissaient à nouveau, pendant le repas, lorsqu'il lisait le journal, lorsqu'il se changeait, dans le vestiaire, après un assaut d'escrime. Il ne savait pas pourquoi il pleurait. La source en était trop profonde, trop éloignée pour être clairement identifiée. Il ne voyait qu'une partie des motifs pour lesquels il se répandait en larmes, et c'était l'inépuisable et atroce évidence de ce que l'on fait de la tendresse humaine et de la douce fragilité des êtres.

Et Charles s'est tu. Par les fenêtres du fiacre défilaient les arbres de la forêt de Sologne. La soirée avançait, et l'étape se rapprochait, où ils pourraient se reposer et se restaurer.

Mais l'histoire ne se termine pas là. La nuit magique avait eu cette vertu de tuer définitivement en lui le cynique. Les larmes intarissables avaient lavé son cœur. Sous le masque, il s'était uni à une femme dont aucune complication sociale, aucun rôle préétabli ne pouvait le séparer. Ils étaient nus. Et elle avait, avec douceur, avec tendresse, arraché au vieil amour tout son plumage. Il restait perdu, interdit, avec cet amour auquel à nouveau il aspirait, et dont il ne pouvait rien faire. Il passait de longues heures devant sa cheminée, à fumer, à siroter un très ancien marc, à laisser sur ses genoux s'effeuiller un vieux livre, dégustant parfois un peu de confiture verte de haschich.

Une nuit qu'il avait un peu de fièvre, après avoir plus longuement que d'habitude évoqué les fantômes, tenté d'exorciser ses anciennes turpitudes, revécu la nuit magique dans le château de brique, il s'était couché tard, sans parvenir tout à fait à trouver le sommeil, englué dans une léthargie au sein de laquelle il se tournait et se retournait, comme une bête prise au piège. Ses bras souffraient de ne rien pouvoir saisir, de ne rien parvenir à étreindre, et brassaient du vide. Enfin, de lassitude, ils retombèrent sur les draps. Il était couché sur le dos, bras écartés, entre veille et sommeil, espérant pouvoir bientôt s'enfoncer dans l'oubli. Sa main droite, en s'écartant un peu, toucha quelque chose. Un réflexe électrique la ramena contre lui. Son échine, de haut en bas, fut parcourue d'un frisson. Sa main avait touché de la peau.

Il resta immobile de longues secondes, retenant sa respiration. Il se raisonnait en accusant le demi-sommeil, la boulette de haschich, qui parfois déjà lui avait donné des hallucinations. Sans doute un pli de drap avait créé cette illusion.

Tout doucement, sous les draps humides, collants de sueur, sa main se glissa à nouveau vers la droite. Et ses doigts, un fugitif instant, se posèrent, à nouveau, sur une chair humaine, douce et chaude. Quelqu'un était dans son lit.

Il n'osait plus bouger. Désormais, il lui semblait bien entendre le souffle régulier de celui qui reposait à côté de lui. Il y eut un remuement, et son corps fut enveloppé par un autre corps, il sentit sur son visage une caresse légère et mouvante, celle de cheveux qui se déversaient sur lui, une haleine tiède explorait ses lèvres.

« Cela fait si longtemps, mon chéri. »

Dans le passage des années, cette nuit-là forma, dans un recoin de la chair de son esprit, un kyste de mémoire, qui à la fois l'excluait du cours ordinaire de ses pensées, et en protégeait l'intégrité. Sans l'avoir cherché, il lui arrivait d'y revenir, d'en caresser longuement les indéchiffrables secondes, d'en reconstituer, encore et encore, l'incompréhensible déroulement. La question de la réalité de ce qui s'y était déroulé, s'il l'avait remuée d'abord, ne lui paraissait plus si pertinente. C'est elle plutôt, cette nuit, qui faisait vaciller la notion de réalité, comme l'avait fait avant elle la nuit magique au château, dont celle-ci était le prolongement.

Jamais, malgré bien des insomnies, passées à dresser l'oreille, à scruter le crépitement du feu, à traquer la moindre ondulation des draps, elle ne s'est reproduite. Il l'a pourtant attendue d'abord, avec un mélange de désir et d'appréhension, se demandant si peut-être, à se mêler à nouveau au corps de son fantôme, quelque chose finirait par s'éclaircir. Il poursuivait sa vie ordinaire, allait dans les mêmes soirées, fréquentait les mêmes cercles, tenait les mêmes conversations, sans qu'il fût jamais visible qu'un fragment radicalement étranger au monde était logé en lui.

Dans les tentatives de reconstituer le cours de cette nuit, qui le prenaient à des moments imprévisibles, peut-être suscitées par un détail, le contact inopiné, par exemple, pendant un dîner, d'une délicate serviette de soie, aussi douce qu'une peau humaine, de sorte que les convives, voyant son regard se perdre dans des angles obscurs de la pièce, sans qu'il songeât à répondre à une question qui venait de lui être posée, souriaient en prenant pour un simple accès de distraction, dont on le savait coutumier, l'accaparement de son esprit mobilisé par les fantômes, il ne pouvait éviter de se laisser d'abord déborder par l'émotion charnelle de ces moments.

Cette nuit, dans l'obscurité de sa chambre, avait été plus intense encore que la première, dans le château. Son corps et celui de celle qui était là, entre ses draps, et qu'il n'avait jamais vue, s'entrelaçaient inextricablement, comme s'entrelacent une vigne vierge et un rosier grimpant. C'était, en quelque sorte, une étape nécessaire de la mémoire. Et c'est dans le souvenir du corps qu'il parvenait à atteindre les paroles qu'elle lui avait glissées au creux de l'oreille, sans plus pouvoir les démêler qu'à ce moment on aurait pu démêler leurs membres, car s'y succédaient des soupirs, des mots tendres, et des discours. Et ce dont il se souvenait le plus clairement d'abord, c'est que l'ombre qui s'était glissée entre ses draps lui demandait s'il se rappelait ce qu'ils s'étaient dit, tout en le caressant, et le rythme des caresses lui paraissait, dans cette nuit désormais toujours plus lointaine, comme la syntaxe des phrases qui elles aussi l'enveloppaient.

Il ne savait pas répondre à la voix du corps invisible, à peine s'il osait parler, comme si ses mots allaient donner à ce moment un poids qui le ferait basculer dans l'inconnu.

Il arrivait parfois, où qu'il se trouvât, seul dans son hôtel ou dans une loge d'opéra, qu'il entende, dans le creux de l'oreille, comme un murmure, où il finissait par reconnaître la voix, cette voix enchanteresse, lente et profonde et douce comme une étoffe satinée, et il se laissait emporter par elle, vers un passé dans lequel elle l'invitait, comme si elle le prenait par la main, et au fond duquel elle l'entraînait vers un passé plus profond encore.

Nous aurions pu nous aimer, disait la voix, si le temps et le monde avaient été réglés différemment. Elle ajoutait qu'elle l'aimait assez pour souhaiter qu'il trouve l'amour dans son monde, et qui sait pour l'y aider, pour suivre avec amour sa recherche de l'amour. Elle lui assurait, tendrement, qu'il l'avait aidée à trouver la paix, si prudent, si précautionneux qu'il ait pu être dans ses mots, et qu'elle se reposait sur cela à présent, qu'elle se réchauffait, dans le grand froid qui l'entourait, au souvenir de cette nuit.

Et Armand, qui ne se rappelait pas les mots qui avaient pu sortir de sa bouche durant cette nuit confuse, entendait la voix lui rappeler, chaque fois qu'à nouveau elle se manifestait, parfois avec des mois, voire des années d'écart, qu'il lui avait dit que si hasardeux, si fragile, si privé de toute nécessité que puisse être l'objet de notre amour, que même si on pouvait le dépouiller de tout ce qui le constituait, comme on ôte un à un les vêtements qui habillent un mannequin, sans qu'en apparence il en reste rien, il fallait néanmoins s'abandonner à cet amour, il fallait surtout le préserver, le réchauffer, tenir étroitement dans ses bras cette absence, car il était nu, absolument nu, en deçà même des mots qui auraient pu tenter de le définir, on ne savait pas de quoi il était fait, et pourtant il était l'essentiel, il était l'être même, sans visage, mais que seul le visage aimé, qui le masquait, permettait d'atteindre. L'être aimé n'avait aucune nécessité sans lui, mais lui ne pouvait se manifester que dans l'être aimé. De sorte que la modification de ses idées, et de sa vie, la foi nouvelle que lui donnaient ces colloques intérieurs, venaient de ce qu'on lui rappelait qu'il avait dit et dont il n'avait aucun souvenir.

Et je me suis tue.

— Mais, a dit Charles, ce n'est pas juste. Ton histoire est la plus horrible de toutes.

— Comment cela ?

— Il a trouvé par la suite son amour, Judy, mais elle l'a repoussé.

— C'est vrai. Mais cela ne s'est pas fini comme ça. Judy n'était pas heureuse, Armand encore moins. La haute opinion qu'Adrienne avait d'elle-même, et que nourrissaient sa beauté et son intelligence, l'empêchait d'aimer, elle ne désirait que des marques d'amour et d'admiration. Lorsque le divorce a été rétabli[51], Armand s'est séparé d'elle. Il s'est mis à fréquenter le couple Sainte-Foy. Camille rendait toujours un culte à son épouse, mais, désespérant de se faire aimer, il fréquentait discrètement quelques cousettes. Un beau jour, Armand et Judy sont partis. Ils se sont installés en Angleterre, dans un petit manoir du Dorset. Il arrivait parfois, certaines nuits, dans le grand lit qu'ils partageaient, qu'Armand s'éveille, ne sachant plus dans quel lieu, dans quel temps il se trouvait. Il attendait un moment. Il étendait le bras, et ses doigts se posaient sur une peau infiniment douce. C'était celle de Judy. Il se rendormait.

À ce moment de mon histoire, disait Thalia, le fiacre a ralenti sur de gros pavés, puis s'est arrêté. Il était presque huit heures. Nous nous trouvions dans une cour de ferme, close sur trois côtés par des bâtiments de brique rouge. Des rosiers grimpants, dont les fleurs roses ou jaunes dépliaient au soleil déclinant leur appareil de voilures, se mêlaient à la vigne vierge qui couvrait les murs. L'air frais était chargé d'effluves de vin, de fruits, de sauces longuement mijotées. Nous sommes entrés dans une grande salle ombreuse, creusée dans le fond par une immense cheminée qui occupait presque tout le côté de la pièce. Elle était vide. Devant nous, minuscule, une vieille petite créature, dont les yeux très bleus, bridés comme le seraient ceux d'une nomade des steppes, émergeaient d'une uniforme étendue de rides, croisant sur son giron enveloppé d'un tablier bleu des espèces de fragments de bâtons, secs et durs, qui étaient des doigts, se fendait d'un sourire qui mobilisait tout son visage.

Elle était, avec son chaperon blanc et son foulard croisé sur la poitrine, vêtue comme on ne l'est plus à la campagne, sinon dans les tableaux de Greuze. On aurait dit une fée surgie du sol tout exprès pour nous recevoir, et de sa voix qui charriait un roulement de *r* comme des galets, elle nous installa au coin du feu en s'excusant de la pauvreté du repas, et en espérant que malgré tout il nous suffirait.

Comme dans *Riquet à la houppe*, les plats se matérialisaient comme par magie, et nous vîmes paraître, sur le bois entaillé de la table, l'omelette aux champignons, l'alose, la perdrix, le gratin de pommes de terre, le fromage et la pompe aux pommes, que notre appétit accueillait sans faiblir.

— Crois-tu, mon amour, qu'il nous faille encore des histoires ? ai-je demandé à Charles, en reprenant un verre du petit vin frais dont nous avions déjà vidé une bouteille.

— Peut-être nous fallait-il des histoires pour nous débarrasser des histoires.

Nous nous sommes couchés tôt, dans une modeste chambre de l'étage aux rideaux de cretonne bleue, décorée d'un crucifix et d'une branche de buis. Nous n'avons pas fait l'amour. Nous sommes restés serrés l'un contre l'autre, nous laissant couler dans un sommeil si profond, si complet, que la nuit ne s'en est jamais tout à fait achevée, et qu'elle dut laisser un minuscule accroc d'éternité dans l'étoffe du temps.

ALASTAIR 19

… disait Thalia. Et ces histoires, elle ne les racontait à personne. Lorsque le vieux Punch, plus vieux lui-même que les pierres, venait la voir, dans le grand hôpital où on l'avait recueillie, quelques années après la mort de Charles, la tête lui tournait d'abord. Vous n'y allez pas bien souvent, docteur, sauf pour un ou deux cas parfois, mais vous savez ce que c'est. Ce n'est pas l'enfer, non, on ne peut pas dire ça. C'est… C'est comme des limbes. La salle oblongue, interminable, les centaines de lits, et ces êtres qui sont là comme dans une région intermédiaire du monde, ni dans le monde ni hors du monde, assis sur leurs lits, sans rien faire, allongés, déambulant lentement, soliloquant, sans rien qui semble les rattacher au monde réel. Et tout est blanc, il n'y a que du blanc. Oh bien sûr, en regardant attentivement, on verrait ici et là le rouge du sang, le brun des fèces, le jaune de l'urine, toutes les traces de sécrétions mal nettoyées, mais ce sont des détails, ils disparaissent, réapparaissent, simples aléas, d'un point de vue un peu élevé on ne les aperçoit même plus.

Et les êtres qui habitent ce blanc, qui eux-mêmes ont tourné au blanc, de cheveu, de peau, de visage, on les dirait condamnés à habiter pour l'éternité une espèce de néant, un néant conscient de lui-même. La marchande d'oubli n'avait jamais pensé avant qu'on puisse inventer quelque chose comme ça.

Mais personne n'a inventé ça, n'est-ce pas, docteur, aucun démon, aucun ange, aucun pauvre fou torturé par des obsessions morbides, ça s'est fait tout seul, comme se font les choses.

That's the way to do it.

La première fois, je me suis arrêté sur le seuil. Je ne savais pas comment trouver Thalia parmi ces centaines de personnes indifférenciées. Je ne savais pas si je voulais la trouver. Thalia, docteur, avait été quelqu'un, quelqu'un au plus haut point, peu de gens y parviennent. Toute sa personne, son visage, ses gestes, ses regards, ses intonations, son sommeil même, oui, son sommeil surtout, on n'aurait pas pu les qualifier de beaux, ou d'élégants, ou de touchants, parce qu'ils étaient la poésie même, docteur. Voilà où va la poésie, me disais-je sur le seuil. Est-ce que le vieux Punch peut encore le supporter ?

J'ai remué mes vieux ossements, fait sonner ma canne, mobilisé la carcasse antédiluvienne, et je l'ai trouvée, parmi ses centaines de semblables, tout aussi blanche, ses longs cheveux blancs étalés autour de sa tête, comme le rayonnement d'un astre refroidi. Elle dormait, et l'enfance avait repris place sur son beau visage, comme lorsque Punch scrutait sans se lasser son sommeil, jadis, fasciné par la puissance paisible qui en émanait.

Souvent, Thalia dormait à l'arrivée de Punch. Ces moments-là auraient pu durer toujours. Et dans ces limbes, les nuits d'autrefois renaissaient, Punch contemplait, pendant des heures, comme soixante-dix ans auparavant, ce visage dont l'éclat nocturne paraissait ranimer en lui le sang épuisé, les vieux os, les organes fatigués. Et puis elle ouvrait les yeux, et souriait à Punch.

Je n'aurais pas pu imaginer que Thalia vieillisse, et encore moins que ce ne soit pas Punch à cette place, vieux monstre finissant sa vie dans un hospice, visité parfois par sa petite sœur, encore fraîche et vive, mais l'inverse. Les dieux, docteur, aiment à inventer de ces plaisanteries pour s'amuser des hommes.

La poésie, docteur, finit dans les hospices, la muse est traitée comme une vieille folle, et les vaticinations de celle que le dieu a visitée sont qualifiées de délire. Thalia n'était pas folle, docteur, ni sénile, comme les infirmières voulaient me le faire croire. Son intelligence était aussi vive, aussi pénétrante qu'avant. C'était différent. Thalia avait toujours baigné dans le rêve. L'imagination était son domaine. Et là, seule dans ces limbes, elle lui laissait libre cours. La paralysie l'avait livrée tout entière au rêve. Car il fallait être là, docteur, demeurer assez longtemps à son chevet, ce que personne ne faisait, sinon le vieux Punch, pour constater qu'elle pouvait aussi, par moments, parler de choses bien concrètes. Elle n'ignorait pas le lieu où elle se trouvait, elle n'ignorait pas son état, elle reconnaissait son vieux Punch. Mais la force du rêve finissait par tout recouvrir, comme la marée montante engloutit les mares, les rochers, les touffes d'algues, tout le petit monde dépareillé de la plage, avant de se retirer, des heures plus tard.

Les histoires la possédaient. Elle racontait à ses voisins de lit, aux infirmières qui passaient, aux bonnes sœurs, à l'air immobile, et sans doute aussi un peu au pauvre Punch, quand Punch était là, ce que son amant lui avait raconté que Punch lui avait raconté et qu'à présent Punch vous raconte, docteur.

Vos argousins, lorsqu'ils m'ont cueilli au chevet de Thalia, le mois dernier, m'ont aussi longuement interrogé. Mais Punch ne parle pas aux argousins. Il parle aux gens intelligents, ceux qui peuvent comprendre, si tant est qu'il y en ait qui puissent comprendre. Punch ne comprend pas tout non plus. J'ai déjà longuement parlé à un autre docteur, comme vous le savez, il y a quelques décennies. Pourquoi pas un nouveau ? D'ailleurs vous me le rappelez un peu, c'est le même air sérieux, attentif, compréhensif, un peu énervant, comme peuvent l'être les gens compréhensifs. D'où je sors ? La réponse risque d'être longue, docteur. Bah, je peux vous en donner une idée. Mais vous n'êtes pas juif, au moins ? Non parce que, Klein, docteur Klein, ça a l'air tout de même… Oui, c'est un nom alsacien, bon, vous comprenez, on ne peut pas faire confiance aux juifs, les chleuhs ont au moins compris ça.

Après les trois nuits où j'ai pu, pour la dernière fois, contempler le visage de ma sœur endormie, il fallait que j'oublie, que je fuie, le plus loin possible. J'ai quitté la région, je suis revenu à Paris. Je n'étais pas encore trop vieux, j'ai pu m'engager dans de petits cirques, comme clown, bien sûr. Je suis passé dans l'Angleterre de mon enfance, puis en Allemagne. Et là, figurez-vous, j'ai eu un disciple.

Oui, un disciple. Dans je ne sais plus quelle obscure ville allemande, elles sont toutes plus sinistres les unes que les autres, nous avons vu débarquer, pendant les répétitions, un petit jeune homme, presque imberbe, quel âge pouvait-il avoir ? Dix-huit ans, peut-être. Il voulait faire du cirque, apprendre la pantomime. Les autres s'en sont débarrassés en me le collant. Il a suivi la tournée. Je lui ai appris un certain nombre de choses. Il était sérieux, et m'écoutait comme si j'étais le Bon Dieu. Il était mince, souple, plutôt doué, assez efféminé. Son long visage, au menton allongé, était barré par une mèche de cheveux qui lui tombait sur l'œil droit. Il adorait se travestir, s'habiller en femme, se maquiller pour certains numéros. À son allure, à ses manières, on ne pouvait guère s'y tromper, c'était un inverti. Punch n'a jamais aimé les fiottes. Mais celui-là, allez savoir pourquoi, arrivait à l'émouvoir. Tantôt il se montrait timide comme une jeune fille, tantôt, emporté par on ne sait quel démon, il devenait démonstratif, éloquent, provocateur même. Il étourdissait Punch. Parfois il se mettait au piano et jouait un air rêveur, parfois il se mettait à chanter une rengaine populaire ou un lied de Schubert. Il savait tout faire.

Punch a senti en lui quelque chose qui lui ressemblait, une espèce de pluralité. Il y avait du monde dans cette petite carcasse. Impossible de savoir d'où il sortait, il éludait toutes les questions sur sa vie, ses parents. En revanche, il voulait tout savoir sur les Helquin, leur carrière, leurs spectacles, mes souvenirs de tout ce que j'avais vu, les Folies-Bergère, Barnum, Boswell, les Griffith, les Pinaud, Mack et Dixon, le clown parlant

Billy Hayden, avec son cochon, qui avait triomphé au Cirque d'hiver en 1882, il avalait mes récits comme s'il était travaillé par la soif, et je me prenais au jeu, comme un aïeul racontant des contes du temps passé à un enfant émerveillé.

Un soir où nous avions abusé de l'Erntebier locale et surtout des petits coups de schnaps entre deux pintes, il s'est ouvert à Punch, tout doucement, avec sa jolie voix un peu haute de ténor. Il s'était présenté au cirque comme « Hans », sans préciser un nom de famille. Il s'appelait en réalité Hans-Henning von Voigt, fils d'une grande famille, son père était un baron prussien, et général, pour ne rien arranger. Le gamin détestait sa famille, évidemment, comme vous pouvez bien le penser, docteur, être fils d'un général prussien et faire le clown ! En même temps, il y avait bien en lui quelque chose d'aristocratique.

Il m'a aussi inondé de paroles avec sa passion pour l'occultisme, la magie noire, ses interminables considérations sur Abraxas et la religion gnostique, et je l'écoutais pourtant, d'abord parce qu'il donnait du charme à tout ce qu'il disait, mais aussi parce que je me suis toujours demandé s'il n'y avait pas, dans ces savoirs étranges, des explications du destin de Punch. Il avait une théorie sur le rapport entre l'art du cirque et l'occultisme. Selon lui, les clowns, les mimes, les acrobates perpétuaient sans le savoir de très anciens rituels, qui venaient de religions antiques, et sans doute, au-delà, de croyances primitives. Ils avaient pour fonction de se concilier les déités du chaos, au bénéfice des hommes, en leur accordant un peu de désordre, un peu de cruauté et de destruction. Ils mettaient en figures le chaos primitif, et celui qui aurait pu s'y initier aurait pu déchiffrer des signes et des symboles dans leurs mouvements. C'est pourquoi il avait été passionné par mes histoires, par mes souvenirs des spectacles cruels des Helquin, qui renouaient, selon lui, avec les cérémonies sacrificielles des temps anciens.

Il a continué à travailler ses numéros de mime comme si cette soirée n'avait jamais existé, et puis, après quelques mois, il est parti. Il m'a d'abord manqué, puis je l'ai oublié. Mais je ne savais pas à quel point j'avais été important pour lui, je l'apprendrais plusieurs années plus tard.

Je suis resté plusieurs années en Allemagne, et la guerre m'y a bloqué. Les gens allaient moins au spectacle, mais comme les hommes étaient au front, on avait besoin de bras. J'avais encore de la force, même si j'avais dépassé les soixante-cinq ans. J'ai labouré et moissonné à travers toute la Bavière. Et je sais pourquoi vos argousins m'ont alpagué. C'est à cause de l'histoire qui s'est passée en Bavière, n'est-ce pas ? Les Boches n'ont jamais résolu ça, mais ils n'ont pas cessé de chercher, année après année, comme des limiers, la truffe dans les traces de sang. Ils ont mis le temps, mais ils ont retrouvé la piste de Punch. Ils avaient mon signalement. Un colosse d'origine britannique, vagabond, artiste de cirque, valet de ferme, vous pouvez faire confiance aux Boches, rien ne leur échappe. Ils se sont bien doutés que j'avais quitté l'Allemagne. Pour l'Angleterre ? La France ? L'Occupation leur a facilité le travail. Ils sont les maîtres ici, nos flics leur obéissent au doigt et à l'œil. Je n'ai rien voulu leur dire, mais finalement, tiens, je vais vous expliquer.

En 1922, je travaillais dans une grosse ferme, du côté d'Ingolstadt. Comment s'appelait ce bled ? Kaifeck. C'est ça, Kaifeck. Un hameau, quelques fermes. Il y avait bien des années que la marchande d'oubli ne se manifestait plus. Punch avait la paix. Le mois de mars arrivait, on avait fini de semer l'orge, on coupait du bois. Toute la campagne était sous la neige. Les voisins, les Gruber, avaient mauvaise réputation. Le père Gruber avait été condamné, pendant la guerre, pour inceste avec sa fille. Enfin, il s'était fait pincer en train de la violer. Dans ces campagnes, c'était monnaie courante, croyez-moi, mais on n'en parlait pas. C'est ce qu'on appelle les braves gens, docteur. La fille Gruber, Victoria, était veuve, son mari avait disparu en 14. La petite fille de sept ans, ça pouvait passer, mais le fils de deux ans, on ignorait d'où il sortait. On disait qu'il était le fruit des œuvres de son père. Ou alors de son amant, Lorenz, le propriétaire de la ferme où je travaillais.

La servante en racontait, sur cette maison, dès qu'on la faisait parler, au marché, derrière un petit verre de schnaps. Punch s'en faisait un plaisir. Elle a fini par filer, au début de l'automne, en proclamant qu'elle n'en pouvait plus, que la maison était hantée, qu'on entendait des pas dans le grenier, que des objets disparaissaient, que les clés avaient été volées. Elle ajoutait que le mari n'était peut-être pas mort sur le front. Elle jurait l'avoir aperçu, plusieurs fois, rôdant autour de la ferme Gruber.

Victoria n'était plus une jeune fille, mais elle avait cet air innocent et rêveur qui émeut tant le vieux Punch. Et lui aussi, comme le fantôme du mari, il rôdait autour de la ferme, entre chien et loup. Parfois il croisait Victoria, toute seule, à la lisière de la forêt, où elle allait calmer ses querelles avec son père, ou avec on ne sait qui. Il engageait la conversation. Mais elle avait peur. Punch essayait de la rassurer, lui proposait de lire dans les lignes de sa main, et autres fariboles, mais un soir où Punch s'est montré un peu trop entreprenant, elle a poussé un cri et s'est enfuie. C'était, si je me souviens bien, car c'est bien vieux, pas loin de vingt ans, la veille ou l'avant-veille du massacre. Punch craignait qu'elle aille faire des histoires auprès de son père, ou pire encore auprès de Lorenz.

Il faut savoir, docteur, que durant toute cette période, Punch ne se sentait pas bien. Il se réveillait, à l'aube, épuisé comme s'il avait lutté toute la nuit, la tête alourdie d'un poids exorbitant de cauchemars. Même, une nuit, il a repris conscience dehors, debout, pieds nus dans la neige, en chemise, au pied d'un vieux noyer qui ombrageait les abreuvoirs.

Le vieux Gruber et sa femme prétendaient, peu de temps avant le massacre, avoir vu des traces de pas dans la neige, qui venaient de la forêt et menaient à leur grange, avoir trouvé sur une table un journal que personne n'avait acheté et que personne ne lisait dans le hameau, et autres bizarreries.

Pendant quelques jours, pas la moindre nouvelle des Gruber. Personne à l'église pour la messe du dimanche, qu'ils ne manquaient jamais. La gamine n'était pas présente à l'école. Lorenz et son fils sont venus aux nouvelles. Toute la famille avait été massacrée, Victoria, ses parents, la nouvelle servante arrivée juste la veille, même les enfants, la petite fille et le marmot dans son berceau, à coups de pioche. Six personnes.

J'ai eu peur. Peur de la police, bien sûr, je n'étais qu'un valet de ferme, c'est sur eux que ça retombe, surtout un étranger, dont on ne savait pas très bien s'il était français ou anglais. Le coupable idéal.

Mais surtout, alors que la petite marchande d'oubli s'était tenue tranquille durant toutes ces années, j'ai eu peur qu'elle ne se soit réveillée. Je m'étais séparé d'elle, après avoir retrouvé Thalia, Punch avait repris le dessus et l'avait reléguée depuis longtemps dans une partie éloignée de l'édifice, dans une pièce bien fermée, au bout de longs couloirs poussiéreux ; dans mon idée, elle s'était recroquevillée là, momifiée au fond d'un vieux fauteuil. Mais qui sait si elle ne profitait pas de mon sommeil pour s'aventurer dans les pièces où je vivais ? Qui sait si mon corps et mon esprit n'étaient pas devenus la marionnette de la marchande d'oubli ? Je ne le saurai jamais. Elle était si puissante, docteur, et remplie d'un idéal qui me ravissait, m'emportait au-delà de moi-même et parfois me faisait peur, me donnait le vertige. Peut-être n'avait-elle rien à voir avec l'holocauste de Kaifeck. D'ailleurs ce n'étaient pas ses méthodes, le massacre d'une famille à coups de pioche. Ça manquait, comment dirais-je ? d'intimité, de finesse, de délicatesse. Mais va savoir, avec la marchande d'oubli. Elle fait bien ce qu'elle veut. Cette incertitude me tourmentait.

La nuit qui a suivi la découverte du carnage, j'ai enterré, au fond de la forêt, bien profond, mon baluchon, qui m'avait toujours accompagné, avec ma vieille pelisse, mes souvenirs, mes boîtes et mes bocaux. Je me disais que c'était peut-être ce qui attirait la marchande d'oubli. Et j'ai filé. J'ai vagabondé un peu, mendié pas mal, traversé les frontières à la sauvette. Je suis revenu à Paris.

Mon disciple ? Oui, de plus en plus, voyez-vous, je m'égare dans mes soliloques, je bavarde, je bavarde. Que voulez-vous, docteur, vous me rappelez tellement cet autre docteur à qui j'ai parlé, parlé sans cesse. Ça libère, ça fait du bien. Et je me flatte d'être un beau cas. Donc, mon disciple. J'y viens.

À Paris, je n'avais plus les moyens de faire le fort des halles. J'étais encore imposant, mais j'accusais soixante-quatorze ans, je fatiguais plus vite. Aucun cirque n'a voulu de moi. J'ai fait le chiftir. J'ai ramassé, dans les tas d'ordures, avec un crochet, ce qui pouvait encore se revendre, les vieux chiffons bien sûr, mais aussi les os, le crottin de cheval, les débris de verre, les croûtons de pain. J'arrivais à faire deux ou trois francs par jour. Mais il y avait de la concurrence, des territoires, des bagarres. Casser des gueules commençait à me fatiguer. J'ai tondu des chiens, j'ai été cueilleur d'orphelins, oui, vous ne connaissez pas ça, docteur, vous n'avez aucune idée de tout ce qu'on peut faire pour survivre. Cueilleur d'orphelins, ça veut dire ramasser des mégots pour revendre le tabac, oui, avec un petit crochet, jusque sous les tables des cafés où les clients boivent leur bock, sans même vous regarder. J'ai fait aboyeur devant les théâtres pour annoncer le programme, j'ai vendu du mouron pour les petits oiseaux, j'ai été employé par des cabarets pour raccompagner les ivrognes chez eux sans qu'ils se fassent détrousser. J'avais le physique de l'emploi.

À mes heures perdues, j'aimais traîner chez WH Smith, vous savez, la grande librairie anglaise de la rue de Rivoli. Ça me rappelait le pays. Les vendeurs me regardaient d'un sale œil pendant que je tripotais les bouquins. Mais il suffisait que je les fixe pour qu'ils ferment leur clapet. Parfois, quand j'étais en fonds, je m'offrais un ouvrage. Bref, un jour de 1922, quelques mois après mon retour, j'étais en train de badauder dans les rayons de

WH Smith – il y avait aussi de très jolies femmes, dans la librairie – et je tombe en arrêt devant un livre. Une nouveauté. Un livre d'art. Ce n'était pas une publication britannique, l'éditeur était Georges Crès. La couverture portait : « Oscar Wilde, *Salomé*, drame en un acte ». Ça, c'était du connu. Les Helquin avaient joué une pantomime sur Salomé, et quelques années plus tard, Wilde avait publié cette pièce en français. Mais la couverture précisait aussi : « Dessins d'Alastair ».

Dessins d'Alastair !

Je l'ai acheté, même s'il était cher. Pour l'occasion, WH Smith avait ressorti deux autres livres, l'un publié à Londres en 1914, *Forty-Three Drawings by Alastair*, l'autre publié plus tard, toujours à Londres : *The Sphinx*, par Oscar Wilde, « *illustrated and decorated by Alastair* », je me souviens parfaitement de cette mention, comme toutes les images me sont restées dans la mémoire. C'était très inspiré de Beardsley, comme si l'illustrateur s'attardait à la fin du siècle dernier, et sans doute cela contribuait à mon ravissement, c'était l'atmosphère de mes belles années, à Londres et à Paris.

Ah, docteur, ces images, c'était exactement Alastair, Alastair qui vous parle en ce moment même, c'était Punch tel qu'il s'était toujours rêvé, ce mélange subtil de cruauté et de délicatesse, ces courbes qui avaient la souplesse de la pantomime acrobatique ; les personnages représentés paraissaient faire leur numéro, oui, c'étaient des clowns, des clowns féroces et douloureux, sauvages et raffinés. Je me souviens d'un Christ, long et maigre, androgyne, la bouche maquillée de noir comme un histrion, vêtu seulement d'une résille de sang qui enlaçait tendrement ses jambes et son côté gauche percé par la lance, on ne voyait pas de croix, ce supplicié était en fait crucifié à la nuit, qui occupait l'essentiel de l'image, à part une lune énorme, couleur de meurtrissure, et les dernières phrases du livre résonnent encore dans la mémoire de Punch :

leave me to my crucifix, whose pallid burden, sick with pain, watches the world with wearied eyes, And weeps for every soul that dies, and weeps for every soul in vain[52]

Ce texte magnifique, où le poète congédie la sphinge et toutes les merveilles venimeuses de l'Antiquité, pour rester avec ce misérable supplicié, ce « fardeau blême », qui meurt en vain, j'y voyais la représentation d'une vie d'artiste, avec tous ses prestiges évanouis, et dont la seule vérité est l'ultime sacrifice, pour des âmes qu'il ne sauvera pas. N'était-ce pas la vérité de Punch, docteur ? Et il a dévoré la *Salomé* de Wilde, qu'il ne connaissait pas. Il a compris qu'elle était pour lui, cette pièce qui commence ainsi, je l'ai apprise par cœur :

Regardez la lune. La lune a l'air très étrange. On dirait une femme qui sort d'un tombeau. Elle ressemble à une femme morte. On dirait qu'elle cherche des morts.

Elle a l'air très étrange. Elle ressemble à une petite princesse qui porte un voile jaune, et a des pieds d'argent. Elle ressemble à une princesse qui a des pieds comme des petites colombes blanches… On dirait qu'elle danse[53].

Celui qui avait écrit ce texte ne pouvait pas ignorer les intimations de la lune. Il connaissait ses charmes et ses enchantements.

Punch voulait à tout prix savoir qui se cachait sous ce pseudonyme d'« Alastair ». Les libraires de WH Smith n'en savaient rien. Je me suis décidé à écrire à Georges Crès, l'éditeur, en me faisant passer pour un collectionneur d'art qui voulait joindre l'artiste. Car j'avais une adresse. Un ferrailleur, un Cantalien, me louait, sous le manteau, rue de Bièvre, un galetas au quatrième étage, sans eau ni lumière, soixante francs par an. Et la réponse est arrivée. Alastair était le pseudonyme de Hans-Henning von Voigt. Difficile à joindre, disait la lettre, toujours en voyage, entre la France, l'Allemagne, la Suisse, l'Angleterre et l'Amérique. Crès voulait bien prendre un mot pour lui, qu'il lui remettrait dès qu'il se manifesterait. J'ai laissé tomber.

Punch était bouleversé, docteur. Il avait donc été, pour ce gamin trop doué, une espèce de modèle, de père spirituel. Et peut-être que ses admirables dessins s'en ressentaient un peu, oui, Punch le sentait, il l'avait d'emblée senti, ces dessins c'était lui, lui tel qu'il pouvait se libérer de lui-même, ou plutôt ne plus se sentir comme un fardeau, comme, jadis, dans les rêves qu'il faisait au sein des décombres de la maison calcinée, libéré de son propre poids, livré à la lune accueillante.

Je ne vous dirai pas que l'épisode de Kaifeck et celui de von Voigt ont complètement changé Punch, mais la marchande d'oubli, du moins le croit-il, ne s'est plus manifestée que dans ses rêves, et parfois encore, elle lui murmure à l'oreille, tout doucement, mais Punch ne l'écoute plus autant qu'auparavant. Si si, je vous assure, je ne cherche pas à me blanchir avec ces histoires. Mais vous en croirez ce que vous voudrez.

Pour le reste, peu de choses à vous dire, la vieillesse et la misère, vous savez ce que c'est. En tout cas vous la fréquentez. J'avais perdu la trace de Thalia, et je ne désirais pas la revoir. J'aime bien récupérer de vieux journaux, et en lire chaque ligne, me gaver de nouvelles obsolètes, je n'en perds pas une miette, jusqu'à la rubrique nécrologique, qui a pour moi des charmes. Il y a quelques années, je suis tombé par hasard, dans *Le Journal*, un numéro vieux de huit jours, mais je l'ai gardé précieusement, sur un faire-part de décès, celui du docteur Charles Louvel, ancien médecin aliéniste, décédé à son domicile, rue Bleue, dans sa soixante-dix-neuvième année. Une petite rue, facile à draguer. Évidemment, les obsèques avaient déjà eu lieu. L'appartement de la rue Bleue était fermé, en instance de déménagement d'après la concierge. Qui m'a confié aussi que « la petite dame » qui habitait là n'avait plus toute sa tête depuis un an ou deux, le docteur s'occupait d'elle, mais à sa mort elle avait dû être placée. Et Punch a fait les hospices, docteur, car il se sentait tout à coup responsable de sa petite sœur.

Vous aimez bien faire parler Punch, docteur. C'est un beau cas, celui de Punch, n'est-ce pas ? Il donnera une belle étude, il sera classifié, comme on range sur les étagères les crânes bizarrement conformés des assassins célèbres. Dans quelle catégorie allez-vous le mettre ? Et comment allez-vous faire ? Il y a foule, dans le vieux Punch, docteur. C'est tout un théâtre, avec ses marionnettes peintes. Punch est une marionnette parmi les autres. Le premier rôle, si vous voulez, mais une marionnette. Ce qui serait vraiment intéressant, ce serait de connaître le marionnettiste. Mais il reste toujours caché, forcément.

Vous tenez Punch à cause de ses visites à Thalia. Je me doutais bien que la police avait ses mouchards dans l'hôpital, et Punch est facile à identifier. Et voyez-vous, ça m'est égal. Enfin tout de même, docteur, quatre argousins pour une épave plus que nonagénaire, c'est exagéré. Ah, c'est plus facile d'arrêter un vieux clown que d'arrêter les Fridolins. Jadis, je les aurais dispersés dans l'air, tous les quatre. Je ne suis plus le grand reptile que j'étais. Punch n'est plus qu'un vagabond cacochyme qui n'a que le souvenir ébloui de sa petite sœur pour maintenir ce qui lui reste de désir. Et me voici enfermé à l'asile de fous, sans pouvoir revoir ma sœur. Je sais bien le sort qui m'est réservé. Et pourquoi pas ? Pourquoi pas devenir un monstre intéressant, le plus beau monstre de votre collection, devant lequel des savants à barbiche viendront se pencher d'un air grave ? Ça a au moins le mérite d'être amusant.

Mais ce qui m'inquiète, voyez-vous, c'est ce que va devenir Thalia. Plus personne pour surveiller ceux qui s'en occupent, ou plutôt qui ne s'en occupent pas, oui, vous savez très bien ce que je veux dire. Je l'ai déjà trouvée baignant dans ses urines. Plus personne pour éponger son front couvert de sueur, plus personne pour caresser doucement ses cheveux, ses cheveux aussi luxuriants que lorsqu'elle était gamine. Docteur, promettez au moins de vous en occuper. Promettez-le à Punch, Punch vous en supplie.

Et puis Punch n'a rien fait, vous le savez bien, docteur. Il a cherché sa petite sœur, à travers les années, à travers l'oubli. Il a vécu d'expédients, de petits travaux et de mendicité. Mais il n'a jamais fait de mal à personne. Son grand tort, docteur, c'est d'avoir une tête à faire peur. L'effrayante figure d'un Polichinelle atteint de gigantisme. C'est ce qui s'appelle avoir le physique de l'emploi. Vous savez bien, vous, qui a fait les choses qu'on reproche au pauvre Punch. Vous la connaissez, cette sainte-nitouche, cette fille à sa maman, avec ses airs de ne pas y toucher. C'est la petite marchande d'oubli qui a tout fait. Pas par méchanceté, docteur, je la connais bien, elle me parle souvent. C'est tout le contraire : elle l'a fait par innocence. Elle l'a fait par charité. Vous savez bien comme sont ces petites filles qui vous regardent de leurs grands yeux noirs : elles ne supportent pas la médiocrité des êtres. Elles en ont pitié. Et d'ailleurs la petite marchande d'oubli est une marionnette, elle aussi. Le marionnettiste tire les ficelles. Mais lui, vous ne le trouverez jamais.

Qui sait combien d'histoires Thalia a racontées, qui sait combien elle en racontera encore ? Punch n'a exploré qu'une partie de ces mondes qui vont s'accroissant, sans personne pour en recueillir la géographie. J'y ai reconnu, étrangement déformées, certaines choses que j'avais dites à celui qui les lui a rapportées, ce médecin avec qui elle a vécu, et d'autres que je n'avais pas dites, ou que j'avais oubliées peut-être, et qui me revenaient, c'était vertigineux parfois, j'avais le sentiment de n'avoir rien vécu, d'être celui qui était raconté par Thalia, ou plutôt celui dont la parole était racontée et inventée par Thalia, dans un emboîtement infini de voix et de discours. Vous l'avez écoutée ? Comme les gamins, elle adorait se faire peur, s'inventer des croquemitaines. Il m'est arrivé de me dire que Thalia était le marionnettiste. Mais allez savoir, docteur. Allez savoir si Punch n'est que la figurine en bois manipulée par la parole de sa sœur…

Punch a raconté des histoires au compagnon de Thalia qui les a racontées à Thalia qui les a racontées à Punch qui vous les raconte. Depuis des semaines que vous venez recueillir la parole du vieux Punch, cela vous fait de la matière, n'est-ce pas, matière de Bretagne, matière de France, matière de Germanie, matière du vieux Paris. Et vous, docteur, à qui allez-vous les raconter, ces histoires ? À votre maîtresse, le soir, au coin du feu, dans votre maison de campagne ? Et elle, à qui les racontera-t-elle ?

« Oublies ! Oublies ! Les bonnes oublies ! N'en mangez pas, mesdames, ça fait grossir ; n'en mangez pas, messieurs, ça fait mourir ! »

NOTES

1. « Je suis l'esprit de ton père,
condamné pour un certain temps à errer la nuit,
et, le jour, à jeûner dans une prison de flamme,
jusqu'à ce que le feu m'ait purgé des crimes noirs
commis aux jours de ma vie mortelle. S'il ne m'était pas interdit
de dire les secrets de ma prison,
je ferais un récit dont le moindre mot
labourerait ton âme, glacerait ton jeune sang,
ferait sortir de leurs sphères tes yeux comme deux étoiles,
déferait le nœud de tes boucles tressées,
et hérisserait chacun de tes cheveux sur ta tête
comme des aiguillons sur un porc-épic furieux.
Mais ces descriptions du monde éternel ne sont pas faites
pour des oreilles de chair et de sang… Écoute, écoute, oh ! écoute !
Si tu as jamais aimé ton tendre père… »
(William Shakespeare, *Hamlet,* scène 5, *Œuvres complètes,* trad. François-Victor Hugo, 1865-1872).

2. Émile Zola, « La pantomime », *Le Voltaire,* 9 septembre 1879 (à propos des Hanlon Lees).

3. *Les Pèlerins d'Emmaüs* de Rembrandt, première version, 1628, musée Jacquemart-André.

4. Inspiré de William Shakespeare, *Macbeth,* scène XVI, *Œuvres complètes, op. cit.*

5. En patois du pays de Lussaud, dans le Cantal : « Chez Joseph, il fait noir, nous n'avons pas d'imposte » (le *donadzour,* « donne du jour », est la partie vitrée, au-dessus de la porte, qui, dans les maisons traditionnelles, aux fenêtres étroites et enfoncées dans les murs profonds, dispense un

peu de lumière. *Tsa Dzouzé* ne désigne pas une personne, mais le nom de la maison, qui se perpétue de génération en génération.

6. La tête parlante, qui a bien existé, s'appelait en réalité Euphonia. Inventée par Joseph Faber, aux États-Unis, en 1845, elle a été présentée par Barnum à l'Egyptian Hall de Londres en 1846, puis a fait partie de ses attractions.

7. *La Complainte de la femme coupée en morceaux*, 1876.

8. « *M'introduire dans ton histoire / Comme un héros effarouché* » est le début d'un sonnet, sans ponctuation, publié par Mallarmé dans la revue *La Vogue* en 1886.

9. Gérard de Nerval, « Sylvie », *Revue des Deux Mondes*, 15 août 1853.

10. Richard von Krafft-Ebing, *Psychopathia sexualis*, Stuttgart, Ferdinand Enke, 1886.

11. *Beata Beatrix*, portrait d'Elizabeth Siddal en Béatrice de Dante, par Dante Gabriel Rossetti (1872).

12. Charles Baudelaire, « La chambre double », *Le Spleen de Paris*, 1869.

13. C'est la théorie développée dans « Sur le théâtre de marionnettes » de Kleist, publié en 1810 dans les *Berliner Abendblätter*, dont Alastair ne pouvait pas avoir connaissance.

14. « Oui, ce monstre incestueux, adultère,
par la magie de son esprit, par ses dons perfides
(oh ! maudits soient l'esprit et les dons qui ont le pouvoir
de séduire à ce point !), a fait céder à sa passion honteuse
la volonté de ma reine, la plus vertueuse des femmes en apparence… »
(William Shakespeare, *Hamlet*, scène 5, trad. François-Victor Hugo).

15. Charles Baudelaire, *Les Paradis artificiels*, 1860.

16. « Le soir vient,
Le brouillard recouvre la mer ;
Les vagues mugissent mystérieusement,
Une blancheur monte dans les hauteurs
La sirène émerge des flots,
Et s'assied avec moi, sur la plage ;
Ses seins blancs gonflent
Dans sa robe de voile.
Elle me presse et elle me serre
Presque à me faire mal.
Tu me serres trop fort belle fée de l'eau !
"Je te serre dans mes bras,
Je t'étreins de toute ma force ;

Je veux te réchauffer,
La soirée est si froide."
La lune paraît de plus en plus pâle
Entre les nuages bas.
Tes yeux sont humides et ternes,
Belle fée des eaux !
"Ils ne sont ni humides ni ternes,
Mes yeux ne sont ainsi,
Que lorsque je sors de l'eau,
Car il y reste une goutte."
Les mouettes ricanent lamentablement
La mer gronde et déferle.
Ton cœur bat follement
Belle fée des eaux !
"Mon cœur bat follement
Il palpite avec violence
Parce que je t'aime indiciblement
Fils aimé des hommes !"
(Heinrich Heine, *Le Livre des chants,* « Le retour », 1824.)

17. « Le sonnet est le monument d'un moment
Mémorial consacré par l'éternité de l'âme
À une immortelle heure morte. »
(Dante Gabriel Rossetti, « Le sonnet », *Ballads and Sonnets,* Londres, Ellis and White, 1881.)

18. « *Un homme qui ne craint pas le néant*
Dansera sa vie le long des gouffres et rira »
(Vers anglais de l'auteur de ce livre).

19. Pantomime décrite par Baudelaire dans *De l'essence du rire, Œuvres complètes,* t. I, « Bibliothèque de la Pléiade », dir. André Guyaux, Gallimard, 2024.

20. Toutes ces pantomimes ont été réellement mises en scène, à la fin du XIXe siècle, par la troupe des frères Hanlon Lees.

21. Dante, *L'Enfer,* chant IV, dans la traduction anglaise de Henry Cary, *The Vision, or Hell, Purgatory, and Paradise, of Dante,* 1814. Texte original : « *Vero è che in su la proda mi trovai / della valle d'abisso dolorosa / de tuono accoglie d'infini guai* ». Traduction française de Lamennais (1833) : « Je me trouvai sur le bord de l'abîme de douleur, où retentit le tonnerre d'infinis hurlements ».

22. « Allongée, dans une robe blanche comme neige,
Flottant librement çà et là
Les feuilles tombant sur elle doucement

À travers les bruissements de la nuit
Elle descendit le courant jusqu'à Camelot
Et tandis que l'étrave serpentait
Parmi les collines couvertes de saules et les champs
On l'entendit chanter son dernier chant
La Dame de Shalott. »
(Alfred Tennyson, « The Lady of Shalott » (seconde version du poème), *Poems*, Londres, Moxon, 1842.)

23. « La cloche du couvre-feu sonne le glas du jour finissant
Le troupeau mugissant va lentement par les prés
Le laboureur fatigué s'en retourne à pas lourds au foyer
Et laisse le monde aux ténèbres et à moi. »
(Thomas Gray, *Elegy Written in a Country Churchyard*, Londres, Robert Dodsley, 1751.)

24. « Vous, sylphes des collines, des ruisseaux, des étangs et des halliers,
et vous qui, d'un pas sans empreinte, allez sur les plages
chassant Neptune, quand il se retire, et le fuyant,
quand il revient ; vous, petits lutins, qui,
au clair de lune, faites dans la verdure ces cercles âcres
où la brebis ne mord pas, vous dont le passe-temps
est de produire les champignons de minuit, et qui vous réjouissez
d'entendre le solennel couvre-feu »
(William Shakespeare, *La Tempête*, 1611, trad. François-Victor Hugo).

25. « LAERTES : Noyée ! Oh ! où donc ?

LA REINE : Il y a en travers d'un ruisseau un saule qui mire ses feuilles grises dans la glace du courant. C'est là qu'elle est venue, portant de fantasques guirlandes de renoncules, d'orties, de marguerites et de ces longues fleurs pourpres que les bergers licencieux nomment d'un nom plus grossier, mais que nos froides vierges appellent doigts d'hommes morts. Là, tandis qu'elle grimpait pour suspendre sa sauvage couronne aux rameaux inclinés, une branche envieuse s'est cassée, et tous ses trophées champêtres sont, comme elle, tombés dans le ruisseau en pleurs. Ses vêtements se sont étalés et l'ont soutenue un moment, nouvelle sirène, pendant qu'elle chantait des bribes de vieilles chansons, comme insensible à sa propre détresse, ou comme une créature naturellement formée pour cet élément. Mais cela n'a pu durer longtemps ; ses vêtements, alourdis par ce qu'ils avaient bu, ont entraîné la pauvre malheureuse de son chant mélodieux à une mort fangeuse.

LAERTES : Hélas ! elle est donc noyée ?

LA REINE : Noyée, noyée. »

(William Shakespeare, *Hamlet*, trad. François-Victor Hugo.)

26. Émile Augier, *Les Effrontés*, comédie en cinq actes en prose, Michel Lévy, 1861, première au Théâtre-Français, le 10 janvier 1861.

27. Émile Durandeau, *Les Quatre Intrigants, ou Suites funestes des amours occultes d'une princesse désordonnée, ou le Fâcheux État de la péninsule avant Christophe Colomb et ses découvertes,* pantomime en un acte, musique d'Hervé, 1860.

28. Charles Baudelaire, *Richard Wagner et* Tannhäuser *à Paris,* Dentu, 1861.

29. « Que dire de son miroir sans elle ? Il est vide et terne
Comme l'étang privé du visage de la lune.
Son vêtement sans elle ? L'espace vide et agité
Par la course des nuages lorsque la lune a disparu.
Ces sentiers sans elle ? L'empire assigné au jour
Usurpé par la nuit lugubre. Sa couche
Sans elle ? Des larmes, pauvre de moi !
Pour le pauvre amour et le froid oubli du jour ou de la nuit. »

(Dante Gabriel Rossetti, « Sans elle », trad. Clémence Couve, *La Maison de vie,* Lemerre, 1887.) Le recueil dont provient ce poème (*Poems,* Londres, F.S. Ellis, 1870) contient les textes enterrés avec Elizabeth Siddal à sa mort.

30. « [...]
Les morts, les pauvres morts, ont de grandes douleurs,
Et quand Octobre souffle, émondeur des vieux arbres,
Son vent mélancolique à l'entour de leurs marbres,
Certe, ils doivent trouver les vivants bien ingrats,
À dormir, comme ils font, chaudement dans leurs draps,
Tandis que, *dévorés de noires songeries,*
Sans compagnon de lit, sans bonnes causeries,
Vieux squelettes gelés travaillés par le ver,
Ils sentent s'égoutter les neiges de l'hiver
[...] »

(Charles Baudelaire, « La servante au grand cœur », *Les Fleurs du Mal,* 1857.)

31. « À toute âme éprise et à tout noble cœur
À qui parviendra ceci
Afin qu'ils m'en retournent leur avis,
Salut dans la personne de leur Seigneur, c'est-à-dire l'Amour.
Déjà étaient passées les heures
Où les étoiles brillent de tout leur éclat,
Quand m'apparut tout à coup l'Amour

Dont l'essence me remplit encore de terreur.
L'Amour me paraissait joyeux.
Il tenait mon cœur dans sa main
Et dans ses bras une femme endormie et enveloppée d'un manteau.
Puis il la réveillait et, ce cœur qui brûlait,
Il le lui donnait à manger, ce qu'elle faisait, craintive et docile.
Puis je le voyais s'en aller en pleurant. »
(Dante Alighieri, *Vita Nuova,* trad. Maxime Durand-Fardel, Fasquelle, 1898.)

32. Joris-Karl Huysmans et Léon Hennique, *Pierrot sceptique,* Rouveyre, 1881.

33. Albert Giraud, « Suicide » et « Pierrot cruel », *Pierrot lunaire,* Lemerre, 1884.

34. Crème blanche cosmétique employée au XIXe siècle, qui rosit au contact de la peau (voir J.-K. Huysmans, *À rebours,* « Folio classique », éd. Pierre Jourde, p. 200-201, note 1).

35. Charles Baudelaire, « Une martyre », *Les Fleurs du Mal.*

36. Texte de la prière eucharistique avant les réformes liturgiques de Vatican II : « Ceci est le calice de mon sang, le sang du testament nouveau et éternel, suivant le mystère de la foi, qui sera versé pour vous et pour la multitude en rémission des péchés. »

37. C'est l'hypothèse que Borges attribue au théologien imaginaire Nils Runeberg, dans *Fictions.*

38. Robert Caze, « Sonnet », *Les Poèmes de la chair,* André Sagnier, 1873.

39. Jean Richepin, « Berceuse », *La Chanson des gueux* [Librairie illustrée, 1876], Maurice Dreyfous, 1881.

40. Charles Cros, « Intérieur », *Le Coffret de santal,* Lemerre, 1873, édition augmentée, Tresse, 1879.

41. Jules Laforgue, « La chanson du petit hypertrophique », *Œuvres complètes – poésie,* Mercure de France, 1903.

42. Léon Dierx, « La nuit de juin », *Les Lèvres closes,* Lemerre, 1867.

43. Tristan Corbière, « Rondel », *Les Amours jaunes,* Glady frères, 1873.

44. Carl Gustav Carus, *Psyche. Zur Entwicklungsgeschichte der Seele,* Pforzheim, Flammer und Hoffmann, 1846.

45. Eduard von Hartmann, *Philosophie des Unbewussten* (*Philosophie de l'inconscient*), Berlin, Carl Duncker, 1869.

46. « Solomon Grundy,
Né un lundi,
Baptisé le mardi,
Marié le mercredi,
Tombé malade jeudi,

Son état s'est empiré vendredi,
Mort samedi,
Enterré dimanche.
Ce fut la fin
De Solomon Grundy. »

« Humpty Dumpty était assis sur un mur,
Humpty Dumpty a fait une grosse chute ;
Soixante hommes et soixante de plus,
Furent incapables de le remettre en place. »

« Qui a tué le Rouge-gorge ?
Moi, dit le Moineau,
Avec mon arc et mes flèches,
J'ai tué le Rouge-gorge.
Qui l'a vu mourir ?
Moi, dit la Mouche,
Avec mon petit œil minuscule,
Je l'ai vu mourir.
Qui a recueilli son sang ?
Moi, dit le Poisson,
Avec mon petit plat
J'ai recueilli son sang. »

47. « Arthur O' Bower a dissous sa bande
Il vient en rugissant à travers le pays
Le roi d'Écosse avec toute sa puissance
Ne peut détourner Arthur du Joker. »

48. *L'Académie des dames,* Venise, Pierre Arretin, s.d. La première version de ce texte érotique s'intitule *Aloisiae Sigae Satyra Sotadica* (env. 1660), texte latin faussement attribué à Louisa Sigea, une poétesse de Lisbonne, son véritable auteur étant Nicolas Chorier (1612-1692). Le texte a connu d'innombrables éditions en latin et en français.

49. Pascal, *Pensées,* édition de Port-Royal, 1678, p. 273-274.

50. Ce fut le sort réservé à la princesse de Lamballe lors du massacre des prisonniers détenus dans les geôles parisiennes, en septembre 1792.

51. Le 27 juillet 1884.

52. « Laisse-moi à mon crucifix, dont le fardeau blême, accablé de douleur, contemple le monde de ses yeux las, et pleure pour chaque âme qui meurt, et pleure pour chaque âme en vain. » (Oscar Wilde, *La Sphinge,* Londres, John Lane, 1920.)

53. Oscar Wilde, *Salomé,* Librairie de l'art indépendant, 1893, p. 9-10.

NOTE DE L'AUTEUR

Ce roman s'inspire très librement de la vie et de la carrière des Hanlon Lees, clowns-acrobates anglais du XIXe siècle. De même, les chapitres « Thalia 13 » et « Thalia 14 » s'inspirent de la vie d'Elizabeth Siddal (1829-1862), peintre, poétesse, modèle et compagne du peintre et poète Dante Gabriel Rossetti.

Les cas de léthargie de plusieurs années, comme celle dont est affectée l'héroïne de ce livre, sont répertoriés par la médecine du XIXe siècle. James B. Harris en donne une version poétique, qui se déroule dans le monde de la foire, dans son film *Some Call it Loving*.

REMERCIEMENTS

Je remercie Antoine Compagnon de m'avoir communiqué sa note de l'édition des *Œuvres complètes* de Baudelaire dans la Pléiade, concernant la troupe de pantomime anglaise vue par Baudelaire au théâtre des Variétés en 1842, ainsi qu'André Guyaux, qui a dirigé cette édition.

Je remercie Hélène Védrine de m'avoir fait découvrir l'artiste allemand Alastair, alors que l'essentiel de ce roman était déjà rédigé et que le personnage principal se prénommait déjà Alastair.

Je remercie Olivier L'Hostis pour sa relecture attentive.

LA MARCHANDE D'OUBLIES

DU MÊME AUTEUR

Aux Éditions Gallimard

CARNETS D'UN VOYAGEUR ZOULOU DANS LES BANLIEUES EN FEU, 2007.

LE TIBET SANS PEINE, 2008, « Folio » n° 5005. Prix du livre de montagne.

PARADIS NOIRS, 2009, « Folio » n° 5804.

LE MARÉCHAL ABSOLU, 2012. Prix Virilo.

LA PREMIÈRE PIERRE, 2013, « Folio » n° 5927. Prix Jean Giono 2013.

WINTER IS COMING, 2017, « Folio » n° 6558.

LE VOYAGE DU CANAPÉ-LIT, 2019, « Folio » n° 6803. Prix Vialatte.

IN ABSENTIA, 2020, « Tracts de crise » n° 15.

CROIRE EN DIEU. POURQUOI ?, 2022, « Tracts » n° 41.

Chez d'autres éditeurs

GÉOGRAPHIES IMAGINAIRES, Corti, 1991.

HUYSMANS : À REBOURS, L'IDENTITÉ IMPOSSIBLE, Champion, 1991.

L'ALCOOL DU SILENCE, Champion, 1994.

BOUTS DE MONDE (illustrations de Barrie Hastings), Le Quai, 1995.

L'OPÉRETTE MÉTAPHYSIQUE D'ALEXANDRE VIALATTE, Champion, 1996.

CARNAGE DE CLOWNS, L'Harmattan, 1999.

EMPAILLER LE TORÉADOR, Corti, 1999.

DANS MON CHIEN, Parc, 2002.

LA LITTÉRATURE SANS ESTOMAC, L'Esprit des péninsules, 2002. Prix de la critique de l'Académie française.

PETIT DÉJEUNER CHEZ TYRANNIE, avec Éric Naulleau, La Fosse aux ours, 2003.

PAYS PERDU, L'Esprit des péninsules, 2003. « Folio » n° 7017. Prix Générations.

HAÏKUS TOUT FOUTUS (illustrations de Kristian Desailly), Voix d'encre, 2004.

VISAGES DU DOUBLE, avec Paolo Tortonese, Armand Colin, 2005.

LITTÉRATURE ET AUTHENTICITÉ, L'Esprit des péninsules, 2005.

FESTINS SECRETS, L'Esprit des péninsules, 2005. Prix Thyde Monnier de la SGDL, prix Renaudot des lycéens, prix Valery Larbaud.

L'ŒUVRE DU PROPRIÉTAIRE, L'Archange Minotaure, 2006.

Suite des œuvres de Pierre Jourde en fin de volume